SCHADUW VAN IJS

TANITH LEE

SCHADUW VAN IJS

DE LEOWULF-TRILOGIE

- EERSTE BOEK -

Oorspronkelijke titel *Cast a Bright Shadow*

Vertaald door Raquell Abbutt, IWACC
Omslagillustratie Jody A. Lee (via Agency Schlück GmbH)

Eerste druk juli 2005

Uitgeverij M is een imprint van De Boekerij bv, Amsterdam

ISBN 90 225 4249 1 / NUR 334

Dit boek is in de eerste plaats voor Jean Holden – die me al vertelde dat ik het zou schrijven toen ik het zelf nog lang niet wist.
Maar het is ook voor de geweldige schrijfsters Cecilia Dart-Thornton en Liz Williams, wier werk mij zoveel genoegen gaf, en hoop voor de toekomst van fantasy en essef.
Ook is het, zoals heel vaak, voor mijn echtgenoot en partner John Kaiine.
En, lest best gaat mijn speciale dank uit naar *Wolfshead and Vixen* Morris.

Noot bij de vertaling uit de oorspronkelijke tekst

Het verhaal in dit boek is een naar hedendaagse taal omgezette tekst. Dat houdt in dat er waar dat zo uitkomt 'hedendaagse' woorden worden gebruikt als bijvoorbeeld *schizofreen*, of ook wel uitdrukkingen uit andere moderne talen zoals *faux pas*. Die methode is gebruikt om recht te doen aan de syntaxis van de oorspronkelijke boekrollen, die in een voor hun tijd moderne stijl zijn geschreven, en uitdrukkingen en zinsneden uit vele landstreken en vreemde talen bevatten.

Net als in de oorspronkelijke tekst zijn namen met vertaalbare betekenissen min of meer vernederlandst. Ook zijn sommige benamingen een combinatie van een exact overeenkomend Nederlands woord met een deel van de oorspronkelijke benaming als die zich niet eenduidig laat vertalen, zoals in het geval van de Rukarse feniks, de vuurfex.

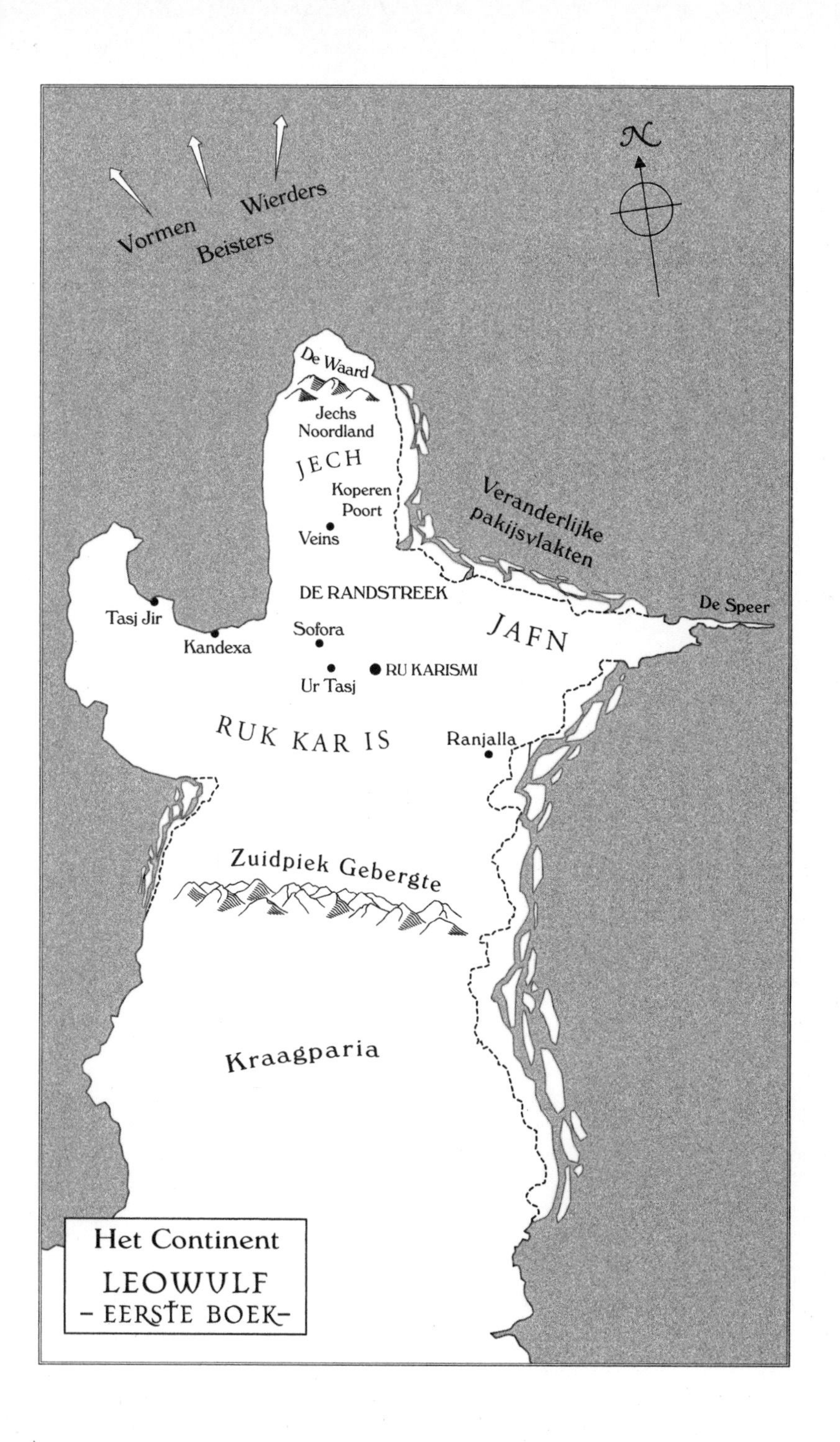

Vormen
Beisters
Wierders
N
De Waard
Jechs
Noordland
JECH
Koperen
Poort
Veins
Veranderlijke
pakijsvlakten
DE RANDSTREEK
De Speer
Tasj Jir
Kandexa
Sofora
JAFN
Ur Tasj
RU KARISMI
RUK KAR IS
Ranjalla
Zuidpiek Gebergte
Kraagparia
Het Continent
LEOWULF
- EERSTE BOEK-

In welke verten diep of hoog
Brandden de vuren van uw oog?
Wat is de vleugel die zijn streven draagt?
Welke de hand die het vuur grijpen waagt?

William Blake
Liederen van Beleving. De Tyger

Eerste Deel

JUWEEL VAN VUUR EN HART VAN IJS

De toekomst is altijd scherper zichtbaar dan verleden of heden

Zegswijze van de Magikoi van Ruk Kar Is

EEN

Rode lucht raakte wit land. Daar tussenin lag de stad.

Voortijlend over de Koningsmijl, de grote ijssnelweg die uit het zuiden naar Ru Karismi leidde, staarde de tovenaar met zijn arendsogen strak voor zich uit. In de zonsondergang zag de stad eruit zoals altijd, en zoals hij misschien wel voor altijd was bedoeld. Elke muur en toren, elk balkon en dak dat erboven zichtbaar was, leek wel met een scheermes uit de omringende sneeuw gesneden.

Sryf stond met zijn lange lijf schrapgezet op de voortrazende arrenslee. Het span gehoornde wimperherten leek wel te vliegen en de glijribben van het voertuig raakten amper het wegoppervlak. Waren er zo laat nog lui buiten geweest, dan hadden ze het met open mond nagestaard omdat ze dit soepel glijdende ding herkenden als het vehikel van een heer of een der magikoi; weinig anderen konden zoiets krachtigs de baas. Maar de sneeuwvelden waren leeg op dit late uur, terwijl de boerenplaatsen aan de uiterste rand van de stad louter herkenbaar waren aan een rokerig waas of een door snelheid versmeerde lichtstreep.

De zon flakkerde en verdween ineens achter de horizon. Op de heuvels blikkerden de parasols van gekleurd glas nog even robijnrood en diamantwit om vervolgens uit te doven. Een halve minuut later bereikte Sryf de buitenste stadsmuur.

Boven de Zuidpoort vlamden lichttoortsen. De poort stond wijd open – ze hadden hem zien aankomen. Hij werd vanzelfsprekend niet aangehouden en Sryf liet uit niets blijken dat hij de poortwachters had zien groeten. Hij suisde door de poort en over de steile straten van de stad naar de Trap. Daar hield hij alleen even halt om zijn ar tot stilstand te brengen en uit te stappen. De meeste mensen namen even de tijd om op adem te komen voor ze aan de klim begonnen, en hogerop nog een keer. Maar Sryf beklom de duizend witmarmeren treden tussen de duizend diagonaal opgestelde stalen beelden zonder ook maar één keer te stoppen om op adem te komen of van het uitzicht te genieten.

Bovenaan, hoog boven de stad, kwam de Gargolem uit zijn nis in een hoog, schaduwrijk portaal.

'Gegroet en welkom, hoogheid Sryf.'

De Gargolem was een eeuwen geleden door de magikoi gemaakt mechaniek. Zijn metalen lijf leek op dat van een man, maar dan veel groter en ook wat forser. Hij had het hoofd van een onbekend dier, met manen en slagtanden, maar hij sprak als een mens, en werd op zijn beurt ook als zodanig aangesproken.

'Goedenavond, Gargo. Ik kom voor de koningen.'

'Ze weten van niets. Hebt u geen bericht gestuurd?'

'Nee, Gargo.'

'Dan doe ik het nu. Gaat u verder.'

Terwijl de nacht over de hemel trok zwaaide de deur open. In het oranje licht erachter lagen de belantaarnde tuinterrassen van Hoog Ru Karismi, besterd met paleizen, wier zelfgenoegzaamheid Sryf nu kwam verstoren.

Ruk Kar Is had tegenwoordig drie koningen. De machtigste van het drietal, Sallusdon, de Oppervorst, verbleef momenteel in het westen. Dus nu stonden de twee Bijvorsten Sryf op hun balkon afwachtend aan te kijken.

Volgens de wetten van de Ruk waren deze beide koningen even belangrijk. Maar het verschil tussen beiden was uitzonderlijk, zowel van uiterlijk als in al het overige. Ward was een blonde, zwaar gespierde, enigszins gezette vent, vaak twistziek, maar tegelijk zwak. De ander, Vuldir, met zijn sombere, slanke voorkomen, had een elegantie van karakter en verstand die volstrekt meedogenloos was; zijn schitterende mantel was gevoerd met de vachten en staarten van tachtig zwart met witte ijspelzen. Hij stond erom bekend dat hij zich op dezelfde verkwistende manier van mensen ontdeed.

Het balkon stak uit het Vorstenpaleis naar voren boven de nachtelijke afgrond van de stad, die in een schittering van verlichte vensters en lampen de diepte in dook naar de Bleekste rivier vijf kilometer lager. Sterk gekrompen door de afstand lag de bevroren Bleekste als een tweede snelweg te glanzen in het toortslicht. Sryf stond ernaar te staren. Hij negeerde de koningen, liet ze in hun sop gaarkoken, want hij was machtiger dan zij en in ieder geval Vuldir moest daar dringend aan herinnerd worden.

Maar juist Vuldir deed als eerste zijn mond open.

'Wat is er allemaal aan de hand, tovermeester? U hebt ons van tafel laten wegroepen. Mijn broers buik zal u dat vast nooit vergeven.'

Zijn stem klonk bijtend. Broer Ward keek kwaad.

Sryf hield op met naar de rivier staren en keek in Vuldirs saamgeknepen ogen.

'De wichelarijen die eerder zijn gedaan laten zich anders uitleggen, Vuldir.'

Ward, de traagste, was toch degene die vloekte.

Vuldir zei: 'Welke wichelarijen precies?'

'Die met betrekking tot het huwelijk van uw dochter.'

'Mijn dochter. Bedoelt u Safee? Maar die vertrekt juist morgenochtend bij het ochtendgloren.' Vuldirs stem klonk verveeld. 'Het is een onbelangrijk kwestietje, maar het kan zijn nut hebben. Ik neem aan dat u het belang ervan inziet?'

'Ze wordt uitgehuwelijkt aan de Jafnse Klauw.'

'Precies. Onze voormalige vijanden de Jafn zijn nu onze boezemvrienden. Dit eerste huwelijk is uiteraard een probeersel. Als het gunstig uitpakt, zal Sallusdon een gewichtiger band overwegen, met een van de nazaten uit zijn eigen verbintenis met zijn koningin.'

'Dat weet ik allemaal. Ik ben hier om u iets nieuws te vertellen. Bij de verloving werd er gewicheld en alles leek gunstig. Maar vandaag heb ik iets heel anders gezien, heren.'

'Wat dan? Hoezo eigenlijk? Waar zocht u naar?' vroeg Vuldir op hoge toon. De ringen aan zijn hand fonkelden even toen hij, misschien ongewild, een afwijzend gebaar maakte. Een minder krachtige persoonlijkheid dan Sryf had zich daarmee waarschijnlijk laten wegsturen, maar de magikoi lieten zich door een koning niet ringeloren. Ze dienden de gewone man, maar van vorsten wisten ze zich de meerderen.

Sryf keek van Vuldir naar Ward en weer terug, en nam toch de moeite om te antwoorden.

'Ik hoef u niet te vertellen wat ik heb gezien of hoe ik het heb gezien, en ook niet of ik ernaar zocht – hoewel dat niet het geval was. Als ik u vertel dat het zo *is*, dan weten jullie dat ik de waarheid spreek.'

'Wellicht bent u nu wat lichtgeraakt,' zei Vuldir.

Ward vroeg: 'Wat is de aard van het mogelijke kwaad?'

'De dood van Vuldirs dochter. Of een lot erger dan de dood – hoewel ik voor haar slechts haar dood kon zien, zoals vaak het geval is. Afgunst en duisternis stapelen zich op. Oude vijanden, of heimelijke nieuwe. Als u Safee uit Ruk Kar Is laat vertrekken, is ze verloren. En met haar zal er veel verloren gaan. Ik zeg u ronduit dat u een macht ter wille zult zijn die u uiteindelijk zal vernietigen.'

'*Mij*?' vroeg Vuldir verbaasd.

'U en uw hele geslacht. Het hele volk van de Ruk. Land en mensen. De hele wereld zal op zijn kop komen te staan.'

'Dat heeft de eindeloze winter al gedaan,' bromde Ward, 'al meer dan vijfhonderd jaar.'

'Hierbij vergeleken zal de eindeloze winter een bloedhete zomer lijken, Ward.'

Ver achter de opengewerkte luiken van het balkon klonk muziek en flakkerden kaarsen als gouden vlinders.

Duidelijk niet op zijn gemak draaide Ward zich om en hij tuurde door de openingen naar de warme wereld, die blijkbaar in gevaar was.

Maar Vuldir zei: 'Welnu, u hebt uw angsten geuit, tovermeester. Daarvoor onze dank.'

Ward begon geschrokken tegen te sputteren. Sryf draaide zich zwijgend om. Hij had zich met gepaste haast en gezag van zijn plicht gekweten. Meer kon er van hem niet verlangd worden.

Zonder enig teken van ontzag liep hij het balkon af om weg te wandelen door het zonnige kaarslicht van het paleis. Aan alle kanten werd voor hem gebogen door met zijde en juwelen beklede mannen en vrouwen. Hij schonk hun geen aandacht en zei verder niets meer. Zoals veel van de magikoi beschouwde hij zichzelf als een fatalist. De kleine blinde kwaadaardigheid van ene Vuldir viel dus totaal in het niet naast Sryfs meedogenloosheid.

Koning Vuldirs vijftiende dochter had haar vertrekken op de koude oostkant van de vrouwenpaviljoens. Als de wind opstak, knaagde hij fluitend aan luiken en vensters, die niet altijd allemaal heel waren. Waar hij kon binnendringen tochtte het langs de vloer alsof er ijsgolven overheen spoelden.

Hedenavond was het windstil. Toch was verder alles in beroering.

Vrouwen met armen vol kleren, beddengoed en andere reisbenodigdheden holden met rinkelende enkelbanden roepend door de rozeverlichte kamers.

Maar in het middelste vertrek zat Safee, de vijftiende dochter, juist doodstil op een stoel, met haar oude kindermeid huilend aan haar zij.

'Ik zie haar nooit meer terug,' jammerde de kindermeid, 'nooit en nooit meer.'

'Jawel, ik laat je overkomen,' zei de prinses mat. Ze had dit al vele malen gezegd, maar noch zijzelf noch de oude vrouw geloofde het.

'Ze vinden mij te armoedig voor dat barbarenhof,' huilde de oude kindermeid verbitterd.

'Nee, je bent er juist te verfijnd voor.'

'En te oud – ik ben te oud. O, als ze me verlaat ga ik dood. Wat blijft er dan nog voor me over?'

Safee zei niets. Ze bewoog maar weinig en knikte slechts op een vraag van een andere vrouw over een kledingstuk, waarna die druk tegen de anderen schreeuwend wegholde.

Er was geen maaltijd naar haar vertrekken gebracht. Waarschijnlijk hadden ze Safees appartement per ongeluk overgeslagen, want een vijftiende dochter van een ondergeschikte koning bij een nog veel lagere concubine, genoot maar weinig aanzien. Gewoonlijk at ze in het paleis, op de plaats die voor zulke personen bestemd was.

Safee had zich afgevraagd of ze deze kille, kale kamers zou missen, de pracht van de paleizen, de tuinen met hun vorstbomen, glazen parasols en beeldhouwwerk van staal, serpentijn en ijs; of de stad zelf misschien, waar ze altijd op uitkeek. Maar ze woonde al sinds haar geboorte op de onaanzienlijke oostelijke terrassen en het had een zekere ironische rechtvaardigheid dat ze nu verder naar het oosten werd gestuurd, naar het land van de Jafnse Klauw.

Toen ze nog klein was had een andere kindermeid, niet deze, Safee verteld dat de Jafn jonge meisjes aten, die ze eerst levend roosterden. Maar toen ze klein was waren haar zoveel leugens verteld. Zoals nu trouwens nog steeds, maar nu wist ze het.

Vuldir had de moeite genomen om haar hoogst persoonlijk de feiten over haar komende rol te vertellen. Ze moest de eer van de Ruk hooghouden door een huwelijk met een Gaiord, een hoofdman van de Jafnse stammen.

Haar vader, die Safee voornamelijk uit de verte kende, maar over wie ze vaak had horen vertellen dat hij zo hardvochtig en zo modegevoelig was, bekeek haar die dag van top tot teen en zag haar eigenlijk toen pas voor het eerst. 'Ja,' zei hij, 'je bent wel geschikt. Je bent er zelfs eigenlijk te goed voor. Knoop dat in je oren, kind. Je bent te goed voor de Jafn.'

Twee godenbeeldjes van het kleine stel in het appartement werden voorbij gedragen. Over een hollende schouder werd Safee strak aangestaard door een violet masker. Maar veel vreemder was dat de jonge vrouw haar eigen gezicht haastig langs zag trekken in een spiegel die uit het vertrek werd meegenomen. Het kort waargenomen gezicht had in zijn omhullende wolk van topaasgeel haar dezelfde donkere ogen als die van haar vader, maar het had een andere vorm. Haar huid was wit als maagdelijke sneeuw, zoals in liederen voor anderen wel bezongen. Maar toen had de spiegel haar gezicht al weggevoerd.

Door een andere deur stormde een vrouw naar binnen die een vlaag koude nachtlucht van buiten meenam. Ze stond handenwringend te huiveren van de kou en begon luidkeels te roepen, zodat alle andere vrouwen hun bezigheden staakten om naar haar te kijken. Zelfs de oude kindermeid keek naar haar.

'De Oppertovermeester Sryf is naar het paleis gekomen,' riep de vrouw die zojuist binnengekomen was. 'Hij nam de Bijvorsten apart. Niemand anders dan zij weet wat hij heeft gezegd, maar hij kwam naar buiten als een in stormvlagen gehulde adelaar. Ze zeggen' – ze staarde Safee aan, die haar meesteres niet was maar gewoon iemand die de vrouw moest dienen – 'dat de voortekenen veranderd zijn. Dit huwelijk in het oosten is verdorven en het zal niets dan ongeluk brengen.'

Er gilde iemand. Maar Safee niet. In de stilte die volgde, kwam Safee overeind. 'Ga aan je werk,' zei ze tegen de vrouw die net binnengekomen was. 'Wat weet jij helemaal van de geest van een magikoi, insect? En jullie ook, allemaal weer aan het werk. Anders laat ik mijn vader vragen om jullie met de zweep te geven.'

Ze was nog maar een meisje van niet eens zeventien, maar ze had in Ru Karismi een heleboel geleerd. Hardvochtig zijn hoorde daar onvermijdelijk bij – ze was tenslotte Vuldirs dochter. En ze gehoorzaamden haar.

Maar in haar hart dacht Safee: *Ik weet dat het waar is. Als ik bij het ochtendgloren naar het oosten vertrek, ga ik de duisternis tegemoet.*

Sryf verliet Ru Karismi en reed door de wijdopen poort de ijzige snelweg op. Een van zijn huizen lag in het zuiden, maar behalve hijzelf of een ander lid van zijn orde zouden maar weinigen het kunnen vinden. Waar de ijsweg ophield, nam de snelle ar schijnbaar moeiteloos de besneeuwde hellingen.

Boven zijn hoofd kwam de eerste maan op; wit als sneeuw, of als de blanke huid van een jong meisje. Sryf had er geen oog voor.

Een uur of twee later reed hij de bossen binnen. Tussen de bomen, gegroefde zuilen die wel van zwart glas leken onder hun kruinen van sneeuw en scherpe ijspegels, wemelde het van de ijsspinnen, door het maanlicht uit hun holen gelokt. Ze gleden als blinkende opalen door de maneschijn en sponnen webben als dun staaldraad. Toch rukte de passerende ar de webben bij honderden stuk, om ze in flarden achter te laten.

De tweede maan kwam op, een sikkeltje als een randje van een munt, toen Sryf zijn huis in zicht kreeg.

Hij zag de ramen blauw glanzen, een teken dat er tijdens zijn lange afwezigheid niets onverwachts was voorgevallen. Niet-menselijke bedienden, een eenvoudig soort gargolem, kwamen naar buiten om zich om vehikel en trekdierenspan te bekommeren. Toen hij de lage stoep betrad, ontvlamden de toortsen ter weerszijden van de deur en in de blauwe ramen van de bovenverdieping flakkerden lampen aan. Hij hoefde maar naar de deur te kijken om die, voor hem alleen, open te laten zwaaien.

Dat waren weer heel wat verspilde uren geweest. Of was er meer dan tijd verspild? Toen hij eenmaal hoog in zijn torenkamer in de spitzerij zat, werd Sryf alsnog boos.

De derde maan kwam op boven Ruk Kar Is.

In dit stralende licht van de drievoudige bron, inmiddels even helder als de koudste, witste dag, doofde Sryf zijn lampen en hij ging voor het bolle glas van zijn huisoculus te gaan staan. Die was leeg en vertoonde geen spoor van de beroering waar hij eerder getuige van was geweest.

Hij was niet tevreden. Zijn jeugd zat hem dwars met zijn hartstochtelijke woede, hoewel hij niet eens echt jong meer was en bovendien een fatalist.

In het stille vertrek zei Sryf het volgende: 'Het zal me spijten dat ik niet meer heb gedaan. Ik zie nu al een schaduw van spijt op mijn pad.' En in stilte dacht hij er achteraan: *En die is helderder dan de nacht.*

De afgelopen jaren had hij Safee af en toe in het Vorstenpaleis gezien. Ze was kinderlijk en aanvallig, en tenslotte bijna volgroeid. Als haar haar loshing, reikte het helemaal tot haar knieholten. Toch had hij haar ooit een hofdame aan wie ze zich ergerde een klap zien geven, waarbij de ring aan Safees hand de mond van de vrouw tot bloedens verwondde. Daarna vond hij Safee lang niet zo bekoorlijk meer. Een aardje naar haar vaartje – reken maar. Had Sryf haar daarom zo bereidwillig laten vallen?

Maar haar lot was toch minder belangrijk dan dat van het land, en zelfs het land had hij losgelaten.

De oculusbol bleef volkomen leeg. Alleen de manen zweefden als een ketting met drie porseleinen kralen langs de ramen. Toen stak de wind op die over de vlakte begon te blazen.

Ik heb genoeg gedaan. Ze kunnen allemaal doodvallen.

In het oosten waar de manen en de wind vandaan kwamen, hing die avond een sterke brandlucht.

Op een aanzienlijke afstand van de stad Ru Karismi lag een gebied dat bekend stond als de Randstreek. Het lag boven de noordgrens van de Ruk en werd aan de oostkant begrensd door de zee, die met zijn bevroren oppervlak het gebied uitbreidde met kilometers verraderlijke, veranderlijke ijsvlakten. De plek van de brand bevond zich op een dag rijden van de kustlijn. Hier, diep in het Randgebied, ging het landschap schuil onder een ijsrimboe, een ijzige wirwar van lavaglas en kristal, met hier en daar een open plek. Op een van die open plekken lagen de verkoolde resten van een groot dorp waaruit de rook nog opwolkte.

Vanaf de rug van zijn vlasblonde rijdier bekeek Peb Juve het armzalige ploegje geketende slaven dat door zijn mannen werd weggedreven van de puinhopen. Naast hem zat Joeri, een van zijn adjudanten, ook op de rug van een ijsmammoet edelstenen, munten en brokjes metaal te tellen.

Ze waren Olchibi, en hun donkergele huid had in het licht van het uitbrandende dorp de tint van een luipaardvacht.

'Moet je nu toch eens zien wat een zwakke stumpers. Die brengen op de markt in Veins helemaal niks op.' Die schampere opmerking kwam van Joeri, toen enkele van de geketenden onder de zweepslagen jammerend op de grond viel.

'Geeft niet. Dit is vooral om de Rukarse heren te laten zien wat wij allemaal kunnen. Het is een symbolisch gebaar. En als zodanig is het voor ons de moeite waard om deze hutjes te verwoesten en dit vullis mee te nemen voor de verkoop.' Peb Juve knikte. 'De Grote Goden zijn mijn getuige.'

'Amen,' voegde Joeri daar vroom aan toe.

Hij stopte de buit aan edelstenen en geld in een buidel en ging toen net als zijn leider naar de nasleep van hun overval zitten kijken.

Onder de doodstille takken van de bevroren vijgenbomen verplaatsten de mammoeten van de Olchibi zich als spoken.

'De goden van die Rukar baren me toch wel zorgen,' zei Joeri. Hij schoof zijn bontmuts naar achteren en krabde in zijn vlechten.

'Waarom? Het zijn valse goden.'

'Dat is zo, maar toch... Elke god van de Rukar is dubbel, in tweeën gespleten – met een wreed en een vriendelijk uiterlijk – maar toch is het één en dezelfde god. Zijn ze daardoor machtiger, of maakt het ze juist minder?'

Peb Juve gaf geen antwoord.

Als oorlogsleider was hij ook de priester van zijn troep, die zo'n vijfhonderd man telde. Hij dacht hier zorgvuldig over na en Joeri wachtte nederig af.

'Hun goden zijn niets – zwakkelingen, net als zijzelf. Ik heb ooit eens een man gekend in de sluhtins van de Olchibi. Die had ook zo'n geest. Het ene moment was hij moedig en prettig in de omgang, maar ineens kon hij omslaan, als melk die zuur wordt, en dan was hij onbeschoft en kwaadaardig als een spotwolf.'

'En?'

'Ik heb hem doodgeschoten,' zei Peb Juve, 'met mijn vrouwenboog en met vrouwenpijlen.' Hij knikte nog eens. 'Ik ben niet bang voor de goden van de Ruk met hun gespleten breinen.'

Het groepje geketenden stond weer overeind. Toen ze werden weggevoerd, koos Joeri voor zichzelf alvast een vrouw die hij er wel aantrekkelijk uit vond zien. Hij wist dat Peb Juve geen belangstelling voor haar zou hebben. De leider van de Olchibi spaarde zijn verkrachtingskunsten voor de nabije toekomst, voor als ze de naar het oosten reizende karavaan met de prinses van de Rukar te grazen hadden genomen. Ze was maar van lage adel, maar net als het dorp dat ze vanavond platgebrand hadden, was ze vooral een symbool. Ze zou haar nut hebben.

In het roze ochtendgloren kronkelde de stoet uit de bovenstad omlaag over de enorme glooiingen naast de Trap. Onder de zilver en scharlaken wapperende banieren van de vorstenhuizen van Ruk Kar Is gleden de arren en sleekoetsen achter hun hertenspannen voorbij. Op de brede lanen in de benedenstad kwamen de mensen massaal naar buiten om hen toe te juichen. Van de balkons werd hier en daar een kasbloem omlaag geworpen, al een beetje verlept van de vorige dag.

Deze uittocht was tamelijk onbelangrijk. Hij duurde maar kort. Als iemand al reikhalzend een glimp probeerde op te vangen van het meisje uit het paleis dat nu naar de barbaren in het oosten werd gestuurd, dan wachtte hun een teleurstelling. Ze zat in de beschutting van de roodzijden huif van haar open ar, en ook nog eens dik ingepakt in bontvachten. Maar ze kon onmogelijk veel voor hen betekenen. Ze hadden haar nog nooit eerder gezien, en zouden haar waarschijnlijk ook nooit meer terugzien.

Zelf gluurde Safee uit haar warme verpakking om zich heen. Zij was bijna net zo onbekend met Ru Karismi, juweel van de ijsvlakten, als de stad met haar. Nu bij haar vertrek zag ze de stad praktisch voor het eerst. De pracht ervan was niet meer aan haar besteed.

Bij de Oostelijke Zuil verliet de stoet de Koningsmijl. Eenmaal voorbij de eenzame pilaar, trokken ze de ijsvelden in.

Overal in de mensdiepe geulen en sleuven in de aangestampte sneeuw waren tuinders al in de weer met de gewassen die hier konden leven. De smalle weg voerde de stoet door akkers met sluimertarwe en dilf, langs afgelegen gist- en rooktorens, elk met een dikke pluim rook of stoom, langs broeikassen en door wind geteisterde stulpen. Het land erachter was bedekt met bukappelgaarden en wijnranken, met hun vruchten dicht opeen gepakt in hun misvormde stammen.

Toen ze eenmaal de open vlakte bereikten werd het wegdek minder gerieflijk, met af en toe grote stukken vol diepe gaten of bedekt met oude sneeuwbanken die inmiddels steenhard waren. Alleen de toverkol die hen begeleidde, wist daar raad mee. Ondertussen geselden ijskoude windvlagen hun gezicht. Overal klapten helmschermen omlaag en ademmaskers met glazen kijkvensters omhoog. De wimperherten die de sleden trokken, hadden hun ogen meteen al beschermd met het doorzichtige vlies van hun natuurlijke oogkleppen.

De twee vrouwen die Safee begeleidden zaten zenuwachtig te mopperen tussen de kussens onder de huif. Ze waren niet vrijwillig meegegaan, maar ze hadden net als Safee geen keus gehad. Ze waren bang voor de winter, voor de vlakten, voor hun bestemming. Omdat ze niet met hen wilde praten en tenslotte ook niet langer naar ze wilde luisteren, beval ze hun op het laatst om te zwijgen. Wat haar nauwverholen blikken vol haat en angst opleverde, het enige vertrouwde dat haar nog restte.

Rond het middaguur werd er halt gehouden, en de toverkol riep vuur op. Het was een lange vrouw uit een dorp ten westen van de stad, met indigokleurig haar waarin amuletten waren gevlochten. Er kwam vuur, en er werd warm eten en wijn rondgedeeld. 's Avonds, na een rauwe zonsondergang, werd de procedure herhaald.

Daarna ging het gezelschap slapen, verdeeld over met toverkunsten verlichte en verwarmde koepeltenten. Buiten loeide de wind over het sneeuwdek, of er heersten juist griezelig galmende stiltes, vaak gevuld met ingebeeld geluid.

Safee kon de slaap niet vatten. Ze hoorde een van haar vrouwen huilen als haar oude kindermeid, zij het om de omgekeerde reden.

Waarom hebben ze mensen met me meegestuurd? Ik heb daar nooit om gevraagd. Ik zou liever alleen zijn.

Ze dacht: *Ik ben toch al alleen.*

Op deze manier trokken ze eindeloos voort. Niets bracht er afwisseling, zelfs het weer eigenlijk niet. Het was altijd winter. Er waren ijswouden, ijsmeren, ijsheuvels en één keer, in de verte, een witte vulkaan met een wolk rond de top. Meestal was de lucht bewolkt, zodat er 's nachts geen sterren te zien waren en de gesluierde manen eruit zagen als vuile lampen.

Soms dook er een stadje of een dorp op. Tweemaal aten en sliepen ze niet in de tenten maar in een grillige herberg, opgetrokken uit hele, zwarte boomstammen zo glad als gepolijste steenkool, en ook nog een keer in een herberg van ijsblokken.

Ze zagen maar weinig dieren, enkele hertensoorten, sneeuwhazen, wollige olifanten en heel ver weg een reusachtige beer die wel een bewegende sneeuwberg leek.

'Dit is geen leeuwengebied,' zei de kapitein van de soldaten tegen een van Safees hofdames. 'Zulke dieren heb je hier niet. In het oosten is het anders, maar daar hebben ze dan ook hun eigen manieren om ze aan te pakken.'

Er waren dertien lijfwachten, een gunstig aantal volgens een van Vuldirs wichelaars. De hele stoet telde maar drieëndertig mensen, met inbegrip van de onmisbare toverkol en Safee zelf.

Safee legde haar hofdames niet langer het zwijgen op. Inmiddels stak ze uit hun gebabbel van alles op over hun bestemming, want bij elke mogelijke gelegenheid kletsten ze met de voerlieden en de lijfwachten. Op deze manier hoorde Safee allerlei onmogelijke dingen die ze voor waar hield: dat de Jafnse Klauw hun arren door leeuwenspannen lieten trekken, dat ze maar één enkele god kenden die buiten de wereld leefde, maar dat ze wel in een grote hoeveelheid goede en boze geesten geloofden die *erin* woonden; en dan nog van allerlei over hun erecodes en hun twisten. Ze had al te horen gekregen dat haar echtgenoot wit haar had, maar ze had hem nog nooit gezien of iemand anders met wit haar, behalve dan oude mensen. Naar het scheen was wit haar in het oosten juist heel gewoon.

De weg hield op bij het stadje Fryis. Ook de beschaving hield hier op. Voorbij Fryis stond de toverkol in het voorste vehikel van de stoet en was ze aan een stuk door bezig met het verwijderen van obstakels.

'We gaan met een zenslakkengangetje,' zeurden de hofdames.

Safee vond dat juist prettig, ze verlangde helemaal niet naar het einde van de reis.

De volgende dag brak de zon de hemel open. Een koepel van vlekkeloos, ijskoud blauw overspande de vlakten.

Het terrein werd iets makkelijker begaanbaar. In het noorden zagen ze een ijsrimboe opdoemen en de wind was gaan liggen. Ze schoten verschrikkelijk op.

Tijdens de middagpauze kwam de kapitein van de lijfwacht naar het vuur. Hij richtte zich rechtstreeks tot Safee.

'Prinses, de kol moet u spreken.'

Safee stond op. Toen de toverkol naderbij kwam, maakte Safee de gebruikelijke buiging voor haar. Achter haar stond de kapitein met een stalen gezicht klaar, op alles voorbereid. De vrouw begroette haar met een knik van haar rinkelende amulettenhoofd.

'Ik heb onmiskenbare tekenen gezien. Er is narigheid op komst. Uit het noorden.'

'Van wat voor aard? Slecht weer?'

'Nee, Safee. Mensen met kwaad in de zin. Ik kreeg ze te zien als een jagende wolvenhorde – maar het zijn geen wolven. Hun snuiten waren nat van het bloed.'

Safees hart stond stil. De kapitein kwam naar voren.

'De kol zegt dat het er wel meer dan driehonderd zijn. Een vandalenbende, denk ik, uit Jech, of de Olchibi, hoewel het voor die smerige beesten eigenlijk te zuidelijk is.'

Zelfs Safee had wel eens iets opgevangen over de Jechen en de Olchibi, en over hun wreedheden. Haar hart sloeg op hol, razendsnel – maar het kon nergens heen.

'Wij zijn met zijn dertienen, en uw voerlieden en palfreniers zijn slechts bewapend met een dolk. We kunnen maar het beste omkeren,' zei de kapitein. Zijn gezicht stond nu grimmig genoeg. 'We zijn pas nog door een dorp gereden. Dat biedt ons de beste kansen.'

Safee besefte heel goed dat het een klein en armzalig dorp was geweest en het lag trouwens op meer dan een dag rijden.

Ook de toverkol zei hoofdschuddend: 'Je kunt ze niet ontlopen. Ze zijn het Noodlot.'

'Met alle respect, joffer,' zei de kapitein, 'maar we moeten het in ieder geval proberen. En ik hoop dat u ons zult helpen.'

'Ik zal doen wat ik kan.'

Ze doofde het vuur met een enkel woord. Terwijl het razendsnel tot niets verschrompelde, raakte Safee bevangen door het onheilspellende voorteken.

Samen met de anderen rende ze naar de sleden. De zwepen knalden over de ruggen van de wimperherten en ze stoven weg in westelijke richting.

Nog geen uur later dook de vandalenbende op uit de rimboe die nu rechts van hen lag. De toverkol was laks geweest of onkundig, maar ze behoorde ook niet tot de magikoi, ze was maar een gewone dorpsheks.

De vandalen die zich losmaakten uit de stille donkere massa van de rimboe, waren aanvankelijk niet meer dan een bewegende donkere vlek, alsof de bomen pootjes hadden gekregen. Later zag je het glimmen van hun maliën, kurassen en wapens, en het wapperen van hun gele banieren. Het waren Olchibi, en dus zou elke banierstaf bekroond zijn met een afgehakt hoofd – dat wist zelfs Safee – in uiteenlopende stadia van versheid, verrotting of knokigheid.

Ze was zo bang dat ze helemaal niet meer kon denken, maar haar hofdames gilden en krijsten en klemden zich kronkelend aan de leuning van de slee vast. De andere arren en koetssleden schoten voorwaarts. Zij zagen de opduikende horde Olchibi als een donkere massa, maar voor de Olchibi zouden *zij* juist duidelijk zichtbaar zijn door de witwarrelende wolk stuifsneeuw die ze opwierpen.

De vloeken van de voerlieden, ook die van Safee, wedijverden met het klappen van de zwepen en het sissen van de sneeuw.

Hoewel ze in volle vaart voortsuisden, zag Safee toch dat de donkere meute vanuit de rimboe aan weerskanten nog steeds aangroeide. Zoals hun al was voorspeld bestond de horde uit vele honderden mannen, die zwalkend dichterbij bleven komen. Toen ze eenmaal onder de schaduw van de bomen uit waren kon Safee zien waarop ze reden. Mammoeten konden zich heel snel verplaatsen als je ze dat leerde. Nog groter zelfs dan de wilde olifanten uit de kuddes, konden ze ook mensen vertrappen onder hun poten of ze met hun slurf optillen om ze op hun gebogen stoottanden te spiezen.

Vluchten was zinloos. Onder de Rukar was er niemand die dat niet begreep, maar ze hadden geen keus. De Olchibi maakten maar weinig gevangenen en dan nog alleen als slaven.

Weldra kon Safee op de banieren individuele patronen en woeste afbeeldingen onderscheiden. Vlak daarna regende het brandpijlen op hun sleden.

Arrenslee na arrenslee remde af om de beginnende brandjes te ontwijken. Twee of drie koetssleden waren tegelijk in brand gevlogen. De herten krijsten, net als Safees hofdames, in gruwelijke harmonie.

De toverkol die zichzelf aan de leuning van haar arrenslee had vastgebonden, brulde luidkeels haar spreuken om het vuur te doven. Maar natuurlijk hadden de Olchibi hun eigen heksen, de griezelige crarrowin uit hun sluhtkampen, en die hadden blijkbaar een spreukhandhaver gebruikt die doelmatiger was dan de doofbezwering van de toverkol. De sleden branden gewoon verder.

Alle ordening was verloren gegaan. Safees ar zat gevangen in een tollende draaikolk van brand en botsingen, waarin haar voerman plotseling naar rechts moest uitwijken om een kantelende koetsslee te ontwijken. Haar hofdames vielen van hun bankje en ook zijzelf belandde door de schok op de bodem van de ar. Een tel later zag de jonge vrouw door stuifsneeuw, rook en vlammen de Olchibi op hun mammoeten opdoemen, hoog als aanstormende torens en zo dichtbij dat ze hun stank kon ruiken: mannen en beesten en natte wol.

Haar voerman stortte achterover en belandde bijna bovenop haar. Ze was ineens doornat van zijn bloed. Zijn keel was doorgesneden. Ze zag hoe een van haar hofdames pardoes onder de kap vandaan omhooggetild werd door een slurf als een harige omsnoerde slang – zo lag ze nog te gillen en zo hing ze in de lucht. De andere hofdame liet zich in haar doodsangst uit de slee vallen. Ze verdween tussen de wirwar van glijribben uit het zicht.

De Olchibi die de voerman had gedood, zat achterstevoren op de achterhand van een van de stug doorrennende wimperherten. Hij keek Safee grinnikend aan en ze had de tijd om hem te bekijken. Alle verhalen klopten;

zijn huid was even geel als de banieren, zijn tanden waren gekleurd, zijn haar was net zo licht als dat van de blonde mammoeten – misschien had haar bruidegom uit het oosten wel net zulk haar. De bruidegom die ze door haar dood nu nooit zou kunnen trouwen.

De Olchibi sprak haar vriendelijk toe. Safee kende zijn taal niet; ze wist maar zo weinig. Toen hij naar voren zwaaide om haar beet te pakken, trok ze de dolk uit de gordel van de levenloze voerman en stootte toe.

Het was stom geluk. Ze had bij lange na niet genoeg kennis om te beseffen hoe je een mens zou kunnen doden. Maar de dolk boorde zich, misschien geholpen door het schokken van de slee, regelrecht in zijn luchtpijp. Met een geschokte blik stortte hij hals over kop uit de ar.

Safee bleef in elkaar gedoken op de bodem zitten. De dode voerman bonkte tegen haar aan. Overal om haar heen golfde de wereld van het geweldige onvoorstelbare gedrang van rondstommelende mammoeten. Zonder voerman en volkomen in paniek bleven de wimperherten doorgalopperen. Elk moment kon de ar nu iets raken en omslaan en gegrepen worden. Dan hadden ze haar in hun macht. Safee deed haar ogen dicht.

Het was niet bij haar opgekomen dat de dode voerman haar nu tegen het geweld beschermde. De Olchibi, nogal in hun nopjes met zo'n makkelijke overwinning, want zelfs voor een prinses van lage rang hadden ze een groter gevolg verwacht, schonken geen aandacht aan die ene wegstuivende ar met zo te zien alleen een lijk erin. Voor wimperherten hadden ze geen goed woord over – de Olchibi weigerden zelfs om ze te eten.

Toen ten slotte Peb Juve persoonlijk de dode lijfwachten en de doodsbange pverlevenden van de stoet kwam bekijken, gaf hij Joeri een draai om zijn oren met de vraag: 'Waar is ze gebleven?'

'De prinses? *Daar*, Hoogheid.'

'Nee, dat is gewoon een hoer. *Zij* heeft kleurig haar, het Rukarse koningskind.'

Ontzet over zijn falen keek Joeri wanhopig om zich heen. Achter de woelige massa mammoeten bespeurde hij het inmiddels verre sneeuwkielzog van de arrenslee. Die snelde vreemd genoeg naar de ijsrimboe terug.

'*Daar*, Hoogheid,' meldde Joeri nogmaals.

Peb Juve keek niet eens toen Joeri met zijn troepje de achtervolging inzette. Juve had op dat moment meer belangstelling voor de Rukarse heks die zichzelf in een krachtbol had opgesloten, en nu woedend de Olchibi krijgers aankeek die een voor een probeerden haar los te krijgen. Stuk voor stuk werden ze door een elektrische kracht een aantal meters achteruit gesmeten, wat de overigen geweldig vermakelijk vonden, met inbegrip van Juve.

De arrenslee was al een heel eind gevorderd door de stille grotten van de ijsrimboe toen Safee opnieuw het donderende geluid van de achtervolging hoorde.

Ze herkende het zware stampen van de ijsmammoeten. Zoals de toverkol al had gezegd, klonk alles uiterst noodlottig. Ze wist dat ze niet sterk of zwaar genoeg was om de leidsels van de herten te grijpen en ze te mennen. Door hun schokkende rit was het lijk van de voerman al uit de slee geschud. De geweien van het door de dichte rimboewirwar voortrazende hertenspan rukten de brooste takjes los. Het regende klimranken en watervallen zwarte splinters op de ar.

Safee krabbelde overeind van de bodem van de slee. Ze greep zich vast aan de leuning. Ze had een man gedood – ze was veranderd.

Aan haar linkerhand bespeurde ze een onverwacht schouwspel; een bizar brede, open strook ijs deelde de rimboe als een stadsstraat doormidden. Ze kon het hertenspan niet mannen, maar ze kende wel de kreet voor linksaf, en die liet ze horen. De herten gehoorzaamden en renden door het struikgewas de natuurlijke boulevard op.

Hun hoeven trommelden op het dichte sneeuwdek. Maar achter haar rug deed het donderende gestamp van de mammoeten de grond schudden. De Olchibi wilden haar niet opgeven. Zou ze net als haar ene hofdame uit de slee springen? Maar de onbeteugelde, in paniek geraakte herten gingen te snel, weigerden hun pas te vertragen en zouden dat het eerstkomende uur ook niet doen.

Voor haar lag de Randstreek en daarachter eindelijk het ontzagwekkende glas van de zee.

Safee prevelde een gebed, maar haar goden waren achtergebleven.

Alleen de hemel zag hoe de ar voortsuisde over kilometer na kilometer vrij spoor. De hemel zag ook dat Joeri en zijn troepje van twintig man het spoor ontdekten en haar achterna kwamen stampen. Ze vorderden minder snel, maar wel gestaag. Joeri moest zelfs lachen. 'Ze wil ons een beetje opwarmen!' Hij wist dat als Peb Juve genoeg van haar kreeg, zijn favoriete adjudanten aan de beurt kwamen.

Toen begon de hemel boven het open spoor paars te verkleuren. Uit de rimboe aan haar linkerhand, waar de zon onder zou gaan, staken vuurrode klauwsporen in de lucht.

De Olchibi riepen tegen de prinses dat ze zich over moest geven. 'We brengen je naar huis,' riepen ze grappend. Maar die slet kon hun taal niet verstaan.

Hoewel ze zich inmiddels diep in het Randgebied bevonden, had niemand nu al de zee verwacht. Maar de zee was heel dichtbij gekomen. De blauwe dag had de aard van de sneeuw een beetje veranderd, net als andere blauwe dagen al eerder, waardoor er een inlands stuk zeearm bloot was gekomen. Het water was niet vloeibaar; het glansde slechts als een blauwpaarse spiegel die op zijn rug was gevallen. Waar de rimboe ophield en de sneeuw in grote bonken lag opgestapeld langs de zijkanten van het spoor, dat met zijn open karakter al een waarschuwing voor hen had moeten zijn, zaten ze er ineens midden op.

Met hoeven die alle kanten op vlogen, g;isten de herten het gegolfde ijs op, en de ijzeren glijders van de arrenslee sproeiden vonken. De eenentwintig achtervolgers op hun rijdieren hadden maar nauwelijks meer tijd om hun route te beoordelen. Voor ze het wisten gleden ze al langs de helling omlaag naar het stuk glazen water waarop ze veel slechter uit de voeten konden dan de herten die gewend waren aan ijswegen.

Er ontspon zich een eigenaardige dans tussen de onbestuurbaar doorglijdende slee en de capriolen makende mammoeten die over het zeemeer glisten. De zonsondergang ging met veel geschreeuw gepaard, maar daarna viel er een hachelijke stilte. Alles kwam tot rust.

In het heldere licht van de eerste en de tweede maan, die vanavond tegelijk opkwamen, zag je de arrenslee op zijn kant liggen – een van de glijders was gebroken, de zijden kap was losgerukt en de wimperherten waren verstijfd van angst. Dichter bij de vaste wal stonden de eenentwintig mammoeten op een kluitje, sommige lagen op hun knieën, drie ervan lagen dodelijk gewond te kreunen. De mannen stonden verspreid op het ijs.

De achtervolgers stormden niet op hun prooi af. En zij op haar beurt sloeg niet op de vlucht. Geen van hen waagde het zich te verroeren.

Maar er was wel iets anders dat bewoog.

Toen de witte manen hoger de schemerhemel inklommen, onthulden ze een onpeilbare zwarte duisternis in de verre diepte van de zeearm.

'Wat is dat voor schaduw daar, Joeri?'

Joeri keek. Hij deed het af met: 'Dat zijn wij, dat is onze schaduw, van de manen.'

Het witverlichte ijs donkerde nog meer op. De schaduw breidde zich als een inktvlek uit onder hun voeten. Zwart als een maanloze nacht gleed er in de diepte iets voorbij.

Joeri hield zijn adem in. 'Grote Goden – Grote Goden –'

In de omgeslagen slee tuurde Safee, die Joeri's kennis miste, naar de schaduwwolk onder het ijs. Maar ze had geen aangeleerde kennis nodig om te weten wat het was.

Doodsangst is eindeloos en vergt geen tijd. Er *was* ook geen tijd. Een donderend gekreun spleet ijs en stilte aan stukken. Muren van gekanteld ijs ontploften maanfonkelend in de lucht. Een zwarte scheur trok open, onthulde een ader met nog zwartere vloeistof, die weer werd verduisterd, en iets begon het kanaal te vullen en te vullen en tot barstenstoe te vullen tot het metterdaad wijd openbarstte en pure duisternis uit de diepten omhoog stootte, voorafgegaan door een vaalbleke, puntige lans. Het was een opspringende ijswalvis.

Gladglanzend als git blies hij een fontein van water uit zijn spuitgat. Zijn kop was getooid met een enkele torenhoge, taps gedraaide hoorn, met aan de basis een kring ivoren uitsteeksels, elk groter dan een arrenslee. Krachtige, bedrieglijk slanke voorpoten grepen de rand van het ijs en braken het kapot.

De walvis was ver landinwaarts gedwaald. Hij was nog lang niet volgroeid, maar had nu al het formaat van het ijsmeer dat hij zo onverschillig in tweeën had gespleten.

Mensen en mammoeten rolden brullend van zijn opspringende rug. Ze gleden de zee in en verdwenen onder het ijs. Alleen Joeri die na de sprong door een eigenaardig toeval languit op zijn buik op de rug van de walvis was beland, wist zich vast te klemmen. Sterker nog, hij begon de helling naar de kop te beklimmen.

In een kort moment van inzicht had hij zijn dolk getrokken en in zijn andere hand hield hij een geslepen stalen haak, die hij uit het gebrandschatte dorp had meegeroofd. Die ramde hij in de gevoelloze pantserhuid van de walvis om zich eraan omhoog te hijsen in de richting van de bolle kop.

Joeri had alle verstand verloren. Het enige wat hij nog wist was dat Peb Juve de Rukarse prinses wilde hebben – en daar zat ze. Anders dan de omgekomenen, waren meisje, arrenslee en hertenspan op een of andere manier aan de boomhoge hoorn van de walvis vast komen te zitten en ze zaten nu verstrikt in de uitsteeksels. De herten waren dood, de arrenslee was totaal vernield, maar hij kon zien dat het meisje nog leefde. Hij trok zich voort naar de bakens van haar ogen waar de angst vanaf straalde.

Safee voelde dat ze gilde, maar ze kon het boven het knersen van het ijs uit niet horen. Ze zag hoe de kleine Olchibi zich met haak en dolk een weg naar haar toe klauwde. Maar hij was van geen enkel belang.

De walvis kwam verder omhoog, nog steeds in de stijgende fase van zijn sprong.

Joeri gaf geen kik toen hij losgeschud werd. Hij duikelde omlaag en molenwiekte als een acrobaat tegen wil en dank over de rug van de walvis, die hem in de richting van de manen had gelanceerd. En terwijl hij in de lucht hing, kwam de walvis, waarschijnlijk niet eens opzettelijk, voor de tweede maal met hem in botsing. Dit maal spiesde hij hem aan zijn puntige hoorn. Hij had de prikjes van dolk en haak, die hij niet eens opgemerkt had, met rente terugbetaald.

Het monster kromde zich als een boog en wentelde nu omlaag. Aan het eind van zijn dubbelsprong dook het terug in het kanaal dat het zelf had gemaakt, terug naar het vertrouwde duister – met medeneming van zijn vracht.

Middernacht, duisterder dan alle nachten, sloot Safees ogen en een koude die alle winters te boven ging, omhulde haar.

Aan het oppervlak was de spleet in het ijs binnen een uur weer dichtgevroren. De jeugdige walvis had inmiddels al bijna de open zee bereikt.

❄

Bijvorst Vuldir keek op van de pelzen die hij zat te beoordelen. Hij bekeek de man die was binnengekomen met een vorsende blik. Na een ogenblik nam Vuldir hem terzijde.

Hij ging met de man naar een diepe erker met roodbeglaasde ruiten.

'Je hebt dus nieuws?'

'Ja, hoogheid. Het officiële bericht moet Ru Karismi vanavond bereiken.'

Vuldir zuchtte. 'Wat laten die kwaadaardige Olchibi zich toch makkelijk verleiden en misleiden. Vertel me alles maar.'

'De stoet werd overvallen en van de aardbodem weggevaagd. De lijfwacht was ver onder de maat, zoals de bedoeling was. Niemand heeft het overleefd, op de heks na – die de crarrowin ongetwijfeld voor hun rekening zullen nemen – en een paar onbeduidende vrouwen die de Olchibi hebben laten leven om ze als slavinnen te verkopen op de mesthopen van Veins.'

'Uitstekend. En mijn dochter?'

'In de rapporten wordt met geen woord over haar aanwezigheid bij de Olchibi gerept. Ze zouden haar niet verkopen, dat doen ze niet met vrouwen van koninklijken bloede. Ze zouden haar verkrachten tot de dood erop volgt, of haar anders gewoon doodmaken. Ze haten de heren van de Ruk zo heftig, dat ze hun eer op het spel zouden zetten als ze haar in leven zouden laten.'

'Ja,' was Vuldir met hem eens. Hij keek door het gekleurde glas naar de rode stad in de diepte. Hij dacht aan tovermeester Sryf, die hen was komen waarschuwen en zijn voorspelling omkleed had met allerlei absurd onheil – Sryf die zo wijs was, maar toch Vuldirs hand niet had herkend in deze rampzalige gebeurtenis. Sryf was gewoonlijk niet zo stompzinnig. De goden zelf, bedacht Vuldir terloops, althans hun immoreelste facet, hadden beslist de oculus van de tovenaar vertroebeld.

De Jafnse Klauw, een bende die zelf nauwelijks meer waard was dan de Olchibi of soortgelijk gajes, was machtig geworden in hun oostelijke vesting. Sallusdon, Oppervorst van Ru Kar Is, had het noodzakelijk geacht om hun oorlogsleiders te paaien met een onbelangrijk huwelijkje. Daarom hadden de Rukar hun het meisje gestuurd. Maar helaas was zij door die smerige Olchibi onderschept. Was dat de fout van de Rukar?

De pietluttige Vuldir had er zorg voor gedragen dat absoluut niets van hem in het bezit van de Jafnse Klauw zou komen, zelfs geen niemendalletje als een vijftiende dochter. De sullige barbaren zouden nooit vermoeden dat ze belazerd waren. En zij moesten zich aan de overeenkomst houden. Dat het meisje omgekomen was, kon zelfs deels op de Jafn worden afgeschoven. Je zou kunnen beweren dat als zij haar tegemoet waren gereden, ze nu nog zou leven en de hunne zou zijn.

Vuldir trok aan het belkoord – de man met het nieuws was vertrokken. De dienaren van de vorst brachten de bonthandelaar binnen. 'Ik neem deze pelzen,' zei Vuldir, 'maar het zijn er niet genoeg. Heb jij van die luie mensen in dienst? Zorg dat ze er meer schieten.'

❄

Geen gedachte, geen blik, geen ademteug. Geen zelf.

Onttakeld en op drift, koud als diamant, doodstil.

In het zwart ontstond een holte. En in de holte, eindelijk, een schijnsel. Daar brandde een lamp, diep in het water, als het met edelstenen bezette ei van die mythische vogel waarover haar kindermeid haar lang geleden eens had verteld, de vuurfex...

Gedachteloos en ademloos stil, doodstil, naamloos en vergetend, moest ze zich door de stroming die haar van de rug van de walvis had gespoeld, door kolossale zuilengalerijen van nacht, naar dat juweel van vuur laten dragen.

TWEE

Over de versteende velden van de zee kwamen de door leeuwen getrokken koetsen aanvliegen op vleugels van sproeiend ijs. Toortsen sputterden groen tegen een nacht waaruit de manen allang verdwenen waren. In de verte, kilometers hier vandaan en onzichtbaar, rezen en daalden vloeibare golven met een nors geluid. De voerlieden, gewend aan beide verschijningsvormen van de oceaan, schonken aan geen van tweeën aandacht. De grijze leeuwen met hun dichte vachten en hun zwarte, met gekleurde kralen en stukjes metaal doorvlochten manen, waren al even onverschillig als hun bazen.

Aan die naargeestige kust bevond zich de Dingplek. Het was een plek waar wapenstilstand heerste en hier hielden de Jafn – de stammen die een verbond vormden, maar ook andere – hun bijeenkomsten, aangekondigd door toverberichten. Vijf groepen bondgenoten zouden zich hier vannacht verzamelen, in het holst van de maanloze nachturen.

De marmeren kustlijn maakte hier een bocht.

Het Ding doemde op. Het was oeroud en vreemd, een reusachtig schip met zeventien masten dat in ijs was veranderd en tot zijn waterlijn begraven lag in de kust. Met zijn kristallen ijspegels lag het spookachtihg te glanzen.

Atluan kende het goed. Als tweede zoon van de Gaiord was hij sinds zijn negende meegenomen naar Dingbijeenkomsten. Maar aangezien zijn vader en zijn oudere broer tijdens krijgshandelingen waren gesneuveld, was Atluan nu zelf Gaiord.

De arren vertraagden met krijsende glijders.

'Iedereen is er al,' zei bruine Rosger, de voerman en Atluans jongere broer. 'Moet je eens zien: zelfs banieren van de Sjaji en de Irhoni. Wanneer hebben *die* stammen zich voor het laatst om een Dingbijeenkomst bekommerd? Een hele eer voor ons.' Bijtende spot droop van zijn stem. Atluan lette er niet op; hij was met zijn hoofd bij heel andere zaken.

Aan de randen van de Plek stonden merkzuilen van zwart rondhout, eeuwen geleden moeizaam aangevoerd en misschien maar eenmaal in twee generaties door de zee omspoeld. Rosger liet de leeuwen inhouden. Atluan sprong op, stapte uit zijn ar en ging te voet verder, zoals de Jafnse wet voorschreef – kort daarop gevolgd door zijn broer en negentien uitverkoren mannen.

De andere Jafnse Gaiords stonden op dezelfde manier uitgerust al te wachten. Ze hadden op de Klauw moeten wachten, want het weer was nogal veranderlijk geweest. Driftende schotsvelden en opentrekkende scheuren in de bevroren kustlijn hadden Atluans tocht vertraagd.

Bondgenoten dus, deze vijf leiders, maar ooit ook vijanden en weldra waarschijnlijk opnieuw. Alle Jafnse stammen vochten tegen elkaar. Dat was noodzakelijk, want ze leefden in hardvochtig terrein en elk voordeel werd gekoesterd.

Achter de rug van zijn broer liet Rosger zijn kille blik over de aanwezigen dwalen. De Jafnse Sjaji waren onrustig, zowel de lui buiten de merkpalen van de Dingplek als degenen erbinnen. De gezichten van de Irhoni en de Vantri waren even nietszeggend als de sleevizieren die ze hadden afgezet. Onder zijn sneeuwos-banier was de oude Gaiord van de Krie, Lokinda, de enige bij wie het misnoegen openlijk van zijn gezicht viel af te lezen.

'Tja,' zei hij toen Atluan naar het midden van de Plek beende. 'mijn jarental is nogal groot om me vannacht buiten mijn Huis te bevinden. Wat is er dan zo dringend?' Hij had het gezicht van een pad.

'Dat zal ik jullie vertellen,' zei Atluan, die hen een voor een in de ogen keek. De zijne waren grijs als een leeuw onder zijn bos haar witter dan dat van Lokinda zelf. 'Zoals jullie weten hebben de Rukar een pact gesloten met de Klauw en daarom ook met jullie, als bondgenoten van de Klauw. Er zou een koningsdochter gestuurd worden als mijn bruid – of die van Conas, mijn oudste broer, als hij in leven was gebleven. Jullie weten ook dat de Rukarse heren lang bleven aarzelen. Toen kwam er bericht dat het meisje onderweg was. *Nu* bereikt ons een heel ander bericht uit haar stad.' Alle Jafn op de Dingplek luisterden met gespitste oren. Ergens gromde zacht een leeuw en in de doodse stilte hoorden ze de klap van de zweep van de voerman tegen de leeuwenflank. 'Olchibi hebben de stoet overvallen. Het meisje is vermoord.'

Een ogenblik later nam Lokinda opnieuw het woord.

'Mm, weer één ten prooi gevallen aan de sneeuw. Ze moeten je een nieuwe bruid sturen.'

'Gaiord Lokinda schertst. Gelooft hij werkelijk dat ze dat zullen doen? Zij hebben ons hun voornemen tot vriendschap geboden. Volgens onze eigen wet moeten *wij* ons aan ons woord houden, maar *zij* hoeven nu niets te betalen.'

'De kwestie is, heren Gaiords,' zei Rosger gladjes, 'dat ze ons voor te dom houden om te protesteren. We hadden een verloving, wat ons familie maakt. Weldra storten ze zich weer in een van hun eigen oorlogen. En hoewel wij zonder de vrouw geen enkele aanspraak op *hen* kunnen maken, zullen zij wel van alles van ons verwachten, aangezien we volgens onze eigen wet een bondgenootschap met hen hebben – ook al vind mijn broer louter een geest in zijn bed om mee te ketsen.'

Enkele mannen trokken een lelijk gezicht bij de grove taal van Rosger. Op een Dingplek hoorde er geen godslasterlijke of grove taal gebezigd te worden.

Maar Lokinda schoot in de lach. 'Bij het aangezicht van God, wat zijn ze slim geweest. Denk je dat ze de Olchibi een handje hebben geholpen bij de moord op de vrouw?'

'Waarschijnlijk wel,' zei Atluan. 'Al wat ze hoefden te doen was Olchibi verkenners een gerucht ter ore te laten komen over een bijzondere stoet. Maar inmiddels is er nog iets anders gebeurd.'

'Vertel op.'

'Een wijsvrouw van een walvisjagersdorp aan de kust stuurde me een boodschap. Haar bericht bereikte me een uur nadat de magikoi van Karismi me hadden laten weten dat mijn bruid dood was.' Atluan zweeg even en zei toen: 'De walvisjagers kregen een wonder te zien. Een piramide van ijs dook op uit de open zee en dreef landinwaarts. Zulke dingen gebeuren natuurlijk af en toe. Soms lopen die drijvende ijsheuvels zelfs vast op de kust, zoals deze toevallig ook. Het dorp liep uit om te gaan kijken, omdat zulke heuvels zoals ons bekend is soms rijkdommen bevatten: vogels, vissen of graan, of zaad dat bruikbaar is.'

Lokinda zei: 'Dat is waar. In mijn jeugd kwam er ooit een ijsheuvel met een heel fruitbos erin bij een van mijn vaders dorpen terecht. In het Krie Huis hebben we wel een half jaar lang appels en perziken kunnen eten.'

Niemand anders had daar iets aan toe te voegen.

Atluan ging verder: 'Toen de walvisjagers bij de ijsheuvel aankwamen, werden ze er bang van. Hij was veel te regelmatig van vorm; hij zag er helemaal niet natuurlijk uit. Maar er zat wel iets in. De Rukarse prinses lag erin, in het ijs.'

Gewend aan de vreemde wonderen van de oceaan, knikten de mannen in het groene toortslicht bevestigend.

Alleen Lokinda zei: 'Is dat echt waar? Of was het alleen maar een visioen van de walvisjagersheks?'

'Geen visioen. Kijk, hier heb ik een stuk van het ijs dat ze me liet brengen.'

Uit de berijpte buidel aan zijn riem diepte Atluan een ijsscherf op. Hij gaf hem aan de gehandschoende Rosger zodat die hem aan de verzamelde mannen kon laten zien.

Een voor een staarden ze in het melkige ijs naar de kleine rode edelsteen die daarbinnen, volmaakt gekloofd, lag te glinsteren.

'Hoe is de vrouw in de zee beland?' vroeg Lokinda ten slotte.

'Misschien heeft het Olchibi gajes haar erin gesmeten toen ze met haar klaar waren. Of misschien vond ze de dood toen ze probeerde te vluchten. De hertenspannen van de Ruk zijn snel en sterk – misschien hebben ze zelfs de zee kunnen bereiken,' peinsde Atluan, met een kille blik in zijn felle ogen, 'en heeft het ijs het toen begeven, zoals de laatste tijd wel meer gebeurt.'

'En zij zit dus in die ijsheuvel? Is zij het echt?'

'Ze hebben ons verteld dat haar haar geel was als lampolie. Of geel als goud... De vrouw in het ijs draagt vorstelijke kleren en heeft van dat gele haar. Zij is het.'

Rosger was degene die de verklaring besloot: 'Geef de Klauw toestemming om over jullie land te reizen. Het dorp ligt westelijk van hier aan de kust, op drie dagen en twee nachten reizen. Ga mee als jullie willen. Ze is dood, maar ze is van ons. De Ruk hebben ons niets onthouden.'

De wet van de Jafn was oud, van voor mensenheugenis. Voor alles, of althans voor het meeste, hoorde een reden te zijn. Dat een stamhoofd die zijn vrouw had verloren aan een ziekte of in het kraambed, haar familieleden niet om bondgenotenhulp mocht vragen terwijl hijzelf – net als de zijnen – verplicht bleef om diezelfde familieleden bij te staan in elke willekeurige strijd, voorkwam, beweerde men, dat hij een huwelijk te licht opvatte. Om die reden ook behield hij geen enkel recht als zijn vrouw spoorloos verdween. Maar als zijn echtgenote na haar verscheiden geëerd bleef en als haar botten op een bekende plaats rustten en er gaaf uitzagen en als er offers voor haar gebracht werden in een fatsoenlijke graftombe, dan kon de bedroefde weduwnaar bepaalde andere rechten doen gelden. Door de verloving hadden de Rukar zich daar deelgenoot aan gemaakt.

Atluan dacht na over de regels van de wet terwijl ze langs de kust naar het westen reden.

Hij koesterde geen enkele illusie, bedacht hij. Trouwen met een helharige vrouw van de Rukar had hem op zichzelf nooit aangelokt, maar vriendschap met de Rukarse natie was lang niet slecht. Overal in de ijswereld werd oorlog gevoerd – Jafn tegen Jafn, tegen de Olchibi en consorten, en tegen elke grotere binnenlandse macht die het waagde zijn kop op te steken. En van de zwarte open oceaan vielen er nu en dan horden zeerovers binnen, zoals Vormen, Wierders en Blauwe Beisters – overvallers met schepen van walvishuid en walvisbeen, slank en gevaarlijk als de gesneden slangen waarmee ze ze versierden, en met geesten nog blinder en onwetender dan de open zee.

'Je droomt toch zeker niet nog steeds van je bruid, hè?' Rosger wist hem altijd te ergeren, maar de gebruiken vereisten dat hij nu meereisde in de arrenslee. Als derde zoon moest hij bruidsjonker zijn bij elk huwelijk dat Atluan eventueel zou sluiten. 'IJs houdt dingen goed, vanzelf, dus misschien... zoals die peren en appels van Lokinda...?'

Ze reden de hele nacht door, de Klauw en de andere Jafn die ervoor hadden gekozen om hen te begeleiden. Tegen de dageraad lieten ze de leeuwenspannen rusten, ze aten wat, strekten hun benen, en hielden hardloop- en worstelwedstrijdjes rond de vuren die de tovenaar had gemaakt. De Jafn waren trots op hun lichamelijke vaardigheden en ook op hun vermogen om lange tijd zonder slaap te kunnen. Tijdens deze haastige tocht langs de kust zouden ze pas in de tweede nacht een paar uurtjes slapen.

Aan de landkant passeerden ze sombere ijswouden en rimboes, na zonsondergang soms bespikkeld met lichtpuntjes van dorpen. Af en toe zagen ze ook lage bergen maar die lagen altijd aan de zeekant – meer ijsheuvels die op de kust waren gelopen.

Vroeg in de middag van de derde dag bereikten ze het walvisjagersdorp. Dit land was in theorie van niemand; het hoorde bij de zee. Maar het aangrenzende gebied was van de Sjaji en ongetwijfeld waren die niet erg te spreken over het feit dat de wijsvrouw niet ook hen had ingelicht over het wonder. Of misschien was ze trouwens zo verstandig geweest om dat wel te doen, want ze hadden niet erg verrast geleken en maar vier van hen waren met de Klauw uitgereden.

Uit het dorp aan de kust kwam een groep mannen. Ze droegen sterke kleren van vissenhuid. De wijsvrouw was de enige vrouw, maar ze liep wel voorop. Toen ze Atluans arrenslee op twintig passen genaderd was, hief ze haar magere armen op. Het door haar opgeroepen briesje draaide om haar heen en kwam toen op de Gaiord af. Het bevatte een zilverkleurig, doorschijnend zwiftertje, een van de lagere geesten van de bovenlucht. In opdracht van de heks maakte het wezentje een diepe buiging voor Atluan. Het legde een gaaf oranje blad van glas op het ijs, van een boom geplukt – een geschenk – grijnsde even en loste toen op. Rosger stapte uit, raapte het blad op en draaide het bewonderend om en om in zijn handen.

'Gegroet, joffer,' zei Atluan. De heks droeg een masker dat haar hele gezicht bedekte op een enkel wild, bleek oog na. Hij ging verder: 'Ik dank u. Hoe ver is het naar de ijsheuvel?'

'Bedwing je ongeduld,' zei ze. 'Je bent nog maar een jongen.'

'Ik tel al drie decennia.'

'Een jongen dus. Luister, geen ijsheuvel, maar een *bouwsel* van ijs.'

'Dat meldde u al in uw boodschap. Is dat mogelijk?'

'Alles is mogelijk.'

'Wie heeft dat bouwsel van ijs dan gebouwd?'

De heks zei niets.

Om haar niet voor het hoofd te stoten stapte Atluan uit de ar om zwijgend naast haar naar de kustlijn te gaan staan staren, waar geen ijsheuvel te bekennen was. Maar achter het dorp golfde het land verhullend op en neer.

'Let op,' zei de heks, 'dit oog dat jij ziet, ziet jou. Het andere oog is verborgen. Dat ziet elders.'

Atluan zei: 'Ik heb abrikozen van de broeikasboom voor je meegebracht en kruiken witte wijn.'

'Je bent een goede onderhandelaar,' zei de heks.

'Er is nog meer.'

'Dat is genoeg. Ik zal je nu naar de plek van de ijspiramide brengen. Maar de anderen moeten hier blijven.'

De Jafnse mannen begonnen bezwaar te maken. Atluans leeuwenspan dat hun onrust bespeurde, begon grommend aan hun tuig te rukken en aan de ar te trekken, tot Rosger ze met een scherp commando terugriep.

'Ik heb niets te vrezen,' zei Atluan.

Een van de Vantri riep: 'Dat heb je wel, Gaiord. Het is een Sjaji heks.' En nu begonnen de Sjaji verontwaardigd te grommen.

'Zwijg,' zei Atluan. 'We zijn hier voor baat, niet om te vechten. Ga alstublieft verder, joffer,' zei hij vastberaden tegen de heks.

Ze grinnikte achter haar nietszeggende, bleke masker. *'Jongens.'*

Hij volgde haar langs de kust en de groepjes starende walvisjagers, en toen door hun enige straat met de smalle zwarte schuren.

Een stukje daar voorbij liep het hellende terrein via getrapte terrassen van ijs en steen ineens steil omlaag naar een gebied met ijsvelden zo'n dertig meter lager. Daar in de diepte was een baai uitgehakt in het ijs met een poel blauwzwarte vloeistof. En daar, binnengehaald van het verre water, dreef het ding uit zee.

Het was recies zoals ze hun allemaal had verteld, een volmaakte piramide. Regelmatig gevormd en aan de voet smaragdgroen van kleur, maar hogerop wolkig doorschijnend als gepolijst glas, leek het op een voorwerp zoals ze dat in de steden vervaardigden.

Eerst klauterde hij langs de steile wand omlaag. Hij was gewend aan zulke inspanning, anders was hij misschien wel gevallen. De heks bleef waar ze was. In zijn eentje liep hij op de heuvel in de baai af.

Het voorwerp was hoog als het Huis van de Klauw met zijn forse bovenverdieping, meer dan zeven maal manshoog. Tot waar zijn blik reikte, bleef het ondoorzichtig.

En dus waadde Atluan door het ondiepe water aan de rand van de poel om op de piramide te kunnen klimmen. Zulk geklauter had hij als kind ook vaak uitgehaald. Als de heks hem nog als een jongen zag, dan kwam dat dus wel goed uit.

Terwijl hij omhoogklom met gelaarsde voeten, gehandschoende handen en alletwee zijn messen, die hij in het tamelijk poreuze materiaal ramde, bracht het glinsteren van de verre zee zijn ogen in de war. Zijn oren begonnen te tuiten; hij leek stemmen te horen die misschien van geesten of demonen waren, maar die misschien ook wel helemaal niet bestonden.

En toen stond hij ineens met zijn gezicht tegen een vlak als van het allerdoorzichtigste glas. Hij keek door het raam – en zag.

De walvisvaarders hadden dit ook gedaan, althans sommigen van hen. De wijsvrouw had de piramide natuurlijk niet beklommen, maar misschien had een van haar winddienaren haar omhooggedragen. Ze hadden de ijsscherf als bewijsstuk uitgehakt.

'Aangezicht van God!'

Maar het was niet het aangezicht van God, in het ijs. Het was het gezicht van een vrouw, jong, mooi en doods, omkranst door haar met de kleur van de wijn die hij voor de heks had meegenomen. En in dat haar zag hij wel duizend fonkelende sterretjes, net zulke juwelen als die ene die ze hem toegestuurd hadden. Maar het waren geen geslepen robijnen, het was een fontein van bloeddruppels en elke druppel gloeide.

Ze had haar ogen open. Ze had de dood gezien. Atluan staarde haar aan in de verwachting de handtekening van de dood op haar irissen geschreven te zien. Maar hij zag alleen zijn eigen spiegelbeeld.

Er gebeurde iets en hij begreep even niet wat. Te laat probeerde hij zijn gewicht te verplaatsen, maar zij had hem betoverd en hem zorgeloos gemaakt.

De plaat ijs onder zijn lijf begon te glijden en viel.

Atluan rolde opzij en grabbelde naar houvast.

De lichaamswarmte van een mens was niet genoeg om zo'n dikke plaat zuiver ijs te smelten – maar blijkbaar was dat toch gebeurd.

Hij gleed weg, wel twaalf meter omlaag, en verwachtte hard als ijzer op de stalen oppervlakken net onder de waterspiegel neer te komen. In plaats daarvan zakte hij naar voren, wel omlaag, maar hij belandde aan de binnenkant van de ijsplaat. De piramide begon overal te barsten en te splinteren en zonbeschenen naalden spatten naar alle kanten weg. Tot hij zijn ogen dichtdeed om zijn zicht niet te verliezen. En ineens had hij weer houvast.

Hij was niet zozeer vallend, maar eerder zwemmend op het lichaam van de bevroren jonge vrouw beland. In een wrede bespotting van de bijslaap lag hij nu met zijn borst tegen de hare. Zijn mond rustte op haar mond.

Atluan huiverde. Ze rook en smaakte naar geparfumeerde lippenverf. Ze was – *warm*.

Die ontstellend verbazende kus had nog geen tel geduurd. Maar toen Atluan zijn hoofd terugtrok, zag hij haar open ogen bewegen met een doelgerichtheid die louter van bewustzijn afkomstig kon zijn. Ze richtten zich helemaal op hem.

Hij had wel over zulke voorvallen gehoord: dieren en mensen, bevroren van de ijsschotsen gehaald om dan te worden bijgebracht tot een soort schijnleven, wat dan in een zucht weer verdween – of, als het wel standhield, in een verstandloos krijsende waanzin overging.

'Waar...?' zei ze. Haar stem was niet meer dan een fluistering. 'Waar... waar...?'

'Hier,' zei hij. 'Je bent hier.' Hij dacht aan die verhalen en voegde er langzaam aan toe: 'Hoe heet je?'

'Safee.'

Bij zonsondergang kwam de Gaiord thuis met zijn bruid.

Onder de dichttrekkende lucht straalde de hele Klauwse werf van het toortslicht. De mensen in de brede kronkelstraten die tussen de woningen waren aangestampt, keken lang en in volstrekte stilte naar de toekomstige partner van hun stamhoofd. Niet alleen kwam ze uit de vreemde contreien van Ruk Kar Is, ze was ook uit de dood teruggekeerd.

Het uitheemse van deze Jafnse woonplaats, op zijn verhoogde terp en omheind met muren en grachten van sneeuw, zei Safee niets. Ze keek maar wat rond naar de plompe huizen. Die waren begroeid met klimop en het licht van de talgpitten achter de ramen werd gedempt door membraanluiken. Overal stonden totems op palen, waaronder beeldjes van ijsduivels, spoken en aardgeesten. Die werden door de Jafn niet aanbeden, wist ze, want dat herinnerde ze zich nog van het gebabbel van haar hofdames onderweg – hoe lang geleden was dat alweer, toch zeker al maanden? Toen haar geheugen eenmaal bij het voorval op het glazen meer was beland – het glijden, de gekantelde arrenslee, het lidderen van het ijs toen de achtervolgende mammoeten onderuit gingen – viel er een gordijn over haar brein.

Maar verbazend genoeg pikten haar herinneringen vrijwel onmiddellijk weer op. Ze herinnerde zich een gezicht dat haar op een paar centimeter van het hare aanstaarde. Een man met wit haar, ogen die amper meer kleur hadden en een door de wind gelooide huid die naar warmte en kou smaakte. Want hij had haar gekust en de afdruk van zijn mond op haar lippen achtergelaten.

Nu stond hij naast haar in de ar, hun beider handen, zijn linker en haar rechter, bij de polsen met een koord aan elkaar gebonden. Ze spraken niet – hij had haar maar heel weinig verteld.

De leeuwen draafden door de straten naar het hoogste punt van de werf, het Huis van de Klauw. Ze dacht: *Als me niets was overkomen, zou ik dan nu bang moeten zijn?*

Atluan tilde haar uit de ar en droeg haar naar de boogvormige deur. Daarboven hing een groot stalen zwaard, dat ter ere van de Gaiord altijd blinkend gepoetst werd. Het hing horizontaal, als teken van vrede.

Rosger, de bruinharige broer, sneed het koord door waarmee de tovenaar bruid en bruidegom had verbonden. Eenmaal vrij voor elkaar gingen ze het Huis binnen.

'Mijn vader,' zei hij, 'kon het deurzwaard met één hand zwaaien. Net als mijn oudste broer, Conas. Het weegt evenveel als een man van vijftien jaar en ik kan het alleen met twee handen optillen. Beval ik je daarom minder, nu je weet dat ik een zwakkeling ben?'

In de smalle slaapkamer die volhing met allerlei wapens, keek Safee haar echtgenoot verbaasd aan. Hoewel hij tot nu toe had gezwegen als het graf, praatte hij ineens honderduit, alsof ze elkaar kenden, bevriend waren, alsof ze dit huwelijk en wat er nu te gebeuren stond al lang geleden hadden afgesproken. En vooral alsof hij haar had uitgekozen en zij hem. Ze sloeg haar ogen neer. 'Het is toch niet noodzakelijk dat ik... je *aardig* vind?'

'Je mag me dus niet? Of ben je bang van me?'

'Ja,' zei ze.

Uit alles wat ze ooit had gezien had, ze afgeleid dat een man het niet erg vond als anderen bang voor hem waren. Gedeeltelijk zei ze het om hem te vleien. Maar het kon net zo goed waar zijn; ze wist het niet.

Beneden, in de feestzaal van het Huis, had de Jafnse Klauw eerder een feestmaal gebruikt van geroosterd wild, haai en hertenrob, besproeid met verschillende soorten alcohol. De dikke, met houtsnijwerk en verf versierde pilaren van de zaal hielden een dak omhoog dat deels uit spanten bestond waarop de gestreepte ijshaviken van de Jafn hun roest hadden. Langharige honden liepen tussen de banken heen en weer. Er waren ook leeuwen binnen, de lievelingsdieren die het best afgericht waren. Van deze leeuwen hadden zowel de vrouwelijke als de mannelijke dieren manen. Atluans arrensleespan zat met gouden Huishalsbanden om naast zijn tafel, waar hij ze vlees en fruit voerde. Het was lawaaiig en rokerig in de zaal. Safee was blij toen de vrouwen haar kwamen ophalen om haar naar boven te brengen. Atluan had aan tafel geen woord met haar gewisseld.

Nu vloekte hij, maar zij begreep de strekking van de vloek niet want de Jafn spraken een mengsel van twee of drie talen, waarvan er een genoeg op die van de Ruk leek om voor haar verstaanbaar te zijn. Maar dit was een van de andere twee en die verstond ze niet.

'Safee,' zei hij nu. Hij proefde de naam op zijn tong en zei hem nog een keer. 'Safee, ik geloof dat jouw mensen je nooit hebben verteld wat bij ons de gewoonten zijn.' Ze wachtte met neergeslagen ogen. 'Een man mag op de huwelijksdag niet met zijn bruid praten, de hele dag niet, tot ze alleen zijn. Dan en daarna mag dat wel.'

Ze voelde zich onnozel, kinderachtig en nog steeds bang. 'Dat hebben ze me niet verteld.'

Hij ging in de stoel aan de andere kant van de kamer zitten en zij zat op het reusachtige bed van steenhout, tussen de vachtdekens en het kleurig geruite beddengoed. De lamp brandde op een laag pitje. Uit de schaduw zei hij: 'Dan zal ik je vertellen waarom dat niet mag. Lang geleden bracht de held Ster Zwart zijn bruid naar zijn Huis. Hij was zo weg van haar dat hij alleen maar met haar praatte en al zijn gasten verwaarloosde. De meesten konden hem dat wel vergeven, maar een van hen was een gleer, een ding uit de buitenste duisternis dat vermomd als Ster Zwarts oom was binnengedrongen. Deze duivel sloop dus achter Ster Zwart aan naar de slaapkamer. Hij bleef buiten staan en zodra Ster Zwart zijn vrouw aanraakte, spuugde de gleer zijn vergif uit. De giftroep liep als slangengif onder de deur door, en toen het de blote voeten van de jonge vrouw raakte, doodde het haar. En daarom spreekt een man geen woord tegen zijn bruid tot ze met zijn tweetjes in de slaapkamer zijn, om haar te beschermen.'

Safee wist niet of ze moest lachen of huiveren. Voor de Jafn, had ze al wel gemerkt, was het bovennatuurlijke wezenlijk en altijd aanwezig. Onderweg van de kust naar hier, nadat Atluan en zijn mannen haar uit het ijs hadden gehaald, had ze hen soms tegen wezens in de sneeuwbuien en in de wind zien praten, en ze had ze zelfs voedsel zien achterlaten als zoenoffer. Zij kon die schepsels niet zien, maar dat betekende niet dat ze aan hun bestaan twijfelde.

'Waarom noemen jullie de held Ster Zwart?' vroeg ze mat.

'Zijn haar en zijn huid waren zwart als kool.'

De lamp flakkerde. Buiten wakkerde de wind aan over de ijsvelden van de zee. Dit was een sombere, gevaarlijke plek en ze hadden haar uitgehuwelijkt aan een barbaar.

Hoewel ze het zich duidelijk herinnerde, kon ze niet echt geloven dat ze was aangetroffen in een ijsberg, omringd door bevroren edelstenen van bloed dat niet van haar afkomstig was.

Hij, deze man, ging ervan uit dat zijn God haar had gered en dat de bloededelstenen dus een teken van Hem waren. Safee zelf moest aanvaarden dat de barbaar haar van de levende dood had gered.

Atluan stond naast het bed. Onder zijn bontmantel zou hij even naakt zijn als zij door de Jafnse vrouwen voor hem was gemaakt. De huwelijksplechtigheid stelde helemaal niets voor, een paar woorden en het bindende koord. *Dit* was het huwelijk, hoe een man en een vrouw getrouwd raakten.

'Safee,' zei hij nog eens.

'Ja,' zei ze. 'Ik ben bang. Doe alsjeblieft snel wat je moet doen.'

Hij draaide de lamp met de donkerste zijde naar voren. Ze dacht aan wat hij over het deurzwaard had verteld en vroeg zich af of hij daarmee soms ook iets anders had willen vertellen, een seksueel tekortschieten misschien. Toen voelde ze zijn handen op haar lijf en zijn mond op de hare.

Haar geheugen herinnerde zich nu ook zijn mond. Deze zelfde handeling, het gewicht van zijn lichaam, zijn handen, zijn lippen, had haar uit de ijsslaap gewekt en haar ontdooid.

Ze klampte zich huilend aan hem vast. Hij hield haar in zijn armen. Maar het was geen troost wat ze bij hem zocht. Ze herinnerde zich *hem* en ineens was zij het zelf die gretig aandrong. En was het Atluan die plotseling aarzelde.

'Alsjeblieft,' zei ze, 'ik wil graag, ja –'

Maar blijkbaar wist hij niet wat te doen, en hij wachtte op het laatste moment toch nog ondraaglijk lang. Zijn gezicht stond streng en afwezig, en Safee lachte tegen dit gezicht en trok het omlaag tegen haar borsten.

Safee kon niet raden hoe ze zoveel wist. Zij had op haar beurt zijn lijf gestreeld. Zich volledig bewust van haar eigen handelen, voelde ze haar lichaam tintelen van verlangen en opengaan als een bloem.

'Geef je maar gewonnen,' zei ze, alsof zij de krijger was.

Ze vonden elkaar onder de vachten en de kleurige ruiten, en het duurde niet lang voor die allemaal op de grond lagen.

Voor het beeld van God, onder de kelders van het Huis, stond Atluan, Gaiord van de Klauw, in de bittere kou zwijgend te wachten.

Het beeld had geen gezicht, want het Aangezicht van God mocht slechts aanschouwd worden voor de geboorte en na de dood. De gestalte van God had geen ledematen en bestond uit een glazig materiaal, onveranderlijk maar toch bezield. Atluan hield zijn beide handen tegen de buitenkant van het beeld en voelde de hartenklop van de eeuwigheid.

'Ik zweer U dat geen ander dan ikzelf hier ooit van zal weten. Ik zal haar ook op geen enkele manier straffen. Zij herinnert zich er niets van, anders zou ze niet zo met mij hebben kunnen samenzijn. Ze heeft genoeg geleden. Ik zal haar koesteren. Ze zal een betere vrouw voor me zijn dan wie ook. Ik zal van haar gaan houden.'

Dit geheim moest verder strikt bewaard blijven om haar te behoeden voor schaamte of zelfs kwaad. De kern ervan was dat Safee niet als maagd tot haar bruidegom was gekomen. Ze was geschonden en nog wel kortgeleden. Dat waren natuurlijk de Olchibi geweest, voor ze had kunnen vluchten – op zijn hoogst twee, niet meer, dacht hij. Ze hadden haar heel gelaten en ook de schoonheid van haar lichaam niet verwoest.

Het was ook mogelijk dat die verachtelijke liegbeesten van een moordenaars in Karismi haar al geschonden hadden laten vertrekken, maar dat betwijfelde hij. Ze had hem in weerwil van hun kuiperijen toch nog kunnen bereiken – zoals nu ook was gebeurd – en de belediging van een eerdere ontmaagding zou niet alleen tot ongeldigheid van het verbond hebben geleid maar tot een bloedvete of zelfs oorlog. Bovendien waren de bewijzen van haar ontsluiting nog vers, zo vers dat ze de afgelopen nacht opnieuw had gebloed, wat morgenochtend de kamervrouwen zou verheugen.

Ze herinnerde zich blijkbaar niets van haar verkrachting. Ze had er geen schuld aan. Dat moest wel, anders had ze zich niet kunnen gedragen zoals ze gedaan had – gespannen en verlegen, en daarna vurig en begeesterd. God zou het weten. God wist misschien ook dat Atluan op het moment dat hij Safee in het ijshart zag liggen, haar in het zijne had gesloten.

Boven, in het Huis, hoorde de Gaiord vaag het gelach in de feestzaal. Rosger was vast malle kunsten aan het uithalen om ze te vermaken. Misschien paradeerde hij wel tussen de banken, door met zijn voeten op twee verschillende leeuwenruggen. Het was nota bene het leeuwenspan van Atluans eigen ar, maar dat zag Atluan niet, want die was inmiddels al via zijn eigen persoonlijke ladder onderweg naar zijn vrouw bovenin het Huis.

DRIE

Een gezicht, een kus had haar uit de dood gewekt. Nu werd het zwarte nergens opnieuw door licht overspoeld.

In snelle golven kwam het aanstormen als vuur en met dezelfde witgloeiende hitte. Het was een golf, diep in de zee, een reusachtige, gouden breker en uit die golf staarde een goudgeblikt iets haar aan, in haar ijzige gevangenis.

Atluan was de tweede die haar had bezeten, zoals hij zelf had moeten ontdekken.

Ze herinnerde het zich nu, herinnerde het zich bijna... gouden ogen, een kracht die haar optilde als een reusachtige hand en haar lijf van top tot teen verzengde.

In haar slaap, met haar bewustzijn ver van het steenhouten bed in Jafn, kronkelde Safee van doodsangst en genot.

Ja, ze herinnerde het zich. In de blinde grotten, die waren ontstaan tussen het onstuitbare glijden van de slee en haar ontwaken in de ijsheuvel, had haar herinnering in leven weten te blijven, maar wel verbrokkeld als een troep glanzende beesten.

Ze *zag*, zoals ze eerder had *gezien*, de kolossale zuilen die een dak van bevroren water omhooghielden als wolken van geslepen parels. Om haar heen wervelden wezens en levende bellen in een gitzwarte vloeistof die kon stromen. Het zwart was dooraderd met kil blauw drijvend ijs en stromen vissen; die met hun dikke schubbenpantser de koude de baas konden blijven. Maar deze buitengewone taferelen, die normaal gesproken alleen verdronkenen te zien kregen, waren aan Safee niet besteed. Zij begon namelijk de god te zien.

Al dromend voelde ze zijn zwaarte en zijn warmte. Haar huid gloeide tegen zijn huid, onder de zilveren lavafontein van zijn haar.

Kende ze hem? Deels wel. Hij was een god van de Ruk daar onder het ijs van de Randstreek, een god aan wie ze offers had gebracht en waar ze als kind zelfs bang voor was geweest. Dit was uiteraard zijn milde en goedgunstige verschijningsvorm; hij was verliefd. Als hij in zijn kwaadaardige toestand had verkeerd – zijn andere verschijningsvorm – zou alleen zijn stemming haar al uiteen hebben kunnen rijten.

De bloesem van dergelijke lust was een verrukking. Een wirwar aan orgasmen holde haar uit. Zulke vervoering had een sterveling nooit kunnen veroorzaken.

Maar ze maakte geen geluid in haar slaap. Ze verroerde zich niet. Als er al iemand was geweest die haar had gezien of had aangeraakt, zou die gemerkt hebben dat ze zelfs helemaal verstijfd was, als een dode. Maar de Jafn koesterden minachting voor de slaap. Na nog een uur van liefde bedrijven was Atluan uit bed gestapt om te gaan jagen. Zodoende lag ze weliswaar in haar eentje, maar niet eenzaam, want in haar droom paarde ze keer op keer met die macht die haar onder de zee van haar maagdelijkheid had beroofd.

Dat was de eerste herinnering en toen ze 's morgens ontwaakte, herinnerde Safee zich er opnieuw niets meer van.

Ze werd wakker in bed toen de vrouwen binnenkwamen om haar te wassen en te kleden. Safee schaamde zich maar ze wist niet waarom. De vrouwen die haar dienden, twee van hen oud en ervaren, zagen de bloedvlekken en vonden haar terughoudendheid niet meer dan gepast.

Voor ze de slaapkamer verliet omdat ze als echtgenote van de Gaiord beneden werd verwacht, stuurde Safee de vrouwen het vertrek uit. Bij de overval van de Olchibi was ze het vergulde kistje met haar persoonlijke goden kwijtgeraakt, het drietal dat haar in Ru Karismi bij haar geboorte was toegewezen. Hoewel ze de goden eerbiedigde, dacht ze zelden aan hen, behalve dan als kind toen ze haar dwongen. Maar nu offerde ze hun wijn en een bloem van de klimrank langs het raam, die alleen bloeide waar hij naar binnen groeide.

Toen voelde ze hun aanwezigheid. Ze prevelde een gebed en sprak zorgvuldig hun namen uit, zacht genoeg om buiten de deur niet gehoord te worden: 'Yyrot, Minnaar van de Winter. Ddir, Sterrenschikker,' stamelde Safee. Een golf van beroering die het midden hield tussen afschuw en genot, woelde door haar lijf. Haar wangen werden heet en rood, en ze stamelde de laatste naam. 'Zezet… Zonnewolf.'

Schaduwen flikkerden door de slaapkamer en verdwenen weer. Maar door het raam zag ze boven de Klauwse werf vier of vijf haviken vliegen. Dat klopte wel.

Buiten op de ijsvelden hadden andere Klauwse haviken een stel wit-kadi's geslagen uit een troep die in de open gedooide scheuren en geulen aan het vissen was. De jagers hadden ook een drietal beren gezien die ze in hun leeuwensleden in volle vaart hadden achtervolgd. Maar de beren waren in de sneeuw verdwenen – misschien waren het wel demonverschijningen geweest.

De jachtpartij werd enige tijd gestaakt om te eten en behendigheidsspelen te doen, waarbij ze met hoornen bogen op in het ijs gestoken stokken schoten.

'De Gaiord heeft vanmorgen niet bepaald een scherp oog.'

De mannen lachten. Misschieten na een gelukzalige nacht met een bruid was net zo gepast als haar maagdenbloed op de lakens.

'Voor je het weet is Ros aan de beurt. Wat vind jij, Rosger? Verlang je naar een vrouw?'

'Ik?' Rosger tuurde langs zijn boogpees naar de doelwitten. Hij liet de lichte pijl soepel wegzoeven en die trof het midden van de roos. 'Als ik iemand het hof ga maken, hoop ik maar dat God me een teef van de Rukar bespaart.'

'Ze heeft anders wel een knap smoeltje.'

'En ze is slim ook,' voegde Rosger er minzaam aan toe. 'Ze kan zich laten invriezen in een blok ijs en er ongedeerd weer uit te voorschijn komen.'

De groep Klauw rond Rosger zweeg somber. Ieder had op zijn eigen manier geprobeerd het griezelige avontuur van de bruid uit zijn gedachten te bannen.

'Ze was voorbestemd om bij ons te horen,' zei een van hen uiteindelijk, 'en daarom bleef ze leven.'

'Misschien wel. Kennen jullie het verhaal van de crarrow nog?' vroeg Rosger, die hen gisteravond bij het feest zo goed had vermaakt door de dwaas uit te hangen en handige goocheltrucjes te vertonen en bizarre toverkunstjes, waarvan zelfs de Huistovenaar opkeek. Rosger had ook zijn aandeel in het verhalen vertellen gehad. Nu had hij er blijkbaar nog een te vertellen.

De meesten kenden dit verhaal wel, maar ze wachtten aandachtig af. Want als er buiten de feestzaal een verhaal werd verteld, had dat altijd een voorspellende lading.

Rosger begon. 'Er was eens een heks van de Jechen, een van de crarrowin. De Jafnse held Goedhart vond haar bij het jagen bloedend in de sneeuw liggen, ernstig verwond door spotwolven. Ze was niet gestorven, maar dat schreef hij toe aan haar toverkunsten. 's Nachts sprak ze een bezwering over hem uit om hem te verleiden. Hij paarde zeven uur achter elkaar met haar zonder ook maar een moment rust te nemen, zo geweldig wond ze hem op, in weerwil van haar akelige okerkleurige vel. Toen nam hij haar mee naar huis om met haar te trouwen. De crarrow was de allerbeste vrouw ter wereld voor hem, veertien dagen lang. Toen brak de nacht van de driedubbele maan aan. Die nacht kwam de crarrow overeind in hun bed om zelf in een spotwolf te veranderen. Ze rukte Goedharts hart uit zijn lijf om het dampend warm te verslinden. Toen maakte ze op de werf zoveel mogelijk mensen af, tot de krijgers haar eindelijk wisten te doden. Maar ze bleef daarna ook niet rustig in haar graf liggen. Elke driedubbelwitnacht ging ze weer tekeer. Pas toen ze haar lijk hadden verbrand en de as in een met lood gevoerd zilveren kistje in het open water van de wijde zee hadden gegooid, waren ze van deze duivelin verlost.'

De mannen dachten daar zwijgend over na. Bij de kustlijn richtte hun Gaiord opnieuw zijn pijl om opnieuw te missen, waarna hij zelf in de lach schoot.

Dit zag er voor de toekijkers nogal onheilspellend uit. Maar Rosger riep om meer zwarte wijn.

Met zijn beker in de hand slenterde hij op zijn oudere broer af.

'Atluan, hebben de tovenaars al bericht gestuurd naar de magikoi in Karismi?'

'Dat doen ze vanavond. Daar hebben ze Safee voor nodig en toen ik vertrok sliep ze nog.'

'Ja, ze zijn dol op slapen, die westerse volken.'

'Probeer jij deze boog eens,' zei Atluan. 'Ik kan er niet mee overweg.'

Rosger lachte en bedankte hem. Het was een enorm compliment als iemand anders de boog van de Gaiord mocht gebruiken. Rosger pakte een pijl, zette hem snel op de pees, trok die achteruit en schoot. Volmaakt: het doelwit was finaal in tweeën gespleten. Langs de kust ging een gejuich op dat de ijshaviken onrustig piepend deed opfladderen.

Die avond stuurde de Jafnse Klauw bericht naar de Ruk dat Safee nog in leven was. De afstand was groot en het beeld moest helder zijn. Zestien werftovenaars kwamen naar het Huis om vanuit de thaumarij achter de feestzaal het bericht te verzenden.

Dat was een vertrek met maar drie wanden, en schilderingen van rituelen en toverij op de houten panelen die zo oud waren dat ze helemaal waren vervaagd. Het vertrek had geen ramen. In het hart van de ruimte stond een ijzeren korf vol met dennenappels en steenkolen. Die werden door de Huistovenaar met een enkel woord ontstoken. De vlammen die de Jafn bij zulke gelegenheden gebruikten, waren groen, net als de toortsen bij een Dingbijeenkomst van bondgenoten.

Safee droeg haar Jafnse vorstinnengewaad, afgezet en omgord met zilver. De lucht in het vertrek begon al gauw zwaar te worden en tintelde van allerlei rondzwervende energie. Ze voelde het haar op haar hoofdhuid overeind komen, en zelfs dat in haar kruis. Ze had sterk de indruk dat haar nieuwe echtgenoot niet tevreden over haar was, in weerwil van het feit dat hij heel beleefd tegen haar was geweest toen hij van de jacht terugkeerde en haar voor de verzamelde aanwezigen liefdevol had gekust om te laten zien dat hij haar op prijs stelde. Ze wist niet waar het door kwam – misschien beviel haar seksuele honger hem niet. Zelf was ze daar nogal verbaasd over geweest. Bovendien, hoe kon ze Atluan begrijpen? Ze bevond zich immers onder een vreemd volk. Hoe groot haar ongerustheid ook was, toch verlangde ze ernaar om weer met deze man samen te zijn in het bed op de bovenverdieping.

De tovenaars waren inmiddels begonnen te zingen, en ze maakten nu bezwerende en oproepende gebaren. Eigenaardige bundels en vlekken licht warrelden door het vertrek. Toen zag Safee ineens in de lucht een deur opengaan. Vol afkeer keek ze een tollende tunnel in en het kwam haar voor dat ze naar binnen gezogen zou worden. Ze deed haar ogen dicht, net als toen haar sleespan op hol was geslagen. De oude kindermeid had haar ooit een fundamenteel kunstje van eenvoudige toverij uitgelegd – door opzettelijk iets niet te zien, kon je jezelf onzichtbaar maken.

Maar Safee wist dat de tovenaars haar beeld naar de tunnel schoven en de beeltenis in de richting van Ru Karismi duwden, om te bewijzen dat ze gezond en wel in het oosten leefde.

Hoewel haar niets was verteld van wat deze mensen dachten, van hun vermoeden dat de Ruk haar hadden willen vermoorden om de Klauw van haar verbondswaarde te beroven, vroeg Safee zich toch af wat de vorsten in de stad wel niet zouden denken als ze ontdekten dat ze niet was omgekomen. Haar vader zou het niets kunnen schelen of ze leefde of dood was, vermoedde ze. De andere Bijvorst, Ward, had haar de twee keren dat hij iets tegen haar had gezegd, voor een van de andere lagere dochters gehouden. De Oppervorst, Sallusdon, had helemaal nooit iets tegen haar gezegd, en haar fysieke bestaan waarschijnlijk zelfs nooit opgemerkt.

Er rukte en trok iets aan Safee. Haar haar zwierde om haar hoofd en haar gewaad bolde rond haar benen, alsof ze in het hart van een orkaan stond.

Ten slotte deed ze toch haar ogen open. Ontsteld maar gelaten zag ze haar spiegelbeeld als een vis door de tunnel wegkronkelen. Die was ineens verdwenen. De wind ging liggen. Haar haar hing weer keurig langs haar hoofd. Ze dacht: *Maar waar heb ik ooit zo'n bewegende vis gezien?*

Het was koud in het vertrek en het groene vuur had in de seconde voor het doofde een eigenaardige vorm aangenomen als van twee vechtende leeuwen, of misschien een leeuw en een ander dier.

De tovenaars spraken geen woord tegen Safee. Nu hun taak was volbracht ,liepen ze haar straal voorbij het vertrek uit. Hier was ze blijkbaar ook niet de moeite van het opmerken waard.

Safee boog zich over de vuurkorf. Die was koud en dood, maar noch de dennenappels noch de steenkolen waren verbrand.

'Vrouw van de Gaiord! Vrouw van de Gaiord!' riep een vrouw uit de deuropening. Ze wenkte Safee met twee handen om aan te geven dat ze het vertrek moest verlaten.

Zij durft niet naar binnen en ik moet hier weg.

In een opwelling draaide Safee zich om alsof ze alles nog een keer in zich op wilde nemen en terwijl ze net deed of ze haar rok gladstreek, griste ze een van de koude steenkolen uit de tovervuurkorf. Nooit eerder had ze het gewaagd om zich met thaumaturgische handelingen te bemoeien. Zelfs deze barbaarse tovenaars beheersten hun kunst – en het was dus vast en zeker dom en gevaarlijk wat ze had gedaan. Ze verborg de kool in haar mouw, maar ze wist niet waarom.

De Huistovenaar zei: 'Atluan, de kaars van je bruid is ontstoken.'

Atluan bleef strak kijken. 'Zo gauw al? Weet je het zeker?'

'Uiteraard. De vlam heeft zich in haar schoot gevestigd. Dat was duidelijk te zien bij de berichtbezwering.'

'En het geslacht, kon je dat ook zien?'

'Een zoon, Atluan. Je bent gezegend.'

'Dank je wel voor het nieuws. Ik zal God een offer brengen en de betreffende geesten proberen te verzoenen – zonder al te veel drukte te maken. Het is wel erg vroeg om nu al het Huis op de hoogte te brengen, laat staan de hele werf. Ze is er nog maar net.'

Toen de tovenaar was vertrokken, ijsbeerde Atluan zwijgend door het vertrek. Hij bevond zich in de kleine ruimte die een Gaiord voor zichzelf reserveerde, aan de noordkant van de feestzaal tegenover de thaumarij. Het was een vertrekje dat slechts uit houten schotten bestond. In het kaarslicht volgden de glazen ogen van de op de schotten opgespannen pelzen afgunstig de bewegingen van de levende man.

Het leek wel of er vanavond meer geesten en aanwezigheden in het Huis rondzwierven dan normaal, vond hij. Onder aan de ladder naar de slaapverdieping had hij in de schaduwen een vriks op de loer zien liggen. Het was een iel en bleek exemplaar maar met een kwaadaardige oogopslag. Hij mompelde de spreuk om het weg te jagen, maar het schepsel drukte zich tegen de buitenwand om daar op te gaan in een oud wandtapijt, waar het in het patroon nog heel goed herkenbaar bleef. Atluan had een van de ondertovenaars laten komen om het schepsel te verwijderen, aangezien dat beneden de waardigheid van de Huistovenaar was. Hij hoopte maar dat het verdwenen zou zijn tegen de tijd dat hij naar boven naar Safee ging.

Hij beende heen en weer en dacht na onder de toeziende ogen van de pelzen. *Ze is wel erg vlug zwanger. Is het van mij – of van die andere-uit-wie-weet-hoevelen die haar voor mij heeft bezeten?*

In de nacht begon het ijsveld voor de kust tot ruim een kilometer zeewaarts met een gruwelijk, krijsend geluid los te breken. Dit had voor het hele Huis een slaapperiode van drie of vier uur moeten worden. In de zaal waren de wijnbekers en de huiden met loverbier aan de kant geschoven en de mannen legden zich met hun vrouwen te ruste op plankieren in de beschutting van de pilaren. De kinderen waren weggestuurd naar hun eigen huis aan de andere kant van het erf. De leeuwen lagen te slapen en de honden ook. Alleen in de hanenbalken zaten de haviken, nog opgewonden van de jachtpartij, hun veren te poetsen en elkaar te pikken, zodat de gestreepte veertjes omlaag dwarrelden. Maar toen het ijs begon te krijsen, was het hele Huis in één klap wakker. En over de hele Klauwse werf sprongen de toortsen aan en renden mensen door de straten.

Atluan zwaaide zijn benen uit bed. 'Ik moet gaan kijken. De laatste keer dat het ijs zo te keer ging, kwam het water helemaal tot de lage wal.'

Safee dacht: *Waarom leven ze zo dicht bij het open water, maar een paar kilometer ervandaan, als het zo gevaarlijk is?*

Maar ze wist ook dat het ijs maar zelden losbrak en meestal alleen een beetje achteruitweek of juist opschoof. In deze streken was sinds mensenheugenis nog nooit een *zomer*episode voorgekomen.

Tot haar verbazing pakte hij even haar hand. 'Blijf hier maar. Wij bouwen altijd hoog, dus zelfs als de zee komt, breekt hij niet door tot de werf. Hier ben je veilig.'

'Dank je dat je je zo om me bekommert.'

'Natuurlijk bekommer ik me om je. Je bent m'n vrouw.'

Maar hij had haar bedrogen door louter met een kus in bed te stappen. In een slaapnacht werd er bij de Jafn blijkbaar niets anders gedaan.

Uit het raam dat in de klimop zat verstopt, zag ze hen in hun strijdsleden wegrijden. Zoals haar al was verteld, waren er in de Jafnse Klauw zoveel mensen met wit haar dat ze hem in het donker al gauw niet meer van zijn stamleden onderscheiden kon.

Ze was niet bang. Laat de zee maar komen, wat kon het haar schelen. Ze had de zee al eerder overleefd, en het ijs... Er was haar iets overkomen, iets onmogelijks. Maar ze had er helemaal niets van onthouden.

Safee ging weer naar bed. Ze ging op haar zij liggen. In de verste hoek kon ze de kast zien staan die nu van haar was. In de kast lag in een van haar onderjurken gewikkeld, de kool die ze uit het berichtvuur had meegenomen.

Ze was ongemerkt in slaap gevallen en bevond zich ineens in een gouden grot. Nog voor hij zichtbaar werd voelde ze de god al, zijn liefkozingen, zijn mond, voelde ze hem bij haar binnendringen. In haar *droom* herkende ze hem onmiddellijk. Maar tegelijk dacht ze verbijsterd: *Maar ik was alles vergeten* – om vervolgens alles te vergeten in de verterende verrukking die Zezet de Zonnewolf haar gaf.

Onderweg naar de scheur in het ijs kreeg Atluan hier misschien een glimp of een fragment van mee, maar zonder dat hij wist wat het te beduiden had. Hij keek een of twee keer over zijn schouder naar de werf, alsof hij daar iemand had horen schreeuwen. Maar vannacht mende hij zijn eigen leeuwenspan en reed Rosger in een andere slee. Atluan moest zijn ogen op de route houden en hij draaide zich geen derde keer om.

Toen ze ter plekke aankwamen, bleek de scheur zich ver uit de kust in het ijsveld te bevinden. Aan de horizon was de bewegende zee zichtbaar, met zijn schuimkoppen die onder de twee manen wit oplichtten.

De scheur bleek niet zo ernstig als hij had geklonken, maar diep was hij wel; een zwarte geul die de ijsplaten tot wel een kwart mijl diep had gekloofd. Maar het vloeibare water op de bodem van de kloof was tam en nauwelijks gestegen.

Ze gingen verder op zoek naar andere scheuren of geulen, maar ze vonden niets. Opzij van de sleden rinkelden in de torenhoge stilte van de winternacht de belletjes en metalen plaatjes van de leeuwentomen.

De ondertovenaar die ze hadden meegenomen, stond op zijn staf geleund naar de scheurvlakken te staren. Na enige tijd zei hij: 'De scheur vriest wel dicht – maar er is iets uit naar buiten gekomen.'

'Wat?'

'Een dood ding, maar met een levende geest.'

Atluan zei: 'Moet er iets gebeuren om het te sussen?'

'Nee, Atluan. Het is al verdwenen.'

Nu was het Rosger die achterom keek, naar de Klauwse werf achter hen en vervolgens naar de hemel. Boven hun hoofden snelde er een spookachtig, maanbeschenen wolkje voorbij terwijl het volkomen windstil was. Toen ze hem zagen kijken, keken de anderen ook omhoog en ook zij zagen de wolk voorbijsnellen. Sommigen wezen er zelfs naar. Maar er kwamen vaak levende doden uit scheuren in het ijs. Ze klommen eruit en lieten zich een tijdje op de wind over de wereld meevoeren, voor ze naar de Andere Plek erbuiten vertrokken.

Op de terugrit bleef de wolk voor de krijgers uit vliegen, maar tegen de tijd dat ze hun terpdorp bereikten was hij verdwenen.

In de feestzaal werd warm drinken gemaakt. Over enkele uren brak de dag aan en niemand had meer zin om te slapen. Toen de Gaiord door de deur naar de ladder verdween, blijkbaar om weer naar zijn slaapkamer terug te keren, stootten sommige mannen elkaar grinnikend aan. Maar er waren er ook die niet blij waren met wat ze zagen.

Zelf had Atluan al eerder gezien dat de vriks niet meer in de wand verscholen zat. Maar toen hij bovenaan de ladder kwam, leek zijn hele lijf wel in koude te baden. Hij stapte de slaapkamer binnen.

De lamp was sputterend gedoofd, maar in het klimopomrankte licht van de ondergaande maan was het bed goed te zien. Atluans vrouw lag bewegingloos te slapen. Op het bed zat aan haar voeten een pezige, lelijke man. Zijn huid had de kleur van een luipaard en zijn gevlochten haar leek wel modderige melk en was versierd met kleine dierenschedeltjes. Een Olchibi!

Atluan wist meteen dat dit wezen geen lichamelijk bestaan had. Het was weliswaar ondoorzichtig, maar het had geen gewicht, maakte geen indruk in de dekens en wierp geen schaduw. Het keek ook niet om zich heen om te zien wie er binnengekomen was om hem te storen. In zijn eigen taal, die Atluan kon verstaan, mompelde de Olchibi: 'Hoerenkreng, vuil hoerenkreng, het is jouw schuld dat ik zo ben. Ik ga je wrongelen. Ik stroop je vel eraf, smerig kreng.'

Is dit soms de kerel die haar voor mij bezat?

Atluan zei in de taal van de Olchibi: 'Hoe ben je doodgegaan?'

Een Gaiord die veel met zijn tovenaars omging, stak bepaalde dingen op. Op deze manier moest je de doden aanspreken, vooral de woeste, kwaaie doden. Meestal was dat hun grootste grief en het drukte hen tegelijk met de neus op hun toestand.

De geest keek om zich heen en tuurde door zijn vlechten naar Atluan. 'Ik ben niet dood.'

'Ja, je bent wel dood. Waar is je schaduw?'

'Voor de veiligheid bij een vriend in bewaring gegeven.'

Atluan koos een nieuwe aanpak. 'Hoe heet je?'

'Waarom zou ik jou dat vertellen?'

'Omdat dit mijn Huis is, en dat mijn bed, en zij is mijn vrouw.'

'O ja?' De geest leek in gedachten te verzinken. 'Ik ga haar doden. Ze was van *mij* – mijn prijs voor mijn leider. Maar ze wist me te ontkomen. De wind kwam uit het water. Hij was zwart en droeg een kroon van ivoren punten. *Walvis* – het was een gehoornde walvis. Zij en ik, wij bereden de walvis. Toen dook hij naar de diepte.'

'En wat is je naam, berijder van de walvis?'

'Joeri.'

'Van mijn bed af, Joeri.'

De geest draaide zich om en sprong toen gewichtloos, zonder spieren en zonder botten, pardoes op Atluan af. Het was de sprong van een kat, z'n tanden ontbloot om toe te bijten en met nagels scherper dan sabels.

Atluan bleef doodstil staan en zei een woord. Joeri sprong over en door hem heen. Hoewel de geest onstoffelijk was *voelde* Atluan hem door zijn eigen lijf vliegen, als gloeiende waterdruppels, erin aan de voorkant en eruit via zijn rug.

Toen Atluan omkeek zag hij niemand achter zich; Joeri was nu nergens meer te bekennen. Atluan hoestte en spuugde. Hij zou de tovenaar nodig hebben om zich van Joeri's bezoedeling te ontdoen, maar dat kon wel even wachten. Op het bed verroerde Safee zich. Atluan keek naar haar zoals ze daar lag met haar haar in de war, lief en rozig van de warme slaap, onschuldig aan dit alles.

Hij moest haar beschermen. De Olchibi was uit de dood teruggekeerd om haar kwaad te doen – zijn verstand verbijsterd, zoals het verstand van geesten vaak verbijsterd raakte als ze in de wereld verstrikt raakten.

'Kom bij me,' zei het meisje in het bed.

Wie ziet ze voor zich?

Hij voelde een sterke aandrang om haar te vertellen dat ze door een wraakzuchtige ondode was bezocht, om te zien of dat misschien een herinnering aan haar schennis zou losmaken. Atluan merkte dat hij van haar wilde horen hoe erg ze geleden had. Hij raakte er steeds meer van overtuigd dat ze helemaal niet had geleden. Dat wat ze vergeten had, haar genot was geweest en niet haar pijn. Want de aanwezigheid van Joeri's geest had weliswaar de slaapkamer bezoedeld, maar er hing ook een zekere gloed in de lucht en de vrouw over wie de geest zijn aura had laten stralen, leek wel een vrouw die van haar minnaar had liggen dromen.

De Klauwse werf zag nachten komen en gaan, en de dagen ertussenin. Blokken van elf dagen en nachten, die de Jafn een endhlefon noemden, slorpten de dagen en nachten een voor een op. Een maand verstreek, en nog een.

Safee zat in de kamer op de bovenverdieping naast het raam. Ze voelde zich gevuld met vloeibaar, warm lood.

Het lood kluisterde haar aan haar stoel, waar ze aan een stuk door naar de bleke bloesems staarde die zich in de raamerker openvouwden.

'Is het echt zo?' vroeg ze aan de klimranken.

Ze hadden haar gisteren verteld dat ze zwanger was. Ze had natuurlijk al een sterk vermoeden gehad, want ze wist van zulke dingen, maar Safee vond die gedachte belachelijk. Het was wat een vrouw met haar lijf hoorde te doen, maar ze had op een of andere manier nooit verwacht dat het zou gebeuren, zelfs niet in de nachten met Atluan wanneer de hartstocht hoog oplaaide. Het had niets met haar te maken, maar het was nu een feit.

Het verklaarde wel haar toenemend gevoel van zwakte en de misselijkheid die ze soms voelde als ze opstond of naar bed ging.

Safee voelde zich ver verwijderd van zichzelf. Ze voelde zich modderig en vreemd oud, invalide bijna. Ze praatte hardop tegen voorwerpen en zei bijna niets tegen menselijke dingen.

Aan het begin van de twee maanden, voor ze zelf iets doorhad of anderen haar over haar toestand hadden verteld, was de slaapkamer met toverij gereinigd. Atluan meldde dat de reiniging en het ophangen van slingers van vlieglorktakken en lichtkruid haar zouden beschermen tijdens een toekomstige zwangerschap en baring - maar zelfs dat had haar destijds niet wakker geschud. Het lichtkruid dat de ijswouden opvrolijkte met vaag oplichtende blauwige bloemen, bleef klein en wilde in het vertrek niet uitlopen. De vlieglorktakken vouwden groene naalden uit en lange rode bessen. Die vielen niet af en verlepten ook niet. Was Atluan er zo zeker van geweest dat ze zwanger zou worden? Ze vroeg zich nu af en toe zelfs af of de planten haar misschien ontvankelijk voor zwangerschap hadden gemaakt.

Niemand vertelde Safee dat deze planten, in combinatie met de amuletten en bezweringen die erin vervlochten zaten, in werkelijkheid een sterke bescherming tegen geesten boden.

Door het raam zag ze vandaag grote bedrijvigheid op de werf. Het was er een komen en gaan van voertuigen. Aambeelden klonken, en vonken en roetvlokken warrelden omhoog. Een venter met gerookte vis liep de werf op en een andere met trossen sinaasappelen uit de broeikassen.

Toen kwam Rosger tussen beeldjes van vriksen en spritten door in zijn arrenslee aangereden vanachter de laagste huizen.

Ze mocht Rosger niet erg. Ze wist niet waarom; hij had weinig met haar te maken. Bovendien was het niet van belang of een vrouw een machtig man niet mocht met wie ze geen nauwe banden onderhield. Toch geloofde ze dat ze kortgeleden had gedroomd over die keer dat hij het huwelijkskoord om haar pols had doorgesneden en in haar droom had hij haar in haar hand gesneden.

Ze had nog andere dromen gehad, maar die kon ze zich nooit herinneren. Die speelden zich buiten de grenzen van haar bewustzijn af. Ooit waren ze honingzoet geweest, iets prachtigs en goedaardigs, hoewel altijd weer vergeten. Maar dat was niet langer het geval; ze werd heel vaak wakker met een wild bonkend hart. Mogelijk was het kind in haar buik daar verantwoordelijk voor.

Haar hoofd zakte achterover. Safee bevond zich opeens in een duistere holte. Ze wist dat ze in slaap was gevallen en dat ze bang was.

De duisternis bewoog. Hij was vol vissen die als juwelen voorbijgleden, hoewel er dichterbij een aantal vissen bevroren op de grond lag.

Het water – want het *was* water – spleet. Er kwam een golf aanrollen. Het was een rollende inktbreker met slierten bloed erin.

Het open voertuigje dat door de zee kwam aanstuiven, was van agaat en werd getrokken door wolven van ijs die met grote sprongen over de oceaanbodem renden.

Safee was doodsbang. Ze viel op haar knieën.

De tweeledige god had zijn andere gezicht opgezet: hij stond daar in het voertuigje met een paarsblauw masker als gezicht, en asgrauw haar. Zijn ogen waren ook van agaat, vernietigend met zijn persoonlijke verzengende minachting – en de gewelddadige waanzin die die bij hem losmaakte.

In het voorbijsnellen keek hij geen seconde naar haar. Toch zwenkte de ar opzettelijk een klein beetje opzij, zodat de dichtstbijzijnde glijder tegen haar lijf knalde. In het wakende leven zou dit genoeg geweest zijn om haar arm te breken en haar hele schoudergewricht te verbrijzelen. In de droom werd ze bang en bezeerd een eind weggeslingerd en smakte ze alleen op de grond. De zee gromde. Ergens spoot vuur uit de kelder van de aarde.

Wat had ze gedaan dat hij zo'n gezicht van afkeer en kwaadaardigheid opgezet had, de god die haar bemind had en met haar had geslapen? Hoewel hij zich niet had verwaardigd om het haar te vertellen, wist Safee het toch. Ze was zwanger geworden van zijn kind.

Atluan kwam de trap op naar de slaapkamer om zijn reserveboog te halen, die met zijn andere reservewapens aan de wand hing. Overdag zag hij zijn vrouw tegenwoordig maar zelden, tenzij hij toevallig hier moest zijn. En ook 's nachts waren ze weinig samen, want terwijl zij sliep was hij wakker en hield hij zich bezig met de handel en wandel van een Gaiord. Er was iets mis met Atluans goede boog. Sinds die dag dat ze op het ijs gingen jagen, werkte de boog hem tegen. De Huistovenaar had hem verteld dat er een corrit ingekropen was; hij moest gereinigd worden en zelfs dan had hij waarschijnlijk evengoed een nieuwe boog nodig.

Kort van zijn stuk gebracht, had hij zijn eigen ontsteltenis alweer weten te relativeren. Zulke dingen gebeurden nu eenmaal. Maar toen hij van de ladder de slaapkamer instapte, versteende Atluan van schrik.

Zonder het haar te vertellen had hij de tovenaar gevraagd materialen aan te brengen om Safee te beschermen tegen het Olchibi spook. En aangezien dat was gebeurd, waren ze daar voor zover Atluan wist nu vanaf.

Maar in weerwil van die voorzorgen, zat er nu toch weer iets anders in het vertrek.

Atluan staarde.

Safee lag als zo vaak weer te slapen, dit keer in een gebeeldhouwde stoel. Haar buik begon zelfs in dit vroege stadium al flink rond te worden en stak als een klein heuveltje uit haar slanke lijf omhoog. Iets... *vloeide* daar uit haar lijf naar buiten. Het was niets samenhangends, maar een soort lijn van rood licht, mager als een aasslang. Hij kwam uit haar buik en haar jurk te voorschijn en liep daarna omlaag en in kronkels over de vloer. Aan het eind ervan lag een hoop van de bloedjuwelen, fel als vuur, die destijds in de ijsheuvel om haar heen hadden liggen schitteren.

Toen hij en zijn mannen het versplinterende ijs met bijlen te lijf gingen, waren die juwelen alle kanten op gesprongen. Waar ze in de baai vielen, zonken ze sissend naar de diepte en bleven misschien nog een minuut glanzen. Maar de stenen die op sneeuw en ijs terechtkwamen, hielden het langer uit. De Jafn waren hogelijk verbaasd geweest. Ze hadden voor alle zekerheid afwerende gebaren naar de edelstenen gemaakt, maar niet tegen de ontwaakte jonge vrouw. Later, tegen de tijd dat ze haar eruit konden halen, waren alle juwelen op de kust of in het water uitgedoofd.

Nu zag hij ze hier weer terug, op een stapel van duizenden stuks, als de schat van een draak. Aanvankelijk kon Atluan niet zien wat er bovenop zat ,omdat het eerst erg vaag was. Maar zodra hij het opmerkte, kreeg het vaste vorm; het kreeg kleur en begon te bewegen. Het was een bloot kind.

Het kind keek niet naar hem maar zat daar met zijn gezicht in zijn handen om zijn ogen te verbergen, duidelijk doodsbang voor de fysieke wereld waarin het zich bevond.

Een jongen, zag Atluan even later – een kleine jongen van ongeveer drie jaar, met lange, windgebruinde ledematen en haar van een vlammende tint, als van vers roodkoper.

Is dit mijn zoon die in de geest uit haar schoot is gekomen? De ziel groeit sneller dan het lichaam.

Onder zijn ribben voelde Atluan iets opspringen. Zijn buitenwettelijke paringen met vrouwen van de werf hadden zelden nageslacht opgeleverd en dan nog alleen meisjes.

Net op dat moment dacht hij dat de jongen zich omdraaide om hem aan te kijken, maar de ogen – blauw waren ze – staarden strak langs hem heen. Atluan voelde een tweede aanwezigheid achter zijn linkerschouder.

Toen schoof er iets door hem heen. Hij herkende het; twee maanden geleden was dit ook gebeurd, maar toen de andere kant op.

De ervaring maakte hem een ogenblik ziek. Een misselijkmakende zichtvervaging, een rinkelen in zijn hoofd, deden hem in elkaar krimpen. Toen de flauwte wegtrok en hij zich weer kon oprichten, zag hij duidelijk de geest, Joeri, die op het zittende kind stond neer te kijken.

Atluan verstrakte en wilde naar voren stappen en tegelijk brullen om de tovenaar in de zaal. Maar hij ontdekte dat hij geen stap kon verzetten en ook zijn stem niet kon verheffen. Hij kon zelfs geen toverwoord uit zijn keel krijgen om de betovering te verbreken. Krachteloos tot toeschouwer gedegradeerd, kon hij alleen maar zwijgend afwachten. En luisteren, want nu spraken ze tegen elkaar en hij kon ze horen.

'Wiens jong ben jij,' vroeg Joeri, en hij zei er meteen achteraan: 'De vrouw moet je bij zich houden.'

Het kind draaide zich om en wees naar de nog immer slapende Safee. Voor Atluan was het gebaar duidelijk genoeg: *De vrouw daar heeft me bij zich gehouden.* Maar de geest leek zich niet bewust van de aanwezigheid van anderen. Misschien werden zuiver fysieke dingen wel door de deels nog etherische ziel van het kind gemaskeerd voor Joeri, die zelf een etherische geest was. Of anders hielden de beschermende bezweringen ze voor hem verborgen.

Joeri ging voor het kind zitten. Hij begon zijn haar los te maken en opnieuw in te vlechten. Het kind keek naar hem.

'Ik heb dingen gezien,' zei Joeri. 'Ik ben op de bodem van de zee geweest.' Het kind huiverde – dit was voor de andere toeschouwer duidelijk zichtbaar – en Joeri reageerde op het huiveren. 'Wat?'

Het kind zei: '*Hij* is daar.'

'Hij? Wie?'

'*Hij – hij* is daar.'

Joeri haalde zijn schouders op.

Het kind zei: 'Hij is vuur, zon onder de zee en nu gaat hij tekeer.'

Joeri zweeg even. 'Een demoon?'

'Hij heeft twee gezichten.'

'Ach?' Joeri vlocht vlijtig door. Toen zei hij: 'Een god van de Rukar.'

'Ik ben weggelopen,' zei het kind. 'Ik ben hierheen gevlucht.'

'Uit haar schoot. Dat zie ik – maar daar is het nog lang geen tijd voor, hoor.'

'Ik woon nog helemaal niet in haar lichaam. Wat ik zal wórden – dat leeft daar. Het is nauw met me verbonden, maar niet daarbinnen.'

Atluan bedacht dat het kind wel steeds verstandiger leek te gaan praten, op een ongerijmd volwassen manier. Hij probeerde zich opnieuw te bewegen. Wat er gezegd werd door de geest en de buiten-schootse ziel, baarde hem zorgen, maar hij kon de bezwering die hem als versteend aan de grond genageld hield niet opheffen.

'Ja,' zei Joeri, 'ik heb de goden van de Rukar nooit gemogen. Ik zal je over de walvis vertellen. Hij had een sneeuwwitte hoorn, veel langer dan mijn lijf, maar hij was zelf zwart als de nacht – net als de diepten van de zee waarheen hij me meenam. Er was ook een vrouw –' Joeri zweeg even. Hij staarde naar Safee en nu zag hij haar, maar blijkbaar niet duidelijk. Hij knerste traag met zijn tanden en keek toen weer naar het zielenkind. 'Kom eens hier,' zei hij vriendelijk. 'Haal deze vlecht eens voor me uit de tis.'

Atluan kronkelde in beweginsloosheid. Hij zag het kind – *zijn* kind opstaan en naar de wraakzuchtige geest toelopen.

In zijn achterhoofd begon Atluan God om hulp te smeken. En God stuurde hulp, maar dat was waarschijnlijk niet eens nodig. Joeri boog zijn hoofd zodat het kind aan zijn vlechten kon peuteren. Zorgvuldig haalde het kind de getiste vlechten uit de war en Joeri grinnikte naar hem. 'Je bent helemaal niet bang van me, hè?'

'Van jou?' vroeg het kind verbaasd. 'Nee, van jou niet.'

'Je hoeft niet bang te zijn voor Joeri, je Olchibi oompje. Ik heb wel vijftig of zestig kindertjes rondopen in de sluhtins. Ik vind ze allemaal even lief en zij mij. Ik neem cadeautjes uit mijn oorlogen voor ze mee. Ik zal voor *jou* ook wat meenemen.' Toen stak hij zijn hand uit om op zijn beurt door het haar van de jongen te woelen. 'Luister eens naar me, als hij ooit achter je aan komt, die Rukar god, in haar binnenste, dan roep je mij maar. Roep mijn naam, ik heet –'

'Joeri.'

'Joeri, ja. Oompje Joeri de Olchibi. Ik kan wel niet winnen van een god, maar ik ken een heleboel handige kunstjes. Ik ben op de zeebodem geweest. Er zijn manieren om je te verstoppen.'

'Joeri,' zei het kind weer. Hij vlijde zijn koperen hoofd tegen de borst van de geest en Atluan voelde een steek van ongepaste en abnormaal heftige jaloezie.

Op dat moment hoorde hij iemand over de ladder uit de feestzaal omhoog komen.

De Gaiord herkende de tred. Het was zijn broer Rosger.

Joeri hoorde hem ook. Hij ging staan en tilde het jongetje op. Atluan kende de Olchibi als een vunzig, moordlustig volk, meedogenlozer dan een verscheurend dier. Maar hoewel ze met veel plezier verkrachtten, folterden en moordden, gedroegen ze zich onverwacht zachtaardig jegens zeer jonge kinderen van elk volk. *Te jong om te bederven*, zeiden ze van zuigelingen – of alle kinderen onder de twaalf. Hun straffen voor hun eigen mensen die deze wet met voeten traden, waren gruwelijk. Atluans verontrusting was misplaatst geweest. Nu stond de geest daar met het kind in zijn armen, zoals alleen een man kan doen die vaak kinderen vasthoudt en daar veel plezier aan beleeft.

'Laten we gaan' zei Joeri. 'De kou komt binnen.'

Waar ze heen gingen kon Atluan niet zien. Op het moment dat ze verdwenen stapte Rosger de kamer in. Die gaf hem een harde stomp tussen zijn schouders en slaakte hoge, metalige kreten; een manier om betoveringen te verbreken waarmee elke geletterde Jafn die zijn stem kon gebruiken bekend was.

'Bij het aangezicht van God,' zei Rosger, 'deze slaapkamer stinkt naar oproepingen, naar hekserij. Ik kon het op de trap helemaal ruiken.'

Duizelig en misselijk leunde Atluan tegen de wand. De betovering in het vertrek had al zijn energie opgeslorpt. Hij zag Rosger met volmaakte beheersing over zijn eigen lijf en al het andere rondbenen, in zijn handen klappen en de raamblinden opengooien om frisse lucht binnen te laten.

'Heb je het gezien?' vroeg Atluan. Zijn stem klonk nog beverig.

'Gezien? Ja, een vage flits van iets roods. Het is nu weg. Wat was het?'

'Een vriks,' loog Atluan. 'Spookt al een tijdje rond in dit deel van het Huis.'

'Een vriks met zoveel macht? Je kon je niet verroeren, broer, dat kon ik van de ladder af al zien.'

'Waarom kwam je eigenlijk naar boven?' vroeg Atluan.

'Gelukkig toeval, misschien. En je was al een hele tijd weg.'

Atluan dacht kil: *Je voelde dat er iets mis was – maar je kwam niet speciaal naar boven om mij te helpen. Je kwam spioneren, daarvoor kwam je naar boven.* In het verleden, vooral toen ze nog klein waren, en Conas nog Gaiord was, had Rosger Atluan heel vaak bespioneerd, vooral als hij met een vrouw meeging. Misschien was dat nu wel weer het geval. Rosger had zelf wel met een paar Klauwse vrouwen geslapen, maar hij liet zich niet vaak gaan. Ze zeiden dat hij een kil hart had.

Hoe kil Rosgers hart was, kon alleen Rosger zelf beoordelen.

Hij liep naar de tafel en schonk wat wijn in voor Atluan, waarna hij met de zwartjaden kom naar hem toeliep. Hij keek in het voorbijgaan naar Safee. 'Slaapt nog steeds. Slaapt altijd maar. En ze sliep zelfs *daar* doorheen.' Hij gaf Atluan de zwartjaden kom. Die dronk hem leeg. Rosger zei: 'Dat was geen vriks, beste broer. Het was van *haar* afkomstig, nietwaar? Een *ding* uit de nacht-achter-de-dag. Bescherm haar toch niet! Weet ze ervan? Is ze soms een of andere smerige natuurgeestenkol, deze vrouw die de Ruk je hebben gestuurd?'

'Zwijg.' Atluan was zichzelf weer meester en keek Rosger kwaad aan. 'Denk je soms dat ik haar zou beschermen als ze dat was? Ik zei toch dat het een vriks was! Die worden soms heel sterk. Ik moet met de Huistovenaar overleggen.'

'Overleg eerst maar met mij.'
'Wie ben jij dan wel? Gewoon maar de broer van de Gaiord. *Ik* ben het die *jou* vertelt hoe ik te werk ga, en niet andersom.'
'Neem me niet kwalijk, dan,' zei Rosger. Zijn toon was heel terloops en niet gekwetst, maar ook niet berouwvol.
'We gaan naar beneden. Na jou, Ros, op de ladder.'
Een minuut nadat ze waren vertrokken, werd Safee wakker. Zoals dat wel gebeurt, wist ze dat er in de kamer daarnet nog allerlei mensen van alles hadden gedaan, maar nu was er niemand meer. Alleen de jaden kom stond nog op de grond, met een natte plek aan de rand van de opgedronken wijn.
Ze had weer een akelige droom gehad, maar ze kon hem zich niet herinneren. Ze was door iets op de grond gegooid, of ze was gevallen... Het bleef maar doorgaan en het gebeurde telkens weer. Ze had een hol gevoel in haar hart dat galmde van angst als een duistere kerker, waarin een onzichtbaar iets rondspookte.
Op dat moment kwam een van de diensters de ladder op naar haar kamer. Het was de oude Rowah, de oudste van de vrouwen, met haar zo wit als dat van een jonge Jafnse meid.
'Je gaat naar een andere kamer verhuizen, vrouwe,' zei Rowah praktisch. 'De Gaiord zegt dat ik je moet helpen om je spullen te pakken, en het meisje komt ook helpen.'
'Waarom?'
'Er is iets mis met de luiken. Kijk, ze zijn alweer opengevlogen terwijl je lag te slapen. De ijswind heeft overal zijn voetstappen achtergelaten.'

VIER

Hij hoefde nu maar honderd treden te klimmen.

Voor een Rukse toren was dat niet erg hoog, maar het westelijke kwintelhuis strekte zich ook onder de grond uit; uit het souter had hij al verscheidene trappen omhoog genomen. Hier in een torenkamer in het hart van de spitzerij, gloeide de oculus, precies zoals hij in de diepten van het huis al had gevoeld.

Sryf ging voor de oculus staan.

De zwarte bol was veranderd in een maalstroom van rondkolkende lichtpuntjes. Sryf hief zijn linkerhand, meer niet. Als een dier in paniek dat op een vertrouwde, welkome aanraking reageert, kwam de bol tot rust.

Nu werd hij ondoorzichtig en vervolgens werd langzaam de inwendige spiegel zichtbaar. Daarin kon bijkans alles gezien worden wat een tovenaar van Sryfs geestelijke kaliber kon verlangen. Maar zoals al de grootste in zijn soort, was ook deze oculus tegelijk volstrekt autonoom. Hij had Sryf geroepen. Nu zou hij zijn boodschap laten zien.

Het beeld verscheen. Het verbaasde, ja, verbijsterde hem bijna. In de spiegel gloeide een ovale robijn, die lag te trillen van de warmte die hij uitstraalde. Rondom zag je muren en spitsen van ijs. Die bleven onberoerd door de edelsteen en omgekeerd hadden ook zij zo te zien geen enkel effect op de steen. Sryf wachtte.

Sinds de Jafn zo'n krachtig bericht hadden gestuurd om de Ruk te melden dat Safee nog in leven was, had Sryf nader bericht verwacht. Hij wist dat de koningen van Ru Karismi niet in het bericht van de Jafn geloofden – dat hadden ze hem zelf verteld. Het meisje dat door ten minste één koning haar dood tegemoet was gestuurd, hóórde dood te zijn, en kon dus niet meer leven.

Sryf had het bericht gezien samen met andere magikoi. Het was weliswaar wat verbrokkeld en een beetje grof, maar het droeg onmiskenbaar het stempel van Safees eigen lichaam. Sryf en zijn vakbroeders wisten dat zulke beelden, zo dat al mogelijk was, dan toch zelden in die diepgaande mate vervalst konden worden. Toch hield Sryf zijn twijfels voor zich. Want hij had aanvankelijk het smerige complotje van Vuldir om zijn eigen dochter op te offeren teneinde de Jafn te kunnen oplichten, niet doorzien. Of Sallusdon deel uitmaakte van het complot had Sryf niet eens nagetrokken. Of hij nu onschuldig was of een schurk, de oppervorst was een nog grotere idioot dan Ward.

Toch had Sryf geen excuus voor het oorspronkelijke falen van zijn voorzienigheid en zijn conclusies. *Waarom* had hij gefaald? Hij had Vuldirs spelletje van het begin af aan even scherp moeten doorzien als hij het nu zag – even duidelijk als een druppel bloed op het gezicht van de maan. Maar hij had het gemist. Van alle magikoi – die voor het grootste deel inmiddels allemaal de dreiging van het duistere verderf voelden dat de wereld uit evenwicht dreigde te duwen – had niemand Vuldirs hand in de pot opgemerkt. Het kwam Sryf voor dat het op een of andere manier de bedoeling was dat ze die gemist hadden. Zo sterk was de psychische kracht van het verderf dat zich manifesteerde maar tegelijkertijd ook zijn aard volstrekt verhulde. Dat was een afgrijselijke gedachte. Als het Noodlot zijn pad verkoos te verbergen – zoals het dat voor gewone mensen meestal deed – voor lui van het kaliber van de magikoi, wat voor hoop bleef hun dan nog?

Deels om daarover te broeden was Sryf helemaal naar het westen naar het kwintelhuis gekomen.

De edelsteen in de oculus begon open te barsten. Sryf staarde en zag nu met stelligheid dat het een ei was. Uit de vliezen van het ei stroomden felle lichtstralen en toen barstte er iets uit de kern naar buiten.

Het was een vuurfex, de vuurvogel, mythisch maar niet onmogelijk, en altijd geloofwaardig.

Het reusachtige, gladde lijf kreeg vorm, de lange hals en de gekuifde kop helemaal bloedrood, de snavel als geslagen goud en de sterke poten als vloeibaar messing; maar dat alles was niets vergeleken bij de uitgespreide vleugels. Vermiljoen doorspekt met bliksemschichten omspanden ze bijna de hele hemel. De vogel verhief zich meteen van de aarde. De spiegel volgde hem, omhoog door de tempel van het ijs naar de zwarte hemel. Waar de vuurfex niet als een druppel, maar als een *rivier* van vlammen en bloed langs de gezichten van alle bange manen vloog.

De schepen van de Beisters doemden laag en smal op uit een winderige nacht met lichte sneeuwval.

Ze vormden een complete jalie, zoals ze dat in het gebied van de Beisters noemden: dertien in getal. Achter de jalie op het diepere water buitengaats, lag breed en log het moederschip te wiegelen, voortbewogen door hekserij en de negen dicht opeenstaande zeilen.

Langs de zijboorden van de kleine schepen hingen griezelige schilden en aan de voorstevens waren horens van haaien en landrunderen bevestigd, om als ramspiezen te dienen. Maar het moederschip was versierd met mensenschedels. In dat soort gewoonten hadden ze wel wat weg van de Olchibi.

Nog eens twintig endhlefons verstreken op de werf. Er veranderde maar weinig, tot in een regen van doffe sterren de zachte sneeuw begon te vallen.

De ruiters reden op hnowa's, forse dieren die het volle gewicht van een man konden dragen, opgetuigd met kleurige leidsels en schabrakken met regenboogfranje. Na hun verre rit stroomden ze luidruchtig de werf op en het Huis in. Ze waren boodschappers, noodzakelijk omdat toverberichten niet mogelijk waren gebleken.

'Hun sjamanen houden mret een muur van toverij onze heksen tegen – net zoals eerder al.'

Safee stond in de deur van het vertrek dat ze aan de oostkant van de feestzaal voor haar hadden opgetrokken, en hoorde hen dat zeggen.

Het leven in de zaal was stil gevallen. Atluan stond doodstil naast de aanvoerder van de boodschappers, de andere mannen waren ook overeind gekomen en stonden ook bewegingloos, en de vrouwen die met allerlei taken bij de haard en de getouwen bezig waren, leken wel standbeelden. Licht glinsterde in ogen vol geschokte aandacht. Geen van de goed opgevoede kinderen gaf een kik.

De overval had plaatsgevonden aan de noordoostkust, vlakbij de smalle strook land die de zee in stak en door de Jafn de Speer werd genoemd. Overvallers begonnen vaak daar. Vorig jaar waren het de Wierders geweest die de boerenplaatsen en de dorpen kwamen brandschatten, en nu zouden de Beisters hetzelfde doen.

Het leven in de zaal hernam zijn loop. De mannen begonnen te roepen en rond te rennen. Honden sprongen blaffend heen en weer en de leeuwen die binnenshuis leefden, begonnen te grommen. Twee leeuwen begonnen te vechten en hun bazen rukten ze achteruit en bestraften ze met de vlakke hand. De grote zwaarden en bijlen werden van de wanden gehaald en het regende nu staal in plaats van sterren. Kurassen van metaal en gehard leer werden opgediept. De vrouwen trokken gehaast de Klauwse leeuwenbanieren uit de kasten achterin de zaal. Ook de Huistovenaar kwam haastig binnen lopen, gevolgd door al zijn mindere vakgenoten.

Achter de luiken voor haar hoge ramen hoorde Safee ook in de straten allerlei kabaal en door de deur klonk het rumoer van sleden die aan kwamen glijden.

Of ze het nu prettig vonden of niet, ze waren hier heel vertrouwd met oorlogen. Het ergste treffen dat Safee in Ru Karismi ooit had gezien, was een duel tussen twee edelen in de terrastuinen onder beelden van ijs.

Traag door het gewicht van de bezetter van haar lichaam, trok ze zich weer in haar kamer terug. Het was geen afschuw of angst wat haar terugdreef. Het was meer dat ze, zelf nu zo zwaar en futloos, de bedrijvigheid niet kon begrijpen of verdragen. De overvallers kwamen haar zelfs totaal onwezenlijk voor. Want deze laatste paar maanden kwam alles buiten haarzelf haar onwezenlijk voor.

Haar kamer was heel eenvoudig; hij bestond uit hoge houten schotten met een plafond van tentdoek. Er stond een ander bed, een stuk kleiner, maar ruim genoeg aangezien Atluan toch niet vaak bij haar sliep – en dan ook nog eens nooit om de liefde te bedrijven. De Jafn onthielden zich in de laatste maanden van een zwangerschap en ze was trouwens inmiddels veel te dik. Safee ging in de stoel zitten die uit de slaapkamer op de bovenverdieping was meegekomen. Er was haar nooit verteld of verklaard waarom zij noch Atluan nooit meer naar die bovenkamer terug waren gegaan. In zeven maanden tijd hadden ze toch die luiken wel kunnen repareren?

In de vuurkorf flakkerde een vuurtje. Safee warmde haar handen.

Een uur later kwam Atluan de kamer binnen.

'Je hebt het zeker wel gehoord.'

'Ja,' zei ze.

'Niet bang zijn, hoor. We hebben al vele malen met dit uitheemse gajes afgerekend. Ze verven hun gezichten blauw, dragen sieraden met ogen en vechten als slagers. Ze rijden op monsters die iedere andere man zou versmaden. En toch stellen ze helemaal niets voor. De Krie en de Sjaji gaan ook met ons mee. We hebben hun bericht gestuurd. De Beisters kunnen hier onze bezweringen niet blokkeren; wij wonen te ver weg en onze tovenaars zijn te sterk.'

Safee glimlachte. Ze wilde maar dat hij zou gaan, hij vermoeide haar zo met zijn levendigheid en de wapens die hij had omgegord, de mantel van berenbont en zijn ogen met daarin zijn strategenblik.

Toch hoorde ze zichzelf zeggen: 'Ik heb eens een man gezien die zijn gezicht blauw verfde als hij kwaad was.' En toen dacht ze: *Nee, ik heb nog nooit zo'n man gezien.*

Het gezang uit de Thaumarij leek wel de branding van een zee. Niet krijgshaftig, maar slaapverwekkend. Ze had blijkbaar haar ogen dichtgedaan. Atluan boog zich over haar heen. 'Ik blijf ten minste twee endhlefons weg. Rosger gaat natuurlijk met me mee. Erdif beheert het Huis en de werf tijdens mijn afwezigheid. Zorg goed voor jezelf. Je tijd is nabij.'

Dat weet ik, dacht ze. En ze dacht: *Hij probeert vriendelijk en hoffelijk te zijn en me nog als zijn vrouw te begeren. Maar ik geloof dat hij niet echt iets om me geeft. Hij zegt dat ik zwanger ben van een jongen – zijn tovenaars zeggen dat. Wil hij die jongen dan? Of heeft hij een hekel aan hem?*

Atluan gaf haar een zoen, niet op haar mond maar op haar voorhoofd. Ze was te zwanger, blijkbaar, voor een zoen op haar mond. Ze herinnerde zich de hartstochtelijke taferelen die zich in het bed op de bovenverdieping hadden afgespeeld. Die kwamen haar inmiddels als waanzin voor, maar die waanzin had haar wel in deze toestand gebracht.

Atluan merkte dat Safee alweer in slaap was gevallen. Hij moest onwillekeurig even aan Jafnse vrouwen denken die zelfs als ze op alle dagen liepen gewoon aan één keer in de drie nachten een uur of drie, vier slaap genoeg hadden.

Toen hij door de drukke zaal terugliep, vloog een van zijn haviken uit de hanenbalken omlaag om ongevraagd op zijn arm te gaan zitten. Iedereen staarde er met grote ogen naar. Haviken werden zelden ingezet bij oorlogvoering.

Atluan zei vriendelijk: 'Hij komt me geluk wensen.'

Hij streelde de vogel over zijn kopje en gooide hem weer omhoog richting de hanenbalken, waar het dier meteen weer ging zitten.

Rosger was het die tegen de mannen in zijn nabijheid zei: 'Wat was dat? Er was eens een held wiens havik op zijn arm kwam zitten toen hij een draak ging doden–' Ineens zweeg hij. Maar het verhaal dat iedereen kende, ging in elk hoofd natuurlijk gewoon verder. De draak had de held gedood. Zijn havik, die dat voorzien had, was omlaag gevlogen om afscheid te nemen. De mannen mompelden.

Rosger schudde zijn hoofd. Hij sprak een toverwoord om een toevallig voorteken te ontkrachten. 'Vergeef me mijn loszittende tong. Ik klets maar raak als een wasvrouw.' Hij pakte zijn zwaard aan van de bediende die het klaar hield, en drukte zijn lippen tegen het lemmet. 'God behoede ons. Moge de sneeuw onze vijanden bedelven.'

In ander weer zou het een tocht van een handjevol dagen geweest zijn. Nu werden het er zeven. Eerst begon de sneeuwval hevig toe te nemen. Toen begon het te ijzelen, wat het landoppervlak uiterst verraderlijk maakte, als een laagje bros suikerglazuur met een zachte moes van losse sneeuw eronder. Daarna stak er een gure wind op die snijdend over de ijsvlakten joeg. De leeuwen bleven sterk en gestaag doordraven, hun ogen beschermd door kristalheldere vizieren. Nu en dan helde er een ar gevaarlijk over en zwenkte opzij. Een ervan sloeg echt om en zakte tot zijn glijders weg. Een andere ar werd met leeuwenverzorgers en een ondertovenaar achtergelaten om hem uit te graven. De dagen waren bijna even donker als de nachten. Maar eindelijk begonnen wind en sneeuw af te nemen en zagen ze de nachtelijke sterren hangen in een niets tussen de aarde en iets anders, dat in ieder geval niet de lucht of de hemel was.

Op de achtste dag bereikten ze de hoogvlakte die uitzicht bood op de Speer. Hier stak een met ijswouden begroeide steile rotsrug uit de sneeuw omhoog. Toen ze daar in razende vaart op af stoven, barstte uit de grotten in het hoogste ijs een golvende waterval van witte vleermuizen tevoorschijn.

Laat in de middag viel er een soort bewolkte schemering in, met twee vroege manen, één vol en de ander een dun sikkeltje. Samengedromd in de beschutting van de bomen konden de Klauwse mannen mijlenver naar het oosten kijken. Aan die kust, waar de diepe zee zwart en vloeibaar tegen zijn oever kabbelde, hing nog een waas van rook en brand. Het was te ver om vlammen te kunnen onderscheiden en ook de schepen, de slachtpartij en de doden waren niet te zien. Nog een paar uur reizen en ze zouden alles met eigen ogen aanschouwen.

'Ze zijn lui die Beisters, blijven gewoon rondhangen waar ze binnendrongen.'

'Nou ja, er zijn daar veel rijke dorpen met enorme voorraden vis en walvisvlees en broeikassen vol fruit en vaten wijn. Ze kunnen het er eens goed van nemen.'

Boven hun hoofd bleven de vleermuizen rondcirkelen.

Atluan dacht aan de havik die op zijn arm was komen zitten. De Huistovenaar was op de werf achtergebleven zoals in oorlogstijd zijn plicht was. De tovenaars die de troep krijgers begeleidden, waren gewend om onder oorlogsomstandigheden te werken, maar hij had nog niemand van hen geraadpleegd. Hij had meer dan genoeg te doen.

Ineens stond Rosger achter hem. Hij was geluidloos over de sneeuw komen aanlopen.

Rosger zei: 'Zit ik morgen bij jou in de ar?'

Zoals bij verlovingen en huwelijken was het ook in de krijg de gewoonte dat de naaste broer van de Gaiord zijn arrenslee mende. In het verleden had Atluan zelf vaak genoeg de slee van Conas bestuurd; de laatste jaren had Rosger dat vaak voor Atluan gedaan. Waarom moest hij dat dan nog vragen?

Atluan keek om. Verscheidene mannen waren met Rosger meegekomen. Ze bleven zwijgend staan wachten, alsof ze hem in een of andere kwestie wilden steunen.

'Dat hoef je toch niet te vragen. Zo doen we het altijd.'

'Nu ja, je moet het wel willen.'

'Waarom zou ik het niet willen?'

'Nou,' zei Rosger. Hij liet zijn stem wat dalen. Het bleef natuurlijk Rosgers heldere stem die ver droeg, ook als hij gedempt praatte. 'We hebben al eens eerder ruzie gehad over bepaalde zorgen die ik me maak omtrent de vrouw met wie jij getrouwd bent.'

'Maanden geleden.'

'Ik ben het niet vergeten. Ik moet eerlijk bekennen dat ik me gekwetst voelde.' Rosger zweeg even en Atluan probeerde zich Rosger gekwetst voor te stellen. 'Het was niet ingegeven door gebrek aan respect. Maar...' Atluan wachtte af. De mannen achter Rosgers rug wachtten ook af. 'Het zou nogal een schande voor me zijn als je me niet als voerman op je ar wenste, broer.'

'Ik heb nooit getwijfeld aan je moed en je wijsheid in de krijg.'

De mannen die met Rosger mee waren gekomen bromden instemmend.

Maar Rosger zei: 'Maar als ik je niet aansta...'

Atluan zag dat inmiddels meer mannen dan alleen de kleine groep stonden te luisteren. Onder de toehoorders zag hij ook bondgenoten van de Sjaji en de Krie die vooruit waren gereden en zich nu al bij hen hadden aangesloten. De zoon van de Gaiord van de Krie, Lokinda, was er ook bij, een forse jongeman met grote oren.

Atluan deed een stap naar voren. Hij sloot Rosger in zijn armen. 'Weet je wie me niet aanstaan... de Beisters. Jij bent mijn broer. Wij gaan samen de strijd aan.'

Korte tijd nadat de echte nacht was ingevallen, stond er iets op de rotsrug nieuwsgierig naar het krijgskamp van de Jafn te turen.

Joeri was gewend aan de oorlogskampen van de Olchibi, die geen grote kampvuren maakten maar waar iedereen altijd een klein vuurtje in een pot meevoerde. Hun banieren waren ook veel beter, met hun afbeeldingen van duivels en enge beesten, en met de afgehakte hoofden op de pieken.

Toch keek hij met belangstelling toe. Nu hij naar hij aannam een geest was, kon hij allerlei dingen doen waarvan hij vroeger het bestaan niet eens vermoed had.

Daar beneden in het kamp van de Klauw zat de man die dacht dat hij de vader van het kind met het rode haar was. Of misschien dacht hij het ook wel niet. Joeri had alles uitgeknobbeld: de Rukarse god van de vrouw was de vader. Misschien had het stamhoofd van de Klauw dit ook wel bedacht, want met het verstrijken van de tijd was hij steeds minder om de vrouw gaan geven. Joeri had dit zien gebeuren, want hij hield een oogje op hen. Toch was het Klauwse stamhoofd niet wreed. Hij leek het eigenlijk zelfs wel spijtig te vinden.

Maar het ging Joeri om het kind. Kinderen waren de toekomst van de mensheid. Via kinderen kon je metterdaad de toekomst zien; een makkelijke bekoringstoverij die alleen de Grote Goden uitdeelden en daarom dus heel bijzonder was. In het schemergebied van belichaming had hij het kind nog tweemaal teruggezien, hoewel het hem niet had geroepen; de god had blijkbaar voorlopig zijn vijandigheid laten varen, zoals het Klauwse opperhoofd zijn liefde.

Waar Joeri heenging als hij niet in de wereld verkeerde, wist hij niet en het kon hem ook niet schelen. Maar ergens, op de stranden tussen hier en daar, had Joeri na een hernieuwde ontmoeting met het kind, een geschenk gevonden dat hij hem wilde geven. Het was een prachtig klein mammoetbeeldje, met elk haartje zichtbaar en met slagtanden van ivoor. Het had glijders onder de poten en je kon het met drie eenvoudige toverwoorden laten bewegen. Joeri herinnerde zich vaag dat hij ooit iets dergelijks aan een van zijn zoontjes in de sluhtins had gegeven, maar dat gaf niet. Goede geschenken mocht je best tweemaal weggeven.

De sterren waren vannacht erg omvangrijk – tweemaal zo groot als normaal, vond Joeri. Hij miste de ritten op zijn eigen mammoet en het knokken onder Peb Juve in zijn eigen Olchibi oorlogen. Aan de andere kant kon hij nu kilometers ver boven het ijs rennen en over geulen in het ijs springen die je met het oog niet eens kon overbruggen. Als hij wilde, vermoedde Joeri, zou hij zelfs omhoog kunnen springen om de stralende sterren beet te pakken.

Rosger liep de ijsgrot in.

Hij was door de ijswouden omhoog geklauterd naar de voet van de rotsrug zonder dat iemand hem had gezien of gehoord. In zijn tent achter de kampvuren lag zijn kopie de drie toegestane uren te slapen. De kopie was niet erg nauwkeurig, maar toch nauwkeurig genoeg om iedereen die niet al te goed keek voor de gek te houden. Opgegroeid met toverkunst had Rosger er als vanzelfsprekend iets van opgestoken, misschien iets meer dan gebruikelijk was.

Door de ijswanden van de grot die vol vleermuizen hing, scheen het maanlicht paarsig groen naar binnen. Maar achterin, tegen de rotsen aan, heerste duisternis.

Rosger liep het donker in.

Daar gooide hij het poeder dat hij had meegebracht op de grond. Waar het de grond raakte begon het te smeulen met een geur van afkoelend metaal en nog wat anders.

In het duister begon een aanwezigheid voelbaar te worden.

'Ben jij het?' vroeg de aanwezigheid.

'Wie anders?'

'Wie anders dan jij zou er durven?' zei de aanwezigheid. De stem was vreemd genoeg die van Rosger zelf.

'O, ik durf best.'

'Wat heb je voor me?'

'Nee, eerst wat heb jij voor mij?'

Toen kwam het te voorschijn.

Hij had het al eerder gezien, meer dan eens zelfs – wat niet zo verbazingwekkend was omdat hij het om te beginnen zelf had opgeroepen. Met het toenemen van de vertrouwdheid had het niet alleen Rosgers stem overgenomen, maar ook iets van zijn uiterlijk. Toch was het wit en gedeeltelijk doorzichtig en de ogen waren van een vlammend geel. Het was een sief, een soort ijsduivel.

'Tja, ik kan je geven wat je wilt.'

'Dat zeg jij.'

'Geef me eerst een kleine gift,' zei de sief, vleiend en overredend. 'Daar word ik sterk van zodat ik des te beter voor je kan sloven.'

Rosger trok een lelijk gezicht, maar vervolgens trok hij met zijn dolk die hij al klaar hield een snee boven in zijn linker onderarm – die hij al had ontbloot voor de verwonding. In het donker was het opwellende bloed bijna onzichtbaar, maar niet voor de sief.

'Geef dan–' jammerde hij dringend en kronkelend van begeerte. 'Geef – geef gauw –'

Zonder zijn ogen van de sief af te wenden bracht Rosger zijn verwonde arm naar zijn mond om vevolgens langzaam zijn eigen warme bloed te drinken. Terwijl hij dat deed, wiegde de sief in vervoering heen en weer. Met zijn kattenogen gesloten hield hij zijn armen om zijn eigen trillende lijf geslagen tot langzamerhand zijn bleekheid overging in het tere roze van de allervroegste dageraad.

'En?' zei Rosger.

'Ja, je krijgt het. Je weet dat ik het kan. Dat heb ik je die dag met dat hert laten zien.'

'Dat is waar,' zei Rosger, 'maar je moet het zweren.'

'Waarom moet ik het zweren? Jij en ik zijn nu bloedbroeders.'

'Dat zegt mijn broer ook. *Zweer het.*'

'Ik zweer bij alle goden –'

'Nee,' zei Rosger hooghartig, terwijl hij zijn arm verbond met de strook weefsel die hij daarvoor had meegebracht. 'Zweer de enige eed waarvan ik weet dat je die zult houden.'

De sief spuugde. Zijn spuug was zichtbaar als een oplaaiend vlammetje, maar waar het op de bodem van de grot terecht kwam, rinkelde het als een zilveren belletje. 'Goed dan. Ik zweer bij het bloed in me en bij het bloed dat nog zal komen. Daarbij zweer ik dat ik alles zal doen wat je wilt, mits ik daarna gevoed word.'

'Ik voed je altijd. Hoe zou ik me anders van jouw lieftallige trouw kunnen verzekeren?'

Kilometers verderop voorbij de grot en de keihard verijsde bossen, klonken de gruwelijke kreten van radeloze kinderen en doodsbange jonge meisjes, wier huilen en gillen over de vlakten en rotsen van de Speer echode.

'Hoor de spotwolven eens tekeer gaan,' zei Rosger, 'ze zingen een treurig lied terwijl ze zich tegoed doen aan de resten van de Beisteroorlog.'

'Jaaa...' zei de sief. Zijn ogen glinsterden. Ineens veranderde hij van vorm; eerst werd hij een glimmende ijssteen en toen verdween hij in de nacht om zich te gaan voeden met het schranzen van de spotwolven.

Het liggende zwaard boven de Huisdeur was rechtop gezet en ingesmeerd met het bloed van een van de dieren uit de kudde.

Safee zag het; het betekende dat de Klauw in oorlog waren. En het zei Safee helemaal níets.

Rowah bracht haar terug naar haar kamer. Het was heel gepast dat de vrouw van de Gaiord het zwaard kwam bekijken. Maar Rowah was het er helemaal niet mee eens, ook al had Erdif de rentmeester er speciaal om verzocht.

De Rukarse prinses liep op alle dagen. Rowah voelde de spanning in de kamer hangen, de spanning van Safees baarmoeder die zich opmaakte om het kind te laten gaan. 'Ik zou de uren kunnen aftellen tot ze begint,' mompelde Rowah tegen God, die ze heel vaak in vertrouwen nam, 'ik zou ze kunnen tellen op de vingers van één hand.'

Rowah miste aan beide handen een vinger.

Ze had gelijk. Drie vingers nadat ze het oorlogszwaard had aanschouwd, begonnen Safees weeën.

Voor zonsopgang voerden de Jafnse tovenaars voorbereidende strijdrituelen uit.

Elke krijger kreeg zijn druppel uit de gewijde bekers, waardoor er een bescherming om hem heen gevlochten werd die hem, zo hij hem niet in leven zou houden, in ieder geval veilig naar het volgende leven zou leiden, naar de Andere Plek voorbij de wereld.

De Krie en de Sjaji die de hele nacht door met hun glijders onder een dikke laag aangevroren sneeuw bleven aankomen, hadden samen een wijsvrouw die oorspronkelijk uit het hoge noorden afkomstig was. Ze sloop langs de rijen krijgers. Waar ze de leeuwenspannen aanraakte, knetterden de vonken in hun manen en klauwden ze brullend aan het ijs. De aanvoerders trokken hun zwaarden en gaven die aan haar. Waarna ze er vlammend staal van maakte voor ze ze weer teruggaf. Dat vlammende licht nam maar weinig af als ze weer in hun schede werden gestoken.

Toen het getover gedaan was, renden de mannen schreeuwend als dollen, en in een euforische roes die tot de onzichtbare sterren reikte, naar hun sleden. Als een vloedgolf warrelde het Jafnse leger over de vlakten naar de lager gelegen kusten. Een eindje verderop dook de dag op uit de zee om hen te begroeten.

De Beisterse overvallers die al vroeg in de weer waren, keken op van hun gewroet tussen de ruïnes.

Voor de kust lag de jalie van kleinere schepen voor anker alsof ze zich door het land lieten zogen. Het moederschip was dichtbij het strand gekropen en dreef met halfgereefde zeilen als een zwart silhouet tegen de zonnige lucht.

Van de welvarende, rijke dorpen langs de kust was niet veel over. Over een afstand van vele kilometers waren ze compleet in de as gelegd en alle goederen, kostbaarheden, vee, vrouwen en jongens waren aan boord van het moederschip gebracht. Maar de Beisters bleven maar doorzoeken in de zelfgemaakte puinhopen, naar dingen van waarde, of mogelijk bruikbare levende have. Zuinige lui, die Beisters. Net als de Jafnse stammen sliepen ze op vaste uren, maar dan nog veel minder dan de Jafn. Een Beisterse krijger die niet zeven dagen en nachten kon doorhalen zonder in slaap te vallen, werd door henzelf gedood door hem voor de haaien en de stekelroggen te gooien.

Schranzend en zuipend hadden ze de hele nacht zitten zingen en brallen over hun overwinningen, van vroeger en die nog komen zouden. Hun gezichten waren met verse blauwe verf beschilderd. Dat deden ze tijdens een strooptocht elke avond voor het eten. Aan hun handen, rond hun halzen en armen en hun gelaarsde enkels droegen ze gepolijste stukken kwarts met daarin gezet de ooit-levende ogen van door hen afgeslachte mensen. Hoe meer juwelen een Beister bezat, des te meer mensen had hij vermoord.

Maar nu zagen ze de zonverlichte wals van arrensleden op zich af komen denderen.

Toen zag je wat het moederschip allemaal nog meer kon.

Tussen de roeibanken gleden loopplanken naar buiten. Daarlangs galoppeerde weldra iets dat regelrecht te water plonsde om vervolgens recht op de kust af te snellen.

'Ze hebben hun vervloekte duivelspaarden mee!' De Jafn riepen dit bericht over en weer. Het verbaasde niemand. De meeste plunderaars die de open zee bevoeren, hadden zich dergelijke rijdieren verworven. Toch waren er nog jonge krijgers onder de Jafn die deze wezens nooit eerder hadden gezien – behalve dan tijdens het verhalen vertellen met hun innerlijk oog.

Eenmaal op de kust aangeland, schudden de dieren zorgeloos het ijskoude water van zich af. Zulke paarden, door de Beisters *hippijnen* genoemd, waren dol op de zee. Ze waren heel goed te vervoeren in de buik van het moederschip, als ze maar iedere dag gelegenheid kregen om een tijdje naast het schip mee te zwemmen en te dollen in het dodelijk koude water. Ze hadden inderdaad allemaal het lijf van een paard, een dier dat verder zelden in noordelijke klimaten werd aangetroffen. Net als herten droegen ze een gewei, hoewel zij maar één enkele hoorn hadden die uit het midden van hun voorhoofd omhoogstak. Maar hun voornaamste eigenschap was toch wel dat ze een geschubde huid hadden als een grote vis. Ze waren grijs als ijsbaarzen en ze hadden ronde, bleke, enge ogen. Ook zaten ze onder de zeepokken, zeeparasieten en zeewier uit de allerdiepste buitenwateren. Nu renden ze zich los op de kust en schudden ze hun dunne, sliertige manen en staarten die de groenige kleur van de zijkant van een glasplaat hadden.

De Beisters holden op ze af en sprongen zo op hun ongezadelde ruggen. Zo te zien deden ze verder nog maar één ding. Elke ruiter zwaaide een stuk touw rond de lange nek van zijn rijdier om dat door een soort halster te halen en dan aan zijn gordel vast te binden zodat hij zijn handen vrij had voor het krijgsbedrijf. Joelend reden ze landinwaarts.

De ene golf stormde nu op de andere af. Uit de vlakte kwamen de Jafnse arren omlaagsuizen en van de zeekust kwamen de Beisters op hun vispaarden aangalopperen.

Ze troffen elkaar net boven het strand. De klap waarmee ze op elkaar vlogen, brak de dag aan stukken. De symmetrie van beide slagordes ging ten onder in een draaikolk van exploderend licht, omslaande sleden en zonnig rode stralen bloed.

'Vrouwe, je moet harder werken, hoor.'

Safee staarde ongelovig naar de gezichtloze vrouwen die om haar heen dromden. Wie had die krankzinnige opmerking gemaakt?

Een andere ongeziene zei ook nog: 'Mannen vechten met zwaarden. Dit is de oorlog van vrouwen.'

Toen vlijmde er voor de miljoenste keer een kolossale, onvoorstelbare pijn door Safees lijf.

Ze had geprobeerd om niet te schreeuwen; uit een restje trots, of eigenlijk meer uit woede. Ze wilde niet dat de barbaren in de grote zaal haar hoorden schreeuwen. Maar het duurde niet lang of ze schreeuwde toch. Nu barstte de kreet uit haar keel en ze hoorde hem van verre, terwijl de stinkende geïmproviseerde kamer in de verte verdween.

Ze zou hier sterven. Ze zou sterven en dat was niet eerlijk tegenover haar. Maar aan deze gruwel ontsnappen – o, daarvoor zou de dood zo welkom zijn.

Safee begon te vallen - omlaag, naar binnen, weg van hier – en zag kolossale zuilen en uitgestrekte duisternis. In het donker laaide een violette vlam op als een bloem. Toen ze die zag, raakte ze in de greep van een ander soort angst. *Hij* was hier – *hij*. Nu schreeuwde Safee ook van binnen – niet tegen de goden, want *hij* was een god – maar tegen niets, tegen alles. En onder het schreeuwen hoorde ze ineens een tweede stem die luidkeels begon mee te schreeuwen.

Atluan zwiepte met één hand zijn strijdbijl in het rond en zag mannen vallen, zonder hoofd of op een andere manier in stukken gehakt, en onder de glijders van de arren terechtkomen. De kwaadaardige hippijnen steigerden in het rond en trapten met hun stalen hoefijzers om zich heen. Ze stonken als gerookte makreel. Eentje die zijn bek open en dicht liet klappen als een haai, wist tot dicht bij hem door te dringen. Met het zwaard in zijn linkerhand sneed Atluan hem zijn slangenviskeel door. Heksenvuur danste over lemmet en lijk. Toen het monster omviel, joeg Atluan zijn Beisterse berijder over de kling – alsof hij een achterbout ontbeende.

Rosger schaterde. Hij schreeuwde woordeloos tegen de stervende Beister, een vijand behangen met wel vijftien kettingen van ogen, allemaal verbijsterd opengesperd nu hij dood neerstortte. Rosger mende het leeuwenspan, maar hij had de leidsels om zijn middel gebonden zoals dat in een krijgsar gebruikelijk was. Hij schoot met de boog van de Gaiord, de boog die Atluan hem had gegeven, en plukte man achter man van zijn hippijn. Rosger plantte ook heel wat pijlen in de zeebeesten, want dat vond hij leuk.

Iets ten zuiden van het slagveld stond een rij arren met de oorlogstovenaars opgesteld. Beschermd door Jafnse krijgers en belaagd door de Beisters, stuurden ze thaumatische energiestromen door de gelederen. Op zee waren de sjamanen van de overvallers op hun beurt op het moederschip in de weer. Bundels splijtende geestkracht vlijmden en kruisten, tot het slagveld op de grond lag te borrelen onder een iriserend spinnenweb. Rauwe botsingen deden de hemel schudden.

Een nieuwe vijand kwam opdagen, dit keer wat persoonlijker: als zovelen voor hem hadden geprobeerd, klauterde hij in Atluans krijgslee. De Beisterse bijl zwiepte omlaag net als het lange mes dat bedrieglijk licht was. Atluan weerde beide af en bevrijdde de Beister met zijn zwaard van zijn lijf.

Een ander had voor hij werd afgeslagen bij een eerdere poging Rosgers rug opengehaald. Het was een lichte slag geweest, als met een scheermes, en de snijwond bloedde hevig, maar hij had er tot nu toe geen last van en lette er niet op. Atluan was ook niet ongedeerd gebleven. Het drie jaar oude litteken op zijn bovenarm had er nu een broertje bij. En het heft van een Beisters mes had zijn jukbeen opengelegd en donkerblauw gekneusd. Beide broers zaten onder het bloed, het meeste niet van henzelf.

Een sliert tovervuur kwam door het tumult uit de lucht vallen, maar blijkbaar zonder lichamelijke schade aan te richten.

Een overvaller sprong van zijn stervende hippijn op hen af en Rosger schoot de Beister door een van de niet als sieraad bedoelde ogen in zijn hoofd.

Het daglicht was nu helemaal verdwenen. Achter het web van toverij begon de lucht langzaam te stollen. Koude spatten raakten verhitte gezichten.

Toen de sneeuw begon te vallen dook Lokinda's zoon met de grote oren naast Atluans krijgsar op.

De Krie had zijn eigen voerman verloren – zijn bastaardbroer. Hij mende de slee nu zelf en stond met bebloede wapens breed te grijnzen. Hij was dronken van het moorden. 'Dat God ze maar diep mag ondersneeuwen waar ze zijn gevallen.' Hij liet de rituele uitspraak met genoegen van zijn lippen rollen.

Atluan knikte. 'Dieper dan diep.'

Hij zag dat het rondom hen relatief rustig was geworden. Door de sneeuwvlokken heen zag hij Klauw, Krie, Sjaji en Beisters er aan de kust op los hakken en hengsten. Maar hij leek wel minder blauwe gezichten te zien.

Zou Lokinda's zoon van streek zijn over de dood van zijn broer? Of had hij hem altijd gewantrouwd en een hekel aan hem gehad, zoals Atluan met Rosger? In de strijd werden er soms dingen geregeld... Ergens in zijn achterhoofd voelde Atluan een gedachte de kop opsteken. *Jij had ook iets kunnen regelen. Misschien ga je het nog wel betreuren dat je dat niet hebt gedaan.*

Maar hij wilde de gedachte niet eens zien; hij had zoeits nooit serieus overwogen.

'Een deel van het uitheemse gajes is de vlakte op gevlucht,' zei Lokinda's zoon.

'Ja,' zei Rosger, 'kijk maar – er zitten wel twintig Jafnse sleden achter ze aan.'

In de sneeuw was Atluan niet zo zeker van aantallen. Maar er lagen op de hoogvlakte andere dorpen en boerenplaatsen, en de Beisters waren als verliezers even wreed als overwinnaars. Je moest ze wel achtervolgen om ze uit te roeien.

Verder waren de Jafn om hem heen aan de winnende hand. Langs de waterlijn vuurden Klauw en Krie brandende pijlen naar het moederschip van de Beisters. Een aantal was blijven steken. Al twee masten stonden in brand en dikke rook wolkte omhoog. De bundels toverkracht vanuit het schip begonnen af te nemen.

Atluan wendde zich tot Lokinda's zoon, van wie hij ineens de naam niet meer wist. 'Beste kerel, wil jij de leiding nemen bij de inname van het moederschip?' De jongen leek in zijn sas; het was een eervolle, maar niet al te zware taak nu de sjamanen begonnen te verzwakken. Bovendien werden zulke schepen altijd bemand door slaven die maar wat graag in opstand kwamen.

'Je kunt op me rekenen. De Jafnse gevangenen worden uit het schip gehaald.'

'Dan ga ik landinwaarts achter het uitvaagsel aan,' zei Atluan.

Lokinda's naamloze zoon groette hem. Hij wenkte de wijsvrouw uit het noorden. Haar ar werd getrokken door mannen, die hem nu voorwaarts sleepten.

Terwijl Rosger snel de ar keerde, zag Atluan haar slanke, rechte gestalte in de slee staan. Haar haar wapperde naar achteren in een wind van bovennatuurlijke aard. Om de een of andere reden deed ze hem aan Safee denken. Maar zijn gevoelens voor Safee waren vergiftigd en hij zag erg op tegen de geboorte van het kind dat niet van hem was. Als het gevecht was afgelopen, kon hij vanavond misschien de wijsvrouw apart nemen. Ze was jong en ze had tegen hem gelachen toen ze zijn zwaard aanvuurde. Ze zou misschien best willen.

Joeri had gisteravond voor de manen opkwamen het Jafnse krijgskamp verlaten. Kakelend en met grote sprongen was hij, gezwinder dan een hert, over het land gesneld. Eenmaal zag hij beren lopen en hij stopte even om ze te plagen, want ze voelden zijn aanwezigheid al konden ze hem niet echt zien. Toen hij daar genoeg van kreeg, trok hij zich een tijdje terug in het gebied waarvan hij zich naderhand nooit iets kon herinneren. Het was eigenlijk net zoiets als een paar uurtjes slapen. De Olchibi gaven de voorkeur aan gewone slaap; ze voelden zich erdoor verfrist. Daarna trok hij verder naar de Klauwse werf waar het kind zou zijn.

Het kind was er nu altijd; naarmate de vrouw dichter bij het moment van baren kwam, voelde het zich steeds meer aangetrokken tot zijn lijfelijke zelf. Blijkbaar deden alle geesten dat. Zelfs hij, Joeri, moest het achtentwintig jaar geleden gedaan hebben, toen zijn moeder hem rondsleepte in haar buik.

Hij hoefde natuurlijk niet te rennen om daar te komen, hoewel zo ver en zo hard lopen heel opwindend was. Inmiddels was Joeri erachter gekomen dat hij in een oogwenk overal kon komen waar hij maar wezen wilde.

Op de besneeuwde hoogvlakte bleef hij nog een tijdje staan kijken naar twee manen die hand in hand opkwamen. De derde maan, vanavond bleek en zwakjes, was al beschaamd weggeglipt.

Terwijl Joeri stond te kijken werd hij zich bewust – voor zover hij kon nagaan voor het eerst – van iets dat wonderbaarlijk en volmaakt *anders* was. Tegelijk opwindend en rustgevend was dit een ding dat hij niet kon thuisbrengen – hoewel hij het heel goed kende en ook wist dat hij het kende. Toen Joeri nog belichaamd was, zou hij in zichzelf nooit zo'n gevoel hebben bespeurd. Maar nu begon hij te vermoeden dat hij wist wat het was. Het was het *Daar* dat hem riep. Het *Daar* dat de Olchibi en de Jechen de Wereld Achter de Manen noemden, en de Jafn de Andere Plek – en wat ze in Ruk Kar Is de weelderige benaming Paradijs gaven.

Joeri staarde naar de hemel en meende de route te kunnen onderscheiden die naar de tweede wereld leidde, de wereld van *Daar*. En hij raakte er helemaal van in vervoering. Want hij voelde dat alle genoegens die hij hier de afgelopen tijd had ervaren, in de verste verte niet opwogen tegen een leven na de dood. Hij *wist* dat ze er niet tegen opwogen. Ze waren helemaal niets vergeleken bij de pracht, de macht en de bezieling ervan.

Een enkel cruciaal ogenblik vergat Joeri alles en hij stak zijn armen al omhoog om naar de eeuwigheid te vliegen.

Maar ineens brak de verrukking in onherstelbare stukken.

'Joeri – Oompje Joeri – Oom Joeri –'

De schrille stem van het kind had de droom van elders kapotgeslagen. Joeri schudde meteen elders van zich af en keerde de eindeloze verrukking de rug toe. Hij had zijn woord gegeven en hij dook hals over kop de nacht uit – het land van Safees bewusteloosheid in.

Ze liepen te rennen.

Beschermend over het kind in haar armen gebogen rende de vrouw voort.

Het was onder de zee, onder een dak van wolkachtige bevrorenheid, gedragen door zuilen van middernacht. Kometen en sterren die eigenlijk vissen waren suisden voorbij.

Haar haar zwierde achter haar aan en kreeg in het water een zurige tint. Het haar van het kind slierde ook naar achteren, donker als bloed.

Joeri kende hen allebei inmiddels heel goed. Hij ging op hun pad staan. Met een steek van angstige opluchting zag hij dat de jongen meteen zijn armen naar hem uitstak. Maar de vrouw staarde Joeri met wilde, krankzinnige ogen aan. Herinnerde ze zich dat ze elkaar al kenden?

Hij kende haar naam omdat hij die in het Huis van de Klauw had horen noemen.

'Safee – wacht, meid. Is hij het, die stinkgod, die achter je aan zit?'

Ze was stil blijven staan. Ze hijgde in de veronderstelling dat ze heel ver had gelopen, hoewel ze in haar huidige vorm helemaal niet hoefde te hijgen of zelfs maar hoefde te ademen. Ze kon niets zeggen.

Het kind worstelde zich nu uit haar armen. Het kwam door het water op Joeri af.

'Klim gauw op mijn rug, leeuwtje.' Joeri richtte zich weer tot Safee. 'Hij haat je kind. Er zijn van die dieren die hun jongen doden.'

Achter de vrouw, in de kern van de vloeibare nacht, naderde een groot spektakel. Het verspreidde een rode gloed doorschoten met hoge vlammen, als van een onderzeese vulkaanuitbarsting.

Joeri vond de jonge vrouw maar een waardeloze sufkop, maar hij zei: 'Je zit gevangen in je droom. En de kleine zit met jou in de val. En die ander komt en gaat naar het hem belieft. Word wakker. Ga terug naar de wereld. Daar ben je veel veiliger. Ik zorg wel voor de kleine.'

'Ik kan niet wakker worden,' zei ze. 'Ze hebben iets te smeulen gezet om de pijn te verlichten – een verdovend middel. Zij worden er vrolijk van, maar ik val ervan in slaap. Ik ben...' ze aarzelde, hij zag haar gezicht vertrekken in vrouwelijke schamperheid, 'aan het baren, half dood. Als ik doodga, zal hij–'

'Ga dan niet dood, stomme meid. Vooruit, ga terug. Ik help je wel.'

De zee achter haar rug spreidde open om zelf een lavastroom te baren.

Joeri ving een glimp op van een vehikel met een span bleke galopperende beesten met gruwelijke ogen, en van een blauwpaars gezicht, bijna dat van een mens, met ogen als de hel zelf.

Toen gaf hij Safee zo'n harde klap dat ze in elkaar harmonicade als een stadsplattegrond en steeds platter werd tot ze nog maar twee dimensies had. Ze begon doorzichtig te worden, werd bijna onzichtbaar... *ging terug.*

De zee gaf een klaroenstoot ten beste.

Het vehikel kwam als een meteoor aansuizen.

Joeri had nog nooit tegenover een god gestaan. Dat schreef hij toe aan zijn eigen onmetelijk gezonde verstand.

Hij liet zich op zijn knieën vallen en trok uit zijn etherische persoon een vermommingsmantel over het kind dat zich aan hem vastklampte. Safee was verdwenen.

Het voertuig vertraagde. Het bleef stilstaan en de witte wolfdingen glinsterden terwijl het zwarte kwijl uit hun muil droop.

Joeri nam de voetjes van het kind in een ijzeren greep en begon met neergeslagen ogen te bidden. Hij bad tot Safee dat ze maar gauw wakker mocht worden.

De god sprak. 'Heb je een vrouw met een kind gezien?'

Zoiets had elke *man* in de buitenwereld kunnen vragen. Joeri nam aan dat zijn brein vertaalde wat de god eigenlijk zei, want ongetwijfeld sprak deze Rukarse godheid met zijn dubbele gezicht Joeri helemaal niet in een hem bekende taal aan.

'Ik zie niet veel, heer. Ik droom slechts: over mij en mijn kleine broertje dat aan de koorts is gestorven.'

'Is dat hem, die je in je armen hebt?'

'Ja, heer. Een foeilelijke stumper' – Joeri had het kind voor alle zekerheid veranderd in een lelijk ventje van vijf of zes, bedekt met dikke korsten sluhtinmodder, onder de roet en de vlooien – 'maar ik was dol op hem.'

'Je liegt,' zei de god. 'Maar ik kan nu niet door je leugen heen breken. We zien elkaar nog wel weer terug. Dan zullen we eens zien wat je dan doet.'

Joeri voelde een angstaanjagende ruk. De zee spatte uiteen en hij tuimelde omhoog, uitgespuugd. Joeri wist wat dit was: niet de toorn van de god, die koket was bewaard voor een volgende keer, maar de laatste baringsweeën.

De Olchibi krijger keerde terug in de werkelijkheid. Hij landde met een klap in een hoek van een kamer vol vrouwen temidden van gegil, stank en bloed. Hij zag een oude vrouw een baby van zonlicht omhoog houden aan de zijden slang van zijn navelstreng. Nog steeds met het kind verbonden lag Safee op haar rug te staren naar wat er uit haar was getrokken.

Onzichtbaar voor alle volwassenen haalde Joeri de kleine speelgoedmammoet tevoorschijn om het pasgeboren kind te laten zien wat voor verrukkingen hem allemaal te wachten stonden, en dat het leven de moeite waard was.

De wind die de dichte sneeuw over de vlakte joeg, had de schemer meegebracht. Door deze winderige schemering joegen de Jafnse arrensleden achter de laatste Beisters aan.

De Jafn riepen elkaar telkens over en weer toe en aan hun zwaarden kleefde nog toverlicht. Nu en dan haalden ze nog Beisters in, die ze meteen over de kling joegen. Maar de Beisters waren grotendeels wijd uiteen gejaagd. In weerwil, of misschien zelfs juist vanwege hun weerzinwekkende geschubde rijdieren, verplaatsten de plunderaars zich bij voorkeur over zee en langs de oceaankust. En omdat de jacht zo breed en zo succesvol was, raakten de Jafn ondanks hun voortdurende roepen toch van elkaar gescheiden.

Atluan was elk besef van tijd en plaats kwijtgeraakt. De schuin voortjagende sneeuw had hem in zijn ban gekregen, iets waarover hij wel eens had gehoord, maar wat hij zelf nog nooit had ervaren. Hij vermoedde dat de wond aan zijn bovenarm misschien veroorzaakt was door een wapen met een vloek erop. Hij zou een tovenaar moeten raadplegen.

Voorlopig deed hij nog steeds precies wat hij hoorde te doen. Hij was een Gaiord, een krijger.

Pas later leek het hem dat er naast Rosger, zijn voerman, en hijzelf, nog iets anders met hen meereed in de slee

Het wezen was bleek en niet erg bestendig – nu eens was het er wel en dan weer niet. Slechts driemaal ving hij de vettige glimp op van zijn ogen.

Hij zei niets tegen Rosger. Atluan was er niet helemaal zeker van of het schepsel – hoogstwaarschijnlijk een sief van het woeste land – er echt was. Hij voelde zich beroerd en misschien verbeeldde hij het zich wel.

Bovendien was Rosger totaal niet te vertrouwen.

Rosger was zijn vijand, net als de Beisters, alleen wist hij het wat beter te verbergen.

Hij wil mijn positie. Ach, dat heb ik altijd al geweten. Op zijn eigen manier heeft hij me dat altijd al laten zien. Waarom zit ik me daar nu druk over te maken?

De wind verdween. Maar als een reusachtig beest van bevroren luchtvlokken keerde hij om en kwam vervolgens weer terug galopperen.

Aan beide kanten reageerden de drie of vier arren die hen begeleidden met geroep en gegrom van de leeuwen. Toen waren de anderen ineens verdwenen.

Atluan was plotseling alleen met zijn broer. Ze reden voort, maar de slee wankelde omdat de glijders vastliepen tegen een obstakel dat in de verraderlijke sneeuwlaag verstopt zat. Met een scheurend geluid en een gekrijs van metaal kwam de ar schuddend tot stilstand. De leeuwen werden omhoog gestompt waardoor er een viel, maar hij krabbelde meteen weer op.

In hun plotselinge onbeweeglijkheid botste het verscheurende dier van de wind in volle vaart tegen hen op. Ze bogen allen het hoofd. De vlaag ging voorbij en toen Rosger en de leeuwen hun hoofd ophieven. zag Atluan dat ze een dodelijk wit masker en een baard van sneeuw droegen. Hij schudde de wittigheid van zijn eigen gezicht en zag nu glashelder de sief zitten. Die lachte hem als een samenzweerder toe en loste op.

'Zie je wat de ar heeft lamgelegd?' vroeg Rosger.

Atluan keek omlaag. Hij zag tussen de brokstukken van de linkerglijder een mannenarm met een stuk schouder uit de sneeuw steken. Aan zijn sieraden te oordelen, een Beister.

Rosger sprong over de leuning en belandde naast de Beister in de sneeuw.

'Waar ben je in godsnacht mee bezig?'

Atluan hoorde zijn eigen stem die weifelend klonk als die van een jongen.

Hij zag Rosger op zijn knieën in de sneeuw zitten en de dode Beister opensnijden met zijn mes zodat het bloed eruit stroomde, waarna hij het begon op te slurpen om daar eindeloos mee door te gaan. En toen het bloed begon te stollen en niet meer stroomde, rukte Rosger de Beister verder uit de sneeuw, zocht zijn hals en sneed die open om met gebogen hoofd verder te slurpen.

Waarom doet hij dat voor mijn ogen? Ik vermoedde al eerder dat hij dit deed, maar ik heb het hem nooit zien doen.

Atluan voelde zich op drift in zijn eigen lichaam. Hij greep zijn zwaard dat de wijsvrouw met tovervuur had omhuld, maar het zat klem in de schede en het gaf niet langer licht.

Rosger kwam weer overeind. Zijn mond zat vol bloed, maar hij veegde het zorgvuldig af met zijn mouw. Nu was het gewoon bloed dat in de strijd was gevloeid.

'Kom uit de slee, broer,' zei Rosger.

De leeuwen, Atluans eigen span, opgetuigd met hun oorlogshalsbanden, staarden Atluan strak aan. Nog gisteravond had hij ze eigenhandig gevoerd. Hij besefte nu dat ze tegen hem opgezet waren. Ze kenden hem niet meer.

Hij stapte uit de slee. Hij zag dat hijzelf en alle andere dingen onder een dodelijke betovering waren geraakt.

Rosger liep een stukje bij de slee vandaan. Toen bleef hij staan en hij wenkte. Atluan merkte dat hij gedwongen werd naar hem toe te gaan.

'Jij dacht dat je eeuwig Gaiord kon blijven,' zei Rosger, 'en dat ik je zwakke echo zou zijn, terwijl jij je uitheemse slet kreeg met zonen om je als heerser op te volgen. Ik zag het wel, dat kind in de slaapkamer boven. Waar kwam dat rode haar vandaan, Atluan? Van *haar* volk? Ik heb zelden van een Ruk met rood haar gehoord. En van een Jafn al helemaal nooit.'

Atluan draaide zijn hoofd af. De sneeuwbui leek wel een massieve muur, maar na die ene felle vlaag was er geen wind meer te bekennen. De sneeuwvlokken hingen bewegingloos in de lucht.

'Je hebt de wereld betoverd,' zei hij.

'Ik? Nee hoor, iemand anders. Mijn lieflijke vriend de sief. Hij heeft mij nodig om zijn bloed voor hem te drinken. Ik ben het lekker gaan vinden. We passen goed bij elkaar. Hij is een betere broer voor me dan jij, Atluan. Hij geeft me van alles; betere geschenken dan een mes of een boog die ik eerst zelf voor jou had bedorven.'

'Wat je ook van plan bent,' zei Atluan, 'het komt altijd uit.'

'Nee. Op ditzelfde moment rijden jij en ik daarginds nog in onze slee, duidelijk zichtbaar voor al onze makkers. We zitten de laatste Beisters na.'

'Een illusie.'

'Nee, beste broer. *Dit* is de illusie.'

Atluan staarde. Hij staarde naar de leeuwen. Hij zag dat ze niet echt waren. De halfzichtbare sief was echter geweest dan zij. Hij wilde zichzelf terugvinden, maar wist dat het onmogelijk was en hij wanhoopte.

'Vertel me de rest dan maar.'

'Dat is gauw gedaan. Daarginds zal een Beisterse pijl, met een staart van zwarte ravenveren, je hart doorboren. We zullen je allemaal zien sterven, snel

en edel zoals een leider betaamt. Maar eerst moet ik je hier doodmaken.'
'Hoe is het mogelijk dat jij dit allemaal hebt kunnen beramen met hulp van een *sief* –?'
'Ik heb ook mensenvrienden: Lokinda's lelijke zoon, en een groenharige heks uit het noorden heeft me ook geholpen.'
Dan was de bezwering dus van haar afkomstig. Wat eigenaardig, bedacht Atluan, en hij had haar nog wel aantrekkelijk gevonden voor naderhand.
Buiten Atluans lijf wachtte nu dit overblijfsel van zijn fysieke persoon, deze totaal verwaterde, ontwapende geest zwijgend af.
Er bestonden legenden over zulke dingen. Twee doden: het verstand met het *leven* moest eerst gedood worden om het doden van het lijf makkelijker te maken.
Maar wat had Rosger zichzelf sterk gemaakt. Al die jaren van stiekem konkelen terwijl hij zo'n ondiep leven leek te leiden. *Ik heb het nooit gezien, het kwam niet bij me op om te kijken.*
Toen keerde de wind terug. Hij kwam laag aanscheren over de vlakte waar nu niets meer te zien was, zelfs de slee niet, de leeuwen of zijn broer Rosger.
Atluan keek in de wind en dacht toch nog met spijt aan Safee en het kind. Hij zou hen in ieder geval beschermd hebben.
Maar onder de mensen zien alleen de doden de wind.
Hij werd erdoor verpletterd; wel duizend dolkspitsen priemden dwars door hem heen. In de wind zag hij wezens, bevroren ijsschepsels, met vleugels en slagtanden. Hij zag zijn vlees – niet dat van zijn lijf maar dat van het *innerlijke* wezen, dat vaak het eerst gewond raakt – in brokken losgerukt worden. Zijn atomen vlogen hem om zijn oren en werden verslonden door vliegende vampiervissen met kolossale muilen.
Zoals Safee voor hem, sloot nu ook Atluan zijn ogen.
Buiten het gebied van de bezwering, waar de Jafn de laatste vijanden overmeesterden, kwam een Beisterse pijl, herkenbaar aan zijn geveerde staart, uit het gewoel aanscheren. Hij boorde zich in Atluans fysieke hart. Velen waren er getuige van. Maar Rosger was de enige die wist welke hand hem had geleid, doorschijnend, nu roze verzadigd, onzichtbaar in de dichte sneeuwbui.
De woede over het sneuvelen van een Gaiord gaf de Jafn extra kracht en toen de strijd daarna snel was beslecht, stonden de bondgenoten uit de vijf sleden rond Atluans lijk.
'Strijdend ten onder gaan is altijd het beste. Geen mens kan eeuwig zijn bed blijven ontlopen. Zelfs de sterren zijn maar honden in handen van de nacht.'

VIJF

Safee was uit een afgrond van nachtmerries in een bad van foltering geplonsd. Daar was ze blijven hangen in een bepaald niveau van onverschilligheid, tot ineens dat wat dit allemaal had veroorzaakt, voor haar neus omhoog gehouden werd.

Met het verdwijnen van de pijn, zag ze hem zo: een gouden kind aan een platina streng. Ze had de zon gebaard.

'Alsjeblieft vrouwe, daar issie dan. Hier is je zoon – helemaal gaaf.'

Hij was van *haar.*

Ze had nooit iets van zichzelf gehad. Zelfs de dingen waarvan men haar zei dat ze van haar waren – haar lage vorstelijke rang, haar barbaarse echtgenoot – had ze nooit zelf gekozen.

Deze had ze ook niet zelf gekozen.

Maar o – o, als ze had mogen kiezen, zou ze *deze* verkozen hebben boven al het andere.

Van haar.

Terwijl ze de laatste resten van de moederkoek uit haar lijf persten en haar wasten, lag hij op haar borst. De melk begon ineens wonderbaarlijk te stromen.

De bedienden knikten. Deze niet-Jafnse vrouw gedroeg zich in ieder geval wel zoals het een echte vrouw betaamde.

Maar wat had ze ook anders moeten doen? Het was zo'n bevallig kind, en nog een jongen ook.

Zoals Atluan al had gezegd, verstreken er twee endhlefons. De mensen in het Huis opperden dat hun krijgers nog steeds achter de Beisters aan zaten. Na het gevecht zouden zij en hun bondgenoten feestvieren, en ook moest er hulp geboden worden aan de geredde dorpsbewoners die van alles beroofd waren.

Erdif de rentmeester beende met grote stappen door het Huis. Het was een oudere man, zeer gematigd en streng van natuur, die er trots op was dat hij nog minder slaap nodig had dan een Beisterse plunderaar. Erdif hechtte ook veel belang aan zijn positie. Het ergerde hem dat hij nog steeds geen bericht had ontvangen.

De Huistovenaar verklaarde dat er rond de Speer zware sneeuwstormen woedden en dat zoiets het sturen van berichten kon storen.

Op de drieëntwintigste dag zag een schildwacht bovenop de muur, de mannen van de Klauw over het ijs terugkeren.

Rowah kwam Safee opzoeken in de geïmproviseerde kamer. De jonge vrouw zat haar kind te zogen, een tafereeltje van liefdevolle aandacht en rust.

Toen Rowah haar het bericht doorgaf, leek Safee totaal verbijsterd.

'Je moet naar buiten, vrouwe. Je moet je man verwelkomen. Zo doen we dat op de werf.'

Safee fronste haar voorhoofd. Ze liet het kind drinken tot het genoeg had – hij viel meteen in slaap. Ze legde hem in zijn houten wieg, maar eigenlijk wilde ze hem helemaal niet loslaten. Ze voelde zich dan altijd uit haar evenwicht, broos en berooid, alsof hij nog aan haar vast zat en hem neerleggen inhield dat ze een stuk van haar eigen lijf lostrok. Gewoonlijk hield ze hem op schoot of liep ze met hem in haar armen, de hele dag en het grootste deel van de nacht. Zij had inmiddels geleerd om op de Jafnse manier met weinig slaap toe te kunnen. Het kind had haar dat geleerd door haar aandacht op te eisen, met zijn plotselinge luide kreten of kleine beweginkjes. Als ze in het bed sliep, lag hij naast haar op de kussens. De vrouwen vonden dat maar niks. Ze zeiden dat ze boven op hem kon rollen – als een koe in een stal, dacht ze – en hem zou kunnen verstikken. Safee trok zich niets van hen aan.

Haar liefde voor dit schepseltje, amper aan in leven maar nog niet helemaal een mens, nog niet iets dat ze kon begrijpen, was verblindend en totaal. Ze wist dat ze net zomin per ongeluk in haar slaap bovenop hem zou rollen als dat ze haar eigen keel zou doorsnijden.

Ze wilde hem niet meenemen in de kou – hij was nog te vers voor de strenge buitenomstandigheden – en dus ging Safee alleen naar buiten, zich meteen pijnlijk bewust van het gemis van een wezenlijk onderdeel. In haar bontkleren gehuld stond ze op de werfmuur onzeker te wachten tussen de mensen en de banieren. En zo zag ze hen Atluan terugbrengen en ze begreep dat Rosger nu Gaiord van de Klauw was.

Rosger reed in de arrenslee die van zijn broer was geweest de Klauwse werf op. De leeuwen kenden hem. Hij was al verscheidene jaren regelmatig hun voerman. Atluan stond zoals gewoonlijk achter in de ar. Zijn stijf bevroren lijk was tegen het zijschot van de slee gebonden. Het was traditie bij de Jafn dat als een leider in de strijd sneuvelde, hij als het maar enigszins mogelijk was staand naar zijn haard terugkeerde.

Op de werf en in het Huis begon nu een periode van rouw. Men trok witte kleren aan als symbool van de sneeuw die tenslotte alle dingen opslokt. De tovenaars bezochten de haarden van elke woning en kleurden met toverij de vlammen zwart om de sterrenloze nacht van de ondergang van een vorst weer te geven.

Safee beende met het kind tegen haar borst in haar gevangenisachtige schottenkamer heen en weer, en vroeg zich af wat ze nu zou moeten doen. Rowah had het gehad over haar haar afknippen en samen met haar echtgenoot ten grave gaan – en ook over dagenlang vasten. Lange tijd waren de ochtend- en avondmaaltijden de enige keren dat Safee dit afgrijselijke kamertje had verlaten, afgezien van die keer dat ze op de muur was geklommen om de doden te zien terugkeren. Ze was voor hen een vreemde en hoewel ze haar hadden getolereerd toen Atluan nog leefde, gaven de vrouwen haar nu duidelijk te kennen dat ze zich heel terughoudend moest gedragen.

Hoe voelde ze zich eigenlijk over Atluans dood? Ze had hem veracht en gevreesd, had hem begeerd, en was vervolgens weer aan hem gaan twijfelen. Hij was nooit onvriendelijk tegen haar geweest – ze dacht aan zijn pogingen haar dingen uit te leggen en haar met zijn verhaal over de held Ster Zwart te vermaken voor ze 's avonds na hun huwelijk naar bed gingen. Maar hij had haar ook gewantrouwd. Ze hadden geen blijvende intimiteit opgebouwd; seks had hen niet verenigd, maar eerder verder uit elkaar gedreven, want het had het kind voortgebracht.

Ze had zich zorgen gemaakt over hoe hij haar zoon tegemoet zou treden. Ze was er bang voor geweest. Hij zou toch vast wel blij geweest zijn? Maar op de een of andere manier wist ze dat dat niet het geval zou zijn. Ook al werd bij de Jafn een zoon bijzonder op prijs gesteld. Maar er was iets tussen hen gekomen. Nu maakte de dood overal een eind aan.

Rosger had een hekel aan haar, had ze begrepen, en hij vond haar misschien zelfs wel afstotelijk. Ze was een buitenlander, zwak en bijna waardeloos. Ze voelde wel aan wat er hierna zou gaan gebeuren, hoewel dat in haar bewuste gedachten onvoorstelbaar was.

Toen Rowah vijf dagen na de thuiskomst van de krijgers binnenkwam, draaide Safee zich om,met het kind stevig in haar armen geklemd. Hij had geen naam; alleen de vader kon een zoon een naam geven. Omdat de vader dood was bleef het kind naamloos.

'De Gaiord zegt dat je naar de zaal moet komen.'

Rowah leek slecht op haar gemak. Zij vond het misschien ook moeilijk om Rosger *heer* te noemen.

'Dan moet ik gaan.'

'Hij zit nog steeds... op zijn stoel. Je kent het gebruik, vrouwe.'

Safee knikte. Negen dagen en negen nachten zou Atluan op zijn gebeeldhouwde zetel in het koudste deel van de feestzaal blijven zitten. Hoe koud het daar ook was, het was binnen warmer dan buiten. Hij begon al te ontdooien en dus te stinken. De stank en de maskerende parfums drongen ook het schottenvertrek binnen.

Ze liep de zaal in en Rowah volgde haar. Geen van de andere vrouwen begeleidde haar.

Rosger zat op de plaats van de Gaiord, maar op een gewone bank – zijn edelen, voor zover je ze zo kon noemen, zaten om hem heen. Ze hadden gedronken en wat wedstrijdjes gedaan om de doden te vermaken – nog zo'n buitenissige gewoonte. Verderop in de ruimte zaten de tovenaars, vijfentwintig in getal vandaag. Nu richtten aller ogen zich op Safee.

In haar hele eenzame leven had ze zich nog nooit zo alleen, zo onveilig gevoeld. Maar het kind dat ze in haar armen droeg, straalde als een brandende kool.

'Zo,' zei Rosger. Hij stak zijn kom omhoog, die van zwarte jade, om hem te laten vullen. 'En dan nu deze vrouw uit het land van de Rukar.'

Safee begreep dat ze over haar zouden gaan praten, maar niet tegen haar. Zo deden ze dat hier. Ze begonnen onderling haar verdiensten te bespreken, haar mogelijke waarde. Dat ze daarbij aanwezig moest zijn, was niet om haar te laten horen wat er werd gezegd of om haar de gelegenheid te geven zich te verdedigen, maar om het hun makkelijker te maken haar te beoordelen.

'Ze is nog jong,' zei een van hen schoorvoetend, 'en ze kan kinderen krijgen. Iemand anders kan met haar trouwen. De wet zegt dat dat de beste manier is. Soms neemt zelfs de volgende Gaiord de vrouw van zijn broer over. Dan mag hij elders nog een tweede keus doen; twee vrouwen heeft zo zijn voordelen.'

'Bedoel je mij?' vroeg Rosger.

De ander keek bedremmeld.

Een tweede man zei: 'Of ze kan als weduwe in ons midden wonen.'

'Dat kan,' zei Rosger. 'Dan houden we de bondgenootschapsrechten van haar volk.' De mannen knikten instemmend. De kommen werden weer gevuld. Het kind had last van de rook en de stank en de geurstoffen, en het hief zijn hoofd op en keek in het rond.

Wat de aandacht van een stel mannen op hem vestigde.

'Het is een mooi kind.'

'Zijn vader mocht er ook wezen.'

'Aha,' zei Rosger. 'Ja. Daar heb je het.'

Een laaiende stilte volgde. Alleen het vuur maakte geluid, als tanden die een bot verbrijzelden.

Ongewild draaide Safee zich om en ze keek naar Atluans lijk. Zijn ontbindende gezicht was bezig in een blauw masker te veranderen...

Rosger was opgestaan. Hij wachtte even en speelde met de kostbare kom.

'Mijn vader,' zei Rosger, 'had drie wettige zonen; je had Conas, je had Atluan en je had mij. In onze hele familie was er nooit een man, zelfs niet in een verhaal, net zomin als die man er nu is, met dezelfde kleur haar als het haar van dat kind, of met dezelfde huidskleur als de huid van dat kind. Hij ziet eruit of hij naast een vuur geschroeid is. Rood haar? Een bruine huid? Dat doet mij aan de Olchibi denken.'

'Die zijn geel!'

'Ja, dat klopt. Net zo geel als de vacht van deze vrouw. Misschien is er van *haar* haar en *hun* huid zo'n kind gekomen.'

'Zijn haar kan nog veranderen. Hij is nog maar een paar dagen oud.'

'Tja,' zei Rosger, 'ik zal jullie iets vertellen. Weten jullie nog dat Atluan de slaapkamer van deze vrouw van boven naar beneden verplaatste? Waarom? Omdat er in die bovenkamer vriksen en geesten rondhingen. Toen ik eens een keer naar boven ging om mijn broer te zoeken, trof ik hem als versteend aan, niet in staat om hand of voet te verroeren. En deze vrouw zat te praten tegen dit kind dat we hier zien, dat ze toen nog in haar buik droeg – maar zijn geest was erbuiten. Hij zag er ouder uit dan hij nu is. En zijn haar had de kleur van vers rood koper.'

De Huistovenaar kwam door de zaal aanschrijden. Hij keek ernstig, en waar hij ging viel het kabaal stil.

'Dit kan ik bevestigen,' zei de tovenaar. 'Rosger heeft me dat diezelfde dag nog verteld. En de kamer waar deze vrouw urenlang in lag te slapen, zat zo volgepropt met kwaadaardige toverij dat we haar eruit moesten halen. Zelfs Atluan sliep daarna meestal in de zaal, zoals allen zich zullen herinneren.'

'Ze is geen heks,' zei Rosger, 'en ze heeft het recht niet om zich met bovennatuurlijke zaken bezig te houden. Het is haar roeping niet. Nee, ze trekt zulke vuiligheid aan. En kijk eens wat ervan is gekomen. Ik stel voor om de rechten van het bondgenootschap los te laten. Denken jullie soms dat de Ruk zich eraan zullen houden? Ze stuurden ons bedorven waar en probeerden haar onderweg te laten verdwijnen om te voorkomen dat wij daar achter kwamen, zoals Atluan zelf ook al vermoedde. Denk eens terug aan hoe mijn broer deze slet vond, opgesloten in het ijs en toch nog in leven. Ze is zelf een of ander soort demon. Ze kwam hier aan met dat ding al in haar buik – het is geen vrucht van het zaad van mijn broer. Jullie hebben zijn kinderen gezien: het zijn allemaal meisjes, met haar zo wit als sneeuw.'

Over een wazige draaikolk – de zaal – zag Safee het rottende blauwpaarse gezicht met nietsziende ogen naar haar kijken.

Zonder waarschuwing of voorteken herinnerde ze zich ineens alles.

Ze herinnerde zich de zee, de dromen, het vuur, de blauwe gruwel – *alles*. Ze herinnerde zich de god.

Als ze op een andere plek was geweest, zou ze harder gekrijst hebben dan bij de geboorte van haar kind. Maar hier hield ze zich even stijf en geluidloos als haar echtgenoot in zijn lijkslee, ook al was ze volkomen stuk.

Rosger had volstrekt gelijk: ze had iets vreselijks aangetrokken. Dat had zijn lusten op haar botgevierd en zij had genoten van het misbruik. En hier zat ze dan, met de vrucht van de helse gruwel en de lichtende duisternis.

Atluan had gezien wat ze zelf niet wilde zien. Geen wonder dat hij haar niet meer aardig vond. Ze staarde naar de baby in haar armen.

Overal om haar heen zaten de mannen te schreeuwen en te ruziën. Sommigen zeiden dat het bondgenootschap met de Rukar wel degelijk wat waard was, anderen zeiden van niet en praatten over boosaardigheid en zwarte kunst. Het betekende allemaal niets.

Ze staarde in het gezicht van het kind. 'O, jij...' fluisterde ze.

Safees hart brak in haar borst en smolt gelijk weer aan elkaar, hard als graniet en koud als ijs. Ze legde haar hand op het hoofdje van het kind met zijn zachte donshaartjes en boog haar eigen hoofd om hem te beschutten. In een ander heelal ging ze vervolgens staan om met haar enige lieveling in haar armen het oordeel van een gemene wereld af te wachten.

Het was nacht. Geen vrouw had zich bij haar in de buurt gewaagd; niemand kwam nog bij haar in de buurt. Een heks met haar zo groen als een Jafnse fakkel voor berichten en bijeenkomsten glipte de lichtkring van de lamp binnen.

'Hij is genadig. Hij laat je je leven behouden.'

Voor Safee waren die woorden volslagen waanzin. Ze zat daar maar en hield haar kind vast.

'Maar,' zei de fakkelheks, 'ze gaan je wel van hun reine werf verjagen. Ik moet hen veilig stellen – tegen jou en je broed.' Waarschijnlijk bedoelde ze het kind. 'Kijk aan,' zei de heks, 'ik zie zijn schaduw op de wand. Nooit heb ik een menselijk ding zo'n schaduw zien werpen, zelfs een magikoi van de Ruk niet.'

Safee keek. Ze zag niets ongewoons.

De heks ging aan de slag. Orkanen en klokgelui vulden de afgeschutte ruimte. Safee meende dat er in het hele Huis verder geen mens meer te vinden was. Ze waren allemaal buiten op de werf of op straat. Zelfs het lijk van haar echtgenoot zou buiten zijn.

Wat de heks deed was uitputtend en onontcijferbaar, en het ontnam haar alle energie en elk draadje optimisme dat ze mogelijk nog over bezat. Safee voelde dat ze in slaap begon te vallen, net als haar kind, uit verveling en krachteloosheid.

Toen ze haar ogen weer open deed was Groenhaar verdwenen. Er stonden een paar mannen. Het waren Jafn, begreep ze, maar ze hadden zich vermomd met vachten en koppen van dieren.

Ze droegen haar op om te gaan staan. Een van hen gooide haar bontmantel om haar schouders. Een ander stak haar een fles toe waarin ze een vloeistof hoorde klotsen, en een tasje met iets erin. Het was lastig om die dingen aan te pakken met het kind in haar armen.

Daarna moest ze naar buiten.

De nacht was inktzwart zonder sterren, net als de rouwvuren. Eén smal maansikkeltje lag als oud vuil op de horizon.

Een man in een berenmasker begon te praten en aan zijn stem herkende ze de Huistovenaar.

'Behoud je leven. Wij zijn niet schuldig aan jouw dood. Verlaat dit Huis en deze werf. Ga weg van onze woonplaats en laat je eigen beschermgeesten voor je zorgen.'

Safee keek op. Eindelijk drong het tot haar door – ze joegen haar weg, niet alleen uit het Huis maar van de ommuurde werf. Ze gingen haar de ijswoestenij in jagen.

Nu duwden ze haar door de erfpoort, omlaag langs de gebaande straten tussen de beeldjes van geesten en de in het wit gehulde stilte van sneeuw en mens. Het was een zakelijk iets, niemand zei nog een woord.

Even voelde Safee de neiging om te gaan gillen, niet alleen uit paniek maar vooral uit frustratie en ziedende woede. Maar toen leek ze ineens het leven te zien dat achter haar lag, en hoe ze altijd door anderen was gecommandeerd, hoe ze nooit zelf haar leven had kunnen bepalen. Ze herinnerde zich nog hoe ze hierheen was gebracht. Haar uittocht ging heel wat sneller.

Het zwaard boven de deur van het Huis lag weer vredig horizontaal. Op het platform boven de ijsvlakte, buiten de muren rond de werf, staarde Safee ernaar en hoewel ze er ver vanaf stond merkte ze elk detail op.

De hoge toegangspoort was inmiddels aan de binnenkant afgesloten. De mensen hadden zich teruggetrokken, niet alleen binnen de muren van de werf, maar in hun huizen. Een voor een doofden alle lichten op de werf. Ze vulden hun barbaarse nederzetting met duisternis en zelfs in het Huis werden een voor een de toortsen en de lampen achter de bovenramen gedoofd. Het leek wel of ze zich voor haar verstopten, om haar – en God – te laten zien dat het dorp nu leeg was zodat er dus niemand was die haar zou kunnen helpen.

Radeloos keek Safee de enige overgebleven kant op. Het sneeuwlandschap was somber en leeg, en ook in de lucht was bijna geen tekening te zien. Toen glipte zelfs het maansikkeltje weg. Ook de hemel had zijn licht uitgedaan.

Omdat ze nergens heen kon, bleef ze een tijdje buiten de werfmuur rondhangen. Maar om dezelfde reden verliet Safee uiteindelijk toch het platform langs een van de verraderlijke hellingen.

In de fles die ze haar hadden gegeven, zou ze verdund bier aantreffen en in de tas een verbrand brood. Ze hadden haar dus van bedekking, eten en drinken voorzien en droegen geen schuld.

Aanvankelijk liep ze niet ongemakkelijk en niet langzaam over de aangestampte sneeuw. Ze had ergens naar onderweg kunnen zijn – zo liep ze, en het kind tuurde uit zijn omslagdoek naar buiten, stil in deze enorme, galmende huls van kou.

Maar de werf werd heel klein en de woestenij werd kolossaal. Het was een

gipsen woestijn met in de leegte alleen zij en het naamloze kind.
Safee huilde en haar tranen vroren vast op haar wangen. Ze rukte ze los. Alleen het kind gaf haar warmte. Alle moed, alle angst, alle woede waren verdwenen. Alles was verdwenen. Ze liep.

'Ze ziet me helemaal niet,' zei Joeri die op een sukkeldrafje naast hen liep om bij te blijven, want de vrouw beende vinnig door in haar laarzen, met in haar ogen een wezenloze blik. 'Maar jij wel, hè, leeuwtje? Jij ziet je Olchibi oompje wel, toch?' Joeri die zijn voornemen om haar kwaad te doen voorlopig had opgeschort, vond Safee op dit moment bewonderenswaardig. Ze jankte niet; ze accepteerde haar lot en ging verder met haar leven. Ze zou achteraf bezien een prima gezellin voor Peb Juve geweest zijn, al was ze natuurlijk als hoofdvrouw ongeschikt. Maar Joeri had dat toen niet kunnen zien en die tijd lag achter hem. Maar Peb zou haar op haar waarde hebben weten te schatten als ze eenmaal had bewezen dat het de moeite was om haar leven te sparen. Hij zou haar meer gewaardeerd hebben dan de Jafn. Joeri zag ook hoe goed ze op haar kind paste. En er was nog iets: hoewel ze geen geestesoog bezat, had het kind dat duidelijk nog steeds wel, ook al was hij inmiddels geboren en belichaamd. Hij gaf Joeri tekens, deze zuigeling, op een niet-fysieke manier. Maar minder kon je ook niet verwachten. Het kind was immers meer dan een gewone sterveling. 'Jij ziet je oompje en hij ziet jou. En hij ziet die *schaduw* van je ook. Op de wand, in het schijnsel van de lamp toen die groene slet aan het raaskallen was. En van de maan voor hij onderging. Maar in het zonlicht is hij het allermooist, jouw schaduw. Met al die schitteringen erin, leeuwtje. Al die schitteringen als van vuur.'

Eerste Tussendeel

De grens tussen werkelijkheid en onwerkelijkheid is ijl als licht en dichter dan een berg; harder dan diamant en breekbaarder dan glas; de totale, absolute waarheid en de grootste, definitieve leugen.

Zegswijze van de Kraag uit Zuidland

Een tijdlang was er alleen dag en nacht en uitgestrekte sneeuw. Toen kwam er nog weer bij ook. De winden kolkten over de woestenij, totaal verstoken van elke materie maar sterk als olifanten. De lopende vrouw moest elke stap die ze deed op hen bevechten. Voor de winden opstaken had ze niet vaak halt gehouden; heel af en toe maar leunde ze misschien even tegen een sneeuwbank, en sliep ze een paar minuten terwijl het kind dronk. Ze kon het kind nog steeds zogen, maar het verschaalde bier en het brood voor haarzelf waren allang op. Soms stopte ze een kluitje sneeuw in haar mond; dat diende haar nu tot eten en drinken. Het kind voelde niet langer zwaar, hoewel hij korte tijd zwaar als een blok steen had geleken. Toch waren hij en zij op een of andere manier hier in de woestenij weer met elkaar vergroeid geraakt en was hij weer een vast onderdeel van haar lichaam. Toen de winden opstaken, smeten ze haar ongeveer elk uur wel een keer om. Dan zat ze op haar knieën over de baby heengebogen, met haar rug naar het geweld om met haar eigen lijf de volle kracht van de vuisten en messen van de wind op te vangen. Ze huilde niet; ze was te koud voor tranen en al gauw voelde ze helemaal niets meer. Ze brandde langzaam op naarmate ze verder in de sneeuwvlakten doordrong. Niets kon haar meer schelen en weldra zou ze niet meer bestaan.

Ergens in de kern van haar schedel raasde een heftige woede. Ze merkte het vaag.

Het kind was nog steeds warm. Ze merkte dat hij niet veel meer sliep. Hij leek nogal geboeid door iets in het landschap dat zij helemaal niet kon zien.

'Jafn kind,' zei ze verrast. Althans dat probeerde ze, maar haar lippen weigerden te bewegen. 'Maar ik kom uit de Rukarse stad in het westen. En ik moet slapen... de geesten zijn voor mij onzichtbaar.'

De winden klonken ver weg. De gevoelloosheid die ze uiteindelijk meebrachten, was niet onaangenaam. Ze geloofde niet echt dat ze dood zou gaan. Tenslotte was ze al eerder doodgegaan en *niet* gestorven.

Toen geluid en beleving van de wereld haar begonnen te ontglippen, kreeg Safee in plaats daarvan een voorwerp in de gaten dat met grote sprongen over de bovenste sneeuwlaag wipte. Het maakte radslagen tegen het lichtende juweel van de schemering. Wat was het? Het kind lachte.

Recht voor Safees open maar bijkans nietsziende ogen, voerde Joeri een salto uit die eindigde met een stukje vliegen. Toen hij ten slotte weer op de grond landde, tuurde hij de vrouw in haar gezicht en hij zei schouderophalend: 'Dit is volslagen zinloos. Hé, meid, kun je me nu eindelijk eens zien?'

Safee gaapte. Haar ogen vielen dicht.

Joeri meende een doorschijnend halfding te zien dat om haar heen zweefde – begon een deel van haar ziel zich los te maken? Hij duwde het terug, althans dat probeerde hij. Hij moest toegeven dat ze haar best had gedaan. Nu moest hij maar gauw zorgen dat hij haar redde, want zonder haar, of een soortgelijk iemand, zou het jongetje het niet overleven. Het was zijn tijd nog niet om te sterven – en de hare ook niet. Zij was bezoedeld door een god en ze zou dat moeten zien kwijt te raken, of opgebruiken voor ze echt naar elders kon gaan. Joeri vroeg zich ontevreden af of dat soms ook voor hemzelf gold.

Joeri de geest, die zijn eigen ondodentoverkracht mateloos boeiend vond, stak zijn hand in zijn binnenste om er zuiver fysieke kracht uit op te diepen. Hij bukte zich en sleurde de jonge vrouw van de sneeuw. Haar hoofd rolde krachteloos opzij. Ze zei: 'Laat me met rust.'

'Hou je kop.'

Het kind klauterde gedeeltelijk bij haar vandaan tot een stuk van zijn aura op Joeri's schouders zat – compleet met het pittige uiterlijk van een jongetje van ongeveer twee jaar. Maar de zuigeling bleef in Safees stevige omarming liggen en viel in slaap.

Joeri hees Safee en het dubbele kind de lucht in. Hij snelde achterwaarts over de vlakten naar de hemel met zijn armen schaamteloos om haar ribben geslagen. Toen hij dat deed, begon ze te schelden en te vloeken. Hij was een beetje onder de indruk van de termen die ze allemaal kende, een mengsel van Jafnse geilheid en Rukarse godslastering. Waar had ze die ooit gehoord? Als ze wakker was en bij haar gezonde verstand zou ze zulke woorden misschien niet eens onthouden.

De turkooizen lucht werd donkerblauw. In een dreigende witgouden wolk kwam er in de duisternis een maan op.

Ze landden in een diepe, zachte sneeuwbank.

'Blijf daar zitten.'

'Ketskwak, vuile joeker.'

'Tot uw dienst, vrouwe.'

Joeri zette het aurakind neer, dat meteen Joeri's begaafde speelgoedmammoet in de gaten kreeg en ermee begon te spelen.

Joeri greep nogmaals naar zijn eigen toverkracht. Tijdens zijn leven had hij de crarrowin vuur zien maken. *Toen* had hij geen enkele aanleg voor toveren gehad. Nu lag dat natuurlijk anders. Maar toch deed hij het precies zoals zij het deden; hij riep de vlammen niet uit het niets te voorschijn, zoals bijvoorbeeld de Rukar en de Jafn dat deden, maar hij plukte ze druppel voor druppel uit zijn eigen buik. De vuurdruppels vielen op de sneeuw, waar ze begonnen te loeien zonder dat ze brandhout of een haardplaats nodig hadden. De warmte was lekker; zelfs Joeri die dat helemaal niet nodig had, vond het verleidelijk. Maar hij had andere dingen te doen.

Toen hij vertrok zag hij dat Safee in beweging begon te komen. Nu ze hem in haar halfdode toestand eenmaal had gezien, nam hij aan dat hij vanaf nu toch zeker af en toe redelijk goed voor haar te zien zou zijn.

Hij sprong omhoog. Het kind keek Joeri bewonderend na tot hij uit het zicht verdween.

Joeri rende over de lucht met veel schik in zijn eigen fysieke snelheid. Hij was binnen enkele tellen bij de oever van de zee en draafde meteen het water op.

Maan, sterren, Joeri snelde ze een voor een voorbij. Als hij aan de lucht snuffelde, kon hij zijn prooi al ruiken.

De ijsheuvelberg lag ruim tien kilometer uit de kust in vloeibaar water. Hij maakte deel uit van een heel regiment ijsbergen die nog groenigblauw glansden en schijnbaar de voorbije schemering in hun hart hadden gevangen.

Maar ten minste één ervan – en die wilde hij hebben – bevatte betere dingen dan alleen licht.

Joeri landde op de berg. Hij bleef even een tel staan om het zwierige tafereel van zee en lucht in zich op te nemen voor hij dwars door het ijs, zo dik als graniet, naar binnen dook.

Hij belandde in een soort wonderland. In het hart van het ijs bevonden zich griezelig verlichte gaarden met fruit en stroken lichtgevend graan, even oeroud als de verloren gegane *zomers* waarin ze gevormd waren, en waarschijnlijk nog even sappig als wanneer ze gisteren gerijpt waren.

Joeri hakte smalle geulen in het ijs om zijn oogst binnen te halen. Hij plunderde de berg, trok hele schoven dilf en tarwe los, brak takken af zo groen als een koperen koepel, barstensvol met roodwangige pruimen en appels en wijndruiven zo zwart als de nacht.

Nadat hij de berg had geplunderd zoefde Joeri weer op de kust af. Hij ging op zoek naar de kudde herten aan de rand van een ijswoud, dat in tegenstelling tot de bomen in de ijsberg helemaal geen kleur had.

Joeri probeerde een van de herten te doden. Tot zijn ergernis bleek dat onmogelijk. Toch wist hij aan drie of vier van de vluchtende beesten wel een paar handjesvol bloed te onttrekken door een slagader open te prikken en snel weer dicht te drukken, zoals hij een crarrow eens had zien doen. Het zou wel een tijdje duren voor hij zich af zou vragen waarom hij het hert dat hij niet had kunnen doden niet gewoon van bloedverlies had laten neerstorten.

Maar zijn buit was evengoed lang niet gek.

Trots op zijn vindingrijkheid holde Joeri zwaarbeladen terug naar de vrouw en het kind.

Safee werd wakker naast het vuur en hze was geen moment in verwarring. Ze wist dat ze niet op de werf was en ook niet in een stad. Ze herinnerde zich precies wat er gebeurd was.

Eigenaardig genoeg herinnerde ze zich ook iets anders, waar ze al die tijd niet aan had gedacht.

Er zat iets in een van de diepe zakken van haar mantel. Op de dag dat ze van de slaapkamer op de bovenverdieping naar het schottenvertrekje beneden had moeten verhuizen, had ze dat gauw uit de kast gegrist en stiekem in haar zak gestopt. Ze had er nooit bij stilgestaan waarom, maar het was uiteindelijk een tovervoorwerp. Misschien kwam het door de levendige vlammen dat ze er nu wel aan denken moest.

Safee stopte haar hand die koud en als van hout aangevoeld had maar nu weer soepel en bruikbaar was, in de voering van de mantel. Blijkbaar had niemand eraan gedacht om Safees kleren te doorzoeken.

Ze diepte haar aandenken aan het Klauwse berichtenvuur op en hield het in haar vrije hand.

Het was een stuk dode zwarte steenkool, nog precies als toen ze hem uit de vuurkorf had gestolen.

Ze leunde met haar rug tegen de sneeuwbank en keek bij het licht van het vuur naar de kool.

De baby sliep in haar arm. Ze voelde zijn regelmatige, gezonde ademhaling tegen haar hart. Op een of andere manier leek ze wel in zijn dromen te kunnen kijken, waar ze hem zag hollen en spelen met een speelgoedje op glijders dat uit zichzelf naast hem meegleed. Ze moest lachen om haar eigen bekoorlijke fantasie.

Het vuur dat hier brandde was een tovervuur, en nu zou alles goed komen. Want blijkbaar had een of andere vriendelijke reiziger haar gevonden, of zij hem.

Ze hoefde alleen maar hier te blijven wachten tot hij terugkwam.

Dat leek Safee alleszins redelijk, zodat ze verder niet meer nadacht over deze warrige malligheid.

In plaats daarvan draaide ze onder het wachten doezelig de kool rond in haar hand. Toen gooide ze hem op Joeri's tovervuur – misschien omdat het iets brandbaars leek.

Toen Joeri met zijn illegale boodschappen door de lucht kwam aansuizen, werd hij begroet door een baaierd van licht aan de lage horizon.

Ver ten noorden van dit land en deze zee lagen de onherbergzame landen van kinkels als de Vormse volken. Hun lichtbundels tolden voortdurend door de nachthemel, had Joeri zich laten vertellen. Hij had nooit de wens gekoesterd om die landen of hun verlichting met eigen ogen te zien.

Midden in de lucht fronste hij perplex zijn voorhoofd. Toen zag hij wat er zo schitterde in de lucht.

Niemand had hem ooit verteld dat de Vormse lichtbundels plaatjes maakten, of beelden.Toch zag hij hier een leeuw en een wolf, allebei scharlakenrood met jadegroen, die in een krijgsdans verwikkeld waren. De een sprong op de ander af, ze sprongen allebei op, vielen allebei en rolden samen door de lucht. De maan raakte gevangen in hun bekken, in hun vacht en hun manen. Ze kleurden hem en lieten hem weer gaan, omdat ze alleen elkaar maar te lijf wilden. En of de leeuw was tamelijk klein, of de wolf was een reus voor zijn soort, want ze waren precies tegen elkaar opgewassen.

In zijn hoofd, dit tweede hoofd van zijn aardse geest, hoorde Joeri het kind. Hij riep; niet uit angst, hij schaterde van plezier. Hij vermaakte zich kostelijk met de dolle sprongen van het stel vuurdieren.

Oom Joeri, zie je dat?

'Ik zie het,' zei Joeri.

Hij schoot omlaag door de nacht. Je kon een vrouw ook geen vijf seconden alleen laten, zei zijn vader altijd al, of ze haalde iets aan de hand.

Toen hij met een laatste sprong naast hen op de grond landde, merkte Joeri nog twee dingen op. Het eerste was dat Safee blijkbaar flink was geschrokken, want ze zat rechtop en hield de baby beschermend in haar armen, terwijl die zich juist probeerde los te worstelen omdat hij het geweldige tafereel boven het vuur niet uit het oog wilde verliezen – en hij lachte nog steeds, de baby, net als hij in Joeri's hoofd had gedaan. Het tweede was dat de wolf de leeuw nu tegen een of ander onzichtbaar oppervlak boven hun hoofd gedrukt hield. De wolf beklom de leeuw en hield de nek van de grote kat tussen zijn kaken. Joeri moest toegeven dat de bescheiden manendos van de leeuw erop zou kunnen duiden dat het een vrouwtje was. Dan was dat van daarnet geen gevecht geweest, maar voorspel.

Onwillekeurig raakte Joeri een beetje opgewonden van die gedachte. Het was nu wel duidelijk dat geen van beide dieren met weerzin meedeed aan hun ongewone seksuele daad.

Natuurlijk niet, want Joeri had hier wel eens van gehoord. Bij de Jechen hadden ze een oude, zelden nog gehoorde legende over een leeuw die met een wolf paarde – waar dan een monsterlijk maar goddelijk schepsel uit voort moest komen. In de ijsmoerassen van Jech, had Joeri's grootmoeder verteld, konden ze je nu en dan in de sneeuw de sporen laten zien van leeuwachtige wolfspoten, abnormaal grote afdrukken die oplichtten zonder dat er maan of zon aan te pas kwam. *Dat* was de bastaard die eruit voortgekomen was: de leowulf. Maar Joeri had altijd gedacht dat het maar een verhaal was.

Het paar in de lucht bereikte zijn hoogtepunt.

Joeri voelde de ritmische stroom van hun climax onweerstaanbaar door zijn lijf golven. Hij wendde zich af om buiten het zicht van vrouw en kind snel even stoom af te blazen in de sneeuw. Dat hij dat nog steeds kon, verbaasde hem niet; hij vond het niet meer dan zijn goed recht, zelfs na zijn dood. Maar geestelijke dierlijke vleselijkheid was één ding; hij, die zonder blikken of blozen ontelbare vrouwen had verkracht, wilde deze ene niet voor het hoofd stoten en ook haar zoon niet hinderen.

Donder rolde door de lucht. De wilde vlammen laaiden hoog op. Het was afgelopen. De lichten doofden. Joeri bracht zijn kleren in orde, draaide zich om en wandelde bezadigd over de sneeuw naar het wat traditioneler tovervuur dat hij zelf had gemaakt.

'Kun je me nu dan eindelijk zien?'

'Ja. Waar komt dit voedsel vandaan?'

'Uit een ijsberg. Heb je ooit zoiets lekkers geproefd? De volgende keer ga ik duiken – dan neem ik vis voor ons mee.'

'Niets van dit alles is echt,' besloot Safee plotseling. 'Ik zie bovennatuurlijke voorvallen en verschijningen, waarvan *jij* er een bent.'

'Dank je hartelijk, vrouwe,' zei Joeri spottend. Ook hij dronk slurpend van de bloedsoep die hij op het vuur had gewarmd in een kom van sneeuw die niet smolt maar ook de warmte niet tegenhield. De soep was gebonden met dikke dilfkorrels, notig en hartig en verrukkelijk.

'Hiermee kan ik me niet in leven houden,' zei de vrouw.

Joeri had zin om haar een klap te verkopen, maar hij zag mismoedig in dat hij dat nooit meer zou kunnen doen. Niet na wat hij zojuist had gezien.

'Het zal je wél in leven houden.'

Eerder had ze zijn taal niet kunnen spreken, maar nu kon ze alles ontcijferen wat hij zei en wat hij haar wilde laten horen; en het ging al net zo met alles wat hij hoorde en wilde verstaan. Zou het makkelijker geweest zijn als ze elkaar niet hadden kunnen begrijpen? Als hij haar wél een klap had kunnen geven? O, reken maar. Nu ja, klagen dat de zon opkomt is zinloos, zei Peb Juve altijd al.

Ze bleef doorzeuren. 'Dat kan toch helemaal niet. Dit voedsel is louter verbeelding. Niks ervan is echt.'

'Jawel, het is wel echt, op zijn eigen manier. Bekijk het eens van deze kant. Zelf ben je deels ook niet echt, vrouwe; je innerlijke wezen – je fysieke ziel. Als je die te eten geeft, geef je je hele wezen te eten – als je het tenminste toelaat.'

Ze keek hem uit de hoogte aan, krengig. Het wás ook een kreng. Nu ja, klagen was zinloos...

'Denk er wel aan,' zei Joeri nors, 'dat de goden precies dezelfde aard hebben. Als je in ze gelooft, worden ze krachtig en dan helpen ze je. Of als je bang voor ze bent, maken ze jacht op je en zullen ze je verwonden.'

Haar trotse prinsessengezicht, niet langer aangetast door de bijtende kou en de aansluipende dood, verstrakte. Ze sloeg haar ogen neer.

'Ja,' zei ze.

Joeri en zij dachten allebei aan de god onder de oceaan – de vader van de kleine.

De kleine.

'Vrouwe,' zei Joeri, 'kijk gauw, zie je dat?'

Ze keek argwanend op. Ze zag blijkbaar nu pas net als hijzelf voor het eerst de ware schaduw van de baby die zich van haar schoot over de sneeuw uitstrekte.

'Stralend als de rode edelstenen van de Rukar,' zei Joeri, 'met al die kleine schittertjes.'

'Een kind van vuur,' zei Safee. Ze klonk vergenoegd. Toen viel ze ineens in slaap.

Joeri vermoedde opgelucht dat ze, als ze eenmaal wat zou aansterken, zelfs door deels onstoffelijk voedsel, misschien de mogelijkheid weer zou verliezen om de schaduw waar te nemen en dat dat ook – Grote Goden geven dat het waar was – voor hem gold.

Ze trokken meestal overdag verder en Joeri ergerde zich vaak vreselijk aan hun trage voortgang. Dan tilde hij Safee op en droeg hij haar, met zijn armen om haar middel geslagen. Als hij dat tegenwoordig deed griste hij haar niet zomaar ineens van de grond, maar hij stelde eerst voor dat hij haar zou dragen en tilde haar dan zo beleefd mogelijk op. Aanvankelijk had ze nogal wat bezwaren gehad en hij had haar dus allerlei vanzelfsprekends moeten uitleggen.

'Om sneller op te schieten? Waar breng je ons dan heen?'

'Ergens waar jullie veilig zijn.'

'Waar dan?'

'Een nederzetting of een stadje. Ergens waar Jafnse Rosger en zijn gajes jullie niet zullen kwellen, of waarvan hij het bestaan niet eens kent.'

Joeri vond de Jafn bekrompen en onnozel. Wat hij voor het gemak maar even over het hoofd zag, was de kortzichtigheid van de Olchibi zelf die, zeg maar, niets afwisten van wat zich buiten hun eigen achterdeur afspeelde.

Ook nu nog voelde hij geen enkele aandrang om de wereld te verkennen. Hij aanvaardde hem als iets vanzelfsprekends, zoals hij altijd had gedaan, zonder er iets van te verwachten, terwijl hij toch alles voor mogelijk hield.

Maar ze liet zich in ieder geval wel door hem dragen. Het kind vond het enig en terwijl het zuigelingenlijfje sliep, kwam het uit zijn baby-omhulsel op Joeri's schouders zitten.

Joeri en hij praatten tegenwoordig vaak, of de baby nu sliep of wakker was. Het waren kinderlijke gesprekken, maar wel verstandig. Af en toe was er ook nog iets anders aanwezig, een stralend iets. Het manifesteerde zich in een woord of een begrip – Joeri was nooit snel genoeg om die momenten vast te houden of te verlengen. Maar hij had natuurlijk wel vaker eigenaardige dingen meegemaakt met kinderen. Een vierjarige uit de kinderschare van het sluhtkamp had Joeri eens zeer nauwkeurig uitgelegd hoe hij een bepaalde knoop moest leggen, terwijl dat kind van die hele knoop niets afwist. En sterker nog, een van zijn eigen jongens, nog geen drie jaar oud, had hem openhartig toevertrouwd: 'Na mijn vorige geboorte was ik opperhoofd en at ik berenvlees.' Joeri had dat curieus gevonden en het opgevat als een kwestie van helderziendheid. Maar nu zag hij in dat het waarschijnlijk doodgewoon een feit was geweest.

Ze trokken naar het zuiden, of naar het zuidwesten, en kozen vlakten die tussen uitgestrekte wouden lagen, of ze vlogen onder leiding van Joeri over de wouden heen. Elke avond ging Joeri op zoek naar eten. Hij daalde door de aardkorst af in diepe zwarte wateren waaruit hij cryogene vissen meebracht. Maar vervolgens moest Safee ze schoonmaken. Joeri had gemerkt dat hij dat niet meer kon, hoezeer hij ook zijn best deed. Zijn beste klappen gingen gewoon dwars door een viervoeter, vis of vogel heen, zodat die weliswaar verbijsterd, maar wel ongedeerd achterbleef. Hij kon alleen een beetje bloed stelen. Hij herinnerde zich dat de crarrowin altijd beweerden dat de gestorvenen geen levende schepsels konden doden. Hoewel hij zich toch ook verhalen herinnerde waarin de doden hun eigen – levende – soortgenoten konden pesten, of zo bang maken dat ze erin bleven.

Toen hij Safee de eerste keer de vissen op hun kop zag slaan om daarna in de sneeuw te gaan staan overgeven en te weigeren ervan te eten, steigerde Joeri van ergernis. Maar ze werden beter: Safee in het slachten en Joeri in geduld oefenen.

Waar ze heen gingen, wist Joeri werkelijk niet. Hij vermoedde dat ze uiteindelijk wel ergens terecht zouden komen, een streek waar hij ze veilig kon achterlaten. Hij kon zich niet voorstellen – hoewel hij dat niet wilde toegeven – dat hij hen zou verlaten; dat zou betekenen dat hij ook het kind in de steek zou laten.

De jongen had geen naam. In Ruk Kar Is en bij de Jafn moest een vader zijn nakomelingen een naam geven, waarmee hij ze dan tegelijk echtte. Atluan had dat uiteraard niet gedaan. Safee zei lieve woordjes en gaf hem koosnaampjes; Joeri had hem *Leeuw* genoemd. Maar nadat hij dat beeld van die parende dieren had gezien, leek het Joeri verstandiger om wat minder vertrouwelijk in de omgang te zijn. Hij was niet bang van het kind; maar dit kind was niet zomaar een kind.

Inmiddels begon Joeri nu ook andere onmenselijken in de wereld waar te nemen. Ze bestonden niet echt, niet in de wereld waarin Safee en haar zoon nog steeds leefden. Ze bevonden zich in een soort tussenwereld die eeuwig tussen de dag van de normaliteit en de nacht van de occulte andersheid zweefde. Zoals hij nu was kon Joeri zonder problemen deze tussenwereld betreden en weer verlaten. Hij begon eraan te wennen. Hij zag dat de jongen, al was hij nog zo klein, er ook iets van kon zien. Safee kon Joeri nog steeds zien, maar de tussenwereld zag ze niet, behalve in willekeurige, bizarre flarden, zoals bijvoorbeeld toen ze op de oever belandden van een kolossaal bevroren wateroppervlak met hier en daar scheuren van wel een kilometer diep. Op de bodem van de scheuren kabbelde vloeibaar water en langs de randen zaten mera's. Meerminnen waren het, onaards, maar anders dan Joeri toch fysiek genoeg om vissen te vangen en te doden – om ze vervolgens rauw op te eten.

Joeri stond er afgunstig en wrokkig naar te kijken. Ze hadden een witte huid, parelmoeren vliezen tussen hun vingers en een gekrulde parelmoeren vissenstaart. Hun haar bestond uit waterige, wierachtige, glasheldere slierten. Maar hun ogen waren vissenogen, bleek en zonder oogleden, en hun tanden waren scherp als visgraten.

'Wat zie je daar?' vroeg Safee en toen: 'Wat zijn dat voor dieren langs de kanten van de scheuren? Zijn het zeehonden?'

'Mera's,' zei Joeri. Waarom zou hij liegen?

Safee ging zelf ook staan staren en ineens sloeg ze haar hand voor haar mond. 'Ja – ja ik zie ze. Mijn kindermeid heeft me daar wel eens over verteld – ze laten schepen vergaan. Maar nee. Het zijn gewoon zeehonden.'

Op een of andere manier was hij er niet helemaal zeker van of de mera's wel bestonden in haar heelal. Ze waren eerder projecties, *spiegelingen* uit de tussenwereld. Zelfs de vissen die ze aten, konden wel eens gespiegeld of denkbeeldig zijn. Joeri had in dat oord beelden opgevangen van weelderige banketten en andere dingen die onmogelijk waren, maar er toch waren.

Nadat ze de mera's had gezien die eigenlijk zeehonden waren, begon Safee te veranderen. Haar verstand begon een gezondere vorm aan te nemen waarin het natuurgeesten en visioenen van de hand wees, ook al erkende ze het bestaan ervan. Haar geest pakte haar stevig aan. Wat Joeri zo graag had willen doen, deed nu haar verstand; het gaf haar een draai om haar oren. *Laat dat,* zei haar hardhandige verstand. *Je leeft.* De levenden van jouw volk zien zulke dingen niet, tenzij ze een gave bezitten en door magikoi geoefend zijn. En de Jafn zijn knettergekke vuilakken die je moet vergeten.

Safee besloot de Jafn te vergeten. Haar wrok bewaarde ze voor Rosger. Soms verbeeldde ze zich een minuutje of zo dat een man of een dier Rosger aanviel en zijn ingewanden eruit scheurde. Ze had nooit geweten dat ze zulke gedachten kon koesteren – maar ze was tenslotte een dochter van Vuldir. Atluan spookte op een andere manier door haar hoofd. Ze droomde van hem. Na de door de steenkool veroorzaakte toververschijning droomde ze dat ze met Atluan de liefde bedreef en in haar slaap golfden de krampen zo heftig door haar lijf dat ze er wakker van werd. Onder invloed van haar verstand hield Safee zichzelf voor dat Atluan er niet toe deed. Die morgen kon ze het stuk kool niet vinden – Joeri's vuur had het verteerd, terwijl het berichtvuur dat niet had gekund. Atluan moest net zoiets worden als dat stuk kool – totaal verdwenen.

Voor de god – voor alles wat daarbij hoorde – vond ze een andere manier. Misschien hadden Joeri's lessen haar beïnvloed. Zodra de verbijsterende oneindige verschrikking haar bewustzijn binnendrong, sloeg ze er een innerlijke deur voor dicht. *Ik weiger eraan te denken.* Hoe kon ze anders overleven? *Ik doe het niet…* en ze deed het niet. Buitengesloten uit haar gedachten vervaagde de vlammende Zezet, Zonnewolf onder de zee, tot koude as.

Maar haar zoon aanbad ze. Natuurlijk was hij het beste en het verbazingwekkendste kind dat ooit was geboren.

Uit zelfverdediging tegen zo'n overvloed sloten haar geopende ogen zich weer.

Zelfs Joeri's aanwezigheid verminderde voor haar. Soms keek ze pardoes door hem heen en dan redeneerde ze handig: *Hij is een of andere ongemanierde tovenaar van de woestenij.*

De lucht was vaak blauw als Joeri, de tovenaar van de woestenij haar er doorheen droeg. Vreemde vliegende reptielen, geschubd en met vleermuisvleugels, vlogen voorbij. Safee besloot dat dat vogels waren – kadi's of grote raven.

Die nacht volgden ze, te voet om Safee een genoegen te doen, een brede sneeuwbaan die door een ijswoud van reusachtige hoogte, breedte en diepte omhoog liep. IJsspinnen weefden hun webben in de bovenste lagen. In hun netten bungelden stervende motten waaruit Safee met een plotse, griezelige helderziendheid mistige stromen van zielen zag opstijgen.

Toen veranderde het bos ineens van aard. De kruinen sloten zich en er was geen uitweg meer naar de hemel. Joeri werd daar natuurlijk niet door belemmerd, maar in bepaald opzicht toch weer wel, want de anderen konden niet onbelichaamd van de ene fysieke dimensie naar de andere flitsen. Zelfs het slimme kind kon dat niet, nu het in zijn babyvorm gevangen zat.

Joeri maakte een vuur. Ze aten niet. Joeri had een dikke witte eekhorenaar gevangen die Safee vervolgens hardnekkig weigerde dood te slaan. Ze kregen ruzie. De eekhorenaar maakte zich uit de voeten en vluchtte de dichtstbijzijnde, enorme boom in. Iedereen zat te mokken.

Toen de dageraad kwam, wist die slechts in kleine hoekjes van het bos door te dringen. Een schemerig halflicht, meer hadden ze niet.

Ze trokken verder.

Joeri constateerde met spijt dat de baby inmiddels een steviger greep op zijn ziel leek te hebben en hem vaker dwong om binnen zijn lijf te blijven. Hoe hij ook vleide, Joeri kon het gouden kind niet meer uit het babylijfje lokken. Heel zelden vertoonde het zich nog; dan draaide het aan zijn vlechten en klauterde op zijn schouders – om alweer weg te glippen voor Joeri hem zelfs maar had kunnen begroeten. De speelgoedmammoet waar hij ooit zo intens mee had gespeeld, was verdwenen.

Omdat het kind nu niet met hem sprak had Joeri niemand om mee te praten. Vrouwen waren geen gesprekspartners.

's Avonds viel de duisternis niet in maar begon het woud te gloeien. Het was de sneeuw zelf, die nu dichter was en bijna alle ruimten tussen de bomen opvulde, waardoor zich sneeuwlanen vormden met bevroren sneeuwplaten langs de stammen en op de takkenkruinen, waarin maar hier en daar een gaatje open bleef, als een dof glanzende munt.

Er heerste hier een kolossale stilte, heel anders dan de stilte buiten op de vlakte. Het leek net of je doof was.

In contrast met dit alles bespeurde Joeri dat ze voor het eerst op hun tocht in de buurt van mensen begonnen te komen.

De nacht viel. De muntgrote gaten werden paars en sommige glinsterden van het maanlicht dat in bundels en scherpe straaltjes langs de sneeuw in de aarde priemde. Alle bomen waren in ijs en sneeuw gehuld. Het woud begon van binnen licht te geven als een melkige lamp.

Safee ging zitten met de baby en begon te snikken.

Die vertoning sterkte Joeri alleen maar in zijn overtuiging dat ze het einde van de reis naderden.

'Stil nou maar,' zei Joeri automatisch.

Maar Safee huilde al niet meer. Ze voedde het kind, en hij ook. Joeri vermeed altijd zorgvuldig om naar haar borst te kijken – hij zou erdoor beinvloed kunnen worden en dat kon gevaarlijk zijn. Toch vermoedde hij dat ze niet meer zoveel melk had. Het kind dat aanvankelijk gretig en met aandacht dronk, begon ontevreden te draaien en te snuiven, net als alle zuigelingen helemaal niet in zijn schik met de akelige, hulpeloze toestand waarin hij zich in de wereld bevond.

'Blijf hier. Ik ga op zoek.'

'Géén eekhoornaars!'

Joeri vloekte en holde met grote stappen weg door de lanen en de gaten tussen de bomen tot ze hem niet meer kon zien.

Ze had het feit dat hij een geest was nooit helemaal aanvaard. Maar dat gold eigenlijk ook voor Joeri zelf.

Hij had al een flinke afstand afgelegd toen hij op het standbeeld stuitte.

Het was van versteend hout en viel op met zijn zwarte kleur temidden van al het wit. Het was een beeld van een afzichtelijke vrouw met een heleboel handen en klauwen en het grof gebeeldhouwde haar van een das.

Joeri verzekerde zich er eerst van dat het geen bovennatuurlijk wezen was of misschien zelfs een levend schepsel, voor hij heel beleefd even voor haar knielde.

Toen hij zich oprichtte, kwamen er juist enkele mannen uit het dichte hart van het bos.

Ze waren forsgebouwd en hun huid, waar die zichtbaar was tussen hun pelskleding, was bruin met grijs gevlekt als die van een slang.

Omdat hij wist dat hij voor hen onzichtbaar was bleef Joeri naar ze kijken.

Ze passeerden hem op een tiental centimeters. Hun geur van ongewassen lijven, vuren en kookpotten deed Joeri verlangend terugdenken aan de behaaglijke beslotenheid van binnenkamers. Toen ze het standbeeld passeerden legde elke man zonder te stoppen iets neer aan de voet van het beeld. Joeri ging kijken wat ze zoal neergelegd hadden. Hij keek nog eens goed: er lag helemaal niets. De mannen uit het sneeuwbos hadden hun godin helemaal niets geschonken, elk een keurig afgemeten handvol.

Joeri nam niet de moeite om de mannen te volgen of hun dorp op te zoeken. Hij keerde naar Safee terug en vertelde haar het goede nieuws.

Ze keek hem aan of ze bang was en toen versluierde ze haar uitdrukking zoals hij haar wel eerder had zien doen.

'Ken je dat dorp?'

'Nee. Een of ander gat, maar dat geeft niet. Jij moet eten en het kind ook.'

De angst golfde weer even door haar ogen. Ze was al eerder naar de barbaren gestuurd en moet je zien waar ze terecht was gekomen.

Ze liepen er tussen de bomen naartoe en toen gebeurde er iets eigenaardigs. Misschien had Joeri het moeten voorzien. Het lelijke standbeeld kwam in zicht. Safee zag het en uitte een kreet van afschuw. Toen draaide ze zich om naar Joeri, staarde hem met opengesperde ogen recht in zijn gezicht en begon gruwelijk te schreeuwen: 'Waar ben je? Laat me niet in de steek –'

Hoewel hij het niet had zien aankomen, begreep hij het meteen. Hij wist dat ze hem niet langer kon zien en dat ze hem ook niet meer zou kunnen horen. Dat was te wijten aan de mogelijkheid van contact met haar eigen soort, meende hij, met de levenden.

Joeri haalde zijn schouders op. Hij hurkte in de sneeuw en keek naar Safee die stond te schreeuwen van angst en woede, tot ze stil viel, zich omdraaide en langs het standbeeld feilloos in de goede richting begon te lopen.

De mannen stonden haar aan te staren. Het was precies zoals toen in de feestzaal. Maar wel omgekeerd, want déze mannen overwogen juist om haar op te nemen.

Ze begreep wel iets van hun taal en ze begon bepaalde woorden en zinsneden te herkennen. Hij had wel iets weg van een van de talen met veel stembandklikken van de Jafn. Net als op de werf begon Safee de taal te begrijpen.

Ze zeiden dat ze uit het niets was opgedoken – dat was maar al te waar. Ze zeiden dat het onder zulke omstandigheden ongeloofwaardig was dat ze onschuldig was. Ze was of door een of andere reizigersgroep uitgestoten omdat ze een misdaad had begaan, of ze was een soort demon waardoor ze in haar eentje zonder problemen over de sneeuw kon ronddwalen om narigheid aan te richten.

Blijkbaar hadden ze een test om iemand op demoneigenschappen te controleren.

Er kwam een vrouw die Safee een kom met inhoud aanbood. Toen Safee de kom niet wilde aanpakken, gooide de vrouw de inhoud over haar heen.

Safee was te verbouwereerd om te protesteren en ze veegde met haar hand de losse korrels van haar en haar kind af. Haat voor deze mensen, misschien wel voor alle mensen behalve haar zoon, begon Safee te vervullen in trage, steile golven.

Maar blijkbaar hadden zij en het kind de proef doorstaan, want de korrels bleken betoverd en gezegend door de dorpsheks.

Ze had in het begin helemaal niet gemerkt dat ze in het dorp was beland. De woningen en de paden tussen de hoge sneeuwmuren hoorden allemaal bij de bomen, het woud, de winter, leek het wel. Pas toen ze hier en daar lichtjes zag, begon ze de dingen geleidelijk aan te herkennen voor wat ze waren maar toen stonden de mannen inmiddels al op het middenpad. Geen van hen raakte haar aan. Alleen de graankorrels raakten haar.

Ze vond hun gevlekte huid verontrustend, erger dan de gele huid van de Olchibi. De tovenaar die haar in de steek had gelaten, had ook een gele huid gehad – maar die had ze misschien wel verzonnen, net als het vuurwerk in de lucht, de meerminnen... en dat andere, van lang geleden waar ze nimmer aan mocht denken.

Een van de dorpelingen zei iets. Ineens verstond ze bijna al zijn woorden, alsof het nu pas echt nodig was.

'Geef maar aan Nabnisj. Kan hem niks schelen of ze slecht is. Nabnisj kan wel een brokmeid gebruiken want z'n laatste brok is dood. Net goed.'

Safees moed zonk haar in de schoenen alsof er een loden ketting aan hing.

Vijftien dagen lang was Safee daar in het sneeuwwoud het eigendom van Nabnisj.

Tijdens die dagen was ze niet Safee – ze was naamloos, net als haar kind. Nabnisj noemde haar gewoon *brok*. Voor deze mensen betekende dat woord drie dingen: ten eerste een eigendom; ten tweede een aartsidioot; ten derde iets dat geschapen was om te werken.

Ze zag hem voor het eerst helemaal boven in zijn huis. Het bouwsel lag aan de rand van het dorp. Het bestond uit boomstammen en sneeuw, een soort schoorsteen, met meer hoogte dan breedte, verbonden met wiebelende ladders, sporten en traptreden, vanwaar deuren naar celachtige nissen leidden, zoals in een bijenkorf. In een van die nissen zat Nabnisj.

Na een tijdje kwam hij uit zijn nis te voorschijn en begon hij haar overal in haar lijf te knijpen. Joeri was op zijn informeelst nooit zo ruw of onbehouwen geweest, maar Nabnisj wilde erachter komen of ze wel vlees op haar botten had. Hij zei – en ze verstond elk woord – dat hij zeker wilde weten of het de moeite zou zijn om haar op te eten als de nood ooit aan de man kwam.

Van de baby wilde hij niets weten.

Leg daar maar neer op die plank. Gaat-ie vanzelf wel dood en dan kunnen we hem naar buiten smijten.

Safee slaakte een kreet – onbedoeld, hij barstte gewoon uit haar keel, als braaksel.

Nabnisj gaf haar een oplawaai. Safee tuimelde achterover. Ze wist het kind op een of andere manier tegen haar borst gedrukt te houden, zodat ze zelf de kracht van de klap opving waarmee ze op de grond kwakte toen ze van de ladder achterover op haar rug terechtkwam.

Even dacht ze dat ze dood was. Toen herinnerde ze zich dat zij niet stierf.

Nabnisj snauwde dat ze overeind moest komen. Ze gehoorzaamde en merkte dat ze niet doormidden was gebroken. Het kind dat ook helemaal ongedeerd was gebleven, keek haar aan met ogen als die van een wolf en tegelijk zo donkerblauw als het gezicht van een vertoornde god.

Al die vijftien dagen en nachten bleef er iets voor de ramen verschijnen, zowel op de begane grond als boven, en dat gluurde naar binnen. Het ding keek kwaad, kwaad genoeg om de membraanruiten aan flarden te scheuren.

Joeri.

Hij bespioneerde Nabnisj onder het eten, tijdens de slaap, en als hij een spelletje met gekleurde pionnen speelde, meestal in zijn eentje. En Joeri bespioneerde Safee die zich in het sneeuwhuis afbeulde.

Op de begane grond huisde een grote kachel, die als een dikke spin met zijn gebogen metalen armen door het hele huis reikte en om de ladders kronkelde om het te verwarmen. Een van Safees taken was de kachel gevuld houden met hout uit de voorraad. Als de voorraad opraakte, moest ze over de straat naar een gemeenschappelijke houtstapel om daar hout vandaan te slepen en daarna te kloven. Dat lukte haar maar slecht en haar handen hadden bloedende blaren van de bijl die bij de houtvoorraad achterbleef, maar ook van waar ze zich aan de kachel had gebrand. Al gauw was haar hele gezicht rood verschroeid en zij zelf grotendeels zwart van roet en vuil. Haar vette haar had de kleur van een slecht gerookte bokking.

Ze moest nog meer doen. Ze moest eten voor Nabnisj halen bij het grote vuur in het kookhok. Daar werd ze uitgescholden en weggeduwd door de vrouwen, zowel de dorpsvrouwen als de andere brokken die wat meer ervaring hadden en op haar neerkeken. In het huis moest er verder voortdurend geveegd en gedweild worden omdat er aan een stuk door rommel losdooide van de wanden. En ze moest vloeren, trappen, ladders en pijpen schoonmaken. Voor drinkwater en als een soort mortel om alles mee te verstevigen, moest ze sneeuw en ijs aanslepen van de uiterste rand van het dorp.

Op de vijfde dag, toen ze smerig en slordig genoeg was geworden om voor Nabnisj aantrekkelijk te zijn, vermoedde Joeri, sleurde hij haar zijn matraskamertje in, een hol net groot genoeg voor de matras en de man. Hij verkrachtte haar twee keer en duwde haar toen naar buiten en ging liggen slapen. Safee die zich niet had verzet, zat op de ladder en ze schokte zo hevig dat Joeri het helemaal zien kon. Toch huilde ze niet en na een tijdje ging ze naar de baby, tilde hem van de plank en zoogde hem. Ze deed dat wanneer ze maar kon, merkte Joeri op, al leek het erop dat haar melk inmiddels was opgedroogd.

Toch stierf het noodgedwongen verwaarloosde kind niet, zoals elk ander kind wel gedaan zou hebben. En het rolde ook niet van de plank. Dat was voornamelijk te danken aan het feit dat Safee de rommel die daar werd neergelegd zeer zorgvuldig schikte, maar ook aan Joeri's waakzaamheid.

Na de vijfde dag kwam hij soms binnen, ongezien door iedereen, behalve misschien door het halfdode kind. Joeri stond naast Safee. Hij had nooit getwijfeld aan het recht van een Olchibi om een vrouw te bezitten, maar Nabnisj was geen Olchibi. 'Laat hem toch struikelen, meid.'

Ze antwoordde binnensmonds maar duidelijk, zonder te beseffen dat de stem die ze hoorde in haar hoofd klonk: 'Hoe kan ik hem nou wat doen? Het hele dorp zit vol met kerels zoals hij. En waar zou ik heen moeten?'

Maar Joeri bespeurde in die fluisterstem een harde metalen klank, die ook wel uit haar ogen afkomstig kon zijn.

Joeri zei: 'Ik hoor hier eigenlijk helemaal niet. Ik had allang weg moeten zijn.'

Dat hoorde ze al helemaal niet.

Joeri ging naast het kind zitten. Hij streek het kind over zijn voorhoofd en de jongen woelde in zijn koortsslaap, alsof hij last had van een insect of van tocht.

'Je bent je ouwe oompje helemaal vergeten. Kom naar buiten dan mag je lekker paardje rijden op zijn schouders. Je zult je heel wat lekkerder voelen dan in dat zieke lijf.'

Maar de baby wilde zijn fysieke ziel niet meer vrijlaten om met Joeri te spelen.

Waar zit de vader? vroeg Joeri zich af, ontsteld over de ellende. En daarmee doelde hij niet op Atluan. *Als die kwam zou hij deze stronthoop naar de sterren kunnen hengsten. Een waardeloze god – wreed tegen zijn eigen mensen.*

Joeri verliet het sneeuwhuis weer. Hij maakte een wandelingetje door de sneeuwstegen van het dorp dat door het gevlekte volk een *stad* werd genoemd, zoals hij inmiddels wist.

Joeri deed het een en ander om ze op stang te jagen. Hij kieperde vaten met dooiwater om en emmers urine die bewaard werden om ermee te bleken. Hij doofde vuren – en ontstak andere waar ze niet gewenst waren. Waar ze hun dieren stalden, maakte Joeri de deuren en de hekken van de graasgoten los. De koeien schommelden met hun dikke konten loeiend door de sneeuwstegen en de langgenekte schapen vraten het fruit van de huiswingerds.

Maar het waren allemaal maar speldenprikjes en de lol was er al gauw af. Joeri liet de stad in rep en roer achter en ging weer spioneren bij het huis van Nabnisj.

Nabnisj was weer met Safee in de weer. Zelfs door de wasem in het huis kon Joeri haar ogen zien. Als blikken konden doden... maar ze was geen crarrow. Nabnisj was een grote dikke kerel – en bovendien, zoals ze zelf al had gezegd, als ze hem vermoordde wat moest ze dan?

Die nacht sloop Joeri weg om een van de koeien te melken. Hij nam de melk in een kan mee terug. Het kind lag niet op de plank maar zat bij zijn moeder in een hoek. Hij liet toe dat Joeri de melk langzaam in zijn mond liet druppelen, en slikte en wist het binnen te houden. Joeri dacht voor de zoveelste keer dat een gewoon kind dat in dit stadium nooit had kunnen doen. De jonge vrouw was lastiger. De meeste dagen at zij van de resten die Nabnisj voor haar overliet, maar nooit veel want ze vond het dorpseten niet lekker. Joeri stond versteld van haar prinsesselijke verwendheid – maar hij bewonderde haar er ook wel om. Hij liet een vrucht voor haar achter in het vertrouwen dat ze zo verstandig zou zijn om hem zonder vragen stiekem op te eten. Dat deed ze, maar hij kon niet raden wat er in haar hoofd omging. Elke avond bracht hij hun iets, terwijl het dorp lag te snurken en te toeteren in zijn stinkende slaap. Toch liet hij op die manier hun lijden nog tien dagen voortduren. Hij bleef maar wachten tot er iets zou gebeuren wat een beslissing van hem overbodig zou maken. En als Joeri, toen hij jaren later nog steeds opzettelijk op het fysieke vlak rondhing, daaraan herinneringen ophaalde zei hij altijd: 'Maar zie je, ik was alleen maar Peb Juves adjudant, ik ben nooit de leider van een vandalenbende geweest. Ik wachtte tot *hij*' – waarmee hij op het kind doelde – 'iets zou regelen. Dat was ik gewend.'

En dat was natuurlijk heel verstandig geweest van Joeri. Het kind regelde het. Het kind dat de Leider zou worden.

Die vijftiende nacht werd gekenmerkt door felle vorst. In het maanloze duister doolde Joeri onder de stijve zilveren bladeren van palmbomen heen en weer, terwijl hij zenuwachtig zijn vlechten lostrok en opnieuw invlocht.

Toen hij bij het aanbreken van de dag dwars door de muur regelrecht het huis van Nabnisj indook, zag hij het volgende. Safee zat bij de kachel. Ze had de baby op schoot. Daar was niets nieuws aan; ze zoogde hem af en toe of ze hield hem gewoon bij zich tot de volgende morgen, als dat enigszins mogelijk was.

Maar de baby die gisteravond de melk had geweigerd die Joeri had meegebracht, leek hem nu even stijf als de door en door bevroren sneeuw.

Angst gierde door Joeri's onstoffelijke bloed. En hij voelde zich schuldig – dood zijn stelde niets voor, de jongen zou beter af zijn. Was dat soms de reden dat Joeri niet in actie was gekomen?

Precies op dat moment kwam de andere versie van het kind in zicht. Hij zwaaide hand over hand heen en weer langs de schoorsteen van het huis, van de houten ladders en de pijpen. Hoewel hij nu geen gewicht had, zag hij er gelukkig en gezond uit en hij was nu tenminste twaalf jaar – een man, in de ogen van Olchibi en Jechen.

'Grote Godenstaarten,' zei Joeri. 'Halleluja.'

Het kind wierp hem een spottende blik toe. Hij zwierde de lucht in, zweefde een stukje en landde naast Safee.

'Dat is bijna dood,' zei de kindman tegen Joeri terwijl hij naar de baby – hijzelf – in Safees armen wees. Misschien was dat wel de reden dat hij naar buiten was gekomen.

'Kun jij eigenlijk doodgaan?' vroeg Joeri ineens onzeker.

'Waarom niet? Vanwege mijn pa, bedoel je, die ouwe smeerpijp Blauwgezicht?' Joeri was stomverbaasd, niet over de woordkeus van de jongen, maar over het feit dat hij een god uitschold – wat veel erger was dan zomaar agressie, want je wist dat de goden je dat soms vergaven, maar scheldwoorden, die vergaven ze nooit. *Dat* was godslastering. Maar de jongen ging verder: 'Ik ben halfsterfelijk. De sterfelijke helft kan doodgaan. Wat voor nut heb ik dan nog?'

Hij sprak ook als een man, een heel jonge man, grof, aanmatigend en onbevreesd – en witheet.

Joeri keek naar hem. Hij was kaarsrecht en al een beetje gespierd. Hij had lange benen en een dikke bos lang vuurrood haar. Knap was hij ook, zoals te verwachten was.

'En zij zal gaan huilen,' ging de jongen verder. 'Ik weet niet waar ik het zoeken moet van ellende als zij huilt.'

'Ze huilt anders niet vaak.'

'O, jij hoort haar niet zoals ik. Ik hoor haar aan een stuk door huilen van binnen, en anders krijst ze om wraak. Als ze sterk genoeg was of als we ergens heen konden, zou ze dat zwijn boven vermoorden. Waarom heb je ons niet ergens anders heengebracht, oom Joeri?'

Joeri schaamde zich een beetje nu hij de jongen weer oom hoorde zeggen.

'Al dit soort vuilnisbelten zijn hetzelfde.'

'Dat zal wel. Ik weet dat natuurlijk niet. Maar kijk nou eens wat er met haar gebeurt. Hij tampt haar' – Joeri grinnikte maar veegde de grijns haastig van zijn gezicht – 'en hij slaat haar. Ik kan niet wat jij kunt, ik kan nog geen indruk op deze wereld maken. Joeri, ik wil niet –' Het knappe gezichtje veranderde ineens. Het was nu het gezicht van een verdoold kind. 'Joeri, laat me hier niet doodgaan.'

'Maar de dood is *goed*.'

'Nee, niet voor mij – nog niet. Oompje, geef me de wereld!'

Joeri staarde voor zich uit. Hoewel hij wist dat zij hem toch niet kon horen, zei hij zachtjes: 'De wereld doet pijn.' En hij vroeg zich af waarom hij zulke dingen eigenlijk zei, ook al was hij een geest – precies zoals hij van zichzelf had staan kijken toen hij Safee had onderhouden over de aard van goden. 'Misschien is het al te laat,' voegde hij eraantoe.

'Nee, kijk maar.'

Joeri keek. Een onzichtbare schittering rolde van de jongen naar zijn babyzelf. En in het door het licht van de kachel afgetekende schaduwsilhouet van moeder en kind zag hij een vaag rood glimmertje.

Het kind was lichamelijk nog niet dood, maar wat kon hij doen? Voor er nog andere gedachten bij Joeri opkwamen, hoorde hij de dikke Nabnisj boven krakend op de ladder stappen.

Ook Safee hief haar hoofd op. Haar ogen leken wel dolken.

Alle drie stonden ze toe te kijken hoe Nabnisj moeizaam omlaag klom – maar er was er maar één zichtbaar.

Ook Safee had er de hele nacht bevroren bij gezeten, niet overmand door de kou maar door volstrekte uitputting. Toen haar kracht haar finaal in de steek liet, sloop een andere kracht naar binnen. Zelf ervoer ze het alsof ze in een pantser gehuld was.

'Sta op, luie fluim van een brok. Nog geen water aan de kook – waar is m'n eten? Moet ik jou onderdak geven en zelf honger lijden? Moet ik jou soms op het vuur gooien voor m'n ontbijt? Gooi die baby er maar op, dan eet ik die wel. Waarom leeft-ie nog steeds? Vooruit, leg buiten die baby dan gaat-ie in de kou vanzelf wel dood.'

Safee legde haar zoon op de grond. Ze deed het met zorg, voorzichtig. Toch leek het haar, zoals altijd, wel helemaal te verscheuren als ze hem los moest laten. In haar hand hield ze een tak van de houtstapel. Ze had er een punt aan geslepen met een stuk van een kapotte pan die ze uit het dorpskookhok had gestolen. Het hout was scherper dan het gedeukte metaal.

Toen Safee deze zelfgemaakte dolk ophief, werd ze door een windvlaag opzij geduwd. Ergens in die vlaag ving ze een glimp op van de luipaardman met zijn vlechten en ze viel verbaasd tegen de muur.

Joeri verzamelde zijn geestelijke kracht. Hij had nooit beseft dat hij kon doen wat hij nu van plan was, maar net als al het andere, drong het precies op tijd tot hem door.

Met zijn vlekken paarsbruin van opwinding waggelde Nabnisj naar de voet van de ladder. Zijn kleine oogjes keken strak naar Safee en hij was dus stomverbaasd toen zijn uitzicht ineens veranderde.

Wat hij zag was niet Joeri.

Hij zag een beer, zo lang als de ladder, met wijd uitstaande horens en opengesperde muil.

De beer sloeg zijn scherpe klauwen uit naar Nabnisj. Nabnisj voelde de pijn toen ze hem van kop tot kruis openreten. Nabnisj kreeg geen ruimte om te ontdekken dat hij niet was afgeslacht. In plaats daarvan gaf de beer hem zo'n dreun in zijn buik dat Nabnisj dwars door de ladder heen viel en die totaal vernielde, om daarna tegen de gloeiendhete zijkant van zijn eigen kachel terecht te komen –

Het huis stond aan de rand van de dorpsstad. Als iemand een medeburger hoorde jammeren, dan hielden ze dat voor een wolf op de vlakten, of voor een vrouw die haar verdiende loon kreeg in de vorm van een pak slaag. Het was een hoog, schril gekrijs.

De jongen danste lachend rond. Hij riep tegen Safee: 'Nou moeder, dat bevalt je toch zeker wel?'

Maar Safee had de zuigeling weer van de grond geraapt en drukte hem tegen haar borst alsof ze hem in haar lijf terug wilde duwen.

Toen stond Joeri ineens voor haar. Ze kon hem nu min of meer zien, helemaal doorschijnend als een heel dun vlies.

'Tovenaar,' zei ze minachtend.

Joeri zei vol belangstelling: 'Je hebt weer melk.'

Safee keek omlaag. Ze zag dat de baby wakker was en lag te drinken. Ze voelde het zoete schrijnen van het draadje melk dat uit haar getrokken werd.

Toen dacht ze dat ze een gele beer op Nabnisj zag aflopen om hem een schop tegen zijn ballen te verkopen.

Kort daarna, toen ze het verzadigde kind weer had neergelegd, stapte Safee zelf ook op haar baas af.

Nabnisj lag zachtjes te jammeren, verbrand en beurs van een aanval die hem weliswaar niet lichamelijk, maar wel geestelijk volkomen had verpletterd.

Safee bukte zich. Ze stak Nabnisj met haar stok in zijn wang. Hij gilde. Ze spuugde hem in zijn oog en wikkelde zijn haar om haar hand om er vervolgens een harde ruk aan te geven.

'Nou ben jij *mijn* brok. Zeg op.'

Nabnisj kon niets zeggen.

Safee porde met de stok in zijn mond tot zijn tandvlees begon te bloeden. Toen stond ze op en liet hem op de vloer van zijn huis liggen in een plas van zijn eigen uitwerpselen.

'Nou ga jij *mij* dienen,' zei ze.

De gouden projectie van het kind was inmiddels weer helemaal in de baby teruggekronkeld. Joeri die zich geneerde voor zijn eigen moed, was er vandoor gegaan. Hij holde honderd kilometer verderop luid zingend achter de herten aan over de sneeuw.

Vuldirs dochter lachte. Ze tilde haar kind op, klom over een andere ladder naar de kamer met de matras en kroop naar binnen. Nu was het Nabnisj die beneden lag te huilen.

Safee vroeg zich eindelijk niets meer af. Ze riep de eerste vijand die ze had overwonnen nog een laatste woord toe: '*Verkrachter.*'

Door de witte bouwkunst van het sneeuwwoud vliegt bewegende kleur. Het woud kent het, is eraan gewend geraakt; het *woont* hier.

De hollende gestalte is die van een kind, maar hij verandert – wat verandert hij snel. Nu is hij ongeveer drie jaar oud, nu alweer zes, nu langer en slanker, met meer figuur en absoluut geen kind meer – twaalf jaar, vijftien, achttien...

Wat groeien ze snel. Het ene ogenblik heb je nog een zuigeling, en de volgende maand lijkt het wel of de zuigeling – kruipend, hollend, meningen te beste gevend – pardoes in een jongeling verandert...

In een man.

Nu rent er een man door het woud van fossiele sneeuw. Hij is lang, sterk en mager – kaarsrecht als een nieuw zwaard dat voor de strijd werd ontbloot. Hij is ook onmogelijk zonverbrand. Zijn haar is zo rood als een banier en zijn ogen zijn zwartblauw. In deze streken is er niemand zoals hij.

De dorpsstad Ranjalla heeft heel wat stof om over na te denken. Ze zullen je vertellen dat deze demonische man elk jaar van zijn leven twee jaar volwassener werd – dat hebben ze zelf zien gebeuren. In tien jaar is hij een man van bijna twintig geworden. Moet je zijn moeder eens zien, geen Ranjallase sibulla, maar ze kan wel geesten oproepen en commanderen. Ze heeft een belangrijk man uit het dorp aan zich onderworpen, die ze nu als slaaf gebruikt. Hoed je voor die vrouw en voor dat huis! Ze waarschuwen hun dochters die omkijken als ze bij de sneeuwschoorsteenhuizen een glimp van dat rode haar opvangen. 'Hij heeft geen naam, die. Het is demonsgebroed. Blijf daar weg of je zult het oplopen.'

En wat denkt *hij* van dat alles? Voor hem is het oud nieuws – net als het feit dat hij geen naam heeft. Maar hij heeft er wel degelijk een, alsof het een raadsel is. De Ranjallers kunnen het Rukars niet goed uitspreken, maar ze hebben hun eigen versie. In het Rukars, het Ranjalla's of het Jafns, het was en is de naam die Safee haar zoon bij zijn geboorte meegaf: *Naamloos*.

Naamloos dus, die in tien jaar bijna twintig werd, woont in een sneeuwhuis aan de rand van de dorpsstad, omringd door de ruïnes van andere halfingestorte sneeuwhuizen die lang geleden al zijn verlaten. Alle Ranjallers uit de buurwoningen waren snel het bos ingetrokken. Ze wilden volstrekt niets te maken te hebben met dit griezelige gezin. Maar ze waakten er toch voor ze beledigen. Tijdens zijn opgroeien zag Naamloos regelmatig offergaven van voedsel en brandhout voor de deur liggen.

Verder omvatte zijn thuis een kachel, een blonde moeder die eruit zag als een koningin, zijn af en toe aanwezige spookoom, een kat en een huisslaaf die brok-Nabnisj heette en jammerend in elkaar kroop als hij weer eens de volle laag kreeg. Dat is in feite Nabnisj' rol, meer nog dan helpen bij de huiselijke beslommeringen. Hij is er om wreedheden te ondergaan, waarbij Safee een onovertroffen vindingrijkheid aan de dag legde. Maar Naamloos is niet ongevoelig voor het ritueel. Je stapt het huis in, begroet je moeder, aait de kat en geeft brok-Nabnisj een schop.

Maar afgezien van dat alles, wat is die roodharige jongeman nu eigenlijk? Zelf weet hij het niet.

Door de witte bouwkunst...

Naamloos holde over een ijspad regelrecht de in het ijs uitgehouwen trap op. Elke trede was opgeruwd en met ijsscherven bezet om uitglijden te voorkomen, maar hij leek die voorzorg niet echt nodig te hebben. Bovenaan de trap kwam hij met een glijdende stap beheerst en bevallig tot stilstand.

Daar stond Ranjal in eigen persoon, de godin van het woud. In deze kontreien vond je veel beelden van haar – allemaal hetzelfde. Haar twee armen eindigden elk in verscheidene paren handen met lange vingers die wel takken of geweien leken.

Naamloos gooide een bos blauwe bloemetjes van het lichtkruid voor haar op de grond.

Drie van de oude vrouwen, de sibulla's die het beeld bewaakten, waren uit hun hut gekomen.

Naamloos lachte naar hen. Het was de lach van een man, maar ook van een wolfachtig kind, een fraaie, roofzuchtige lach, die niet werd beantwoord.

Toen deed de godin haar houten lippen vaneen om te zeggen: 'Is woud leeg?'

'Barstensvol leegte, vrouwe,' bevestigde Naamloos.

'Verheugd ik.'

De oude sibulla's keken elkaar met half dichtgeknepen ogen aan. Ze hadden allemaal de godin eerder horen spreken; zelf konden ze haar ook overhalen dat te doen. Maar ook dit manschepsel kon Ranjal laten spreken. Hij deed dat al sinds hij een jongeling was.

Ze waren jaloers.

Een zei er: 'Als het woud leeg is, waar heb-ie dan die bloemen vandaan?'

Een ander zei: 'Hij ziet er zo roodgloeiend uit dat je je er wel aan kan branden.'

Die in de deuropening siste: 'Kijk nou eens.'

Ze wisten waar ze naar moesten kijken. Achter de kleurrijke jongeman was heel kort een extra stel voetstappen zichtbaar in de verse sneeuw. Die waren niet door een zichtbaar iemand gemaakt.

'Zijn lijfgeest.'

'Waarom spreekt onze eigen vrouwe tegen hem als-ie met die demon omgaat?'

'Naar binnen. Wij gaan naar binnen. Laat-ie maar alleen.'

De sibulla's dromden hun hut weer in.

'Ranjal,' zei de jongeman. 'Ik wil iets in ruil voor de bloemen.'

'Vraag.' Haar stem klonk alsof er ijswespen in een bevroren spar zaten te krassen.

Achter zijn rug werd er gevloekt.

'Stil toch, Joeri.'

'Je neemt grote risico's. Dit ding is wel een godin, hoor.'

'Nee, Joeri, het is een brok steenhout, antiek en vervormd, dat je met wilskracht aan het spreken kunt krijgen. Zo doen de sibullaheksen het. Wees niet zo lichtgelovig.'

Deze manier van praten had hij van zijn moeder. Hoewel hij zich deels van de taal van Ranjalla bediende, klonk hij niet als een van hun eigen mannen.

Joeri sprong zestig meter hoog een boom in. Hij zat tussen de aan elkaar gevroren takken toe te kijken hoe op de grond in de diepte zijn neefje met het standbeeld onderhandelde over reusachtige rijkdom, drie vrouwen van onovertroffen lieflijkheid, een volledig bewapend leger, en zo voort. Zíj had hem ook van die verhalen verteld, zijn moeder; Joeri had daar zelf ook van genoten. Nu wist Naamloos een godin zo ver te krijgen dat ze dat deed.

Hij was wijzer dan zijn jaren, maar ook heel *jong*, deze jongeman.

Joeri voelde soms de vermoeidheid van een volwassene die altijd in het gezelschap van zo'n *jong* iemand verkeerde.

Hij sloot zijn geestogen en dommelde weg, als je het zo kunt noemen, om in een zaal te belanden waar amoureuze jonge meisjes hem feestmaaltijden voerden van edelstenen borden – de tussenwereld op zijn verleidelijkst. Hij spatte uiteen.

Joeri deed zijn ogen weer open en zag Naamloos naast zich in de boom zitten. Naamloos was niet omhoog gesprongen. Hij was kalmpjes omhoog gelopen.

Je vergat wel eens dat hij de zoon van een god was. Nu ja, je vergat je eigen vaardigheden en eigenaardigheden ook wel eens, dacht de geest bespiegelend.

'Jij slaapt meer dan de kat, oom Joeri.'

'O ja?'

'Ik verveel me hier,' zei Naamloos terwijl hij zijn knappe gezicht naar de onzichtbare hemel draaide.

'Dat zie ik. Kom op dan, dan gaan we het dorp op stelten zetten.'

Maar Naamloos reageerde niet. Nog geen jaar geleden zou hij al met grote sprongen van tak naar tak op weg naar beneden geweest zijn. Ze zouden door de dorpsstad gesneld zijn, Naamloos schaterend van het lachen terwijl Joeri overal in billen kneep en emmers omschopte.

Een man die een kind was, een kind dat een man was; waarmee moest je zo iemand zien te vermaken? Vorig jaar, vorige maand nog, was het allemaal zoveel makkelijker geweest, toen hij nog grotendeels een kind was.

'Ik wil weg uit het woud, oom.'

Joeri had daar ook al over nagedacht. Op een of andere manier waren ze de god die hen allemaal haatte, te slim afgeweest. Maar hier zaten ze goed verstopt. Dat ging verder dan louter het fysieke vlak, tussen deze sneeuwwanden en deze ingesneeuwde breinen. Buiten die barrières, op de ijsvlakten, zouden ze net zo makkelijk zichtbaar zijn als vluchtende herten.

En zij, zij droomde nog steeds van *hem*, om half gestikt schreeuwend wakker te worden. Maar soms droomde ze volgens Joeri ook van de dode Jafn, Atluan – maar zeker wist hij het niet.

'En?' zei Joeri.

'Niet van belang,' zei Naamloos. 'Rust maar wat uit, oom. Tot bij het avondeten.'

Joeri keek hem na toen hij met grote sprongen afdaalde door de boom. Hoewel hij zijn gouden vorm kwijt was, was de aan zijn lijf gekluisterde Naamloos nog altijd fenomenaal. Een gewone sterveling zou dit nooit kunnen. Beneden landde hij lenig als een leeuw op het ijs om meteen door de sneeuwdoolhof weg te snellen met zijn rode haar.

Safee zat op de drempel van een van haar hoge kamertjes omlaag te turen naar Nabnisj die de kachel bijvulde. Ze had hem een steen voor zijn hoofd gesmeten die ze eerst uit de wand had geplukt, maar ze had haar hoofd er eigenlijk niet echt bij.

Ze aaide de kat op haar schoot. Die lag warmpjes te spinnen, loom van voedsel en slaap. Hij ruimde de ratten op die heldhaftig rond de lege huizen kropen, maar hij was vooral haar huisdier.

Safee herinnerde zich hoe ze met de baby – en daarna met de peuter – op haar schoot had gezeten terwijl hij sliep of aan de borst lag. Ze verlegde de slapende kat en ging op haar rug liggen.

In tien jaar was Safee niet merkbaar verouderd. Ze was zevenentwintig, gezond en in de bloei van haar leven. Ze had een rode bloem in haar haar gevlochten die haar zoon voor haar had meegenomen. Als *hij* bloemen van de klimplanten plukte, bleven ze door zijn aanraking verscheidene Endhlefons goed voor ze verwelkten.

Soms kwam hij 's avonds nog wel eens tegen haar aan liggen om grappen te maken en verhalen over het woud te vertellen. Dan leek het wel of er duizend kaarsen werden aangestoken.

Over een uur begon het donker te worden. Dan zou ze opstaan om naar het kookhok te gaan, met de kat mogelijk op haar hielen. De dorpsvrouwen zouden onder hun oogleden vandaan turen en haar schalen met het beste voedsel overhandigen. Er was maar één keer, helemaal in het begin, iets niet voedzaams toegevoegd. Joeri had onmiddellijk het vergif geroken en Safee was samen met hem teruggegaan en zij had de vrouwen en brokken uitgescholden en om de oren geslagen terwijl Joeri iedereen afleidde door het kookvuur te doven en op allerlei plekken in de houtstapel zomaar vlammen te laten oplaaien. Daarna was het aangeboden voedsel altijd gezond.

Ze had Joeri vandaag nog niet gezien. Tegenwoordig kon ze hem gewoonlijk wel zien, al was het op een vage, vervormde manier. Maar af en toe verscheen hij toch in volle glorie in haar gezichtsveld, zo geel als een citroen.

Haar zoon zou voor de avondmaaltijd terugkeren. Daar keek Safee nu al naar uit. Lang voor hij de deur opendeed zou ze hem voelen aankomen. Het leek wel of ze zich altijd van hem bewust was. Hoewel haar intense band met hem – haar gevoel van ontheemding als ze hem los moest laten – na zijn eerste levensjaar wat losser was geworden, had ze nog steeds het gevoel dat een eindeloos soepel koord hen met elkaar verbond. Al zouden ze in gescheiden werelden hebben geleefd, dan nog zou ze dat gevoeld hebben.

Ze hoorde iets bij de deur. Safee ging zitten. De kat die zich met zijn nagels stevig aan de schouder van haar jurk vastklemde, keek speurend om zich heen. Nabnisj stond jammerend te draaien bij de kachel.

'Wie is daar?' riep Safee op haar Rukarse vorstinnentoon. Niemand gaf antwoord. 'Doe de deur open,' zei Safee. Soms kwam iemand haar storen, wat altijd veilig geregeld werd. Maar toen Nabnisj haar haastig gehoorzaamde en de deur wijd openzwaaide, was er in de deuropening niets anders te zien dan het schemerige woud. Niets, niemand te bekennen.

'Doe maar dicht.'

Nabnisj sloot de deur. Hij koeterwaalde angstig.

Ook de kat had zijn oren plat op zijn kop gelegd en hij gromde en zwiepte met zijn staart. Safee voelde alleen maar een soort stof op haar hoofd neerdalen. Ze zegde een spreuk op die ze bij de Jafn had geleerd om ongewenste onnatuurlijke bezoekers af te weren.

Zij had gedacht dat het een van de Ranjallers was. Af en toen stond er een voor de deur die dan aanklopte. Een schreeuw was al genoeg om ze weg te jagen. Ondanks waarschuwingen van ouders in het dorp had haar zoon heel wat dorpsmeisjes gehad. Deze liefjes hingen in de buurt rond. Ze zagen er bleek en verstrooid uit en hunkerden naar zijn gunsten. Toch was geen van hen ooit zwanger geraakt in de vier jaar dat hij nu seksueel actief was.

Maar vanavond was er blijkbaar iets anders aan de deur geweest. Safee zou Joeri vragen of hij eens wilde rondkijken, als hij kwam opdagen.

Een uur later weigerde de kat om Safee door de besneeuwde schemering te vergezellen. Ze liep in haar eentje tussen de verlaten huizen door naar het kookhok en ineens wist ze dat er iemand achter haar liep.

Het langdurige nauwe contact met het bovennatuurlijke had haar alleen maar praktischer gemaakt. Ze bleef staan en draaide zich onverschrokken om.

Er was niemand te bekennen. Maar er *was* wel iemand. Terwijl zij stond te wachten kwam hij – de aanwezigheid was duidelijk mannelijk – dichterbij. Hij passeerde haar als een zijden wind, streelde haar haar, beet kil in haar wangen. Ze kreeg ongezien een indruk van een onbekend gezicht, donker en afstandelijk, en spottend. Ze hoorde de woorden die hij stemloos sprak.

'Wat hebben we toch een geweldige winter, Safee.'

Tweede Deel

DE STERREN ZIJN HONDEN

Vraag de sneeuw wat hij is, vraag ijs, wind, zee en lucht,
Vraag ook de walvis, de krit, de beer en de wolf,
Vraag met verstand en geen zal je niet zijn naam en zijn aard noemen...
Maar wat ben ik?

Lied van de Urrowij uit Jechs Noordland

EEN

In Ru Karismi stond de Gargolem bovenaan de Trap omlaag te kijken naar de rivier de Bleekste in de diepte. Van hier was de rivier zo smal als een zilveren halskettinkje in de middagzon. Door de hele stad heen blonken nog andere voorwerpen van echt metaal en de metalen gargolem zelf vertoonde een goudbronzen gloed.

Als je al van zo'n mechanisch schepsel met een beestenkop kon zeggen dat hij nadacht, dan deed hij het nu.

Achter zijn rug waren de hoge muren van de koningspaleizen die hij bewaakte, uit zijn gedachten verdwenen. In plaats daarvan was het bewustzijn van de Gargolem diep in de rivier ondergedoken. Onder het bevroren oppervlak van de Bleekste lag het Insularium van de magikoi, een gebouwencomplex dat ouder was dan de stad zelf. Lang geleden door de Orde der Toverwijzen vervaardigd, was de bewaker een ingewijde in hun kunst en zijn brein verplaatste zich nu mentaal naar het gebied onder het ijs.

Het Insularium was kolossaal. Het was te betreden via verscheidene occulte ingangen, die alleen door magikoi gebruikt konden worden, en het strekte zich uit onder de rivier en ter weerszijden daarvan. De precieze afmetingen waren officieel niet bekend. Sommigen zeiden dat het Insularium ondergronds evenveel ruimte in beslag nam als de stad erboven, of zelfs meer. Anderen waren van mening dat het Insularium tamelijk bescheiden van afmetingen was – niet groter dan bijvoorbeeld de Grote Markten of de tempelstad van het godenleger van de Ruk.

Verder begreep men niets van het Insularium. Naast een ontmoetingsplaats voor toverwijzen hielden velen het voor een geheim arsenaal van reusachtige verschrikkingen.

Terwijl de gedachten van de Gargolem door de stenen gangen rond het centrum van het complex dwaalden, kwamen ze Sryf de tovenaar tegen.

Sryf zat in een van de vervoermiddelen die rondreden door het Insularium. Het was een soort verlengde slee van messing, die wel twintig mensen tegelijk kon vervoeren, hoewel Sryf er nu in zijn eentje in zat. Een zeil van flinterdun rood glas dreef de slee aan, volgeblazen door een toverwind die je in deze tunnels kon oproepen. Het voertuigje verplaatste zich tamelijk snel; het vloog, hoewel maar op zestig tot negentig centimeter boven de vloer van de gangen. Er was nog geen licht, op de lamp na die aan de mast hing. Die verlichtte het gezicht van de tovenaar toen hij opzij keek en daar het innerlijke oog van de Gargolem aantrof.

'Jij ook hier, Gargo.'

'Ik ben hier ook, hoogheid Sryf.'

'Dat verbaast me niets. Je bent op de hoogte van het belang van de kwestie die vandaag aan de orde komt?'

'Ja zeker.'

De lange, magere, ernstige Sryf had tien sobere jaren aan zijn gezicht toegevoegd zonder daarbij iets te verliezen. Hij was nog steeds een adelaar.

De Gargolem keek Sryfs voertuig na toen het wegzeilde door de donkere tunnel, en toen de bewaker zijn waakzaamheid naar elders verplaatste, zag hij nog net de hoffelijk groetende zwaai van Sryfs opgeheven hand.

De tovenaar zeilde verder en na de tunnel verbreedde de gang zich weer. Er hing hier een amethisten gloed die de wanden van behakt gesteente en het hoge koepelplafond verlichtte. Voor hem dook een enorm gewelf op. In de wanden waren stenen dingen uitgehakt in wier hoofden kille ogen meedraaiden en omlaag tuurden. De slee zeilde het gewelf door en verdween aan de andere kant in een tweede tunnel. Hier werd de paarse gloed veel sterker. Uit de vloer dook pal voor de zeilslee onverwacht een stenen heuveltje op, als een bergje dat overeind klauterde, maar de slee ging gewoon iets hoger vliegen en scheerde over het bergtopje, waarna het heuveltje weer in de vloer terugzonk.

Daarna volgde er een vertrek vol vloeistof – althans daar leek het op. Het was eigenlijk meer een soort vloeibare lucht. Dat was blijkbaar wat het licht zijn kleur gaf. Sryf zeilde er beheerst en zwijgend doorheen, terwijl de paarsige vloeistof over en door hem heen spoelde om vervolgens te verdwijnen.

Nu werd zijn weg versperd door een dubbele metalen poort, mogelijk van orichalcum, die helemaal tot het hoge plafond reikte. De slee kwam tot stilstand toen de toverwind plots ging liggen.

In een oogwenk groeide de gargolem van de poort uit het metaal omhoog. Hij bestond uit hetzelfde metaal en had de vorm van een reusachtige worm. Hij had ogen koud als water.

'Wie komt daar?' vroeg de Worm van de Poort.

'Ik. Lees me en laat me door.'

'Ik lees je, hoogheid, en ik laat je door.'

De poort zwaaide open als twee gepantserde boekbladen. Voor Sryf lag de nonagesmische zaal, wel zo groot als een marktplein en verlicht door een regelmatige gloed helder als zonneschijn.

Geen enkele buitenstaander kende het aantal magikoi dat tot de Orde der Magikoi behoorde. Men deed gissingen, met name naar het aantal vrouwelijke leden die als regel altijd gering in aantal waren.

Maar nu was de hele Orde verzameld in de nonagesmische zaal.

Een voor een bestegen ze het centrale podium om de vergadering toe te spreken.

Sryf zat met zijn kin op zijn hand op zijn eigen plaats te luisteren en te kijken tot hijzelf aan de beurt zou zijn. Hij miste geen woord, hoewel de toespraken grotendeels op hetzelfde neerkwamen. Elk van hen had dezelfde kwestie aanschouwd, ook al deed die zich soms in verschillende, duistere symbolen voor. Elk had gekeken – om het tafereel vervolgens uit het oog te verliezen toen er een waas over de spiegels trok.

Sryf kende al deze gezichten, waarvan er maar enkele jonger waren dan het zijne. Hij kende alle namen. Tegen de hoogste wanden van de zaal, het verst van het podium af, stonden hier en daar groepjes van de beste leerlingen met strakke, witte gezichten en op hun lippen bijtend te wachten. Zij hoefden het woord niet te voeren. Hun tijd was nog niet aangebroken. Misschien zou dat nu ook wel nooit gebeuren.

Een magikoi, een oude man wiens fijne witte haar tot over zijn middel hing, stapte van het podium en gleed, onzichtbaar bijgestaan door geheimzinnige oppassers, naar zijn stoel.

Sryf stond op. Het moment was aangebroken dat hij de zaal moest toespreken.

Hij had dit vaker gedaan, zelfs vaker dan hij zich kon herinneren, maar nog nooit op zo'n tijdstip, in zo'n hachelijke situatie.

De adelaar van zijn normaal gesproken verborgen persoonlijke aura klapwiekte wild met zijn vleugels toen hij naar het podium liep. Hij voelde de klauwen in zijn hart zinken en toen was de vogel stil.

'Elk van ons vertelt hetzelfde verhaal,' zei Sryf. 'Wat verwachtten we eigenlijk? Elk van ons weet het. We hebben de komst van dit ding voorzien en we konden het niet voorkomen. Het hult het zich net als toen, ook nu nog in een sluier van mist. Het lot heeft zich ermee verbonden. Maar ik kan jullie wel vertellen wat het is.'

Van alle aanwezigen was hij de eerste die dat zei.

Ze staarden hem scherp aan en twijfelden niet aan zijn woorden, waren er in tegendeel tamelijk zeker van, want hier kon niemand – zelfs een magikoi niet – iets anders dan de waarheid spreken.

'Ook ik heb deze tekenen en beelden gezien die ons de afgelopen tien jaar hebben geplaagd. Ook ik heb hun oorsprong proberen te ontdekken en ook ik stuitte op de verduistering die in deze kwestie elke oculus vertroebelt. Maar drie nachten geleden scheurde voor mij het gordijn één seconde lang wijd open. Het brak doormidden als een bord dat op de grond wordt stukgegooid. *Waarom?* Dat weet ik niet. Ik ben noch de wijste noch bij benadering de beste van dit gezelschap. Misschien was dat juist wel de reden, om als een ironisch gebaar een man uit de middelmoot in te lichten, niet nieuw en ook niet helemaal succesvol. En anders was het gewoon toeval.'

Ze wachtten af.

Sryf zei: 'Er zijn drie goden – ze werden mij getoond. Nee, ik heb ze geen moment duidelijk kunnen zien, maar toch kende ik ze, want ik heb al heel lang weet van de vrouw die bij haar geboorte onder hun aandacht werd gebracht. Het was de dochter die Vuldir naar de Jafn stuurde met de bedoeling haar onderweg te laten vermoorden. Die jonge vrouw die, naar de Jafn ons zelf berichtten, een paar maanden later in het kraambed stierf bij de geboorte van het kind van een Gaiord die in de strijd was gesneuveld. We weten dat ze logen. Ze hebben haar uitgestoten en de ijswoestijn ingejaagd omdat een van hen, Rosger, een moordenaar is. De koningen hier weten het via ons nu ook, en ze hebben het verbond verbroken. Maar er zijn nog meer Jafnse volken waarmee ze vriendschap kunnen sluiten, en ze weigeren oorlog te voeren over één dode vrouw.

'Natuurlijk kwam ze niet om,' zei Sryf, 'Safee, Vuldirs dochter. Het waren háár goden die ik heb gezien. Een was een vage aanwezigheid, Ddir, die de sterren in groepen rangschikte. Een was een grijzige hond die door de sneeuw sloop – Yyrot, Minnaar van de Winter. De andere was Zet Zezet, de Wolf van vuur. Hij was het die een kind op deze wereld heeft gezet, en dat kind is de sleutel tot de verschrikking die momenteel rondwaart. Hij is de Vuurfex, de Drager van de Vlam: waanzinnig, onoverwinnelijk, amoreel – meedogenloos.'

De hele zaal huiverde. In het valse daglicht leken de gezichten die Sryf aanstaarden wel doodskoppen.

Sryf zei: 'De jongen is nog jong; met zijn tien jaar is hij een man van twintig. Maar hij komt in beweging. Het is een zuigeling die met bliksems kan smijten, en hij dendert gefascineerd op ons af als een enorme lawine en hij scherpt zijn tanden voor het bloed van de wereld. We moeten hem tegenhouden – maar hoe? Hij is de zoon van een god en een sterveling, met de kracht en de slechtheid van beide soorten. Zijn bestemming kan slechts de dood zijn – of eeuwigdurende macht.'

Hij was de zoon van een lamherder. Op zijn tweede was hij schreeuwend achter zijn moeder aan gedribbeld in een poging haar tegen te houden toen ze op een morgen naar buiten ging om ijs te breken voor de waterkruiken van het gezin. Maar ze had hem opzij geduwd, en zijn vader was al vertrokken om de lamaskepen te gaan hoeden. Dertig passen bij het huis vandaan, waar de ceders als prisma's onder hun dikke laag ijs stonden, dook uit de schaduw een wolf op die Sryfs moeder verscheurde. Sindsdien had hij altijd een vreselijke hekel aan wolven – des te meer omdat hij als tweejarige in zijn melkbeker al precies had voorzien wat er zou gebeuren – boom, wolf, dood – even levendig als hij het vervolgens in de werkelijkheid voor zijn ogen zag gebeuren.

Later waren er ook andere dingen: dingen die hij voorzag en die hij kon doen. Toen hij twaalf was en in de sneeuwheuvels de kudde liet grazen in warme geulen vol sluimergras, kon hij een drietal adelaars omlaag roepen. De ebbenhout met bronzen vogels doken zo uit de lucht omlaag. Al gauw was hij befaamd om de littekens van hun scherpe klauwen op zijn armen. Ze hielpen hem om de kudde te behoeden voor de alleen jagende zwarte wolven die de heuvels teisterden en lamaskepen en ijshalende vrouwen doodden.

Toen hij vijftien was, tilden de adelaars Sryf van de grond om hem mee te nemen op hun vlucht. Toen dat in het herdersdorp eenmaal gezien werd, mocht hij daar niet langer blijven. Zijn bijgelovige vader was inmiddels bang van Sryf en wilde hem het liefst zo gauw mogelijk naar het dichtstbijzijnde grote dorp sturen om hem te laten onderzoeken. En de jaloerse, vijandige dorpsheks stond ook te popelen om hem te zien vertrekken.

Hij had een tovergave. In het eerstvolgende dorp wisten ze voldoende om dat ook te weten en ze stuurden hem via een hele resem grote dorpen door naar de steden.

Het proces van leren en verbeteren was zwaar, en liet hem niet veel tijd voor andere dingen. Er waren beproevingen en toetsen waarvoor de meeste mensen, als ze er ooit weet van zouden krijgen – wat niet het geval was want ze waren geheim – gillend zouden zijn weggelopen. Sommige leerlingen liepen ook inderdaad weg, maar Sryf niet. Hij bleef en hij werd geschroeid, gesmolten en herboren in de smeltkroes, tot hij mocht toetreden tot de Orde van de Magikoi. Om enige tijd later het ambt van opzichter over het hof van Ru Karismi, stad van de koningen, aangeboden te krijgen. Dat ambt, waarin hij edelen en vorsten moest instrueren, was natuurlijk geen erg hoge positie. De groten onder de magikoi werkten onder de gewone mensen, soms zelfs in afgelegen streken. De mensheid dienen betekende voor de magikoi dat ze ménsen dienden en geen koningen. Toch was Sryfs taak een veeleisende.

Hij had een bestaan, maar een *leven* was het eigenlijk niet – hoewel dat ook voor alle andere magikoi gold, mannen en vrouwen gelijk.

Over een van de grote lavaglazen bruggen van het Insularium onderweg naar zijn onderrivierse verblijf, overdacht Sryf zijn situatie, maar van een afstand – alsof hij zelf niets over zichzelf te vertellen had. En dat was natuurlijk ook zo: hij was de dienaar van het volk van de Ruk, door de goden al voor zijn geboorte uitgekozen voor zijn rol. Des te merkwaardiger was het dat hij als een sentimentele vreemdeling terugdacht aan die sneeuwheuvels met hun adelaars en de langgenekte schapen met hun dikke vachten.

Sallusdon, Oppervorst van Ruk Kar Is, lag op sterven.

Aan weerszijden van zijn bed galmden de doodspriesters hun gezangen voor zijn persoonlijke goden, om af te smeken dat ze hem zouden helpen bij de oversteek van die enorme kloof tussen de fysieke wereld en het rijk van het paradijs.

Maar Sallusdon had daar geen aandacht voor; hij wilde niet doodgaan. Hij wilde juist dat zijn goden hem respijt zouden geven.

Dichtbij stonden zijn twee koninginnen: Azbeyd, oud en kleurloos van vertrouwdheid en verdriet; en naast haar de andere, de vrouw die hij er pas vorig jaar had bijgenomen op aanraden van Bijvorst Vuldir.

Jemhara was een schoonheid, en nog zo jong. Haar donkere haar, doorvlochten met gouden versieringen, hing over haar rug en over haar ronde borsten waar de zijde zo verrukkelijk omheen spande.

Maar Sallusdon voelde geen lust. Hij was alleen maar doodsbenauwd. Als hij Jemhara had kunnen ruilen, haar had kunnen overleveren aan een gruwelijk lot, aan een mensenoffer zoals in oeroude tijden, om zelf in leven te kunnen blijven, had hij het vast gedaan. Gelukkig kon de jonge koningin niet weten wat er in Sallusdons gedachten omging.

Sallusdon draaide zijn hoofd, om zich ervan te verzekeren dat hij nog steeds in zijn lichaam huisde. En toen zag hij tot zijn verdriet en angst zijn derde god Preht tussen hemzelf en de priesters van de Dood staan.

'Ben je al zover?' vroeg Preht.

'Laat me leven!' riep Sallusdon – maar niet hardop.

'Onmogelijk,' zei Preht. 'Zie je haar – die vrouw heeft er op bevel van Vuldir voor gezorgd dat je doodgaat.'

'Wat bedoel je?'

Preht, die graatmager was, maar tegelijk bekoorlijk zoals alleen een god dat kan zijn, lachte wreed. Hij droeg zijn tweede gezicht, en was onaangenaam en wraakgierig.

'Moet je die slet eens zien. Hoe vaak heb je liefkozend door dat zwarte haar gewoeld terwijl haar mond bezig was met je lijf? Was ze je oudemannenvreugde waard?'

'Jemhara...' fluisterde Sallusdon. Dit keer was het hoorbaar en de jonge vrouw sloeg haar handen voor haar gezicht en weende glanzende, volmaakte tranen waarvan een ogenblik tevoren nog niets te bespeuren was geweest. Een van de doodspriesters verhinderde haar het bed te naderen. Ze was slechts de tweede koningin, dat was haar plaats nu niet.

'Denk aan de keren dat ze je soms zover kreeg dat je haar lichaam kon binnendringen. Luister goed, ouwe dwaas. Eerst stopte ze zich vol met vergif – ja, zelfs daar, in haar meest gekoesterde lichaamsdeel. Haar deed het geen kwaad want zij had tegengif ingenomen. Maar jij ging eraan te gronde. Een vol jaar heeft ze haar gang kunnen gaan. Vuldir begon het wachten op jouw natuurlijke dood beu te worden.'

Sallusdon schreeuwde het uit. Dit keer hardop.

De priesters stonden versteld van de hoorbare afschuw in zijn stem. Ze dachten dat hij zijn goden had gezien en dat ze hem straf voorspelden in de andere wereld. Zoiets moest uit louter beleefdheid volstrekt genegeerd worden – want een koning leefde altijd deugdzaam.

Maar de afgetobde koningin Azbeyd kwam langzaam naar voren. Ze pakte Sallusdons gerimpelde hand, maar hij zag zijn liefhebbende koningin niet;

hij zag alleen de níet liefhebbende, en Preht die spottend stond te lachen in een hoek, en toen spoelde het nachtduister van de dood over hem heen als een zee waarover de zomer was uitgebroken.

Enkele minuten later keek Bijvorst Vuldir ineens op. Hij had zich in zijn eentje opgesloten in zijn schrijnvertrek, zogenaamd om gebeden te zeggen voor de dode oppervorst, maar Vuldir was met heel andere dingen bezig geweest. Niemand kon hier binnenkomen tenzij ze de tovercombinatie van het deurslot kenden. En die kenden alleen hij en zijn tovenaar.

Maar nu was er toch iemand binnengekomen. Die kwam uiteraard niet door de deur – dat hoefde ze niet. Ze was binnengekomen, maar niet in den vleze: het was haar fysieke geest, tot in de kleinste kleinigheden identiek aan haarzelf, die op dit moment op de mozaïekvloer verscheen.

'Moet jij niet aan het bed van de koning zitten?' vroeg Vuldir laconiek.

'Jazeker, majesteit Vuldir. Ik lig op dit moment in een appelflauwte naast zijn doodsbed.'

Vuldir lachte. Jemhara had haar eigen humor, die wel wat weg had van die van hemzelf. Ze was een van de weinige vrouwen die hij ooit had ontmoet, die hem nu en dan kon vermaken.

'Dus hij is er geweest.'

'Jammerend en smekend om te mogen blijven – maar vertrekken moest hij.'

'De Ruk treuren.'

'Mijn tranen,' voegde Jemhara eraantoe, 'stromen als een rivier.'

'Maar de rivieren zijn bevroren, Jemhara.'

'Precies.'

'Jij bent veel te slim, mijn duifje.'

'Voor sommigen althans. Je weet dat ik tranen met tuiten kan huilen wanneer dat maar van me wordt verlangd, zoals ik ook bevroren rivieren kan laten stromen.'

'Ik weet dat je een heks uit het achterland in de buurt van Sofora bent, die zich hoofse manieren heeft aangeleerd.'

Jemhara sloeg haar vergulde oogleden neer. Ze begreep heel goed wanneer ze beter kon zwijgen. Het was waar, ze kwam uit het niets. Ze bezat tovervaardigheid, maar had die grotendeels onder haar roomkleurige huid verborgen gehouden, want ze wenste geen officiële status, maar wilde liever haar plannen verwezenlijken door middel van bedrog. Door dat soort intriges onder Vuldirs aandacht gekomen, was ze nu zijn dienares en instrument. Nu en dan hadden ze ook seksuele gemeenschap, wat ze niet onaangenaam vond, maar ze bleef toch op haar hoede voor hem, want hij was al net als zij, een boosaardig en ijskoud schepsel.

'Kom eens hier,' zei Vuldir.

Jemhara's geestlijf zweefde naar hem toe. Vuldir liet haar zien wat er op het offerkistje voor zijn goden lag, een grote donkerrode robijn. 'Die is voor jou. Ik zal zorgen dat je hem voor zonsondergang hebt.'

'Dat is erg gul, heer. Zullen je goden de edelsteen niet missen?'

'Wie?' vroeg Vuldir. Hij keek even met een schuin oog naar het altaar. Hij geloofde niet in goden.

Maar Jemhara tuurde onder haar oogleden door naar de drie wezens in de schrijn. Twee ervan herkende ze niet, want de Ruk kenden wel een miljoen goden en meer, en een mens hoefde zich louter druk te maken om zijn persoonlijke goden. Maar één ervan wist Jemhara toch thuis te brengen, want die had ze bij haar toverkunsten ooit leren kennen. En voor hem, Zet Zezet, Wolf van de Zon, maakte Jemhara's geest een heimelijke buiging voor ze uit Vuldirs vertrek verdween.

Toen galmden de paleizen inmiddels van rouwbeklag voor Sallusdon.

In een hut van hout en ijsblokken, vele kille kilometers verderop bij de ijsvlakten die de zee omzoomden, zat de Gaiord van de Jafnse Klauw met zijn krijgers en zijn vrienden te drinken. Onder de laatsten telde hij ook de Gaiord van de Krie. De oude Lokinda was al tien jaar dood, gestorven in hetzelfde seizoen waarin Atluan van de Klauw omkwam. Nu zette Lokinda's zoon met de grote oren, Lokesj, de rondgaande kom aan zijn mond.

De kom was gemaakt van een schedel, zorgvuldig schoongeschraapt en versierd met geslagen zilver en witte edelstenen. Hij had opalen als ogen. Het was de schedel van Atluan, door de Klauw bewaard om zijn nagedachtenis te eren en zijn dood in de strijd. Alleen de Gaiord mocht eruit drinken of, op zijn uitnodiging, zijn beste vrienden.

Rosger en Lokesj waren intieme vrienden. Hoe intiem en hoezeer met elkaar verweven in hun plannen en hun leiderschap, wisten alleen zijzelf en één ander. Zíj zat nu in het vrouwenvertrek, de ladder op boven de feestzaal van de hut.

De mannen zaten al een tijdje te drinken en Lokesj kreeg het in zijn hoofd om naar haar te vragen.

'Hoe is het met je dame, Ros?'

'Mijn wát? O, je bedoelt Taeb, mijn heks. Met haar is het prima. Ze zit boven groene verf in haar lange haar te kammen.'

Lokesj boog zich naar hem toe. Hij fluisterde luid en vochtig zodat Rosger de spatten op zijn wang voelde. 'Hoe is ze – in dat *andere*?'

'Wat voor andere bedoel je?'

'Je weet best wat ik bedoel, Ros.'

'O ja?'

Lokesj deinsde terug. Hij veegde zijn mond af en gaf de schedelkom terug aan Rosger, Gaiord van de Klauw.

'Ik bedoelde het niet kwaad, Ros.'

Rosger grijnsde.

Rosger was in die tien jaar wel veranderd. Hij was dik en zwaar geworden. Behalve wanneer er vanuit zee overvallers binnendrongen en Rosger uitreed om ze de pas af te snijden, of als hij op jacht ging, zoals vandaag, verdeed hij zijn tijd meestal met eten en drinken. Hij was tevreden met wat hij dat tiental jaren geleden voor zichzelf had gewonnen. Maar ook had hij geheime genietingen waarover zelfs nog minder werd gepraat dan over zijn gebrek aan een vrouw. Ze zeiden dat hij met de groene heks Taeb paarde. En hij begeleidde haar inderdaad naar duistere streken om onbekende riten uit te voeren – maar Rosger had altijd al slag van toverij gehad.

De lui die tegenwoordig het Huis van de Klauw bezochten, spraken hun verwondering uit over het grote aantal goedaardige krachten en natuurgeesten dat daar rondhing. Ze waren gewoonlijk zeer gedwee, want Rosger had ze getemd. Maar heel af en toe haalde er eentje een streek uit. Wel had je altijd het gevoel dat je in de gaten werd gehouden.

Rosger werd geacht – of hij werd gevreesd.

Tijdens een oorlogsgevecht kon hij ineens zomaar uit het zicht verdwijnen. Als hij dan later weer opdook, leek hij soms wel gewond aan zijn gezicht, want dan droop het bloed eraf. Maar het was nooit zijn eigen bloed.

Rosger keek de zaal rond. De sief was in de buurt. Hij voelde hem rondzweven. Dat was lastig want het wakkerde zijn bloeddorst aan. Rosger keek van opzij naar Lokesj en hij vroeg zich voor de grap af hoeveel bloed deze potige domkop zou bevatten.

Alle andere mannen waren inmiddels stomdronken. Ze hingen onderuit gezakt rond de tafel, sloegen met hun bekers en lalden drinkliedjes of moppen. De zon was al een uur onder.

‘Ze zeggen dat de oude koning in Karismi dood is,’ merkte Lokesj op.

‘We hebben nog geen toverbericht ontvangen.’

‘Zouden ze je dan wel bericht sturen? Ze hebben uiteindelijk het huwelijksverdrag verbroken toen ze hoorden dat Atluans Rukse vrouw dood was.’

‘Ze hebben in de tussentijd niet één keer hoeven vechten,’ zei Rosger als terloops. ‘Ze zijn ondergedompeld in vrede.’

‘Dat kan veranderen. En dan doen ze een beroep op je, gebroken verbond of niet.’

‘Klopt – maar dan hou ik me doof.’

Lokesj zei op een plechtige, aangeschoten manier: ‘Denk jij nou nooit eens aan die landstreken in het verre zuidwesten, Rosger? Als alle Jafn nu eens gezamenlijk een verbond sloten, dan konden we een aardige oorlogsmacht – Gullahammer – op de been brengen om het de Rukar knap lastig te maken. In het verleden hebben zij alleen met andere steden strijd gevoerd. En nu doen ze zelfs dat niet meer. Ze zijn week. Misschien wel rijp voor de pluk.’

‘Oh,’ zei Rosger, alsof het om een bagatel ging, ‘ga vooral je gang als je daar zin in hebt. Ik blijf liever thuis.’

Er schitterde iets in Rosgers luie, onbezielde ogen. Hij hing slap als een kussen op zijn stoel, maar kwam desondanks razendsnel overeind. Lokesj bekeek hem met half dichtgeknepen ogen en voelde het haar op zijn hoofd recht overeind komen. Op zulke momenten werd Rosger door iets opgehaald dat hem naar zijn geheime genietingen meevoerde. Niemand ging hem ooit achterna.

Buiten in de sneeuw sneed Rosger zijn onderarm open en hij begon gretig het bloed op te likken, met de sief hijgend en piepend aan zijn zijde tot die helemaal rozerood was. Uit een smal bovenraam van de blokhut keek Taeb de heks toe op het gebeuren. Soms wenkte Rosger haar, hier of in het Huis, dan moest ze hem iets brengen, een dier van de sneeuwwoestenij. Hij was ook dol op slagvelden waar pas nog gestreden werd, met overal die lijken. Maar vannacht had Rosger blijkbaar genoeg aan zijn eigen bloed. In de zwarte maanloze nacht boven zijn hoofd keken ook de ogen van de sterren toe, kouder dan die van Taeb en waarschijnlijk lang zo minzaam niet.

TWEE

Naast de huisdeur lag een hond op zijn gemak in de sneeuw. De duisternis viel in, maar de manen waren nog niet op.

De jongeman bleef even staan om naar de hond te kijken. De honden van de Ranjallers waren beesten met ruige vachten, en leken in niets op dit dier. Deze hond was gladharig en hij had een spitse snuit en rechtop staande oren als de stevige kelkblaadjes van sommige bloemen.

Naamloos maakte bemoedigende geluiden naar de grijsfluwelen hond – die overeind kwam alsof hij naar hem toe wilde komen, maar ineens in rook opging.

'Goedenavond moeder. Er lag een hond voor onze deur.'

Ze gaf hem haar hand, als een echte dame – en hij gaf haar een zoen op haar wang. Safee was veel kleiner dan haar zoon.

'Heb je hem weggejaagd?'

'Hij verdween vanzelf. Misschien een vriks?'

'Praat niet als een Jafn.'

'Een corrit dan?'

'Ik zei, praat niet... Kun jij zulke dingen zien?'

'Ik kan alle dingen zien, moeder, maar niets zo goed als jou.'

Zijn vleierij, hoe doorzichtig en koket ook, wist haar altijd weer te bekoren. Het was een spelletje van hem.

De kat sprong op Naamloos z'n schouders en bleef daar zitten spinnen. Terwijl hij met zijn rechterhand de kat aaide, liep Naamloos verder naar binnen om onderweg terloops Nabnisj even een oorvijg te geven.

Safee bleef doorgaan met wat ze aan het doen was en stak de kaarsen aan die beneden overal op planken en richels stonden. De kachel verspreidde een warme rode gloed en op zijn bovenplaat stonden afgedekte schalen met eten.

Naamloos keek het vertrek rond en genoot duidelijk van dit huiselijke tafereeltje.

Safee zei: 'Er hangt al een tijdje een ding rond – al twee endhlefons. Ik heb de keren geteld dat ik iets zag. Eén keer zei het iets–'

'Een pratende hond.'

'Nee, toen was het geen hond.'

Naamloos stond een fractie van een seconde doodstil. In dat kleine tijdfragmentje zag je pas goed hoe zelden hij zijn snelle, onbevreesde evenwicht in de wereld kwijtraakte. Want toen zijn gezicht die bevreemding en die onrust vertoonde, was het – alleen voor die ene tel – zijn gezicht niet meer. Toen was het alweer voorbij. Hij zei kalm: 'Was híj het?'

'Geen denken aan,' zei ze. Ze legde haar waspit neer en wreef met haar hand over haar mond. Toen zei ze: 'Die heeft ons hier nooit gevonden. De hond is inderdaad een vriks, als we dan toch een Jafns woord moeten gebruiken.'

'Joeri gelooft dat de onnozelheid van de mensen hier overslaat op de bomen, en ons verborgen houdt.'

Safee ging verder met haar huishoudelijke taken. Ze begon de schalen van de kachel te tillen. De kat sprong van Naamloos' schouders op de grond om de gang van zaken nauwlettend in de gaten te kunnen houden.

'Moeder, hou daar nou even mee op. Kom eens bij me zitten.'

Ze gingen op de kleden voor de kachel zitten.

Nabnisj zat weggekropen achter de ladders in het bedomptste, donkerste hoekje van het huis. Safee keek naar haar zoon. Bij het licht van de kachel leek hij echt wel van rood met goud vuur en zijn ogen waren blauwgloeiende kolen.

'Ja,' zei ze rustig.

'Ik wil weg uit dit oord, moeder.'

'Natuurlijk,' zei ze. 'Op een goeie dag. Hoe zou je hier kunnen blijven?'

'Ik bedoel dat ik hier vanavond weg wil.'

'Vanavond?' Haar gezicht was het witste ding dat in het hele huis van sneeuw te vinden was. 'Dan zal ik –'

'Joeri gaat met me mee. Hij is nu elders, zoals wel vaker, als hij achter herten aan holt of de sterren probeert te vangen... Maar hij is straks weer terug en dan wil ik vertrekken. Je kunt me er niet vanaf brengen. Als ik zover ben, laat ik je ophalen.'

Bij die woorden stak ze haar kin in de lucht. 'Oh, wat een royaal gebaar, dánk je wel.'

'Als ik mijn weg heb gevonden, dan –'

'Wat voor weg? Je weet wat je bent.' Haar stem klonk ruw.

'Nee, ik weet niet wat ik ben. Juist dat weet ik niet.'

'Moet ik het soms voor je op de vloer kalken? Je bent de zoon van een god – en van mij.'

'Ja, van jou–'

'Hoe moet ik het overleven,' riep ze, 'als je mij verlaat–' en ze hoorde tot haar afgrijzen het gejammer van haar oude kindermeid, aan wie ze de afgelopen tien jaar nooit meer had gedacht, die in Ru Karismi moest achterblijven toen zij naar de Jafn in het oosten vertrok.

Naamloos leek zich er trouwens niets van aan te trekken. Hij zei alleen maar: 'Je bent hier nu veilig, maar Joeri zal je heel vaak komen opzoeken. Je weet dat hij in een oogwenk kan zijn waar hij maar heen wil. Hij heeft me iets gegeven dat je kunt gebruiken, een toverpenning, waarmee je hem of mij kunt roepen als–'

'Als wat? Als ik word aangevallen? Als ik me verveel soms – jij en die geest van je, die smerige ondode Olchibi joeker die de schuld van alles is, dat bekende hij me tenminste toen ik me dat stuk niet meer kon herinneren – die het allemaal in gang zette door jacht op me te maken... de walvis en het ijs... en toen die dood in de zwarte duisternis en daar kwam híj – híj...'

Naamloos stond op. Hij keerde haar zijn rug toe. Hij was kwaad en zij zag het, maar het maakte niets meer uit. Als kind kon hij haar soms verzengen met een blik, als ze hem eens iets verbood. Die sneed door haar heen als een gloeiend zwaard, toen en nu ook nog, maar inmiddels was ze ertegen bestand. Hij was zo gewend om zijn zin te krijgen.

'Moeder, ik ga nu. Ik hoef geen eten, nee, dank je. Ik eet onderweg wel.'

'Hoe denk je te gaan reizen?' grauwde ze. 'Op Joeri's schouders soms, net als toen je klein was?'

'Je hebt gezien wat ik kan. Ik kan de hele nacht doorhollen, zo snel als een leeuw, zonder ook maar een keer te hoeven stoppen om op adem te komen.'

'Ga dan maar. Wat ben je ook van me – een halve sterveling, en dat nog niet eens? Mij hier zomaar achterlaten...'

Toen draaide hij zich toch nog om en hij kwam naar haar toe. Hij liet zich naast haar op zijn knieën zakken en hield haar in zijn armen terwijl zij bittere tranen schreide over haar komende eenzaamheid en woede. Hij bleef zo lang zitten en streelde haar zo zacht over haar haar en zei zulke lieve dingen tegen haar, dat ze al dacht dat ze hem had overgehaald om tenminste vannacht nog te blijven. Maar dat had ze niet.

En al die tijd stond Joeri buiten in de sneeuw te wachten. En de kat had binnen de deksel van een schaal geduwd en at nu het eten op dat niemand wilde.

Enige tijd later verliet Naamloos het sneeuwhuis. Er was een maan opgekomen en het ingekapselde woud begon op zijn griezelige manier te gloeien. Naamloos keek nog eens om zich heen. Hij was niet van plan om ooit terug te keren.

'Ze is in slaap gevallen.'

'Ik heb je gewaarschuwd. Als je het eerlijk zegt, maken ze een hoop stampei. Alleen een crarrow weet hoe je een man moet gebruiken om hem daarna los te laten. De crarrowin zijn in dat opzicht net mannen.'

'Joeri, ze is mijn moeder, niet mijn hoer.'

'Nou, die heb je hier anders ook zat gehad. In dat opzicht is het allemaal hetzelfde.'

Ze liepen tussen de bomen langs de verlaten huizen door de sneeuwlanen en lieten de dorpstad achter zich.

'Er was een grijze hond – vast een vriks of een corrit. En hij schijnt soms ook de gedaante van een mens te hebben.'

'Vast een of andere stomme overgebleven Ranjaller – een verloren schepsel, zoals ik.' Joeri grinnikte. Hij beschouwde zichzelf helemaal niet als een verloren schepsel. Hij wist heel goed waar hij stond en wat zijn functie was. De jongen was de Leider en Joeri was zijn adjudant.

Het pad liep inmiddels omlaag en de boomkruinen raakten er steeds verder vandaan, en op sommige plekken zaten grote gaten die maanlicht en zwarte schaduwen binnen lieten. Ze gingen weliswaar te voet, maar twee ménselijke mannen zouden met zo weinig inspanning nooit zo snel hebben kunnen vorderen. Binnen een handjevol minuten waren ze al vele kilometers van het dorp verwijderd. En van Safee.

Joeri had Safees sneeuwhuis al ruim voorzien van beschermende bezweringen – grotendeels onzichtbaar en beslist onbegrepen. Toen hij eenmaal zo'n vaardig tovenaar bleek, merkte hij dat zulke dingen doodeenvoudig waren. Ook had hij Brok-Nabnisj in zijn slaap flink bang gemaakt, om ervoor te zorgen dat hij zijn laffe gedrag zou behouden. Misschien zou Safee trouwens in haar woede haar slaaf wel vermoorden.

Joeri vond het wel zielig voor haar – een beetje tenminste. Ze was zo sterk en ze was zo dapper geweest, maar ze was nu eenmaal maar een vrouw. Ze kon niet mee op deze tocht; die was alleen voor mannen. Later zou er weer tijd voor haar zijn.

De gedachte aan de grijze hond baarde hem enige zorgen, maar er zwierven altijd allerlei van dat soort dingen rond, en Safee was er gevoelig voor geworden – ook al deed haar Rukarse brein haar vaak een blinddoek voor. Zeker iets dat uit de tussenwereld was ontsnapt, die hond; of een vriks die ze zelf wel kon afweren met spreuken die ze van haar man had geleerd.

Ineens stonden ze aan het eind van het woud. Joeri – die toch vrij vaak deze kant op was geweest – keek ervan op. Door een verzakking in de sneeuw was een brede kloof ontstaan en de zomen van het woud waren daarin gestort. Naamloos en hij stonden op de rand en keken uit over de maanverlichte ijsvlakten driekwart kilometer verderop. Toen namen ze tegelijk een sprong en ze zeilden over de kloof en snelden weg door de nacht.

Boven palissades van bevroren lorken en palmen wapperden de banieren met de sneeuwos. De werf van de Krie klom in getrapte terrassen omhoog naar het Huis. Het was het Festival van de Vijf Nachten, dat alleen door de Krie werd gevierd. Hoewel de wind laag en schuin over het land blies, was de Gaiord naar buiten gekomen om offers aan de Grote God te brengen en met de zon mee in volle wapenrusting rond de palissade te lopen, slechts vergezeld door de huistovenaar en negen speciaal uitgekozen mannen.

Dit was de Vijfde Nacht en volgens de traditie zou een van de zonen van de Gaiord hem later rituele vragen stellen over de bedoeling van het festival en de bijbehorende handelingen. Lokesj zou uitleg geven, zoals Lokinda voor hem, toen Lokesj zelf nog de vragensteller was. Lang geleden was er uit de ijsvlakte een monster opgedoken. Het was uit de witte duisternis opgerezen, was de Kriewerf binnengedrongen en had honderden mensen gedood. Het festival was tegenwoordig een belangrijke tovergebeurtenis. Als het volgens de voorschriften werd gevierd, moest het een herhaling van zo'n chaos voorkomen.

Lokesj beende voort. Hij was knorrig, chagrijnig en verkleumd tot op het bot en hij snakte naar een borrel.

Tijdens zulke nachtelijke gelegenheden, dat hij zowel leider als priester voor zijn volk moest zijn, voelde Lokesj zich niet op zijn gemak. Dan moest hij altijd terugdenken aan hoe hij met hulp van de bezeten en kwaadaardige Rosger eerst een ergerlijke halfbroer uit de weg had laten ruimen en daarna zijn eigen vader had vermoord. Krie en Klauw waren nog steeds hechte bondgenoten, bezegeld met het bloed van Lokinda en Atluan.

In rituele nachten miegelde het ook van de geesten en de siefs. Ze verzamelden zich om te komen loeren en ze verstopten zich in dichte sneeuwbuien of in een felle zijwind, zoals die ook op dit moment loeide.

Bij de twee poorten van de werf en bij de wachtposten, waar lang geleden dieren, of mensen, waren geofferd om de palissade sterk te maken, bracht Lokesj offers van bier, wijn en vlees. Voor de ochtend aanbrak zouden er wel spotwolven of andere aaseters opduiken om namens de Goden deze lekkere hapjes in ontvangst te nemen. De tovenaar droeg vuur mee. Dat was bij deze gelegenheid magenta, een kleur van macht en bescherming.

De wind huilde.

Lokesj hoorde de stem van zijn vader erin. *'Daar ben je dan, mijn sluwe zoon, Gaiord in mijn plaats, hè? Bevalt het nogal?'* Maar dit was wel eerder gebeurd en verder dan de stem was het nooit gekomen.

De tovenaar zei: 'Wacht, Lokesj.'

'Wat is er?'

'Kijk daar.'

Ze keken.

Over de loodgrijze sneeuwvlakte onder de drie zwakke maansikkeltjes, kwam er iets aanblazen als de wind zelf. En net als de wind had het ook een geluid – geen gehuil, maar een geroffel.

'Het ijs is aan het schuiven!' riep een van de negen krijgers.

'Of de sneeuw...' voegde een ander toe.

Iedereen stond naar de horizon te staren en toen kwam er een vierde maan op, stralender en gouder dan de andere drie.

De tovenaar maakte afwerende gebaren naar de gloed, maar die nam niet af. Hij ging voor de mannen staan en riep een schild van glanzende lucht op rond mannen, muren en werf.

De vierde maan begon te klimmen. Hij klom en klom.

'Aangezicht van God!'

Over de rand van de aarde kwam als de adem van een vuurspugende draak een glanzende wolk aangedenderd. Hij rolde voorwaarts, scheerde over de sneeuw en weerkaatste daarin als in een spiegel, zodat de hele nachthemel oplichtte. Van boven was hij een en al vuur en van onderen was hij een ijzige schaduw die wel uit honderden onderdelen leek te bestaan.

Een voor een begonnen ze te beseffen wat het moest zijn, waaruit hij was samengesteld.

Het was een kudde... *herten*, wilde herten, die zwijgend en vereend door angst over de sneeuw renden, op vleugels van laaiend vuur zo fel als maanlicht...

'Blijf doodstil staan,' droeg de tovenaar hun op. Hij was streng en beheerst. 'Dit is het werk van een tovenaar.'

'De Sjaji,' zei een van de mannen, die onderling stonden te wauwelen.

'Nee, die houden hun gemak – dat uitvaagsel van de Irhoni.'

'Geven ze nou *licht*?'

'Nee, kijk – er staat niets in brand en er is geen rook. Ze zouden allang dood zijn als ze op die manier in brand stonden.'

'Zijn ze nou echt of is dit een illusie?'

'Heren, maak niet zoveel lawaai,' zei de tovenaar. En tegen de Gaiord zei hij: 'Lokesj, jij en ik gaan dit ding tegemoet.'

Lokesj schaamde zich. Hij had dat eigenlijk tegen de tovenaar moeten zeggen. Een beetje blufferig antwoordde hij: 'Ja, ja, ik vind ook dat dat moet.'

De tovenaar stapte naar voren, waarmee hij het luchtschild doorboorde en ophief. Hij was ouder dan Lokesj, maar hij zag er nog vitaal uit. Onder het lopen stak hij zijn staf naar voren in de richting van de stralende herten en de top van de staf begon te knetteren, alsof hij hem in het vuur had gestoken. Toen het luchtschild achter zijn rug inklapte, voelde Lokesj zijn botten tintelen.

De hele sneeuwvlakte, van de griezelige kudde tot de muren achter zijn rug stond nu in gereflecteerde lichterlaaie en de schaduwen van de herten trokken daar eigenaardige zwarte strepen doorheen.

'Ze zijn aan het vertragen, tovenaar.'

'Dat lijkt wel zo, ja.'

Achter hen waren de mensen op de hoge terrassen van de werf naar buiten gekomen om te kijken. Daarginds heerste enige onrust, maar hier niet. De herten bleven eindelijk staan. Ze stonden nu doodstil. Slechts veertig passen scheidden hen van Lokesj en zijn tovenaar... en dat werden er met elke schrede minder.

Wat waren die herten nu ten slotte ontzettend bewegingsloos. Wat stonden ze daar kalm. En toen... doofde ineens hun heldere maanlicht.

Nu bleef de tovenaar stilstaan. In de overmoed van zijn tekortschieten wilde Lokesj gewoon voortstappen, maar de tovenaar hield hem tegen – opnieuw met de waarschuwing: 'Wacht.'

Ze waren inmiddels halverwege en daar bleven ze dus wachten. Twintig passen bij hen vandaan stoof de hele kudde herten plotsklaps in galop terug naar de horizon en de onzichtbaarheid van de nacht – op twee dieren na.

Deze twee herten bleven staan, nu donker afstekend tegen de sneeuw, en tussen hen in gloeide het licht weer op, maar nu was het een smalle, verticale gloed en lang zo fel niet meer. Het was helemaal geen licht, bleek nu. Het was een man, jong en lang, gestoken in uitheemse, niet Jafnse kledij van leer en bont, op een eigenaardige manier beschenen door de melkwitte manen – met een schijnsel dat eerder wel leek te ontbreken – vooral op zijn haar en zijn gezicht.

Lokesj voelde geen enkele aandrang om iets te zeggen. Ook de tovenaar bleef zwijgen. Hij had zijn staf laten zakken en fronste nu gespannen zijn voorhoofd.

De man die tussen de twee herten stond maakte een buiging, op een hoofse manier die men onder de Jafn niet aantrof, maar wel in paleiskringen in de stad. Toen draaide hij het starende krijgersopperhoofd en zijn tovenaar onbevreesd en aanmatigend de rug toe. Kalmpjes gaf de vreemdeling de twee herten een voor een met zijn wijsvinger een zacht tikje tussen hun ogen.

Zelf nogal bedremmeld zag Lokesj de dieren slaperig worden. Hun ogen vielen dicht. Ze gingen zonder aarzeling op de sneeuw liggen.

De vreemdeling boog zich over een van de herten en sneed het de keel open, heel precies en met een zekere tederheid. Toen boog hij zich over het tweede hert om daarmee hetzelfde te doen. Hun bloed stroomde in een dikke zwarte baan over de witte sneeuw. Op zijn knieën gezeten legde de vreemde zijn handen op de ruggen van de herten om ze zachtjes te strelen terwijl ze in hun slaap pijnloos doodgingen.

Toen stond hij op. Hij stak zijn mes weer in de schede – een raar instrument uit een vreemd land. Hij liep over de sneeuw en kwam voor de Gaiord en zijn tovenaar staan.

'De Krie hebben toch vanavond iets te vieren? Mag ik dit vlees aanbieden als geschenk voor het banket? Vers van het mes zal het zeker smaken. Misschien weten jullie dat niet, maar als je een dier zachtmoedig doodt is het vlees veel lekkerder en sappiger.'

Lokesj deed zijn mond al open, maar de tovenaar nam het woord.

'*Wie ben jij?*'

'Ik ben Naamloos. Mijn vader stierf voor hij me kon echten of een naam geven. Ik ben de zoon van Atluan. Goedenavond samen.'

'Zeg eens, Gaiord, waarom marcheer jij deze vijf nachten met je tovenaar en je manschappen rond onze muren?'

De rituele vraag werd op het juiste moment uitgesproken door de tienjarige zoon van het huidige opperhoofd, en galmde door de fakkelverlichte feestzaal waar zoveel wijdopen ogen nu de vlammen vingen.

Lokesj schraapte zijn keel. Nu hij wat wijn ophad, voelde hij zich beter; hij was eraan gewend – het had hem opgevrolijkt.

'In de dagen van onze voorvaderen dook er een schepsel op uit de sneeuw...'

Iedereen kende het verhaal, behalve misschien de allerjongste kinderen die het nu voor het eerst hoorden. Blijkbaar kende zelfs de vreemdeling, de zoon van Atluan, aan wie Atluan geen naam meer had kunnen geven, blijkbaar kende hij het ook, hoewel hij een Klauw was en geen Krie.

Terwijl hij met een blos van de sterke zwarte wijn het oude verhaal vertelde, hoorde Lokesj zijn eigen stem tegen de dakbalken galmen, waar de haviken hun veren opzetten. Naast zijn stoel lag zijn beste leeuw en alles om hem heen was van hém. Hij was ijdel vanavond, ijdel op wat hij zich allemaal had verworven. Lokesj had de onbedwingbare neiging om ten overstaan van de vreemdeling die blijkbaar net als zijn Oom Rosger een heel vaardig tovenaar was, op te scheppen en te bluffen.

'Vier nachten kwam dat ding naar het Huis van de Krie. Niemand kon het buiten houden. Het greep mensen die zaten te eten. Het reet ze van top tot teen uit elkaar. Toen de huistovenaar ertegen in het geweer kwam, beet het ding zijn hoofd eraf voor zijn kunsten ook maar enige vrucht konden afwerpen.'

Lokesj beschreef hoe het monster eruit zag: met een gepantserde huid en een kolossale omvang, met slagtanden die groen zagen van het vuil en alleen met bloed werden gewassen.

'Vier nachten achter elkaar kwam het terug. Er was bijna niemand meer in leven. De tovenaars en de Gaiord en de helft van de krijgers waren dood. De vrouwen en kinderen hadden over het ijs een veilig heenkomen gezocht.'

Lokesj wist niet meer waar hij was met vertellen. Hij viste zijn kom op en dronk alsof hij vreselijke dorst had – wat trouwens ook zo was. En terwijl hij dronk, schoot hem weer te binnen hoe hij heel wat endhlefons geleden uit die kom van Atluans schedel had gedronken. Lokesj verslikte zich in zijn wijn en begon te hoesten – en hij voelde de eigenaardige ogen van Atluans zoon – als hij dat tenminste echt was – op zich rusten.

Naamloos stak zijn hand uit en sloeg de Gaiord zonder enige plichtpleging stevig op zijn rug, als opperhoofden onder elkaar.

De hele zaal staarde naar de Naamloze. Velen hadden hem vanaf de werf zien aankomen. Ze hadden gezien wat hij met de herten kon doen voor hij ze doodde. Dat konden alleen de allergrootsten onder de tovenaars, want elk dier voorvoelde op zulke ogenblikken zijn dood en zou zich verzetten. En hij had ze niet verdoofd met zijn toverkunst, maar ze vreedzaam in slaap getoverd. Ze zeiden dat de magikoi deze gave ook bezaten. Maar Naamloos was op zijn eigen manier een echte Jafn. Hij sprak hun talen en op de juiste manier. Hij kende hun gewoonten. Toen ze op straat stonden te kijken naar hoe hij door de werf naar het Huis van de Krie omhoogliep, hadden sommigen gezien dat zijn blauwe ogen die van verschillende kanten licht opvingen, af en toe een tel lang een rokerige rode gloed vertoonden.

'Lokesj,' zei Naamloos toen de hoestbui tenslotte goed was afgelopen, 'ik ben te gast in dit Huis. Wil je mij het plezier gunnen om de rest van dit belangrijke verhaal te mogen vertellen?'

Er golfde een geroezemoes door de feestzaal – maar toen viel iedereen stil.

Het was de tovenaar die het woord deed, net als eerder al. 'De Gaiord hoort op deze vijfde nacht dit verhaal te vertellen.'

'Dat is waar ook,' zei de jongeman vriendelijk. 'Daar neem ik genoegen mee, waarde heer.'

Maar toen Lokesj zijn verhaal weer wilde opvatten, bleek hij erg schor. Hij keek Naamloos aan en Naamloos lachte naar hem. Ze waren oude vrienden, of zouden oude vrienden worden; dat zag Lokesj allemaal in Naamloos' eigenaardige gezicht. Atluan was een gewoon mens geweest, maar hij was traag en naïef. Rosger, waar Lokesj op had vertrouwd, bleek een perverse idioot te zijn die met het uur onbetrouwbaarder werd. Maar deze jongen had de goede eigenschappen van beiden. Hij had Atluans knappe uiterlijk en zijn gulheid en Rosgers bovennatuurlijke vermogens en zijn verstand.

Lokesj schraapte nogmaals zijn keel. Zijn stem klonk al wat beter, maar dat was van geen belang.

'Ja, omwille van Atluan, zal ik met plezier zijn zoon het woord voor me laten doen. De held die in die lang vervlogen tijd de Krie redde, leeft ook in de legenden van de Klauw.'

Het bleef even stil. Naamloos keek om zich heen. Zijn fascinerende schoonheid wekte onrust maar was daartegenover tegelijk geruststellend. In het licht van het vuur was hij iets heel bijzonders – eigenlijk net als de helden uit het verleden van wie een aantal in weerwil van hun vreemde uiterlijk juist gezegend en krachtig was geweest.

Niemand had bezwaar gemaakt tegen de woorden van Lokesj. De Gaiord kon zijn taak naar believen overdragen aan eenieder die hij verkoos – net als zijn boog of zijn wijnkom. Dat was een grote eer voor iemand en Naamloos voelde zich duidelijk zeer vereerd. Hij stond op en groette Lokesj op de Jafnse manier, met zijn rechtervuist tegen zijn linkerschouder, boven zijn hart.

Lokesj had aan iedereen verteld dat Naamloos Atluans zoon was. Waarschijnlijk had Naamloos hem daar in afzondering bewijzen van laten zien. De zaal nam daar genoegen mee en zat afwachtend klaar voor de rest van het verhaal van de Vijf Nachten.

'Toen op de Vijfde Avond de zon onderging,' zei Naamloos, 'zag het handjevol mannen dat was overgebleven om de werf van de Krie te bewaken een angstaanjagende verschijning aan de hemel. Stukje bij beetje werd daar een vorm zichtbaar. Het was geen wolk of een ander gewoon iets en lang nadat de zon al onder was, straalde het nog altijd. De krijgers riepen elkaar toe: *Let daar niet op – zodra het donker wordt, komt het monster weer uit het ijs.* Maar toch keken ze naar de glanzende vorm in de lucht. Daar bij het invallen van de schemering zagen ze dat het niets anders was dan een reusachtige bovennatuurlijke hand, die heel langzaam draaide tot hij met zijn vingers naar de sneeuw wees.'

Naamloos vertelde het verhaal zoals Safee het hem ooit had verteld; hij had het allemaal van haar. Zij had dat allemaal heel snel opgestoken in het Huis van de Klauw; ze had veel meer geleerd dan ze dacht, toen ze zwaar van haar zwangerschap in haar stoel in de zaal lag en naar de legenden van de Jafn luisterde. Misschien had hij ook wel meegeluisterd, terwijl hij aan haar en aan zijn fysieke zelf verankerd in haar schoot ronddreef.

Hij vertelde het verhaal eenvoudig en zonder opsmuk, en hij gebruikte de antieke woorden. Zoals hij daar stond leek hij wel elke man en elke vrouw persoonlijk toe te spreken en zijn ogen keken hen keer op keer aan. De meesten hadden het gevoel dat hij zich vooral tot hen richtte. Hij liet hun taferelen zien in hun hoofd, waardoor ze wisten dat hij niet alleen een geniale tovenaar was maar ook een machtig dichter.

De hand die naar de sneeuw wees was de Hand van God. Die begon vervolgens van de sneeuw een sneeuwman te kneden, lang en sterk, voorzien van een volledige wapenrusting. Toen stak er een wind op, misschien wel de Adem van God. Hij blies en blies maar, en de sneeuwman was tot leven gekomen – maar hij was niet wit, maar juist gitzwart – huid, haar en ogen, alles. Alleen zijn oogbollen waren wit en zijn tanden. En in zijn mond en onder zijn nagels en in zijn handpalmen kon je binnen in al die duisternis net aan de vuurrode kleur van zijn bloed zien.

Toen de sneeuw van een onbezield, bevroren, onmenselijk iets zo sterk in zijn tegendeel veranderde, was ook zijn kleur in het tegendeel veranderd. Dat was makkelijk te begrijpen. Wit moest zwart worden. Naamloos vertelde dit stukje van de mythe met zoveel humor en verstand, dat de hele zaal lachend zat te knikken. Misschien was dat het moment dat ze begonnen in te zien dat een held heel goed een andere kleur huid en haar en ogen kon hebben.

De Hand van God trok zich terug. De held Ster Zwart bleef alleen op de sneeuw achter. De dappere Krie krijgers riepen dat ze naar beneden zouden komen om hem bij te staan in de strijd, maar Ster Zwart schudde zijn hoofd. En toen kwam het *ding* trouwens toch al uit het ijs opduiken.

'En weet je wat er toen gebeurde?' vroeg Naamloos vaardig en terloops. 'De onoverwinnelijke door God gemaakte held draaide zich om en ging ervandoor.'

De Krie krijgers waren geschokt. Ze keken ontzet toe toen de gitzwarte man rond de muren van de werf begon te rennen. Het monster rende brullend en kwijlend achter hem aan. Het was tweemaal zo groot als Ster Zwart, terwijl die toch lang was en sterk gebouwd. Maar een lafaard?

Ster Zwart bleef maar om de muren van de Krie werf rennen, achtervolgd door het helse schepsel. De Krie op de muren vielen stil en begonnen te bidden.

'Rond de muren, één keer eromheen, en twee keer eromheen, en drie keer eromheen, rende Ster Zwart. Hij rende hard, veel harder dan elke sterveling, zo hard dat het monster hem niet kon inhalen, al bleef het maar twee schildlengten achter hem. Driemaal in de rondte, en viermaal in de rondte en toen voor de vijfde maal rond de muren. Toen Ster Zwart bij zijn vijfde ronde weer ter hoogte van de hoofdpoort van de werf kwam, draaide hij zich zonder vaart of evenwicht te verliezen op zijn hielen om. In elke hand hield hij een groot zwaard van het allerzwartste metaal dat glom als zonneschijn, en met die zwaarden geheven wierp de held zich voor het eerst – en voor het laatst – op het monster uit het ijs. Inmiddels helemaal gehypnotiseerd van het rondjes rennen, doodmoe van de achtervolging, en te dom om een valstrik te verwachten, rende het monster pardoes in beide zwaarden. Een van de twee brak bij de botsing doormidden. Het andere doorkliefde buik en ribbenkast en doorstak het stinkende hart.'

Terwijl Naamloos daar stond, begon de hele feestzaal van de Krie te juichen en op de hanenbalken flapperden de haviken met hun vleugels. Hoeveel jaar was het al niet geleden, hoeveel decennia, dat de oude Lokinda hen zo met dit oude verhaal had kunnen laten meeleven?

'En dat was dus het einde,' zei Naamloos, toen het gejuich wegstierf, 'van dat ding dat de Krie zo plaagde.'

En het kind, Lokesj' zoon, viel precies op het juiste moment in, maar hij sprak niet tegen zijn vader maar tegen de jongeman die stralend voor hem stond.

'En wat was het lot van Ster Zwart?'

Naamloos antwoordde op ernstige toon, alsof nog niemand ooit eerder deze vraag had gesteld en alsof die nooit eerder was beantwoord.

'Hij werd voor zijn dapperheid tot opperhoofd benoemd, tot Gaiord van de Krie. Hij werd geadopteerd – en had adoptie-ooms en -broers onder hen. Maar hij regeerde wel honderd jaar. En elk jaar als de Vijf Nachten aanbraken, maakte hij met negen van zijn mannen een rondgang om de muren, niet rennend dit keer, maar rustig lopend, en af en toe een plengoffer brengend aan de Grote God die zo goed voor zijn volk had gezorgd. Maar na die honderd jaar,' vertelde Naamloos, 'haalde God Ster Zwart weer naar huis, naar de Andere Plek. En toen hij op zijn doodsbed lag, met zijn geadopteerde familie weeklagend om hem heen, was hij nog altijd nederig en zei hij het volgende: *Zelfs de sterren zijn honden – niets dan honden – in handen van de nacht.* Hij onderwierp zich aan God, zoals alle mensen betaamt, maar ze zeggen dat hij onder zijn zwarte huid botten had zo wit als sneeuw.'

In de stilte die volgde kwam Lokesj overeind. Hij liep op Naamloos af en omhelsde hem als zijn broer.

Gaiord Lokesj was verliefd maar hij wist dat niet van zichzelf. Hoe kon hij ook? Zo'n soort liefde had hij nog nooit gevoeld.

Het hele Huis was betoverd.

Hadden ze kunnen uitleggen hoe dat was gebeurd – waarom het was gebeurd? Hun gast was knap en kon verhalen vertellen als een dichter, en hij was een kundig tovenaar. Toch leek hij, weliswaar niet echt bescheiden, maar wel beleefd en op zijn eigen manier tactvol.

De krijgers brachten een dronk op hem uit en toen hij – als een echte Jafnse Klauw en zoon van Atluan – de hele nacht moeiteloos wakker bleef in hun gezelschap, waren ze zo verschrikkelijk met hem ingenomen alsof ze hem zelf hadden gevonden. De vrouwen, oud en jong, beschouwden hem als een heel ander soort aanwinst.

Maar de huistovenaar van de Krie nam Lokesj apart.

'Lokesj, je weet dat ik deze man op de proef moet stellen.'

'Natuurlijk tovenaar, vanzelfsprekend.'

'Hij komt uit het niets, uit de lege woestenij.'

'Hij heeft me verteld hoe hij als zuigeling samen met zijn moeder door de Klauw de woestenij ingejaagd werd.'

'Heeft hij je ook verteld waarom?'

Dit gesprek vond plaats in de vroege morgen, terwijl er voorbereidingen voor een jachtpartij werden getroffen, en de Naamloze maakte zich op om met de anderen mee te gaan, net zo makkelijk alsof hij altijd onder hen geleefd had.

'Hij zei tegen me...' Lokesj leek even een tel van zijn stuk. Rosger had Lokesj tenslotte nooit iets verteld over de uitstoting van Atluans weduwe en zoon. En als hij dat wel had gedaan – zou het mogelijk zijn dat hij het wél had gedaan? – had Lokesj er geen aandacht aan besteed. 'Atluans zoon,' zei Lokesj nu ferm, 'heeft me verteld dat er bij de Klauw grote vijandigheid heerste jegens zijn moeder, een vrouw van de Rukar. Atluan zelf was toen nog maar kortgeleden gesneuveld in de strijd.' Díe zin kon Lokesj zonder haperen uitspreken. Hij had oneindig vaak over Atluans dood gesproken, wat hij ook met de dood van zijn eigen vader, Lokinda, had moeten doen.

Lokinda had er veel te lang over gedaan om afscheid te nemen van deze wereld. Lokesj was al dertig, bijna net zo oud als Atluan, en nog steeds vertoonde die oud geen tekenen van een naderende dood. Een volk kon niet tot bloei komen met een rottende boom aan het hoofd. Lokesj had Lokinda neergestoken met een griezelig wapen dat hij uit Rosgers oorlogsbuit had gekregen – een wapen dat geen spoor achterliet.

'Het lijkt erop dat er meer aan vastzit,' zei de tovenaar. Hij bedoelde dat er meer dan Klauwse vijandigheid in het spel geweest moest zijn om een vrouw met een zuigeling de sneeuwwoestenij in te jagen. Maar Lokesj kromp in elkaar als door iets kleins maar vlijmscherps gestoken.

'Deze man is mijn gast, omwille van Atluan,' zei Lokesj. Hij dacht aan de manier waarop Atluan was gestorven, open en bloot vermoord door hekserij en kwaadaardigheid. Hij dacht aan Rosger en zijn moed zonk hem in de schoenen, maar daar was niets van te zien.

'Ik zal hem vanavond op de proef stellen,' zei de tovenaar, 'als jullie terug zijn van de jacht.'

De tovenaar draaide zich om en tuurde naar de overkant van de zaal. Velen hadden iets eigenaardigs opgemerkt aan de ogen van de jongeman; als het licht er op een bepaalde manier overheen streek, leken de zwarte harten van hun ongewone blauw wel in rode granaten te veranderen. Maar er was nog iets. *Daar*, ineens zag de tovenaar het weer – hij zag het en raakte het meteen weer kwijt. Zijn *schaduw*?

De huistovenaar van de Krie was zelf een oud man. Drie dagen voor het festival van de Vijf Nachten had hij zijn eigen dood in een droom afgeschilderd gezien. Hij had niet lang meer. Al die jaren had hij – via een gelijksoortige bron, zijn tovervaardigheid – afgeweten van Lokesj' schurkenstreek. Maar de tovenaar had niets gezegd, want hij had de ondergang van de Krie in het verschiet gezien, of er nu iets gebeurde of niet. En zelfs tien jaar geleden had de tovenaar een apocalyps niet willen verhaasten.

De Krie hadden niet veel ondertovenaars. Er kwamen er maar zes naar de thaumarij, waar ze plaats namen en strak naar de huistovenaar, naar Lokesj en naar de gast die zichzelf Naamloos noemde gingen zitten staren. Ze waren geen van allen zo achterdochtig als de huistovenaar. Dit waren jongere mannen en ook zij waren opgewonden over de komst van Naamloos. Hij was ls een nieuwe held in hun midden gekomen – en misschien was hij dat ook wel. Hoewel ze nu moesten assisteren bij het op de proef stellen van een binnengedrongen buitenstaander, hadden ze hun nieuwsgierigheid en hun partijdigheid niet kunnen afleggen.

'Jij geeft antwoord,' zei de huistovenaar, 'dan kunnen wij natrekken of je bent die je zegt te zijn.'

'Ik ben een Jafn, eerbiedwaardige tovenaar. Mijn moeder heeft me alle gebruiken bijgebracht.'

'Maar ben je echt een Jafn?'

De oprechte ogen blikten in de zijne; er was geen spoor van misleiding in te ontdekken. Ze stonden glashelder en kalm. 'Jazeker.'

Hij liegt, dacht de tovenaar.

'En ben je waarachtig de zoon van Gaiord Atluan?'

'Ja.'

'Heb je daar ook bewijzen van?'

Naamloos zat in het midden van het vertrek, beleefd en totaal niet vijandig.

'Ik bezit geen enkel bewijs, heer – helemaal niets. De vijanden van mijn vader waren ook de vijanden van mij en mijn moeder, wat u niet zal verbazen. Ze smeten ons als hun vuilnis nar buiten de sneeuw in. Het was de bedoeling dat we omkwamen en ze gaven ons helemaal niets van mijn vader mee, ongetwijfeld omdat ze niets aan ons wilden verspillen.'

'Je lijkt helemaal niet op Atluan.'

Daar moest Naamloos om lachen. En die lach van hem zag er altijd geweldig uit. Maar daar dacht de huistovenaar van de Krie heel anders over.

'Mijn moeder zou daar waarschijnlijk heel wat anders over te vertellen hebben, heer. Misschien kende zij hem grondiger. Ze was tenslotte zijn vrouw.'

'En ik ben de tovenaar van het Huis van de Krie. Denk je soms dat ik blind ben?'

Naamloos antwoordde: 'Zeggen de magikoi niet dat het helderste zicht soms over het hoofd ziet wat een omfloerst oog onderscheidt?'

'Dat zou kunnen. Van die magikoi weet je natuurlijk van je moeder.'

'Inderdaad. En als we het daar over eens zijn, ziet u misschien ook in dat zij de Rukarse prinses Safee is die, zoals alle bondgenoten van de Klauw weten, aan Atluan werd uitgehuwelijkt.'

Zonder enige nadruk zei de tovenaar: 'Ik twijfel er niet aan dat zij jouw moeder is. Maar ik heb een gerucht gehoord dat niet haar echtgenoot jou heeft verwekt.'

Een hijgend gesis golfde door de thaumarij. Lokesj was de eerste. Iemand ervan beschuldigen dat hij een bastaard was, vooral als je het van horen zeggen had, was een reden voor een bloedvete en een tovenaar had zijn opmerking wel wat beleefder kunnen formuleren.

Lokesj begon te zeggen: 'Dit–'

'Laat hém antwoorden,' zei de tovenaar scherp.

Lokesj hield zijn mond. Naamloos leek kwaad noch ontsteld. Hij zag er eigenlijk nogal geamuseerd uit.

'Fout,' was het enige wat hij zei.

'Vandaag,' zei de tovenaar, 'ging je met de Krie op jacht aan de rand van het ijsveld. Jij reed in de ar van Gaiord Lokesj. Jij kunt herten doden door ze te biologeren en toch verkoos je voor de jacht pijl en boog.'

'De voorkeur van mijn gastheer.' Naamloos boog naar Lokesj.

'Waarin hij uitblonk,' riep Lokesj onmiddellijk.

'Heel goed mogelijk,' zei de tovenaar, 'maar het was een boog uit eigen bezit van deze jongeman. En het is geen werk van de Jafn – hij heeft meer weg van een mannenboog van de Olchibi. En ook het hanteren ervan gebeurde in de stijl van de Olchibi.'

'In mijn jeugd was er een man van de Olchibi in de sneeuwwoestenij, die vriendschap met ons sloot. Hij was goed voor ons,' zei Naamloos op onderhoudende toon.

'Misschien vooral goed voor je moeder – maar dan wel negen maanden of zo voor jouw geboorte. Volgens mijn berekeningen ben jij nog geen elf jaar oud – of je nu uit zijn zaad stamt of uit het zaad van Atluan. Je bent wel erg hard gegroeid. Dat is alleen met toverij te verklaren. Jij zei dat deze Olchibi jullie hielp in de sneeuwwoestenij. Was hij een tovenaar? Zo ja, hoe moet ik dat feit dan rijmen met jouw snelle groei?'

'Mm,' zei Naamloos. Hij keek peinzend omlaag, in het geheel niet van zijn stuk gebracht. Toen sloeg hij zijn ogen weer op. 'De Olchibi was eerlijk gezegd geen tovenaar en hij was ook mijn vader niet. Mijn leeftijd en mijn vaardigheid, waarvan jullie blijkbaar denken dat ik die van iemand heb geleerd, heb ik allebei van God gekregen, misschien als vergoelijking voor de slechte behandeling die ik van de mensen had gekregen. Verder lijkt wat hier net is gezegd, verdacht veel op de leugens die Rosger rondstrooide: zijn reden om ons weg te jagen van de Klauwse werf – voor de zekerheid bij voorkeur regelrecht naar de Andere Plek. Vinden jullie mij trouwens op een Olchibi lijken?'

'Je lijkt in ieder geval niet op iemand uit deze streken.'

'Op de Ruk dan misschien. Zijn daar geen lui die op mij lijken?'

'Ik weet niet genoeg over hen om daar iets over te kunnen zeggen.'

'Schakel dan je enorme deskundigheid eens in en ga op zoek,' zei Naamloos.

Niemand deed zijn mond open bij deze schaamteloze brutaliteit. De tovenaar verhikte noch verschrikte en Naamloos ook niet. Toen hij in de roodblauwe onschuldige ogen keek, zag de oude man de scheermesscherpte van de blik; die was daar duidelijk te zien, als een haai in de zee. Toch kon je hem er niet uitvissen, noch kon je hem aanvallen om hem kwijt te raken.

'Luister naar me,' zei de tovenaar. 'Alleen jij en ik beseffen wat jij bent.' Het kwam hem voor dat ze nog slechts met zijn tweeën in die toverkamer met zijn getekende afbeeldingen van bezweringen en rituelen zaten, alleen in het Huis van de Krie – of zelfs in het hele wijde winterland.

Naamloos keek de tovenaar in de ogen en op het scherp van het glimmende scheermes zag de tovenaar daar een gruwelijk medelijden – een diep mededogen. En hij dacht weer aan hoe Naamloos de twee herten had gedood met zijn kalme aanraking en zijn scherpe mes.

'*Wat* ben ik dan?' vroeg Naamloos hem. 'Vertel het me. Want hoeveel ik ook weet, dát heb ik nooit kunnen ontdekken.'

Niemand anders kan dit horen of zien. De tovenaar beefde. *Wij zitten opgesloten in een ogenblik dat even stijfbevroren is als ijs. En ja, ik weet, en nee, ik weet niet wat hij is.*

'De kennis over wat jij bent ontbreekt me.'

'Dan moet ik dat zelf uitzoeken.'

'Moet je jezelf daarbij dan per se aan óns scherpen?'

'Misschien wel aan alles.' Mild en vol spijt kwam Naamloos overeind.

De tovenaar zakte terug op zijn stoel. En toen was de thaumarij ineens helemaal leeg, op Lokesj na die daar in opperbeste stemming stond te grijnzen met zijn flaporen vuurrood van de alcohol. 'Zie je nou wel, tovenaar, ik zei toch al dat hij ons zou laten zien dat hij een eerzaam man was.'

Wat was er voorgevallen, nog meer hallucinaties of een truc? De tovenaar dacht: *Hij heeft helemaal niets laten zien.* Had Naamloos zicht en gehoor veranderd, de tijd zelf misschien? De anderen meenden dat de beproeving tot een meer dan bevredigend einde was gebracht. *Alleen ik heb dit door, en wat kan ik doen? Waar... waar ligt het begin van zijn macht, en waar houdt die op?*

In de Hel, dacht de tovenaar. *In de Hel.*

Voor de dichte deur van het sneeuwhuis, waardoor ze hem bij zonsondergang naar buiten had geschopt, kon Safee Brok-Nabnisj horen jammeren en aan het hout horen krabben. Er waren hier geen ramen zoals bij de Ruk of zelfs bij de Jafn, anders zou ze hete houtskool uit de kachel op zijn kop gegooid hebben. Of misschien ook wel niet, want daarmee had hij zich warm kunnen houden.

Ik ben wreed, dacht ze, met iets tussen goedkeuring en verbazing in. Had ze daar ooit eerder over nagedacht?

Later zou ze hem weer binnenlaten, voor hij doodvroor. Maar ze wilde niet dat de slaaf haar hoorde huilen zoals nu, met lange, heftige snikken, helemaal ondersteboven van verdriet op haar matras bovenaan de ladder.

Wreed? Zij was niet wreed. Haar zoon was wreed. Laat hem dan maar wreed lijden, tussen het menselijke uitvaagsel waar hij liever mee omging dan met haar.

O nee, *laat hem alsjeblieft veilig zijn.*

Ze had hem geen goden gegeven, dat had ze nooit gedurfd. Elk kind in de steden van Ruk Kar Is kreeg bij zijn geboorte drie goden toegewezen, twee van de vader of van vaderskant en een van de moeder. Vuldir, Safees vader had haar Zezet gegeven. Welke god had zij haar zoon dan moeten geven? Ze had alle drie haar goden leren vrezen, en met reden.

Ze ging nu haar achterlijke slaaf binnenlaten. Dat zou haar offer aan de goden zijn, grootmoedigheid jegens het ellendige 'brok'.

Toen ze bij de gloed van de kachel langs de ladder naar beneden klom, hoorde ze buiten het huis een angstaanjagende kreet opklinken, gruwelijker dan het gewone geblerk van haar knecht.

Ze sprong van de ladder, holde naar de deur en rukte die open.

'Waarom sta je zo te krijsen, idioot, alsof je door spotwolven verscheurd wordt?'

Brok-Nabnisj stond bang en bibberend voor haar, even smerig en afstotelijk als altijd.

'Kom dan maar binnen. En kruip regelrecht in je onverdiende hol in de hoek.'

Gehoorzaam sjokte de jammerende slaaf het sneeuwhuis in.

De vonk in zijn ogen ontging Safee. Ze wist niet dat Nabnisj in werkelijkheid definitief onder de sneeuw was gestopt en dat wat nu over de vloer van haar huis naar zijn hoek schuifelde, níets meer met Brok-Nabnisj te maken had.

DRIE

Joeri zat in kleermakerszit op de grond tegenover zijn neef die Naamloos heette en die ook in kleermakerszit aan de andere kant van het vuur zat, dat een van hen beiden had opgeroepen.

'En nu kun je hun katsleden ook al besturen,' zei Joeri. 'Je leert snel als ik me goed herinner. Ik weet nog de eerste boog die ik voor je maakte. Je was nog maar vier, maar je had hem in vijf minuten onder de knie.'

'De oude tovenaar maakte zich zorgen over mijn Olchibi boog. Lokesj heeft me in eigen persoon de slee leren besturen. Lokesj is maar schuim. Ik moet Rosger hebben.'

Ze staarden peinzend in hun vuur. Naamloos liet uitdagende dansmeisjes in de vlammen verschijnen die hun loshangende haar lieten zwiepen. Joeri lachte kakelend op die plek ruim anderhalve kilometer bij de Kriewerf vandaan, waarna ze beiden weer in geluidloos zwijgen vervielen.

Naamloos verbleef nu al twee endhlefons bij de Krie, tweeëntwintig dagen. Hij had ze allemaal in zijn zak: de mannen, de vrouwen trouwens ook, en zelfs de tovenaars. In zeker opzicht ook de oude tovenaar, want die was met een scheurende hoest naar zijn bed afgedropen. Lokesj die wel twintig jaar ouder was dan de jongeman, hing hem om zijn hals als een vriend van zijn eigen leeftijd. Niemand nam dat de Gaiord kwalijk, aangezien ze zelf ook allemaal bezeten van hem waren. Ze roken de god in zijn bloed. Joeri rook dat ook; maar hij werd er soms onrustig van. Want híj wist welke god het was – die duivel onder de zee.

Joeri had geholpen de vurig glanzende hertenkudde op te drijven naar de Kriewerf. En lang geleden had hij Naamloos al onderwezen in die mannelijke bekwaamheden die zo onmisbaar waren voor het dagelijks leven: vissen en jagen, een dier slachten, villen en roosteren, bogen en andere wapens maken. Hij had Naamloos zelfs geleerd hoe hij een mammoet moest berijden. Maar dat was allemaal onder het dak van het sneeuwwoud gebeurd en Naamloos had daar zelf zijn grote aanleg voor toveren aan toegevoegd.

Joeri was trots op hem, maar hij voelde zich in zekere zin ook buitengesloten. Hij had hem niet kunnen leren hoe hij met arrensleden of sleekoetsen moest omgaan, want de Olchibi achtten die beneden hun waardigheid en hij wist daar dus niets vanaf.

Naamloos staarde ook in het vuur; de dansende lichtekooien waren inmiddels spoorloos verdwenen. Zoals gewoonlijk leek hij uiterst kalm.

Naamloos wist wat Rosger had gedaan, alles wist hij. Of tenminste, hij wist dat Rosger Atluan had vermoord. Gezien de omstandigheden lag die conclusie volstrekt voor de hand. Naamloos voelde aan dat ook Lokesj op zijn onhandige manier had geholpen om Atluan te vernietigen. Maar Naamloos had geen hekel aan Lokesj, hij verachtte hem slechts. En Atluan was trouwens toch Naamloos' vader niet.

De jongen en zijn moeder hadden zelf al genoeg wrok te koesteren.

Er waren ook meisjes in het Huis van de Krie. Er waren op een werf blijkbaar altijd wel hoekjes waar je je kon afzonderen met een meisje – een stal, een schuurtje, een boomgaardje met verijsde bomen waaraan onder het glazen ijs appels groeiden. De meisjes waren zo opgewonden dat zijn liefkozingen hen al gauw naar hun hoogtepunt brachten. Hun hulpeloze kreten van vervoering lieten het ijs barsten zodat er een regen van appels omlaag kwam. Op een van de avonden had hij een lelijke, oudere vrouw achter de kookpotten van het Huis vandaan gelokt. Haar had hij ook bezeten. Ze beviel hem wel; haar lijf was een stuk beter dan haar gerimpelde gezicht. Naamloos had dat bijna uit wanhoop gedaan. Tot nu toe was het allemaal veel te makkelijk gegaan, terwijl juist dat andere ding, dat ding dat door zijn hoofd bleef spoken en hem met doodsangst vervulde – dát ding, de gód – volstrekt buiten zijn gezichtsveld lag, buiten zijn wil, zelfs buiten zijn talent voor overleven. Naamloos vond het onverdraaglijk. Hij duwde het ver van zich af – Zet, Zet Zezet, zijn echte vader.

Joeri was inmiddels in slaap gevallen. Als het eenmaal zover was, zou hij geleidelijk aan verdwijnen. Als kind had Naamloos daar een hekel aan gehad. Hij vloog dan op zijn oom af en bewerkte hem met nagels en vuisten – althans de ruimte die hij bijna had verlaten – om hem terug te halen. En Joeri kwam dan altijd voor hem terug. In zijn moedeloosheid liet Naamloos Joeri nu gewoon gaan.

Naamloos zat over zichzelf na te denken, op een manier alsof het om iemand anders ging, die hem volkomen onbekend was. Die onbekende had geen enkele aanvechting om te slapen – wat hem bij de Jafn goed van pas kwam. Trouwens als hij besloot om wel te gaan slapen, kon hij ogenblikkelijk in slaap vallen, als een kat. Droomde hij dan? Soms. Naamloos wilde niet aan zijn dromen denken.

Toen hij zo een tijdje had gezeten, dwaalden zijn gedachten als vanzelf af naar Safee. Zijn gezicht stond om beurten bedroefd en onvermurwbaar; misschien had hij dat wel helemaal niet door. Zoals hij zelf al zei, wist hij maar heel weinig over zichzelf.

De dageraad verjoeg het bleke duister. Het woud, volgepakt met sneeuw en schoorsteenhuizen, werd eerst schemerig om daarna weer op te gloeien, en de vijf sibulla's kwamen uit hun hut op de ijsrichel naar buiten om hun vrouwe Ranjal te vereren, hun houten godin.

Er stonden een heleboel standbeelden van haar tussen de bomen, maar dit ene beeld was de beschermheilige van het stadsdorp. Of dat was ze geweest.

'Waar is ze?' krijsten de sibulla's.

'Gestolen is ze... weggesteeld...'

De ijsrichel was leeg. De godin met de geweihanden en de dassenvacht stond daar niet langer op hun aanbidding te wachten.

De afgetakelde sibulla's waren al op hun zesde of zevende jaar aan haar gewijd, en ze waren nu totaal verweesd en buiten zichzelf, als stokoude kinderen die door hun moeder in de steek waren gelaten.

Ze glibberden kakelend over het ijs en tuurden langs de ijstreden het woud in waarin louter gewone dingen te zien waren. Ranjal was nergens te bekennen.

Inmiddels liepen ze allemaal te huilen. Als rimpelige baby's klampten ze zich aan elkaar vast, maar toen ze bedachten dat ze elkaar toch niet konden helpen, lieten ze elkaar weer los. Alleen de godin kon hen helpen.

Toen kraste er een: 'Híj nam haar mee... weggegaan, hij... híj, die vuurhaar...'

Hun gevlekte huid verbleekte van grijs en bruin naar een vaalgrauwe bleekheid. Ze bleven stokstijf staan.

Een andere zei: 'Niemand weet waar hij heen is. Zij die bij hem was... komt nooit meer terug.'

'Nooit meer, nooit meer,' weeklaagden ze daar in tranen op die eenzame richel.

Blauw licht dat op haar oogleden viel had Safee in haar droom aan haar zoon doen denken. Ze werd kwaad wakker.

Ze kwam uit bed, sloeg de oude bontdeken om haar schouders en kroop naar de kop van de ladder.

Ze rook vanmorgen helemaal niets in huis. Hoewel de geheiligde geur van de ander verdwenen was, had ze toch in ieder geval íets moeten ruiken – warme bouillon met graan erin voor het ontbijt; de gebruikelijke geur van de sneeuwwanden die afsmolten onder de warmte in het huis.

Vandaag was het huis zelfs helemaal niet warm.

Haar slaaf had de kachel laten uitgaan.

Safee liet zich langs de ladder omlaag glijden en zag Nabnisj nog opgerold in zijn hoek liggen.

'Lelijke slijmbal!'

Als de gifslang waarin ze was veranderd, leunde Safee over hem heen met haar stijfgebalde vuist zo hard als botten hem konden maken en haar Jafnse ringen nog aan haar vingers om de klap harder te laten aankomen.

Nabnisj rolde zich uit, ook al zo snel als een slang. Tot haar verbazing sprong hij bliksemsnel overeind, en hij greep haar pols nog voor ze kon toeslaan.

Een waarschuwing flitste door haar hoofd. Ze dacht aan de talisman die Joeri voor haar had achtergelaten, waarmee ze om hulp kon roepen. Ondertussen schopte ze Nabnisj tegen zijn schenen. Ze had haar schoenen aangetrokken voor ze naar beneden kwam, en dat had zeer moeten doen.

Maar Brok-Nabnisj lachte en wees naar de hand die hij nog steeds in zijn ijzeren greep geklemd hield. 'Zo is het wel weer genoeg, mevrouw.'

Totaal overdonderd staarde Safee hem met open mond aan. Nabnisj had de taal van de Ruk gesproken, met de meest hoofse tongval die er aan het hof van Ru Karismi maar mogelijk was.

Omdat ze hier geen touw aan vast kon knopen, kon ze alleen maar afwachten. Nabnisj gaf haar daar de ruimte voor en hij keek haar plechtig aan zonder een spoor van de angst die ze van hem gewend was geraakt of de logge kwaadaardigheid waarmee hij haar in het begin had bejegend.

Toen begon hij te veranderen. Het leek wel of hij een kledingstuk uittrok. Maar wat Brok-Nabnisj van zich af liet glijden, waren zijn eigen hoofd en lijf, die in grote plooien omlaag zakten en slordig op de grond vielen. Daar begonnen ze langzaam te verdwijnen, maar dat zag Safee niet. Zij staarde gebiologeerd naar wat er tevoorschijn was gekomen.

'Ken je me?' vroeg hij ten slotte.

'Jij bent… jij… bent degene die tegen me sprak – laatst in de sneeuw.'

'En de hond waar je kat zo fel naar blaast.'

'Ik – ik ken je niet…'

'Ongeletterde vrouw. Die ander kende je anders wel, zijn naam wist je wel te noemen. Noem mij nu ook bij mijn naam, anders word ik boos.'

Safee beefde heftig. De gestalte hield genadeloos haar pols omklemd en zag hoe ze stond te beven. Hij had de kleur van ondoorzichtig grijs schemerlicht en zijn ogen waren zwart als de wijde open zee. Lang zwart haar bedekte zijn hoofd en hing tot op zijn schouders. Zijn haar, zelfs zijn wimpers waren berijpt met een soort zilveren rijm. En hij droeg een maliënkolder van ijsplaatjes.

Hij voelde ook ijskoud aan – haar pols was al helemaal gevoelloos. Ze huiverde, niet alleen van angst maar van naderende onderkoeling.

'Jij bent…'

'Ja?'

'Jij bent die…'

'Die wat?'

'Minnaar van de Winter – Yyrot. Jij bent een god. De tweede god aan wie ik werd gewijd.' Safee wierp haar hoofd achterover en staarde hem vol angst en woede aan. 'Nieuw misbruik dus, nieuw onrecht …' Nog steeds in zijn greep schreeuwde ze hem half waanzinnig in zijn gezicht: 'Maak me nu meteen maar dood! Doe maar wat je wilt! Hoe kan ik je tegenhouden – jou en je soort?'

Hij liet haar los. Hij draaide zich als een tollende munt onmogelijk snel om en zat ineens aan de andere kant van het vertrek op een sport van de ladder. Maar Safee had haar zoon vaak genoeg zulke dingen zien doen, en Joeri ook, als ze hem tenminste kon onderscheiden. Ze vroeg zich af of Joeri's mentale talisman enig nut zou hebben, maar kwam tot de conclusie dat Joeri ook geen macht zou hebben tegenover deze verschijning. Terwijl Yyrot voor haar zoon al even gevaarlijk zou kunnen zijn als die ander – Zezet.

Haar benen lieten haar in de steek en ze zakte op de kleden in elkaar. Yyrot had de kachel gedoofd. Hij hield natuurlijk van kou.

Moest ze proberen om hem gunstig te stemmen? Wat zou hij willen?

De kat die op jacht geweest was, kwam door een losse lat in de deur naar binnen. Hij droeg een dode rat in zijn bek, want hij nam zijn maaltje mee naar binnen om er op zijn gemak van te kunnen genieten. Maar toen hij Yyrot zag liet de kat de rat los. Hij drukte zijn buik tegen de grond en liet blazend zijn tanden zien.

'Woef, woef,' zei Yyrot droog.

De kat kroop vliegensvlug achter de ladders en de kachelpijpen weg met een staart die drie maal zo dik was als normaal.

Safee keek ongerust naar de rat. Zoals ze al had verwacht, begon die weer tot leven te komen en schudde hij eenvoudig zijn dodelijke verwondingen af, zoals Yyrot het uiterlijk van Nabnisj had afgeschud. Geheel hersteld sloop hij naar de deur om door de losse lat van het kattendeurtje weg te glippen.

Misschien was de god eigenlijk juist wel van plan om Safee traag om te brengen door bevriezing, want ze had geen enkele garantie dat dit zijn goedaardige verschijningsvorm was. Ze zat bevend op de grond.

'Wat moet ik doen?'

'Daar heb ik nog geen besluit over genomen,' zei Yyrot. 'Deze verstoring in het weefsel van dit fysieke vlak, die door jouw zoon is veroorzaakt – die heeft me hierheen gebracht. Ik neem aan dat dat reden genoeg is.'

'Mijn zoon leeft al járen. Waarom heb je dan zo lang gewacht?' snauwde Safee, tot haar eigen verbazing.

Maar de koude god zei alleen maar: 'Voor mij waren het geen jaren. Mijn tijd is de jouwe niet. En ondertussen,' voegde hij eraantoe, 'doe jij helemaal niets goed. Je zou me toch op zijn minst een offer kunnen brengen.'

'Dat heb ik ook gedaan, in het verleden.'

'Het verleden is voorbij.'

Safee duwde zichzelf overeind. Ze pakte uit een wandkastje een pot van het in Ranjalla gebrouwen wortelbier. Het bier was al half bevroren. Ze kroop ermee over de vloer naar Yyrot die nog steeds op de ladder zat, en ze goot het lichtzinnig voor zijn ijsgeschoeide voeten op de grond.

Toen ging ze rechtop zitten en ze keek hem kwaad aan. Hij begon zelf ook helemaal te verijzen. Het was net of ze iemand zag die in een spiegel gevangen zat. Hij zuchtte en een schrijnend koude witte mist spoelde over haar heen.

'Ik heb het hier veel te warm. Ik heb je offer gezien.'

Het vertrek verschoof ineens een stukje. Het ene moment zag ze hem nog, en toen was de ruimte die hij had ingenomen ineens leeg – een paar ijsschilfers vielen rinkelend omlaag en op de vloer lag een bevroren plas bier.

Elke bescherming die op het sneeuwhuis was aangebracht was verdord. De oproeptalisman – een gladde steen met een gat erin waardoor Safee moest roepen, zoals Joeri had verteld – lag in stukken op de grond. Ze vond hem daar en wist dat Yyrot, ongetwijfeld niet eens met opzet, die schade had aangericht. Hij was net een orkaan, die een pad achterliet bezaaid met gedachteloze toevallige verwoesting.

Daar zat ze dan, verlaten en alleen, belaagd door een tweede god, de kachel uit, geen hout en geen eten in huis, haar slaaf – de oorspronkelijke Nabnisj – had hij waarschijnlijk ook terloops vernietigd.

Safee had zich aangekleed. Nu trok ze haar Jafnse bontmantel aan. Ze deed de deur open en zag dat de kat haar volgde, wat in ieder geval betekende dat Yyrot niet meer in de buurt was. Ze wandelden door de sneeuwlanen naar het dorp.

Geen deur stond aan, en er was geen spatje licht te bekennen hoewel het toch een donkere dag was. Op straat en bij de houtstapels was geen mens te bekennen.

Er ontbrak daar trouwens nog iets. Een klein, primitief gesneden beeldje van de godin Ranjal dat altijd bij de grootste houtstapel stond – dat was ook verdwenen.

Blijkbaar viel er iets te betreuren. Safee had geen geduld met de stomme onbenullige pechgevalletjes van het dorp. Ze bonkte met haar vuist op een deur.

Er kwam niemand kijken, de deur werd niet opengedaan. Niemand had op het kloppen gereageerd, niet eens met een vloek. Ze probeerde andere deuren, allemaal hetzelfde liedje als bij de eerste. Inmiddels had ze ook gezien dat het tweede beeld van Ranjal, dat altijd naast het kookhok stond, waar trouwens het vuur uit was, ook verdwenen was. Ook was er nergens gekookt eten te bekennen en er stond niets te pruttelen.

Had Yyrot in een mallotige aanval van jaloezie op zo'n primitieve en nietechte godin als Ranjal, haar beelden vernietigd en de vuren gedoofd?

De kou maakte Safee neerslachtig. Het gewoonlijk zo bedompte dorp straalde geen enkele warmte uit.

Ze dacht aan die keer dat de Jafn haar de sneeuwvlakte op hadden gejaagd, aan haar barre tocht door ijs en gierende winden en aan doodgaan en aan Joeri en aan het kind aan haar borst...

Die rotzak, mij zomaar hier achterlaten.

Safee had het niet over Joeri.

De kat miauwde klaaglijk. Toen dook hij ineens in elkaar, schudde met zijn achterwerk en loerde op iets in de houtstapel.

Safee zei tegen de kat: 'Als je ratten vindt, neem ze dan mee naar huis. Dan delen we ze.' Ze keerde terug langs dezelfde route die ze op de heenweg had gevolgd en nam onderweg een paar houtblokken mee van de stapel – wat ze al tien jaar niet zelf had hoeven doen.

Pas toen ze weer binnen stond bedacht Safee nog iets. Terwijl de dorpsvuren verstopt waren of gedoofd, haar kachel inbegrepen, had zijzelf geen manier om een vuur aan te steken. Voor Joeri, of haar zoon was zoiets een peulenschil geweest. Daarom was zij haar gewoonte kwijtgeraakt om ervoor te zorgen dat ze zo nodig alles zelf kon doen, en ze was geen tovenares. Ze liet het brandhout vallen en ging met ijzeren ogen in de kou zitten wachten tot haar kat terugkwam met hun rauwe avondmaal.

De ijsoase lag op land van de Krie, maar ze lieten er geen eigendomsrechten op gelden.

Vanwege de aard ervan mocht iedereen daar beschutting zoeken. Hij was pas zeven jaar geleden ontstaan, tijdens een levensgevaarlijke dooiperiode, toen het ijs overal begon te barsten en tot kilometersver in de wijde omtrek de sneeuwhopen begonnen in te zakken.

'Heb je ooit wel eens zoiets gezien?' vroeg Lokesj snoevend.

'Nog nooit,' zei Naamloos, 'op de hele wereld niet.' Het was waar. In zijn dromen had hij misschien terloops wel eens zulke dingen gezien, maar dan was er altijd iets anders dat hem in beslag nam.

Van kilometers diep onder de ijskoude aarde waren hete bronnen ontsprongen. Over ijswanden zo dun en doorzichtig als glas klaterden ze in wolken stoom omlaag naar drie lange boonvormige vijvers. De randen van die vijvers hadden een rijke, onwaarschijnlijk groene kleur. Daar was levend gras opgekomen, manshoog, hoewel het na ongeveer dertig centimeter van de waterkant zijn groene kleur verloor en in diep glanzend zwart overging. Het zwarte gras liep nog ongeveer tien schildlengtes door – zo'n vijftien meter. Op die strook zwart gras groeiden de meest bizarre bomen en uit de vijvers staken roestrode wilgen omhoog en palmen donker als malachiet, hun stam ingekapseld in een zwarte korst om daarboven dan in een kleurige bladkroon uit te barsten. Aan de takken groeide fruit met schillen zo dik als rundleer, maar als je de schil eenmaal opengesneden had bleek het stevige vruchtvlees honingzoet – appels, kriekpruimen, limoenen, dadels en nectarines.

De Krie stuurden hun sleden om de besneeuwde buitenrand van de oase, en de leeuwen niesden en gromden van de stoom. De lucht was zwaar en geurig; het water had een gistende geur, alsof je dronken zou kunnen worden als je hier ging zwemmen.

De huistovenaar was dood. Zijn koorts had hem verteerd en de eindeloze hoestbuien hadden zijn hart doen barsten. De begrafenisrituelen voor zo'n persoon namen veel tijd in beslag – en waren voor een Gaiord een beproeving. Toen naderhand eenmaal een nieuwe huistovenaar met het oppergezag was bekleed, was Lokesj met een stel mannen uitgereden om naar de oase te gaan.

'Mijn vader Lokinda had het wel eens over nog zo'n plek. Die ontstond toen hij een kind was, maar dan op het land van de Sjaji en die gingen er nogal vrekkig mee om want ze wilden hem niet delen. Hij bleef maar tien maanden bestaan – als straf van God, zei hij altijd.'

Lokesj zei dat hardop en velen hadden opgemerkt dat hij sinds Naamloos er was veel vaker over zijn vader, de vorige Gaiord sprak, alsof iets in Naamloos hem daartoe aanzette.

Naamloos sprong uit de ar waarin hij als voerman voor de Gaiord meereed, en dus de plaats had ingenomen van een broer. Hij leek wel een beetje op Atluan zoals hij dat deed, vonden sommigen.

De anderen bleven een beetje aarzelend aan de rand staan, alsof ze de oase nog niet helemaal vertrouwden, maar Naamloos stapte er pardoes in. Hij paste wonderwel in het kleurige wereldje.

Onder een moerbeiboom, helemaal paars van de gemuteerde, dikhuidige bessen, bleef Naamloos even om zich heen staan kijken. Toen liep hij zomaar tegen de stam op. Dat hadden ze hem al eerder zien doen, maar ze stonden telkens weer met open mond te kijken. Al klimmend hing hij eerst bijna horizontaal, maar al gauw stond hij weer rechtop. Toen hij een dikke tak bereikte, ging hij zitten om uit te kijken over de volle omvang van de oase, terwijl de hete stoom om hem heen wolkte.

Waar had hij zijn tovervaardigheid opgedaan? Hij had beweerd dat die aangeboren was, maar hij had hun ook min of meer verteld dat hij en zijn moeder in de woestenij een tovenaar hadden leren kennen, net als die Olchibi die Naamloos had leren boogschieten. Die ontmoetingen van hem pakten blijkbaar altijd gunstig uit.

Toen de mannen in hun blootje klaar stonden om in het warme water te duiken, kwam Naamloos weer naar beneden. Ze hadden hem wel eerder naakt gezien, net als iedereen, in het badhuis van de werf en ze waren dus niet nieuwsgierig. Hij was van top tot teen gebruind en het haar in zijn kruis was ook vuurrood. Zijn apparaat was groot en goed gebouwd, maar hing er bij zulke gelegenheden altijd bescheiden bij; blijkbaar had hij er een beheersing over die andere mannen misten, hoewel je de Kriese meisjes iets anders hoorde fluisteren, al was dat minstens zo lovend.

Ze doken in het water, waar ze luidkeels en naar hartelust rondpoedelden. Wat later namen ze ook de leeuwen mee te water om de grote slanke beesten te laten zwemmen, want dat hadden ze in het badhuis van hun bazen geleerd.

Na hun zwempartij gooiden ze bronzen spaanders in de grootste vijver als dankoffer voor de watergeest. Die was af en toe duidelijk zichtbaar onder het oppervlak, met zijn wierhaar en zijn golvende gestalte. Naamloos liet uit niets merken dat hij hem had gezien. Maar als Jafn zag hij hem natuurlijk, nam iedereen als vanzelfsprekend aan.

Boven hun hoofd maakte de grijze lucht in trage golven plaats voor de duisternis. Toen brandde er inmiddels een flink vuur waarop ze het vlees braadden dat ze onderweg geschoten hadden. De vruchten die ze in het vuur te roosteren legden, knalden uit hun schil en gaven de lucht een heerlijke geur. Er was geen ster te bekennen, maar er kwamen wel twee manen op, de een een donker zilveren schijf en de ander een rokerige edelsteen.

'Ik heb ooit een opaal gezien zoals die maan,' zei Lokesj. Naamloos en hij zaten een klein stukje bij het vuur vandaan. Ze lepelden geroosterde vruchten uit hun schil en smeerden het gare vruchtvlees met hun mes op hun vlees.

'Het lijkt wel een geheim heksenoog,' zei Naamloos.

'Of het oog van een dode.' Lokesj' gezicht betrok. Hij was helemaal niet van plan geweest om zich zo'n vertrouwelijke toespeling te laten ontglippen.

'Het oog van een dode zou verrot zijn,' antwoordde Naamloos argeloos, 'of op de Andere Plek weer helder en klaar.'

'Ik doelde op een schedelkom,' zei Lokesj. Hij goot zijn wijn met grote gulzige slokken naar binnen. 'Ik voel dat je weet wat ik heb gedaan,' flapte hij eruit als een kind.

'Natuurlijk weet ik dat,' zei Naamloos en hij voegde er op zachte toon aan toe: 'Ik ben je vriend. Hoe zou ik anders je vriend kunnen zijn als ik je niet kende?'

'Ik hecht veel waarde aan je vriendschap. We hebben de krijgsbroedereed gezworen–'

'Nou en of.'

'Maar als ik je meer vertel, komt het tussen ons tot een bloedvete.'

Naamloos bleef een tijdje zwijgen. Toen zei hij vriendelijk: 'Maar dat weet ik toch, en kijk eens, mijn mes is alleen om mee te eten.'

De andere mannen bleven op afstand en letten blijkbaar niet op hen. Ze wisten dat Lokesj verliefd was op Naamloos, maar ze zouden stuk voor stuk graag met Lokesj van plaats hebben willen ruilen. Uit zo'n hartstochtelijke mannenliefde was bij de Jafn menig waardevol bondgenootschap ontsproten en zelfs hele dynastieën waren eruit voortgekomen. Niemand nam er aanstoot aan dat het stel zachtjes praatte, en niemand probeerde hen af te luisteren.

Lokesj zei: 'Ik moet je vertellen wat ik heb gedaan.'

Naamloos die gezegd had dat hij het al wist, antwoordde: 'Nou, vertel het dan maar.'

'Ik durf eigenlijk niet.'

Naamloos stak zijn hand uit en legde hem een tel op Lokesj schouder. Meer was er niet nodig.

Toen vertelde Lokesj in snelle bewoordingen hoe Rosger met hem een verbond had gesloten – en ook met een keur aan demonen, siefs en andere monsters. Lokesj beschreef hoe Rosger ervoor had gezorgd dat Lokesj' ongewenste bastaardbroer tijdens het gevecht met de Beisters op bovennatuurlijke wijze was omgekomen, en hoe hij Lokesj later een griezelig voorwerp had toegespeeld om Lokinda mee uit de weg te ruimen. Via zijn demonen had Rosger ook een dubbelganger van Lokesj gestuurd – een ding dat zo op hem leek dat het ieder die het zag wist te overtuigen – die buiten de werf in het volle zicht van de mannen op de werfmuren was gaan doelschieten, terwijl Lokesj zelf binnen een moord opknapte.

'Dat ding werd zelfs aangesproken toen het over straat liep. En het antwoordde met mijn stem, maar ik was met Lokinda in het binnenvertrek. Het wapen dat Ros me had gegeven, was een mes van ijs. Ik liet het als iets bijzonders aan mijn vader zien. En toen stak ik het in zijn bast. Hij was al dood voor hij zelfs maar kon ademhalen om te gaan schreeuwen. Het smolt in zijn lijf, maar het liet geen enkel spoor achter – zijn huid was helemaal gaaf. En ik rende gauw weg om me te verstoppen. En toen dat ding dat Ros naar mijn evenbeeld had gemaakt terugkwam, nam ik in de appelgaard achter de werfput gauw zijn plaats in. Toen hadden ze inmiddels het lijk van mijn vader gevonden.'

Naamloos bleef zwijgend zitten wachten.

Lokesj ging verder met zijn bekentenis.

Hij deed nauwkeurig uit de doeken hoe Rosger Atluan in een web van toverij mentaal had vermoord, met hulp van een heks die Lokesj persoonlijk voor hem had opgespoord, een vrouw uit het hoge noorden nog voorbij het Noordland. Zij had Atluans zwaard en zijn gemoed ondermijnd, en Rosger had hem dodelijk gekwetst. Buiten het toverweb bezweek zijn vleselijke lichaam open en bloot in de strijd aan een boogschot – maar ook dat had een bovennatuurlijke oorsprong.

'Ik was er niet bij. Atluan had mij weggestuurd om het Beisterse moederschip te veroveren. Later vertelde Ros me nogal trots wat hij had gedaan. Hij haatte jouw vader. O, ik heb meer spijt van *jouw* vader dan van de mijne. Atluan was een beste kerel. Ik heb uit de kom van zijn schedel gedronken, en die heeft net zulke opalen ogen als die maan. En ik heb Ros naderhand geholpen om hem te belasteren, door rond te vertellen wat een zwakkeling hij was en wat voor een honderden verzonnen fouten hij allemaal wel had – en ik hield het verbond tussen Krie en Klauw in stand. Ik schaam me diep.' De tranen rolden Lokesj over z'n wangen.

Naamloos bleef zwijgend naast hem zitten.

Verblind door zijn tranen zag Lokesj niet dat Naamloos' ogen in het midden nu even rood waren als de gloeiende houtskool.

Doodkalm zei Naamloos: 'Luister naar me. Dat was jij niet, broeder, die al die dingen deed. Dat was die harteloze Rosger, met zijn ziel die stinkt als het poepgat van de aarde. Híj heeft jou dat allemaal laten doen en hij heeft je ook nog voor alle schuld laten opdraaien.'

'Daar zeg je een waar woord. Dat is helemaal waar...'

De andere mannen rond het vuur zaten inmiddels bezorgd naar hen te staren: naar Naamloos die zo doodstil zat en naar hun Gaiord die huilde.

Naamloos legde nogmaals zijn hand op de Gaiords schouder. Hij keek naar de mannen en hield hun blikken even vast met zijn ogen die inmiddels weer even donkerblauw waren als de hemel rond de manen.

'Neem ons niet kwalijk,' zei Naamloos, 'maar we zaten te praten over de dood van onze twee vaders.'

Ze ontspanden zich zichtbaar. Een van hen zei: 'Ja, om zulke mannen zijn we allemaal wel eens verdrietig.' Ze brachten een heildronk uit op de vermoorde doden.

Witte kraaien vlogen door de nachthemel. Een stroom ijsmotten, doorschijnend als waterige melk, slierde achter ze aan als een korte storing in het zicht.

Lokesj zat naast zijn nieuwe vriend en broeder, die geen naam had.

Naamloos had na de onthulling maar heel weinig gezegd. Hij leek in gedachten verzonken, wat hij trouwens wel vaker was.

De andere mannen waren totaal bewusteloos, want het was een slaapnacht. Lokesj kon of wilde niet slapen.

De twee manen gingen onder. De derde, ook zwak en bleek, was laat opgekomen en dwaalde nu door de hemel alsof hij de andere twee zocht.

'Waarmee...' zei Lokesj aarzelend, 'waarmee kan ik het goedmaken?'

'O, dat,' zei Naamloos vriendelijk, maar wel zo alsof hij in belangrijker overpeinzingen was gestoord.

'Mijn misdaden, jegens jou, mijn vader...'

'Dat zijn Rosgers misdaden,' zei Naamloos kortaf. Nu was zijn toon onverzoenlijk.

De andere mannen sliepen zo vast dat ze wel dood leken. Lokesj keek ongerust naar hen. Was hij soms bang om door een geest of een hogere macht verpletterd te worden als hij ook in slaap zou vallen?

'Wat moet ik doen? In vroeger tijden hadden ze priesters om voor hen te bemiddelen bij God – maar tegenwoordig doen we het zonder priesters. We moeten zonder bemiddelaar voor God verschijnen.'

'Ik dacht dat je bang was voor mijn toorn, niet die van God,' zei Naamloos op luchtige toon.

'Allebei... allebei. Wat moet ik beginnen?'

'Neem wraak.'

De woorden beierden als koele klokken Lokesj' flaporen in.

Hij ging rechtop zitten en zijn gezicht verhardde en kreeg zijn kracht terug.

'Rosger?'

'Neem wraak op Rosger.'

'En jij, broeder, wat kan ik voor jou doen?'

Naamloos haalde zijn schouders op. 'Wij hebben de broedereed gezworen. Ik sta je bij in je wraak.'

'De Klauw zijn sterk.'

'De Krie ook.'

'Maar ze hebben een verbond met ons – en ook met anderen.'

'Verbreek het verbond.'

'Op welke gronden? Met welk excuus?'

'De waarheid.'

Lokesj schrok. 'Hoe kan ik ooit de waarheid vertellen?'

'Zeg gewoon dit: Toen wij hier zaten terwijl je mannen lagen te slapen, verscheen de geest van je vader uit een maan. En hij vertelde ons dat Rosger hem had vergiftigd wegens een oude grief. En dat hij ook Atluan had vermoord, om overduidelijke redenen. Rosger wordt gevreesd en gewantrouwd–'

'En terecht! Ik... ik ben ook bang van hem.'

'Jij hebt mij nu aan je zijde. Voor hem hoef je geen angst te hebben, geen greintje. Bovendien,' zei Naamloos, met diezelfde tedere uitdrukking die Lokesj op zijn gezicht had gezien toen hij die eerste twee herten doodde, 'hebben wij het recht aan onze kant. En ik kan voor voortekenen zorgen en voor bijzondere voorvallen – genoeg om je volk te overtuigen.'

Achter Lokesj' schouder ontwaarde Naamloos zijn oom Joeri, ongezien en onzichtbaar, behalve voor hem. Hij was net terug van een wedren met de wind en grijnsde breed als een doodskop.

Toen de mannen rond de vijvers eindelijk ontwaakten, was de dageraad al aangebroken. Er waren vier uren verstreken. Ze keken om zich heen en zagen dat Lokesj en Naamloos samen ergens heen waren, mogelijk om aan een roep van de natuur gehoor te geven. Als gebruikelijk bewijs dat ze zouden terugkeren, hadden ze elk op de grond een gekleurde kiezel achtergelaten.

Terwijl de Kriese krijgers naast het vuur zaten te ontbijten, zagen twee of drie van de mannen een slang die door het gras naar het water kronkelde.

Het was een witte slang, heel groot en lang, met een vage vlektekening op zijn schubben. Je kon onder zijn huid zijn spieren zien rimpelen. Toen hij de rand van een van de vijvers bereikte, liet hij zijn oorloze leeuwenkop zakken. Om te drinken, dacht iedereen.

Plotseling schoot de slang met een ruk achteruit. In zijn kaken hield hij een spartelende vis die schitterde als een diamant.

Er zat geen vis in deze vijvers. De hitte alleen al zou ze levend koken.

De aan de bomen vastgelegde Jafnse leeuwen staarden grommend naar het tafereel.

De Krie gaven geen kik, omdat ze heel goed begrepen dat ze hier met een verschijning van doen hadden.

Toen dus de wolf door het gras kwam aansnellen om op zijn beurt de slang met de vis in zijn bek te grijpen, waren ze niet zozeer verbaasd als wel bevangen door een voorgeschreven ontzag.

Deze wolf was spierwit, een dier van de sneeuwvlakten, dat je gewoonlijk alleen in troepen aantreft – anders dan de solitair levende zwarte wolven uit het heuvelland in het westen en het zuiden. De sneeuwwolven waren niet overmatig woest. Gewoonlijk meden ze de woonplaatsen van mensen, tenzij ze uitgehongerd waren, en deze zag daar niet naar uit.

Nu had de wolf de slang met de vis in zijn bek te pakken. Zelfs toen de kaken van de wolf dichtklapten, liet de slang zijn buit niet los.

Als één man hieven de krijgers van de Jafnse Krie vervolgens het hoofd – net als hun leeuwen – want uit het ochtendgloren kwam een reusachtige vogel aanstormen. Ook die was wit, met zwarte punten aan zijn eindeloze vleugels, misschien een lammergiersoort die in deze streken zeldzaam was.

Hij stootte toe en greep met zijn stille klauwen de wolf beet. Hij wiekte meteen weer omhoog met zijn spartelende vracht – een roofvogel die een wolf ving die een slang ving die een vis had gevangen.

Het was een loodgrijze ochtend met zware bewolking die de vier schepsels omsloot en aan het oog onttrok, of ze nu een illusie, een geestverschijning of echt waren.

Toen barstte het kabaal los. En juist op dat moment keerden Lokesj en Naamloos weer terug.

Lokesj hief zijn hand op. 'Wat jullie ook gezien mogen hebben, het zal mij niet verbazen. In de nacht... deze afgelopen nacht, kwam mijn vader uit de Andere Plek om ons toe te spreken.'

Op de sleerit terug naar de Kriewerf gebeurde er nog veel meer. De atmosfeer krioelde van de zwifters en de spritten, niet kwaadaardig maar wel lastig, want terwijl ze half doorschijnend door de lucht dartelden, trokken ze aan de manen van de leeuwen, ze rukten de rijmutsen van de mannen af, lieten hun vizieren opklappen en maakten hun sieraden los.

Toen ze de werf naderden en de huizen zichtbaar werden op hun terrasplatformen achter de palissade, lieten deze schepsels zich meedrijven op de wind. Ze lieten een soort leegte achter op het land en in de lucht, een gat dat gevuld moest worden.

Dat vullen gebeurde toen ze bij de hoofdpoort van de Kriewerf aankwamen.

Jaren geleden had Lokinda eens de Klauw bezocht. Safee had hem gezien en hem lang daarna beschreven aan haar zoon: een bejaarde man, tamelijk gezet en dik ingepakt, met staalgrijs haar dat al flink wit begon te worden. Hij had een gezicht als van een pad, had ze gezegd.

Nu was voor de poort Lokinda's mistige verschijning met zijn wit wordende haar en zijn gerimpelde paddenkop te zien. Hij stond daar in zijn eentje, een rots van woede en verdriet.

De schildwachten op de muren herkenden hem en begonnen God aan te roepen. Vrouwen die ijs waren wezen halen in een bosje buiten de muren, lieten hun potten vallen en bleven zelf als bevroren staan.

De sleden kwamen zwalkend tot stilstand. De leeuwen gromden en werden tot zwijgen gebracht.

Lokesj steunde met een spierwit gezicht tegen de leuning van zijn ar.

'Moed,' zei Naamloos tegen hem terwijl hij het onrustige leeuwenspan kalmeerde alsof hij van kindsbeen af niets anders had gedaan. 'Van hèm heb je niets te vrezen.'

Toen Lokinda begon te spreken was zijn stem niet die van een mens, maar hij klonk als metaal dat op metaal slaat. Wat kon je anders verwachten van iemand die helemaal hierheen terugkwam – en helemaal daar vandaan?

'Zoon, wreek mij – dat is je gezworen plicht. Op die moordlustige Rosger van de Klauw, die mij vergiftigde en als een spotwolf zijn eigen broer aanviel. Bedenk dat je vlees van mijn vlees bent en bloed van mijn bloed. Leef geen dag langer en slaap geen uur meer voor je begint, zodat er een eind aan mijn lijden kan komen.'

Er zouden natuurlijk lui zijn die zich in hun onschuld zouden afvragen waarom het zo lang had geduurd voor het spook van de oude Gaiord terugkwam om wraak te eisen.

Naamloos nam het op zich om dat uit te leggen. 'Hun tijd is niet als de onze. Onze jaren zijn voor hun een achtermiddagje, of een avondje drinken en verhalen vertellen. Maar misschien heeft hij wel uit beleefdheid gewacht tot ik oud en sterk genoeg was om ook een rol te spelen. Bedenk maar eens hoe snel God mij heeft laten opgroeien. Lokesj moet zijn vader wreken, en ik de mijne.'

Naderhand zei Naamloos tegen Joeri: 'Oom, je hebt die oude Lokinda heel goed nagespeeld.'

'Hij was maar een Jafn,' zei Joeri schamper. 'Zo moeilijk is dat niet, maar als ik een man van de Olchibi had moeten nadoen, had ik meer moeite gehad.'

De hemel straalde van de sterren.

In het Huis van de Klauw lag Rosger te woelen en te kreunen in het steenhouten bed. Taeb, de heks uit het noorden, zat vanaf de andere kant van het bed naar hem te kijken.

Nu en dan vroeg hij haar om een nacht met hem door te brengen. Hij was nooit uit op haar lichaam. Hij had liever dat ze seksuele beelden op de muur toverde, sommige pervers en andere ronduit walgelijk, terwijl hij zichzelf onder de dekens drie of viermaal met de hand bevredigde. Als traktatie nodigde hij haar dan uit naast hem te komen liggen om zoals ze dat in het noorden gewend waren aan de andere kant van het bed te slapen.

Dat gebeurde niet erg vaak omdat de Jafn in hun slaapperiodes de bijslaap meden, zelfs Rosger deed dan niet aan zelfbevrediging, en meestal stond hij na afloop van een partijtje seks meteen op om naar de zaal terug te gaan. Maar vreemd genoeg was hij vanavond in slaap gevallen, hoewel dit helemaal geen slaapnacht was.

Taeb bekeek hem aandachtig. Kwam het bij haar op dat ze hem te schande kon maken door te verklappen dat hij buiten de normale periode had geslapen? Waarschijnlijk niet, want Taebs hoofd werkte heel anders dan de hoofden van anderen. Bovendien bespeurde ze de elektrische woelingen die op dit moment tussen hier en de doodstille sterren in de lucht gaande waren. Alleen de nachtgoden konden de sterren doven. Met mannen omgaan was eenvoudiger.

Even later liet Taeb zich van het bed glijden. Ze deed haar bontkleren aan en sloop geruisloos de slaapkamer uit. Toen ze over de ladder naar de zaal was afgedaald, liep ze gehuld in een onopvallendheidsbezwering achter de banken langs door de drukke Huisavond naar de deur en vervolgens stapte ze het erf op.

Buiten op de werf waren de Klauw inmiddels wel gewend om de groene heks te zien rondwaren. Soms ging ze ook de poort uit en verliet ze de werf om in de wildernis geheimzinnige heksenkunsten te gaan bedrijven.

Eenmaal op de vlakte aangekomen, zette Taeb er stevig de pas in.

De sneeuw was vannacht voorbeeldig, lekker stevig en droog. Zoals Safee eens gedwongen was dat te doen, liep nu ook Taeb bij de Klauwse werf vandaan. Ieder die dat zag, dacht natuurlijk dat ze gewoon terug zou komen. Maar dat hadden ze helemaal mis.

VIER

De bijeenkomst op de Dingplek was begonnen en alweer afgelopen. Het plaatsbepalende oeroude schip lag nog steeds tot zijn boorden in het ijs en de zeventien masten hingen vol ijspegels. Dit keer waren er geen groene bondgenootschaptoortsen, maar de nieuwe Huistovenaar van de Krie had bloedrode gemaakt; de kleur die bij het verbreken van bondgenootschappen hoorde. Mannen van de Sjaji, de Irhoni en de Vantri stonden binnen de omheining van zwarte stammen en keken zwijgend naar de naamloze jongeman die hun toesprak, met aan zijn zijde zijn gezworen broer, Lokesj van de Krie.

Binnen een uur waren ze verkocht, met huid en haar eigendom van wraak en van de onbetwistbare rechten van Lokesj en van de jongeman die Naamloos heette, ter ere van een vader die werd vermoord voor hij zijn zoon een naam kon geven. Het idee om iets kapot te maken stond deze lieden ook wel aan. Vooral de Sjaji, onbetrouwbaar en veranderlijk als een wolk, beviel dat wel.

Nog voor de tweede maan opkwam, was het verbond van vier Jafnse stammen met de Klauw was dus al verbroken. Die nacht vierden ze feest op de kust en Naamloos vertelde hun een verhaal van een Vantriheld en van een Sjajiheld en van een Irhoniheld. En het maakte niets uit dat ze de namen of de daden van deze helden niet kenden. Ze waren roemrijk en de verhalen werden boeiend verteld. Gaiords lieten schedels rondgaan van lang geleden verslagen vijanden of van voormalige opperhoofden, gedicht met heetgemaakte edelstenen en tot de rand toe gevuld met wijn.

De volgende morgen zwommen ze in het ijskoud ruisende water van de zee om weer een helder hoofd te krijgen. Vervolgens ging ieder van hen naar huis om zijn krijgers bij elkaar te roepen.

De Gaiord van de Klauw zat juist te ontbijten toen het toverbericht binnenkwam.

Het was geenszins een beleefd bericht, verzonden van tovenaar naar tovenaar en ontvangen in de beslotenheid van de thaumarij.

Waar de mannen in de grote zaal van de Klauw zaten te eten voor ze op jacht gingen, kwam ineens een vurige rode bal omlaagsuizen die openbarstte om een reusachtig, in bloed gedrenkt zwaard te onthullen – meer dan manshoog en rechtop als teken van oorlog. Het leek trillend in de vloer te blijven staan, alsof het door een reuzenhand omlaag was gesmeten.

De mannen sprongen overeind. De vrouwen slaakten wilde kreten. Hoewel ze aan strijd gewend waren, was het voor de Klauw toch niet gewoon om zulke plotselinge oorlogsverklaringen te ontvangen, en dan nog wel van hun eigen volk.

Het kon hun ook nauwelijks ontgaan wie de boodschap had gestuurd, want aan het illusie-zwaard dat in de vloer stak, bungelden vier zegels – de Raaf van de Vantri, de Pijl-in-de-Cirkel van de Sjaji, de Kamhagedis van de Irhoni en de Sneeuwos van de Krie.

Rosger kwam wat trager achter zijn stapel schalen vandaan. Hij stond met zijn kom in zijn hand en schamperde onbenullig: 'Wat krijgen we nou? Wat hebben ze voor?' En vervolgens, alsof hij nu pas wakker werd: 'Ze willen dus oorlog? Nou, dan kunnen ze oorlog krijgen...'

Misschien beseften de mensen in de zaal die naar hem stonden te kijken, op dat moment voor het eerst wat hij hun op de hals had gehaald. Welk lichaam kon gezond opgroeien als het hoofd verrot was? Maar dit was geen tijdstip voor bespiegeling. De voormalige bondgenoten waren nog onbeleefder geweest dan verwacht. Terwijl de Klauw nog haastig hun wapens en hun sleden bij elkaar graaiden, kwam de horde aanvallers al onder een loodgrijze hemel over de sneeuwvlakten aanstormen.

Rosger die op de werfmuren naar de enorme meute op het witte sneeuwveld staarde, kromp in elkaar. Zijn onderlip zakte pruilend omlaag als die van een pestend kind dat onverwacht wordt teruggepest.

Hij wist dat hij naar binnen moest om de heks Taeb te zoeken, die inmiddels onvindbaar was, en om zijn lijfgoden aan te roepen, de natuurgeesten van de woestenij – die geen van allen zouden verschijnen, zoals hij heimelijk vermoedde.

'Het zijn er teveel,' zeiden de krijgers van de Klauw tegen elkaar. Toch gordden ze hun wapenrusting van metaal en leer om; toch haalden ze verbeten de wetstenen langs hun bijlen en zwaarden.

Rosger die verflenst in hun midden stond, was nog altijd in jachtkleding gestoken. Het leek wel of eerst iemand hem ervan overtuigen moest dat dit allemaal echt was.

Er snelden mannen toe om Rosger te helpen. Toen merkten ze dat zijn maliënhemd inmiddels een hele maat te klein was geworden. Tussen de laatste schermutseling en deze was hij een stuk dikker geworden. Rosger smeet het al even onbruikbare kuras opzij. Plots stond hij te brullen en te snuiven als een dier dat voor een vuurzee staat. *Breng me dit... breng me dat...* Ze holden heen en weer en probeerden hem te helpen. Hij was immers hun Gaiord.

Op de vlakte breidde de schaduwvlek zich inmiddels uit, met vonkend staal en vlammende strijdbanieren.

Lokesj reed tussen de sleden van de Krienaar voren. Vandaag werd zijn eigen slee niet bestuurd door zijn gezworen broeder Naamloos, maar door een van Lokesj' eigen bastaardzonen, een jongen van zestien – ouder dan Naamloos, maar niet in uiterlijk of bedrevenheid. Dat was jammer, maar Naamloos had gezegd dat hij bij deze gelegenheid zijn eigen slee moest mennen.

Lokesj leek wel totaal vergeten dat hij ooit een nauwe band met Rosger had gehad. Naamloos en de Dingbijeenkomst, en de kracht van Lokesj' eigen onrust, hadden hem dat doen vergeten. Rosger had hem in de val gelokt en was door God uitgestoten, een monster. Lokesj keek om zich heen en zag de vastberadenheid van zijn eigen mensen en de omvang van de hele strijdmacht. Hij wilde wel dat hij wat meer wijn had gedronken. Maar op zo'n dag was de strijd tenslotte wijn genoeg voor een man.

Hij riep tegen zijn krijgers: 'Vanavond vier ik feest in het Huis van de Klauw!'

Naamloos reed in de slee die Lokesj hem had geschonken. Het was een prima slee en de leeuwen waren twee van de beste. Naamloos had onmiddellijk hun vertrouwen weten te winnen. Naamloos deed wat geen enkele andere man daar in de oorlog deed, Gaiord noch krijger: hij bemande zijn strijdar in zijn eentje. Hij had de leidsels om zijn middel geknoopt en stuurde louter met wendingen van zijn lijf, en zijn leeuwenspan leek die werkwijze nu al volmaakt aan te voelen. Ondertussen had hij zichzelf bewapend met naast zijn Olchibi boog één enkel Jafn zwaard met lange kling. Niemand had Naamloos van zijn plan af kunnen brengen. En hij droeg ook geen beschermende wapenrusting van leer of maliën. Als enige tegemoetkoming had hij zijn haar in zijn nek bij elkaar gebonden, als de vurige staart van een komeet.

'Daar!' riep Lokesj.

Op de muren van de Klauwse werf lieten de verzamelde tovenaars hun inleidende toverbundels schieten. Ze suisden door de loodgrijze hemel en weerkaatsten in de sneeuw.

De manschappen van de Krie en de Irhoni, de Vantri en de Sjaji begonnen schamper te lachen, luid genoeg om hoorbaar te zijn voor de lui op de muren.

'Ze zeggen dat Rosger zijn lievelingsheks kwijt is,' zei Lokesj die met zijn slee naast de ar van Naamloos stond. 'Die had ík nog voor hem gevonden. Ze heeft groen haar en ze is erg pienter, maar men beweert dat ze ervandoor ging toen haar hekserij haar voorspelde wat er op komst was – wij dus.'

Naamloos gaf geen antwoord. Er trok slechts een lichte frons over zijn gezicht. Lokesj nam aan dat Naamloos kwaad was, een beetje althans, dat de groene heks, Taeb niet naar haar vorige meester, Lokesj was teruggekeerd. Maar Lokesj had moeten beseffen dat Naamloos zich gewoon ergerde aan het feit dat Lokesj met zijn eigen slee zo dichtbij was komen staan en aan een stuk door bleef kwetteren. Naamloos wilde op dat moment niets met hem te maken hebben, maar het moment was nog niet geschikt om dat te zeggen.

Een nieuwe bundel reet het wolkendek open, in de vorm van een visgraat en verzengend geel van kleur. Die kwam niet van de werf, maar van de standplaats van de tovenaars van de bondgenoten op de vlakte.

Angstaanjagend en spectaculair krulde hij kilometersver door de lucht om de Klauwse werf in een gloeiende lasso te vangen.

De lui op de vlakte hoorden het gekrijs en geschreeuw op de muren aanzwellen. Daar moesten de bondgenoten alleen maar harder om lachen. De visgraatbundel was weliswaar angstaanjagend om te zien, maar hij deed blijkbaar niets anders dan een beetje angst aanjagen. De Klauwse tovenaars knalden hem tenminste al gauw aan flenters, die als lichtgevende sneeuwvlokken omlaag dwarrelden.

Toen reden de Klauw inmiddels door hun poort naar buiten.

Ze waren met een grote groep, maar die stelde niets voor vergeleken bij de grote troep bondgenoten die hen stond op te wachten. De Klauw waren ver in de minderheid en ze hadden ook de ruimte niet gehad om hulp van elders te vragen – als er al iemand was die aan hun oproep gehoor zou hebben gegeven.

Lokesj schamperde minachtend: 'Samen vermorzelen we ze als schelpen onder onze laarzen.'

Op dat moment zag hij Naamloos zijn kant op kijken. De ogen van Naamloos leken wel vuurrode robijnen, zag Lokesj. Ze liepen over van vuur – en van de allerdiepste minachting.

Toen was Naamloos ervandoor, in een flits van brons, ijzer en staal – en de arrenslee snelde dreunend over de vlakte.

Toen ze hem er als een havik vandoor zagen gaan, braken de sleden van de Krie uit de slagorde om hem te volgen. Bijna op hetzelfde ogenblik kwam de hele strijdmacht in beweging om op de vijandelijke werf af te stormen. Ineens werd Lokesj omspoeld door sleden en zijn eigen strijdar bleef achter en sloeg bijna om.

Hij had zich vast vergist in de blik die Naamloos hem had toegeworpen. Over Naamloos en hem zouden later verhalen de ronde doen – ze waren broeders, ze hadden elkaar lief – en die blik was louter voor hun tegenstanders bedoeld geweest.

Hij gaf zijn zestienjarige voerman een ram tussen zijn schouderbladen. 'Schiet op, lummel!'

Ze spoten voorwaarts.

De grond dreunde onder de oprukkende strijdmacht, alsof de zee kwam aanstormen. Sneeuwstof wolkte omhoog als spierwitte rook. In het hart van die sneeuwwolk kwamen de metalen strijdarren aansnellen, voortgedreven door de racemotoren van hun leeuwen. Een regen van pijlen begon neer te dalen. Of Rosger zijn krijgers aanvoerde, was niet te zien. Van de andere strijdmacht was Naamloos de eerste die over de sneeuwvlakte naar voren stoof en de rest deed zijn uiterste best om hem bij te houden.

Pijlen en gevederde schachten vielen kletterend om hem heen. Voor ieder die hem van opzij bekeek, leek het wel of hij elke pijl wist te ontwijken. Nu en dan trok er een gonzende scheiding in de lange staart van zijn haar. Toen had hij de Olchibi boog in zijn handen; hij spande hem en liet met één schot drie mannenpijlen wegzoeven. Ze doken voor hem uit alsof ze zijn ziel meevoerden en troffen heel aards en beslist hun doel. Drie Klauwse krijgers vielen dood neer, in het hart getroffen.

Naamloos, zagen ze nu allemaal, was een borjiy, een berserker, iemand die de mantel van gevechtswaanzin om de schouders had geslagen. Lokesj was bang dat zijn lieveling door zijn eigen roekeloosheid zou sneuvelen. Volkomen buiten zinnen ramde de Gaiord zijn strijdar door de meute, onderwijl de jongen die zijn ar bestuurde genadeloos afranselend als een ongelukkig lastdier. Je hoorde wel eens dat een gesneuvelde borjiy gewoon kon doorvechten, omdat het een tijdje duurde voor het tot hem doordrong dat hij dood was.

De roodharige man had inmiddels bijna de breed uitgewaaierde voorste rij vijanden bereikt toen de linkerleeuw van zijn span een Klauws kruisboogpijltje in zijn voorhoofd kreeg. De kat viel dood neer. De ar die nog op topsnelheid voortgleed, bonkte over het dode dier heen en sneed de om zijn middel gebonden leidsels al door nog voor Naamloos dat zelf kon doen. De ar schoof nu helemaal op zijn kant verder, maar Naamloos bleef gewoon helemaal horizontaal op de bodem staan – zoals hij dat ook klaarspeelde als hij in een boom klom. In een tel had hij de restanten van de leidsels van zijn middel losgehakt en hij belandde met een sprong op de rug van de overgebleven leeuw, precies op het moment dat de disselboom het begaf.

Helemaal los van zijn Jafnse leger dat nog in zijn sleden achter hem aan sukkelde, snelde Naamloos, ongehinderd door enig voertuig, als een speer op de Klauw af. Hij stond op de rug van de leeuw die met ongelooflijk gestrekte poten voortvloog. Hij stond luidkeels te lachen met zijn armen wijd en zijn hoofd achterover, niet spottend of van plezier, maar dreigend. En het blinkende zwaard hield hij nu eens in zijn rechter- en dan weer in zijn linkerhand.

Verbijsterd dromden de Klauw voor hem samen. Ze hadden een fractie van een seconde om hun verwarring de baas te worden. Toen sprong de leeuw recht omhoog.

Tien jaar geleden had Naamloos geen van deze mannen gezien, hij was nog maar pas geboren, veel te jong. Toch had hij hen *allemaal* gezien, want zijn astrale bewustzijn had rondgedwaald door het Huis van de Klauw, ongezien maar alles ziend.

Of het een fysieke herinnering was of louter instinct maakte niets uit voor dit vuurpijlschepsel dat op de rug van een springende leeuw stond.

Hij trof de Klauw als een raket, vloog over hun spannen en hun sleden en ramde pardoes hun verdedigingslinie van mensenlijven.

Zijn eigen leeuw was de eerste die toesloeg. Geoefend in de krijg en tot razernij gedreven door de geest van wat op zijn rug reed, viel hij met rijtende klauwen en bijtende kaken op polsen, schouders en kelen aan. Naamloos was ook niet langer een pijl maar een hamer, een knuppel en klievend staal.

In een vloedgolf van lichaamsdelen en bloed reet hij in een krijsende slachtpartij finaal het hart uit de Klauwse voorhoede. Terwijl achter hem de Krie kwamen aansnellen om hun eigen bres te hakken, met op hun hielen de gretige Sjaji en Irhoni en de Vantri met hun ravenvleugels.

In het hart van het tumult zag Lokesj Naamloos op de rug van zijn leeuw staan, opgetild door een deining van gierende, stervende *dood*. En zelfs toen had de onnozele Lokesj nog steeds niet door met *wat* hij nu eigenlijk broederschap had gezworen.

De strijdwaanzin had inmiddels ook vele anderen tot borjiy gemaakt. Onder de Klauw stak een diepe doodsangst zijn stinkende kop op. Ze werden in de pan gehakt. Ze schreeuwden om hulp, om hun moeders en om hun vrouwen terwijl ze door de glij-ijzers aan repen werden gesneden.

Weinigen zagen wat er toen volgde. En wie het vol ongeloof aanschouwde, nam een groot risico.

De tweede leeuw was ook gedood. Naamloos liep over zijn schokkende vacht en belandde met een sprongetje op het chaotische slagveld. Dwars door het gehak van zwaarden en strijdbijlen liep Naamloos op zijn gemak verder. Hij was rood van het bloed. Zijn bloedkleurige haar was ontsnapt uit de ring. Hij was van top tot teen vuurrood, zelfs zijn ogen waren nog rood, zonder dat een vreemde lichtinvalshoek dat kon verklaren.

Hij beende doodkalm tussen het geweld van glij-ijzers en zwaardklingen door terwijl van alle kanten mannen blindelings op hem inhakten, maar hoewel hij de pijn van hun wapens voelde, lieten ze geen blijvende wonden achter.

Toen bereikte Naamloos een strijdar die in de achterhoede van de vijand klem stond. Het was Rosgers ar en hij stond vast omdat de voerman, een verre verwant van de werf, dood in de slee lag, met het leeuwenspan, ook dood, ervoor. En Rosger zat wild om zich heen te kijken.

Bruine Rosger, Rosger de Dikke – die ooit slank en sluw was geweest en kil van hart. Hij zag wat er dwars door die kolkende oorlog vuurrood op hem afbeende, van alle kanten bestookt met messen en zwaarden maar ze op een of andere manier allemaal ontwijkend. Rosger rukte zijn ongebruikte strijdbijl van het zijpaneel van zijn ar. Ooit had hij het heerlijk gevonden om dingen dood te maken. Zou hij daar nu aan terugdenken? Nee, hij was alleen maar bang. Toch hief de man die eens zo'n goede prijsschieter was, die vroeger met genoegen de hippijnen van de Beisters aan zijn lans reeg, nu

met twee handen zijn strijdbijl om met al zijn lompe kracht het blad omlaag te zwiepen.
Rosger zag en voelde het bijlblad inslaan in het torso van de rode man. Hij had er zo veel kracht achter gezet dat de bijl uit zijn handen vloog.
Rosger wist niet wie deze man was, hij wist alleen heel zeker dat hij uit de weg geruimd moest worden. En Rosger voelde zich kort bijna kinderlijk opgetogen over zijn rake klap. Hij was ervan overtuigd dat hij het karwei had geklaard.
De met bloed bedekte man stond nog steeds overeind. De bijl was in zijn bovenlijf ingeslagen, precies waar hals en linkerschouder in elkaar overgaan. Het blad moest zijn hart geraakt hebben. Met zo'n wond kon geen mens ter wereld in leven blijven, zelfs een borjiy niet.
'Sterf dan,' zei Rosger, gesust door zijn eigen stem. Hij had niet veel anders gedaan in het gevecht, maar dit zou wel eens precies genoeg kunnen zijn. 'Vooruit dan, val om, dan is het afgelopen.'
Naamloos keek Rosger aan. Naamloos had hém onmiddellijk herkend.
'Nog niet,' zei Naamloos, 'dank je stichtelijk, Oom Ros. Ik ben vandaag nog niet bereid om te sterven. Net als de vorige keer, op de sneeuwvlakten waarheen ik door jou was verbannen. Toen was ik net zomin bereid om te sterven.'
Rosger zag hoe Naamloos de bijl zachtjes uit zijn eigen lijf trok, met maar een licht kreuntje, alsof hij zijn teen een beetje had gestoten of zijn vingers had gebrand aan een heet stuk vlees.
Een tovenaar. Hij was een tovenaar al vocht hij gewoon met de krijgers mee... De bebloede tovenaar stapte zomaar naast Rosger in diens ar.
Aan alle kanten woedde de strijd voort. Maar dit tweetal bevond zich hier in een oase van kalmte. Er was al eens eerder zoiets gebeurd, bedacht Rosger. O ja, toen hij Atluan van zijn bestaan verloste, in het holst van de ijswind.
Wie was deze tovenaar? Hoe had hij de illusie met de bijl opgeroepen, zodat die hem leek te verwonden zonder dat het echt gebeurde?
'Helemaal alleen,' zei Naamloos vriendelijk. 'Geen heks, geen sief, geen lief die van je houdt. Alleen de liefdeloze Naamloos die niet kan sterven.'
Rosger hoorde zichzelf jammeren. Het geluid schokte hem; hij wist niet waarom hij had gejammerd en toen gaf het wezen in zijn slee hem een stomp, zoals een man die aan een andere man geeft, keihard op zijn slaap. Terwijl hij in de eerste duisternis wegzonk, blaatte Rosger om hulp. Niemand hoorde hem. De kleine gruwelijke oorlog was bijna afgelopen.

De vlakte rond de muren van de Klauwse werf lag vol wrakhout alsof er een schip tegen een ijsklip te pletter was gelopen.
Zonder daarop te letten haastten de mannen zich naar een centraal punt. Ze kwamen van alle kanten aanrennen, met achterlating van hun sleden en hun leeuwenspannen en zelfs hun kameraden en verwanten. Ze renden op

de man af die Naamloos was, en omhelsden hem, waarbij het bloed dat hem van top tot teen bedekte ook op hen terecht kwam, alsof ook zijn glorie een beetje op hen afstraalde.

Zijn waanzin was inmiddels vervlogen en hij was ook niet buiten zichzelf getreden en nog dwalende, zoals bij een borjiy wel voorkwam na de strijd. Onder het bloed was hij koel maar beminnelijk, en hij moest lachen om hun enthousiasme, en schijnbaar zelfs om dat van hemzelf. Alsof hij een kwajongensstreek had uitgehaald die heel goed was gelukt. Hij had geen schrammetje opgelopen.

'De Klauw bestaan niet meer.' De kreet ging rond over de lawaaiige vlakte.

'De Klauw zijn van de aardbodem weggevaagd.'

Ze keken naar de werf, waar ze de terrassen en de muren nu met gemak konden bezetten, want de Jafnse stad werd nog slechts bewaakt door vrouwen en kinderen, plus een handjevol oude mannen.

Ondertussen was Lokesj in zijn strijdar komen aanrijden. De jongen die zijn span mende, was bont en blauw van Lokesj gemep en hij had een pijl door zijn arm, omdat hem de tijd niet was gegund om die af te weren.

'Nou, eedbroeder' zei Lokesj, 'we hebben de overwinning behaald. Maar ik denk dat als wij niet zo vlug waren geweest, jij het alleen had gedaan, helemaal in je eentje, zonder nog iets voor ons over te laten.'

De mannen om hen heen – Krie, Sjaji, Vantri, Irhoni – juichten. Ze sloegen met hun zwaardgevesten op hun kurassen en op de metalen sleeleuningen. 'Naamloos!' Het gebrul steeg op naar de hemel en nam de plaats in van het verdwenen toverlicht. Vier Gaiords schreeuwden Naamloos' naam. Een echte held moest geroemd worden.

Lokesj was uit zijn slee gestapt. Hij sloeg een bezitterige arm om de schouders van zijn eedbroeder. 'De Klauwse werf is van jou, broeder, met alles erop en eraan. Want Rosger is dood.'

'Hij is niet dood,' zei Naamloos.

Ze staarden hem verwachtingsvol aan. Wat was dit?

Naamloos zei: 'Een schone dood in de strijd is veel te mooi voor zo'n kerel.'

Ineens werd een heel ander geluid hoorbaar. De hoofden draaiden de andere kant op en Naamloos sprong op Lokesj' slee om beter te kunnen zien. Lokesj' voerman, die doodop was en veel pijn had, schoof bij Naamloos vandaan en zakte op de bodem van de slee ongezien in elkaar.

Door een van de kleine poorten van de Klauwse werf kwam een soort optocht naar buiten.

De Jafnse bondgenoten begonnen te jouwen.

'Erdif Grijsbaard komt met al z'n ouwe oetlullen om genade vragen.'

Naamloos had de leidsels van de slee al in zijn handen. Het leeuwenspan zette zich in beweging en de gelederen van de bondgenoten weken uiteen om hun heldhaftige borjiy door te laten.

Hij was de eerste die de oude mannen van de werf bereikte, net als hij de eerste was geweest die de krijgers van de werf te lijf ging. Terwijl Lokesj, anders dan de drie andere Gaiords, het in zijn hoofd haalde om hijgend achter zijn eigen slee aan te hollen, alsof hij Naamloos' hond was.

Erdif stond op de vlakte en keek op naar het glanzend rode, zwijgende wezen dat hem met twee blauwe ogen aankeek.

Herinnerde Erdif zich het kind dat was geboren toen hij het rentmeesterschap over de Klauwse werf had? Herinnerde hij zich dat ze het kind en zijn moeder, die uitheemse vrouw van de Ruk, hadden weggejaagd om in de sneeuw te kreperen?

Met zijn beperkte verstand en zijn kleinzielige, zure karakter was Erdif in die tien jaar alleen nog maar harder en brosser geworden. Hij haalde zijn neus op voor deze rode krijgsheld, of hij zich zijn herkomst herinnerde of niet.

'Wij vormen geen gevaar voor je,' verkondigde Erdif op luide, maar schorre toon. 'Wij zijn oude mannen, te krom om een zwaard te heffen of een bijl te zwaaien. Traditie en eer verlangen dat je ons spaart en ook de vrouwen en kinderen van de werf. Als je je onthoudt van verkrachting en rampokkerij zul je des te meer geprezen worden.'

Welke conclusies hij verder ook had getrokken, Erdif had blijkbaar wel door wie de echte leider van dit bondgenootschap was.

En die leider nam nu het woord. Van de ene kant van het slagveld tot de andere en tot boven op de muren, konden ze hem horen.

'De mannen van de Klauw, jong en oud, doden hun ware opperhoofden, want ze hebben Atluan laten vermoorden. De Klauw doden vrouwen die moeder zijn, want ze wilden mijn moeder doden, Atluans vrouw, Safee van de Rukar. De Klauw doden zuigelingen, want ze wilden mij doden, Atluans zoon, toen ik nog maar een paar dagen oud was.'

Erdifs kin met de grijze baard zakte met stomheid geslagen omlaag. Hij stond ontzet om zich heen te kijken.

Naamloos zei: 'Ik ben barmhartiger dan de Klauw, maar niet veel. Ik zal jullie kinderen tot de leeftijd van twaalf jaar in leven laten. Jullie vrouwen die kinderen hebben tot de leeftijd van twaalf jaar laat ik ook leven om voor ze te zorgen. Om in hun behoeften te voorzien zal ik jullie dieren ook in leven laten. Alle anderen moeten sterven, en jullie moordenaarswerf wordt platgebrand. En jullie geile Klauwhuis ga ik verpletteren alsof het door de bliksem was getroffen. Heb je me gehoord, oude man? Mooi, ik zie dat je me hebt begrepen. Neem mijn woorden met je mee naar de Andere Plek.'

Zoals in de oorlogsverklaring een reuzenhand een zwaard had neergeworpen, wierp nu Naamloos' hand het zwaard waarmee hij de voorhoede van de Klauw had afgeslacht.

Voor Erdif kon protesteren, of zelfs maar een kreet kon slaken, sneed het zwaard dwars door hem heen, met zoveel kracht dat ook de twee andere oude mannen, die verbijsterd achter hem stonden, doorboord werden. Alle drie vielen ze morsdood op de sneeuw en hun bloed begon zich te verspreiden als een ontluikende roos.

Er was op de aarde geen enkel geluid te horen. Zelfs de wind, zeiden ze later, hield verwonderd en vol ontzag zijn adem in.

Toen ontwaakten de krijgers met een schok uit hun trance. Zonder tegenspreken deden ze wat Naamloos had verordonneerd. Ze doodden de oude mannen op de vlakte. Ze reden onstuimig de opritten op en trapten de poorten en deuren van de werf in.

Toen die avond de schemering viel, was de werf grotendeels bevolkt door doden en overal zag je vlammen. Er waren geen Klauwse mannen meer in leven en maar een kleine minderheid van de vrouwen. De tovenaars die zich in de thaumarij van het Huis hadden verschanst, had Naamloos persoonlijk voor zijn rekening genomen toen de muren eenmaal geslecht waren. Hij was de thaumarij binnengegaan, er volgde gebliksem en gegil, en toen kwam Naamloos weer naar buiten, maar verder niemand.

Daarna, toen de werf en alle huizen en totempalen om hen heen in lichter laaie stonden, ging Naamloos met enkele uitverkoren mannen het Huis van de Klauw binnen, dat als enige nog ongehavend was gebleven.

Vijf Gaiords waren in de feestzaal aanwezig: de Gaiords van de Sjaji, de Vantri en de Irhoni, Lokesj, de Gaiord van de Krie, en Rosger die zichzelf ooit tot Gaiord had uitgeroepen en die nu in ijzeren boeien op de grond zat.

De dode tovenaars van de Klauw waren ook naar de zaal gebracht en daar her en der neergelegd. De Huistovenaar was met een gebroken nek op een bank neergepoot. De bondgenoten hadden hem eerst nog flink bespot vanwege het feit dat hun held korte metten had gemaakt met hem en zijn toverij. Een ware held had altijd het recht – het recht van God – aan zijn kant. Dat gaf hem toverkracht en grootsheid.

Naamloos ging niet in de stoel van de Gaiord zitten - die had hij Lokesj aangeboden. Toen Lokesj daar niet van wilde horen, bracht Naamloos hem zijn eigen woorden in herinnering: 'Jij hebt gezworen dat je vanavond in het Klauwhuis feest zou vieren.'

'Dat klopt.'

'Ga dan in die stoel zitten.'

'Nee, die is voor jou.'

'Ik wil,' zei Naamloos, 'helemaal niets van de Klauw. Vrienden hier verzameld, nemen jullie de Jafnse vrouwen en kinderen die we vandaag gevangen hebben genomen als slaven, met al hun bezittingen.'

Bij dit gulle gebaar stak er opnieuw een storm van protest op, nu van alle vier, zelfs van de Sjaji, en ze riepen dat Naamloos toch het meeste, toch flink wat, toch op zijn minst *iets* moest nemen.

'Dat ga ik ook doen. Ik wil de dood van hem daar.'

Aller ogen richtten zich op Rosger.

Hij was inmiddels weer bijgekomen van de klap waarmee hij bewusteloos was geslagen. Hij zat in een venijnig bange houding in elkaar gedoken en op zijn kwabbige lippen te bijten. Nu hij begon te praten, bleek hij nog steeds een aanmatigende tong te hebben.

'Mag ik misschien weten wat ik heb gedaan om al deze vleiende aandacht te verdienen?'

Niemand gaf antwoord. Ze wisten het, want Naamloos, zoon van Atluan, en Lokesj, zoon van Lokinda, hadden hun verteld wat Rosger had gedaan.

Rosger pulkte aan zijn boeien. Zijn scherpe tong ging op een andere tactiek over. 'Jullie denken toch zeker niet dat ik de enige schuldige ben. Vraag maar eens aan Lokesj, hier. Vraag maar eens aan *hem*.'

'Wat moeten we aan Lokesj vragen?' wilde de Gaiord van de Vantri weten, die er inmiddels schoon genoeg van had en een einde wilde zien aan het straffen om met het feestvieren te kunnen beginnen, waar dat dan ook zou plaatsvinden.

Buiten de hoge ramen lekten de vurige vlammen aan de invallende nachthemel. Er hing een sterke rooklucht.

Lokesj zat ineengedoken op zijn bank, en zag er plotseling veel kleiner uit dan daarnet. Hij keek Naamloos onderzoekend aan. Had hij hier nooit aan gedacht...?

En Naamloos keek hem vragend aan met twee wijdopen ogen, blauw als een avondhemel zonder enig spoor van vuur. 'Wat bedoelt hij Lokesj?' vroeg Naamloos.

Lokesj keek verbijsterd. Hij keek precies zoals Erdif toen die buiten op de sneeuwvlakte zijn doodvonnis hoorde – zijn wereld was totaal krankzinnig geworden. 'Ik... je weet dat ik...'

Naamloos, die niet was gaan zitten, liep langzaam langs de banken met levende Gaiords en dode tovenaars.

'Mijn vader,' zei Naamloos. 'Atluan...' Hij aarzelde en staarde Rosger aan. 'Wat heeft Lokesj daarmee te maken?'

Rosger voelde dat er iets aan zijn brein zat te trekken. Dat was al een tijdje aan de gang en het dreef hem er onweerstaanbaar toe om zijn herinneringen te spuien. Het was of hij moest overgeven, en daar kwam het al.

'Lokesj heeft me geholpen om van Atluan af te komen. Hij heeft gelogen om me te helpen en bracht me een heks wier spreuk meer uithaalde dan enig vergif. En als wederdienst heb ik Lokesj in staat gesteld om van zijn eigen oude vader, Lokinda, af te komen. En ik kan je wel vertellen dat ik Lokesj zo wonderbaarlijk goed heb geholpen dat Lokinda vast niet eens heeft gemerkt dat hij dood was.'

Naamloos was bij een van de beschilderde zaalzuilen blijven staan. Misschien herinnerde hij zich deze zaal, die hij als ongeborene had gezien en ook als zuigeling, tien, elf jaar geleden; misschien herinnerde hij zich Safee, hier gestrand en terechtgesteld zonder een kans om zich te verdedigen. Hij nam de moeite niet om naar de doodsbenauwd babbelende Lokesj te kijken of naar de andere Gaiords die verbaasd keken en kwaad begonnen te worden. Hij keek zelfs niet naar Rosger. Naamloos werd bevangen door een hevig ongeduld. Hij moest dat bedwingen om het noodzakelijke einde te kunnen halen. Maar zoals het opperhoofd van de Vantri een goed maal en een dronk begeerde, verlangde Naamloos naar het hoogtepunt van zijn spel. Mensen waren zo sloom, hun begeerte – zelfs hun haat – kwam maar zo traag op stoom. Zelfs al waren hun levens zo kort en in een zucht weer voorbij.

Naamloos dacht: *Maar mijn leven houdt stand. Ik ben onkwetsbaar. Hun wapens gaan door me heen zonder schade aan te richten. Ik kan niet sterven. Niet hier, niet door een mensenhand.*

Het kwam hem voor dat hij dat eerder niet echt had beseft. Hoewel hij het eigenlijk wel al geweten moest hebben.

Toen liet Lokesj zich huilend voor Naamloos op zijn knieën vallen. Deze onverwachte afloop van het gebeuren verraste Naamloos een beetje want hij had juist verveeld zitten denken dat ze dit punt nooit zouden bereiken – althans niet binnen afzienbare tijd.

'Broeder... Naamloos, vriend, je zei dat ik...'

Naamloos keek van Lokesj naar de anderen en zei over diens geknielde gestalte heen: 'Er was een voorteken – jullie hebben de Krie daarover horen vertellen. Een slang greep een vis, een wolf greep de slang, een krit of een andere grote vogel ging de lucht in met alledrie en vloog met ze weg. Nu begrijp ik,' zei Naamloos zacht, 'dat Rosger de slang is die Lokesj de kronkelende vis in zijn bek nam, en hem tot slachtoffer en medeplichtige maakte. Maar wij, jullie en ik, wij zijn de wolf die slang en vis in één hap opslokken.'

'En de grote vogel,' zei de Gaiord van de Irhoni, 'wie is dat?'

'Dat is God,' zei Naamloos, 'die ons allen in zijn Greep heeft.' Hij schopte Lokesj opzij en liep terug naar de anderen. 'Haal de Krie hierheen. Laten zij maar over deze Lokesj oordelen. Ik kan het niet. Hoe zou ik dat kunnen?'

De Krie kwamen. Ze oordeelden. Rosger bleef maar sluw doorpraten. Lokesj probeerde zich er huilend uit te kletsen, drijfnat van het zweet alsof hij net een bad had genomen.

Buiten stierven de rode vlammen weg tot de hemel weer zwart was.

Toen ze tot een oordeel waren gekomen, vroegen ze Naamloos om te bepalen wat er met het tweetal, Rosger en Lokesj, moest gebeuren.

'Jouw vader is door toedoen van deze mannen omgekomen.'

'Ja,' zei Naamloos. Inmiddels was er wijn binnengebracht. Hij dronk wat en smeet toen de zwart jaden kom weg die ooit van Atluan was geweest maar die door Rosger met zijn lippen was bevuild. Hij viel in flenters op de grond.

❄

Nu waren ze nog maar met zijn drieën in het overigens verlaten Huis van de Klauw: Rosger, Lokesj en Naamloos.

Ineens schoot Lokesj in de lach. De beide anderen, Rosger en zelfs Naamloos, keken hem verbaasd aan.

'Je haalt een grap met me uit, broeder,' zei Lokesj tegen Naamloos. 'Inmiddels heb ik het door: je gaat me niet doden.'

'Nee,' zei Naamloos. 'Ik niet.'

Lokesj hield op met lachen. Zo'n volslagen idioot was hij niet meer. Hij staarde naar de vloer waar zijn eigen Krie hem hadden neergesmeten en geschopt, in zijn buik en in zijn ribben, en op hem hadden gepist. 'Ik hield van je,' zei hij tegen Naamloos.

Toen liet Rosger een schamper lachje horen. 'Liefde?' zei Rosger. 'Liefde krijgt hij meer dan genoeg. Zijn soort is niet anders gewend.'

Lokesj uitte een vloek. 'Moge liefde dan zijn ondergang worden,' zei hij.

Maar Naamloos schonk daar geen aandacht aan. Hij was bezig de laatste lampen in de feestzaal te doven. Hij had geen licht nodig – kon blijkbaar zien in het donker.

Toen hij daarmee klaar was greep hij Lokesj, die van alles gebroken had, bij zijn lurven en hij zette hem naast Rosger neer. Naamloos schopte ook een van de scherven van Atluans wijnkom naar een plek waar Rosger erbij zou kunnen.

'Je weet dat mijn oom Rosger een vampier is?' vroeg Naamloos. 'Ja, want je hebt hem bezig gezien, net als veel van zijn eigen mensen. Nou oom Ros,' – en je had zijn *stem* moeten horen toen hij het woord 'oom' uitsprak – 'hier heb ik een presentje voor je. Je sief zal komen, en anders zorgen de tovenaars er wel voor dat er andere siefs komen. Siefs en slokkers van allerlei soort, de tweedehands bloeddrinkers. Zelfs nu zullen ze je erom vragen, oom Ros. Misschien beloven ze je zelfs wel om je te bevrijden als je hen de gelegenheid hebt gegeven zich te verzadigen. Wees gerust, ik zal ervoor zorgen dat dat niet gebeurt. Maar jij, jij zult het bloed van dit schepsel moeten drinken. Je zult hem helemaal droog moeten zuigen. En dat, Lokesj is hoe jij hier vanavond je feest zal vieren – door een feestmaal voor anderen te worden.'

Lokesj slaakte een gedempt kreetje, net als toen zijn gebroken ribben over elkaar schoven. Toen liet hij zich languit op de vloer vallen en hij draaide zijn hoofd weg om deze twee verschrikkingen nite te hoeven zien.

Ongelooflijk genoeg bleef Rosger geduldig wachten op wat er nog meer zou komen. Naamloos zag dat en was hem meteen ter wille.

'Als Lokesj drooggezogen is, is er niemand meer over om op te eten, behalve jijzelf.'

Over Rosgers gezwollen gezicht trokken, onontwarbaar met elkaar verweven, een blik van blind afgrijzen en een blik van onweerstaanbare lust.

Nee, hij zou niet kunnen weigeren.

Alles zou gaan zoals Naamloos had gezegd.

'Deze vuilnishoop mag blijven staan tot jij klaar bent,' zei Naamloos. 'Dan kan een of andere tovenaar wel wat winden oproepen om hem omver te blazen. Geen steen zal op een andere blijven staan.'

Terwijl hij in het donker ongezien de zaal uitliep, keken Rosger, en zelfs Lokesj die zijn hoofd afgewend hield, hem op een of andere manier na.

Nu was er in dat Huis alleen nog de nacht – en het wachten. Maar nacht noch wachten duurde voor dat tweetal erg lang.

Een uur voor zonsopgang trof Joeri zijn aangenomen neef Naamloos buiten het kamp met de feestvierende Jafn.

'Je had me dus geen enkele keer nodig,' zei Joeri. 'Ik ben alleen maar goed om oude dode Gaiords na te doen, of emmers om te schoppen.'

Stomverbaasd keek Naamloos hem aan. 'Maar –'

'Nee, ik was blij met wat rust. Ik klaag niet hoor.' Joeri ging naast Naamloos op een sneeuwrichel zitten en tuurde naar de felle toortsen en vuren onder aan de helling. Hij wond zich op over de overdaad aan vuur, zo heel anders dan de sobere oorlogskampen van de Olchibi. Hij bedacht dat hij het helemaal niet erg vond dat hij buiten de veldslag was gehouden, hoewel dat tien stervelingenjaren geleden waarschijnlijk wel anders geweest zou zijn. Naamloos moest zijn eigen weg zoeken; Naamloos was de Leider.

Naamloos–

'Eén ding,' zei Joeri. 'Of eigenlijk twee.'

'En dat zijn?'

'Wat ga je hierna doen?'

'O,' zei Naamloos, 'de rest van de Jafn wil ik er ook bij, al die andere stammen wil ik ook in mijn macht krijgen.'

'Ja, dat is prima. Dat is de manier.'

'En de Jechen ook,' zei Naamloos, die eigenaardig genoeg nu een beetje begon te snoeven, zoals een jongen dat tegen zijn oom kan doen – stel je voor *hij en snoeven*. 'En de Olchibi, oom, wat vind je daarvan? Zullen de Olchibi en de Jechen me ook als hun leider aanvaarden?'

'Misschien,' zei Joeri doodernstig, 'maar niet zoals je nu bent.'

Duidelijk beledigd keek Naamloos hem kwaad aan.

Joeri schudde zijn vlechten naar achteren en schaterde het uit. 'Ik bedoel, niet met die naam.'

'Welke naam?'

'*Naamloos*.'

'Maar ik heb niks anders.'

'Arme knul. Geen papa om je een naam te geven. Hoor eens, ik ben toch je oom? Zal ík je dan een naam geven?' Joeri stond op. Hij hief zijn handen tot schouderhoogte, met de palmen naar buiten, zoals hij Peb Juve wel had zien doen in zijn rol van stam-priester. 'De Grote Goden hebben trouwens al een naam voor je weggelegd. Amen. Ik heb je zelfs al een paar keer half zo genoemd toen je nog klein was, hoewel ik het toen nog niet doorhad. Herinner je je dat niet meer? Nee, daar weet je nu natuurlijk niets meer van.'

Naamloos keek Joeri met grote ogen aan.

Een kind, een kind met een nieuw stuk speelgoed–

Nu ja, hij had ten minste alle kinderen tot twaalf jaar gespaard, precies zoals Peb Juve gedaan zou hebben.

'Er was een voorteken, toen we over de sneeuwvlakten zwierven, jij en je moeder en ik. Weet je dat nog? Nee? Jij was nog maar een baby en je tweede gezicht was sterk aan het teruglopen.'

'Wat was die naam?'

'Een beetje bedaren, hè, je hebt het tegen je ouwe oom. De Jechen hebben een legende over een wolf die paart met een leeuw. Daar komt een schepsel uit voort dat heilig is maar tegelijk werelds, een dier met toverkracht en voorbestemd tot grootse dingen.'

Joeri liet zijn handen zakken. Zijn pupil staarde hem aan.

'Ben ik dat dan?'

'De Grote Goden weten wat jij bent, amen. Je bent een prima mens – maar je vader is een Rukarse god. Je weet dat dat zo is, een smeerlap van een god, vol kwaadaardigheid en wrok.'

'Joeri, misschien kan hij –'

'Me horen? Nee, hij hoort het niet. Geloof me maar, ik denk dat ik het inmiddels wel zou weten. Waarom hij ons niet hoort, is een raadsel. Hij is tenslotte een god, ondanks al zijn fouten. Hij glansde en schitterde buitensporig. Laat hij me dát maar horen zeggen. En jij bent half van hem en half van je moeder, die een mensenvrouw is. Die nacht dat we met zijn drieën op de sneeuwvlakte zaten, zag ik in de lucht de leeuw paren met de wolf. Zij zag het ook – Safee. Zij had het beeld opgeroepen; ze had een toverkool op het vuur gegooid. Die heb ik naderhand gevonden. Kijk maar, hier heb je hem.'

Joeri legde het oude stuk kool, even dor en betekenisloos als een fossiele drol, in de hand van zijn neef. De jongeman zat ernaar te staren. 'Die legende heb ik nog nooit gehoord,' zei de ongeletterde godenzoon. De tijd stond stil, tot hij ineens zei: 'We moeten om Safee denken. Ik moet haar op een of andere manier bericht zien te sturen.'

'Zo je wilt. Maar eerst–'

'Eerst de naam. *Wat was die?*'

'Wat voor de hand ligt,' zei Joeri schouderophalend.

Naamloos zei niets. Joeri zei niets.

Boven hun hoofd sprankelden de sterren, die op het punt stonden om hulpeloos door de dageraad te worden gedoofd, nog een ogenblik uitdagend aan de hemelboog.

Beneden in het kamp hoorden ze de Jafn zingen, en af en toe luidkeels om hun geliefde broeder en borjiy brullen die spoorloos uit hun midden was verdwenen.

'Ik word koning,' zei de jongeman, 'over hen allemaal.' Zijn stem klonk afwezig, want hij was geheel verdiept in zijn gedachten. 'Ik ben *Leowulf*,' voegde hij eraan toe.

VIJF

Angstaanjagend, die droom.

Erger nog, want hij bleef gewoon doorgaan toen ze haar ogen eenmaal open had. Nu zag ze hem weerspiegeld in de vloer.

Een ovaal stuk nachthemel werd omringd door een rand van heel zwakke vlammen. Over de zwarte diepte krulden lange, bleke tentakels. Net als in haar slaap kon ze er ook nu in naar binnen kijken. In de bleke slierten kronkelden gestalten met bewegende monden. Ze wist niet wat het waren, omdat ze ze noch in haar slaap noch in wakkere toestand ooit eerder had gezien, maar ze vermoedde dat het natuurgeesten van de Jafn waren. Atluan had haar ooit een stel van die lastige spoken beschreven. Siefs waren het – siefs.

Ze stroomden als rivieren van vuile melk door de hoge ramen van een of ander hoog gebouw.

Het was het Huis van de Klauw, waaruit ze haar hadden weggejaagd, en er omheen lag de hele Klauwwerf in de as, als een uitgebrande vuurplaats.

Het visioen verdween pardoes zonder aankondiging.

Safee duwde zichzelf rechtop.

Ze had het afgrijselijk koud, want alle warmte was hier verdwenen – en dat was al een tijdje zo. Ze wist niet hoe ze zich in leven had kunnen houden met alleen de karige rauwe maaltijden die haar poes meebracht en die ze in hun vachten gewikkeld samen verorberden.

De rest van het stadsdorp Ranjalla was volledig verlaten. Op haar strooptochten door het dorp had ze helemaal niemand aangetroffen. De huizen waren ijskoud, en alleen het ijs hield ze heel. Safee meende dat zij nu op dezelfde manier ook heel bleef, door de hardheid die ze eerder had opgedaan tijdens haar tocht over de sneeuwvlakten. Bovendien was ze al een keer uit de ijsdood teruggekeerd, dus misschien kon ze dat altijd wel.

Maar deze kou was alomtegenwoordig en grimmig. Ze werd er sloom van en raakte verzeild in een soort troebele treurnis waarin zich maar zelden een gedachte roerde – en tot op heden had ze ook helemaal niet gedroomd.

Safee zag dat de plek waar ze op de vloer de droom had gezien, precies de plek was waar de god Yyrot de hardbevroren plas offerbier had gekregen. Daarna had ze er nu en dan met een mes een stukje af weten te hakken, waar ze dan op zoog om een beetje op te vrolijken, maar dat werkte nu niet meer.

Het smaakte nergens meer van en er zat geen alcohol meer in. Hoelang lag ze hier nu al? Ze kwam er niet uit.

De kat lag voor de warmte op haar schoot. Safee aaide de kat. Ineens leek de poezenvacht een betoverende warmte te verspreiden. Safee hield haar beide handen tegen de kattenvacht maar toen voelde ze ook achter haar rug de warmte opbloeien.

Een wonder. De kachel moest met toverij weer aangegaan zijn. Had Joeri zich eindelijk verwaardigd om haar een bezoek te brengen, of misschien haar harteloze zoon die haar had verlaten?

Maar het was geen van die twee. Haar moed liet haar weer in de steek.

'Jij weer,' zei ze.

Ze bleef gewoon zitten, brutaal geworden door de verwarring van de verdovende koude.

Yyrot, Minnaar van de Winter, was aan de andere kant van de kamer in het sneeuwhuis opgedoken. Vandaag ging hij niet in ijsmaliën gekleed. Vonken flitsten aan en uit in zijn zwarte haar. Zijn gezicht was donkerder en verweerd door de wind; het zag eruit als dat van Atluan wanneer hij op jacht was geweest. De grijze ogen van de god keken stuurs. Hij leek wel een beetje dronken.

Met onvaste stem vertelde hij haar waar het op stond. 'Dit is mijn kwade kant, Safee.'

Onwillekeurig schoot Safee achteruit. Ze had al eens eerder de kwade kant van een god meegemaakt – van Zezet. En één keer was meer dan genoeg geweest.

Yyrot stond daar kwaad met zijn mouwen te wapperen en de warmte sloeg haar met een geur van dennenhars en balsem in golven tegemoet.

De poes die op Safees schouders was geklommen, zat hem aan te staren en begon met ogen die glansden van genoegen luid te spinnen.

Toen – had kille Yyrots kwade kant redding gebracht? Dat maakte hem pas echt *witheet*.

Safee begon te giechelen. Ze werd hysterisch. De poes sprong van haar schouders en landde voor Yyrots voeten die in laarzen van zacht leer, of iets dat daarop leek, staken. Daar lag het dier te rollebollen van genot.

'Waarom ben je zo ... *boos*? Met je verrukkelijke, troostende woede – waarom?' zei Safee zangerig terwijl ze zich koesterde in deze miniatuur *Zomer*. De sneeuw stroomde nu in fonkelende waterstralen van de muren. Het huis zou smelten, maar dat kon haar niet schelen.

'O, soms heb ik gewoon een kwaaie bui.' De god Yyrot liet een abrupte, diepe lach horen. Hij tilde de poes op met z'n lange, warme vingers en begon het dier te aaien. De poes raakte helemaal in vervoering. Safee zag afgunstig hoe haar kat genoot van al die extra warmte.

Was deze god dan zelfs als hij kwaad was voor rede vatbaar? De poes, die bang voor hem was geweest en een hekel aan hem had, leek nu te denken dat Yyrot een vriend was.

Safee zei: 'Het bier raakte bevroren, maar kijk eens, het is weer ontdooid.'

Ze ging op haar knieën zitten en schepte met haar hand wat bier uit het plasje, de droom met de siefs die erin was weerspiegeld, totaal vergeten. Nu steeg de alcohol haar regelrecht naar haar hoofd, weer even krachtig als ooit.

Na een tijdje keek ze op. Yyrot was verdwenen en de poes ook, maar het sneeuwhuis bleef warmte uitstralen, en hele brokken smolten van de wanden. Twee of drie ladders hingen al onder een gevaarlijke hoek. Een viel er plotseling met een plons op de grond.

Buiten hoorde ze Yyrot weer lachen en toen blafte er een hond.

Safee deed de deur open.

De sneeuw voor het huis, die al tientallen jaren stijf bevroren was geweest, en misschien zelfs wel eeuwen, was een zee van zachte modder waaruit nu al snelgroeiende mossen, kruiden en slabladen omhoog kwamen, iel en geelgroen van nieuwheid. De vegetatie was doorspekt met ijsirissen, zwarte bloemen met paarsig blauwe aderen.

Daar, op dit tapijt, was Safees kat aan het paren met de hond, die het poezebeest, blijkbaar tot wederzijds genoegen tegen de grond gedrukt hield. De hond was Yyrot-als-hond, grijs en slank, precies zoals Safee en de vroeger zo afkerige kat hem al eerder hadden gezien.

Dit schouwspel had veel weg van wat Safee al eerder had gezien: een visioen van licht tegen de hemel, een wolf die paarde met een leeuw...

Als aan de grond genageld loerde Safee als een gluurder naar deze eigenaardige jongste vereniging. Ze voelde haar eigen lendenen tintelen. Dierlijke zinnelijkheid had haar nooit wat gedaan, maar ze had al heel lang geen gemeenschap gehad en deze hond was een godheid die de vorm van een tamelijk jonge man aannam.

De poes krolde en toen was het afgelopen. Toen de hond Yyrot zich afwendde, viel de kat tegen hem uit, zoals poezen dat na het paren altijd doen, en de scherpe klauwen krabden over zijn snuit. De Yyrothond verdroeg de aanval onverstoorbaar.

Safee dwaalde aangeschoten en dartel rond, en plukte slabladen en irissen van de modder.

'Dadelijk word ik wel wakker, en dan is alles weer zoals het was.'

Maar toen ze naar het inzakkende huis was teruggeslenterd, ging ze toch maar niet naar binnen. Ze ging onder een boom zitten waarvan de zwarte stam dampend uit de sneeuw tevoorschijn was gekomen als een gebeeldhouwde zuil versierd met rode knoppen. Ze begon van de verse slabladen te knabbelen. Ze stak de irissen in haar lange, ongewassen haar.

Na enige tijd zag ze Yyrot terug in zijn mensengestalte; hij zat tegenover haar op de rug van wat zij voor een abnormaal grote kikker van lavaglas hield.

'Ga je me nu doodmaken?' vroeg Safee, roekeloos geworden van bier en warmte.

Yyrot dacht even na. 'Ik geloof,' zei hij, 'dat ik maar van je ga maken wat hij van je maakte – of althans waarmee hij een begin heeft gemaakt.'

'Wat heeft *hij*...' Ze hoefde niet te vragen wie, hij doelde op die ander, op Zet. 'Wat begon *hij* dan van me te maken?'

'Iemand van zijn eigen soort,' zei Yyrot. Hij zuchtte en aan een wilde klimabrikoos ontsproot een tak vol rijpe oranje vruchten. Voordat alles weer zou veranderen, rukte Safee er een paar van de tak en propte ze in haar mond. Ze was behoorlijk opportunistisch geworden.

Daarom protesteerde ze ook niet tegen wat Yyrot zei.

Alle goden van Ruk Kar Is waren krankzinnig – dat wist iedereen van kind af aan. Had ze ooit in hen geloofd, voordat ze daartoe werd gedwongen?

Yyrot zei: 'Ik bedoel iemand van *zijn* soort, iemand van *mijn* soort.'

'Een god.' Geen spoor van verlegenheid in haar stem.

'Door wat hij je aandeed,' zei Yyrot die nu onheilspellend zijn wenkbrauwen fronste, waardoor de abrikozen aan de tak helemaal zwart werden, en ze was blij dat ze daarnet die paar vruchten had geplukt en had opgegeten. 'Daarmee is het in jou begonnen. Je zoon is iets aparts, van een heel andere soort. Maar jij, jij bent zo beschadigd door de goddelijke bemoeienis van je verkrachter, dat je naar ons evenbeeld veranderd kunt worden.'

Mannen vermeden, of beloofden dingen, en meestal logen ze. Safee dacht aan haar vader Vuldir, en aan Atluan. Dat de god Zezet haar had verkracht was een ding dat zeker was. Ze was veranderd.

Ze zat op de warme modder onder de bomen, liet haar hoofd achterover leunen en viel in slaap.

Er lag een lijk op de vlakte, dat de ongereptheid van de sneeuw verstoorde. Voor de spotwolven het vonden, was het het lijk van een oude vrouw geweest. Ze miste het uithoudingsvermogen om haar tocht af te maken, zoals een jongere vrouw met wat toepasselijke etherische hulp dat wel had kunnen doen. Maar aan zulk soort hulp had het haar ook ontbroken.

Tijdens haar leven was ze een sibulla van Ranjal geweest, de godin van het woud. Toen ze nog een naam had, had ze Narnifa geheten. Als enige van de hele groep priesteressen uit Ranjalla, was zij bereid geweest om achter haar verdwenen godin aan te gaan, die ze van kind af aan had gediend. Ranjal was die verschrikkelijke Roodhaar die Naamloos werd genoemd gevolgd. De sibulla vond het haar plicht – en haar enige uitweg – om Ranjal achterna te gaan.

Haar zusters hadden geprobeerd haar daarvan te weerhouden. En zij had geprobeerd hen over te halen om met haar mee te gaan. Ze weigerden omdat ze hun beperkingen kenden. Zelfs de heks van het stadsdorp was komen zeggen dat ze in het vuur in haar huiskachel gezien had dat zo'n onderneming totaal hopeloos was. Maar Narnifa had er geen aandacht aan geschonken. Ze kon niet bedenken wat ze anders zou moeten doen, behalve ter plekke doodgaan.

Ze voorzag trouwens niet dat Ranjalla's evenwicht totaal verstoord zou raken doordat de godin het stadsdorp had verlaten. Als ze iets langer had gewacht, zouden er misschien andere vertrekkenden met haar mee hebben willen gaan. Maar ze wilde niet wachten.

Narnifa was oud en versleten en geenszins geschikt voor de hoofdrol in een heldendicht. Maar haar bovennatuurlijke vermogens vertelden haar welke richting ze moest kiezen. En dus trok ze strompelend de witte woestenij in. Af en toe slurpte ze een mondje pap uit een fles en aan de felle kou schonk ze geen aandacht.

Toen ze ongelooflijk genoeg al vele dagen onderweg was, haar pap inmiddels helemaal bevroren, en hier en daar wat slapend onder het lopen, had Narnifa op een avond Ranjal gezien. Die vloog door de maanverlichte schemerlucht voor haar uit, als een zwerm horzels samengesteld uit alle verschillende Ranjalbeelden van het hele dorp.

Wanneer had de godin leren vliegen? Misschien had ze het geleerd door te kijken hoe Naamloos tegen bomen opliep en dan van de ene tak op de andere sprong. Of misschien was het aangeboren en had ze het pas nu ontdekt.

Narnifa begreep best waarom de godin haar volgelingen had verlaten. Ranjal verlangde *niets*. En Ranjalla had haar dus niets gegeven, met handenvol, en op bepaalde feestdagen hadden ze niets in grote lege vaten naar haar schrijn gedragen. Maar hij, Naamloos, had haar díngen gegeven. Hij had haar bedorven. Hij had de godin verleid en ze was verliefd op hem geworden en had haar volk verlaten.

Toen Narnifa de zwerm Ranjals voor zich uit zag vliegen, was ze gaan hollen. En dat was haar dood geworden. Haar versleten lijf met zijn slangenvlekken vol roven van bevriezingswonden, had nog maar een verwaarloosbare afstand afgelegd toen ze omviel. Ze voelde geen pijn, maar geen enkele pijn zou haar méér gekweld hebben dan het verlies van haar godin.

Later die nacht kwamen de wolven naar de plek waar Narnifa dood in de sneeuw lag, en nog weer later de spotwolven. Elke Jafn zou hebben kunnen zien dat er ook een stel slokkers in de lucht hing, die zich voedden met het voeden.

Narnifa had daar niets over te vertellen; zij was dood. En de Ranjals waren inmiddels al heel ver weg. Op de avond dat Naamloos van zijn adoptie-oom de naam Leowulf ontving, legde de hele beeldenzwerm, met hun lange armen uitgestrekt, het laatste stuk van de luchtreis af. De ontmoeting die volgde bleef Narnifa bespaard. Zo hoefde ze de verafschuwde Naamloos tenminste niet horen zeggen dat haar godin maar een brok hout was.

Toen Leowulf, die vroeger Naamloos was, langs de kust reed, reed zijn bovennatuurlijke oom Joeri achter hem mee in de arrenslee. De Jafn konden Joeri niet zien, maar ze voelden wel zijn aanwezigheid. En nu en dan zagen ze het gevolg van dingen die hij deed – het rimpelen van tentdoek in windstilte, een enkele artistiek geplaatste voetafdruk in de sneeuw.

Het weer had een andere jas aangetrokken. De lucht was helder en doorschijnend zilverblauw. De mannen in hun sleden reisden overdag onder de volle zon en 's nachts onder drie schone manen van verschillende afmeting en vorm, en de enige wolken die ze zagen waren nevels van schitterende veelkleurige sterren.

Ze hielden een westelijke koers aan. Als ze een Dingplek bereikten, sloegen ze een kamp op en dan stuurden de tovenaars van de Jafnse bondgenoten bericht naar anderen wier nederzettingen verder landinwaarts op hun route lagen. De krijgers die tegen de Klauw hadden gevochten en de Klauwse werf hadden platgebrand, keerden geen van allen terug naar hun eigen versterkte dorpen. In plaats daarvan riepen ze de achterblijvers op om zich aan te sluiten bij hun rit langs de waterkant.

Op blauwe, zonnige dagen hoorden ze de ijsvelden die de kust uitbreidden ,soms barsten. Dan trokken er geulen open, vaak heel erg diep. Die geulen overbrugden ze dan met bomen die ze kapten aan de rand van de nabijgelegen ijswouden, die ook de kustlijn volgden. De mannen sprongen er joelend overheen en de sleden werden er achter de onverstoorbaar voortgalopperende leeuwenspannen overheen gejaagd. Hij, Naamloos – die ze inmiddels vrijwel allemaal Leowulf noemden – stuurde zijn eigen slee eroverheen, zwijgend en zorgeloos – dieren, slee en hijzelf in volmaakt evenwicht, als een levensgroot bronzen beeldhouwwerk.

De andere Dingen – waar bijeenkomsten met andere Jafn stammen plaatsvonden – waren al net zo eigenaardig als de antieke zeventienmaster van de Dingplek waar vier Jafnse stammen zich hadden vereend tegen Rosgers Klauw. Eén van de Dingen was een mammoet, ingevroren in een op de kust gelopen groenglazen ijsberg; een ander Ding was een mystieke paal van versteend hout van wel dertig meter hoog, ruim twintig schildlengtes.

Een van de eerste keren dat ze halt hielden, hadden de Krie een nieuwe Gaiord gekozen om de dode schurk van een Lokesj te vervangen. Meteen nadat hij was gekozen had dit nieuwe opperhoofd zich bij Leowulf aangesloten. Leowulf had hem omhelsd als de broeder die hij was kwijtgeraakt toen Lokesj schuldig werd bevonden.

De Krie hadden luidkeels hun goedkeuring betuigd – en dat ging verder dan fatsoen of genegenheid. Met de omhelzing van de nieuwe Krie Gaiord had Leowulf hem zijn goedkeuring gegeven en het was de goedkeuring van een held, en weldra die van een opperheerser. Er was geen krijger te bekennen die dat niet vermoedde of wist, er was geen krijger die zich geroepen voelde om te protesteren.

De roodharige Borjiy had hen volledig in zijn macht; zeker nadat hij hun het brok toverkool had laten zien dat zijn bestemming bepaalde – en hem zijn ware naam had gegeven.

Leowulf. Die naam werd meteen overgenomen. Hij paste precies bij hem. Die beviel hun.

Inmiddels had hij ook een eigen banier. Al eerder hadden ze hem de Leeuwenbanier van de Klauw aangeboden. Hij had hen eraan herinnerd dat de Klauw niet meer bestonden, dat hun identiteit van de wereld was weggevaagd. En ten slotte, nadat hij hun zijn andere naam had verteld, koos hij een eigen banier. Die deed een beetje aan de Olchibi denken, met een uiterlijk dat nergens in het westen, oosten of noorden te vinden was.

Vrouwen uit de wouddorpen maakten hem, en een smid die in de stoet meereisde.

De Jafnse horde, het leger van bondgenoten elk onder zijn eigen banier, bleef maar groeien. In bepaalde opzichten ging het er informeel aan toe, maar ze hadden hun eigen manieren om de hiërarchie vast te stellen – en die ging verder dan de titels Gaiord of Borjiy. Door wedstrijdjes in boogschieten, worstelen, zwaardvechten, over dingen heen springen, hardlopen en arrensleerennen – alles beoefend als speelse ontspanning op momenten die een ander volk liever zou benutten voor een paar uurtjes slaap – werd duidelijk wie onder hen de besten waren.

Ze begonnen te beweren dat dit tijdperk speciaal door God was gewrocht. En dat Hij, speciaal voor dit tijdperk, op het aambeeld van Zijn onuitsprekelijke Bewustzijn ook Leowulf had gesmeed.

Sinds onheugelijke tijden waarde er een idee rond, een toekomstmythe, dat er ooit iemand uit hun midden alle Jafn zou verenigen tot één groot gehee,l om met hen de hele wereld te veroveren.

En hoewel ze Leowulf niet officieel tot hun koning kroonden, en hoewel elke stam zijn eigen opperhoofd had, en hoewel ze deze mars nu een *avontuur* noemden en geen oorlog, en ze Leowulf uitsluitend aanspraken met zijn naam...

... was hij inmiddels toch hun aller heerser.

Ook zagen ze allen gretig uit naar een verovering. Hun aantal was nu enorm. En bij elke Dingbijeenkomst groeide dat nog, en daarna steeds weer, wanneer eindeloze stoeten mannen binnenstroomden in bespannen sleden of op gezadelde hnowa's. Ze kwamen niet alleen, maar brachten ook hun oorlogstovenaars mee en hun beste heksen. En zelfs uit de vissershutten en de tuinderijen gingen mannen er als een speer vandoor om zich bij deze stormloop aan te sluiten. Degenen die achterbleven om de werven en de dorpen te bewaken, waren tegen hun wil aangewezen door het lot. Niemand wilde thuis blijven.

Van bovenaf gezien, zoals zon, maan en sterren hen zagen – zoals hun God hen zag – leek de meute nu eindeloos. Als een schaduw bespikkeld met scherp metaal, en 's nachts met vuur, kroop hij bedrieglijk traag langs de bocht in de kust de Randstreek binnen, op naar de Olchibi, de Jechen en het hoge Noorden.

Toen hij de mammoet in het ijs had gezien, duidelijk dood en louter bewaard gebleven door de kou – anders dan destijds Safee die levend in haar ijsberg had gelegen – was Joeri een beetje van slag.

Hij waarde met zijn onzichtbare aanwezigheid door de stoet en de kampen, waar hij lichte onrust teweegbracht, als een soort milde mentale buikloop in de darmen van het leger.

Hoewel Joeri zich bleef afzonderen voor zijn onaardse slaapuurtjes, waarin hij spoorloos verdween, gunde hij zichzelf als hij wakker was nergens tijd voor. Hij liet de tussenwereld volstrekt links liggen. Hij was van mening dat zijn neef hem emotioneel nodig had. Dat was natuurlijk niet het geval geweest met zijn vroegere leider, Peb Juve. Maar deze jongen was in bepaald opzicht nog zo jong, nog maar tien of elf. Dat vergat je al te makkelijk. Aan de andere kant was Peb Juve ook nog maar zeventien of zo geweest toen Joeri, als kind van tien, het plan opvatte om zich bij Pebs vandalenbende aan te sluiten.

Niet dat Leowulf niet genoeg zelfvertrouwen had – eerder het omgekeerde. Maar in ieder geval zorgde Joeri dat hij altijd in de buurt was.

Het kwam ook een beetje door de gedachte aan de Olchibi.

Naarmate ze dichter bij de Randstreek kwamen, begon iets in Joeri – toch wel een soortement van hart – sneller te kloppen.

Die avond stond hij op een steile sneeuwrichel, door de afgelopen zachte dagen in een gekromde vorm geduwd, uit te kijken naar het noorden.

De bevroren ijswildernis strekte zich kilometers ver uit. De zee lag nu rechts in de verte zwart te glanzen onder twee dunne maantjes.

Joeri keek naar de lucht. Op dat moment zag hij in de schemering het eskader Ranjals naderen.

Joeri herkende hen meteen als de houten beelden uit het stadsdorp. Maar om er helemaal zeker van te zijn sprong hij de lucht in, nam een kijkje van nabij, zwenkte af en zoefde weg.

De Jafn hadden hun vuren aangestoken en hun tenten opgeslagen voor de nacht, want dit was een slaapnacht. Leowulf had net zo'n tent als de anderen, maar hij stond een beetje apart, op de sneeuwrichel, waar sneeuweiken, tot driekwart van hun stam bedolven onder de opgehoopte sneeuw, hun scherpgepunte kruinen verhieven.

Zodra Joeri arriveerde, begon Leowulf zonder op te kijken meteen tegen hem te praten.

'Wat maakt de goden van de Ruk zo waanzinnig?'
Hij had vaak van die vragen, zomaar ineens.
'Iedereen zou gek worden als hij een god was,' zei Joeri.
'Bedoel je mij soms?'
'Nee, jou niet. Jij bent een halve sterveling. Maar er is buiten iets gaande, er komt iets aan vliegen–'
Buiten de tent waren allerlei mannen luid aan het roepen. De leeuwen lieten een bezorgd gegrom horen, dat wel onweer leek, en daarbij voegde zich nog het ontstellende gegons van boogpezen en welgemikte speren.
'Volkomen zinloos,' zei Joeri. 'Wat denken ze daarmee te kunnen aanrichten?'
Leowulf sprong uit zijn tent. Ze gingen samen staan kijken.
Persoonlijk verbaasde het Joeri al een tijdje dat Safee nog helemaal niets van zich had laten horen, noch aan haar zoon noch aan hemzelf. Het was immers echt iets voor vrouwen om achter je aan te komen, of je te roepen als je druk bezig was. Dat Safee dat niet had gedaan, was nogal eigenaardig, maar eigenaardig gedrag was nu precies wat Joeri van vrouwen verwachtte. Hoewel de beelden een godin voorstelden, was die godin óók een vrouw. In plaats van Leowulf na te roepen, was ze hem nagereisd.
Speren, pijlen en een paar werpmessen flitsten aan een stuk door rond de zwerm die nu heel laag kwam aanvliegen om te landen. De mannen lieten zich plat op de grond vallen.
Het vrouwelijke stel belandde op een hoop op de helling boven het kamp, vlak voor Leowulfs tent.
Uit de Jafn steeg allerlei gebrabbel op: gebeden en verwensingen.
De tovenaars kwamen met brandende fakkels dreigend uit het kamp aansnellen.
'Goedenavond, vrouwe,' zei Leowulf.
Beneden, onder de invallende duisternis hel verlicht door hun kampvuren, stond alles wat van het grote Jafnse bondgenootschap zichtbaar was, hem met open mond aan te staren.
De Ranjals verroerden zich niet meer.
Het waren er zo te zien een stuk of vijftien. Sommige waren zo lang als mannen, andere zo lang als vrouwen en weer andere zo lang als kinderen. Maar er waren ook kleintjes bij, sommige wel zo klein als een eekhoorn, en die zochten bescherming tussen de grotere, op een belachelijke manier die bijna ontroerend was – als ze er niet tegelijk zo angstaanjagend hadden uitgezien, als een grote bundel bezems met klauwen.
Leowulf daalde af langs de helling. Bij de Ranjals bleef hij staan om een zwierige, zorgeloze buiging voor ze te maken, een beetje zoals hij ook over de boomstambruggen de ijsgeulen was overgestoken.
Hij gebaarde naar het kamp. 'Dat zijn mijn Jafnse verwanten, vrouwe,' zei hij tegen de Ranjals, 'mijn krijgers.' Toen keek hij van de richel omlaag naar

de mannen, waarbij hij hen zoals gewoonlijk, voor ieder die hem kon zien, elk een ogenblik in de ogen leek te kijken. 'Mannen, dit is de godin van mijn jeugd. Onder God bestaan er veel van zulke godheden.'

De Jafnse meute keek onzeker naar de takkenbundel op de helling. Toen begon er ergens achteraan een stel mannen dat niets had kunnen horen en ook niet helemaal had kunnen zien wat er gaande was, maar wel aanvoelde dat Leowulf niets fout kon doen, luidkeels te roepen en met zwaard- en dolkgevesten op de leuningen van hun sleden en hun wapenrusting te slaan. Het gejuich golfde door de linies omhoog.

De tovenaars hadden zolang geaarzeld dat hun toverfakkels verzwakt waren en uitwoeien of doofden.

Leowulf had als Naamloos altijd beweerd dat hij Ranjal liet praten. Maar blijkbaar had ze daarvan geleerd, want nu sprak ze hem uit zichzelf toe – en nog wel met vijftien stemmen tegelijk.

'Geen leegte, hier?'

'Geenszins, vrouwe. Vol krijgers en oorlog.'

'Wat moet ik je geven?'

Leowulf lachte. Omdat hij in weerwil van zijn jonge leeftijd lichamelijk en geestelijk uitgerust was als een volwassen man, had hij al heel jong allerlei trucjes geleerd om vrouwen te plezieren.

'Vrouwe, uw aanwezigheid hier is al genoeg.'

Hij draaide zich om, brak een tak van een van de ingesneeuwde eiken en schudde het ijs eraf. Sombere groenbronzen bladeren glansden in het licht van de vuren als fijn gesponnen metaaldraad. Leowulf legde de groene tak aan de voeten van de langste Ranjals.

Joeri zat op de sneeuw met gekruiste benen toe te kijken. Niemand kon hem zien, zelfs de Ranjals niet; dat hadden ze in het verleden ook al nooit gekund.

De Ranjals begonnen te mompelen. Dat klonk als takken die langs een vensterruit schraapten.

'Voor de bladeren, wil je verhaal horen?' vroegen de Ranjalstemmen.

Leowulf had blijkbaar geknikt. Zonder dralen begonnen de beelden het verhaal te vertellen dat Leowulf lang geleden voor de grap had verzonnen zodat zij dat konden vertellen – een aangepaste versie van een van Safees verhalen. Zoals altijd, toen hij klein was en ook later nog, beloofden de Ranjals Leowulf weer de gebruikelijke enorme rijkdom, de drie vrouwen van onovertroffen schoonheid, het volledig bewapende leger en de wereld aan zijn voeten.

Dit takkige gefluister rolde langs de helling omlaag en bereikte het kamp. Overal werd het opgevangen, in ieder geval gedeeltelijk, en doorverteld. Het verspreidde zich als een dunne zweetlaag over de gezichten van de mannen.

'Amen,' zei Joeri binnensmonds, toen hij begreep dat hier opnieuw iets volstrekt bovennatuurlijks, zij het volstrekt absurd, had plaatsgevonden.

Die nacht hielden de Ranjals de wacht voor Leowulfs tent terwijl hij de twee toegestane uren lag te slapen. Toen iedereen weer wakker was, sloot het godinschepsel zich aan bij de mars naar het noorden.

Nu de Ranjals hun doel hadden bereikt, waren ze weer onbeweeglijk. Ze werden dus op een glijkar gezet met drie met regenboogkleuren getuigde hnowa's ervoor en zo reisden ze mee tussen de totempalen van de Jafn.

Elke morgen zagen ze Leowulf de Ranjals een kleinigheid aanbieden: bloemen als die te vinden waren, en zulk soort dingen.

Soms spraken ze weer.

In feite spraken ze tegen elke man die hen beleefd aansprak bij hun naam. Ze voorspelden de toekomst, die altijd stralend en bemoedigend was. Maar ze weigerden offergaven aan te nemen van iemand anders dan Leowulf. 'Verlang niets, ik,' zeiden ze. Sommige mannen kregen het door en deponeerden zorgvuldig een handvol niets voor de Ranjaltakkenbos op de kar, in ruil voor een zegening of een verhaal over toekomstige genietingen.

Het weer bleef zonnig en gelijkmatig.

Een kobaltblauw voorochtendlijk gloren vulde de hemel toen Joeri, die in het Elders had liggen slapen, met vage restherinneringen wakker werd en ineens een oude vrouw zag rondscharrelen. Vrouwen, zelfs prostituees of heksen waren bij de Jafn zeldzaam op een marstocht. De oude vrouw zat hem dus meteen dwars.

Het was voor de anderen geen slaapnacht geweest en de krijgers, met inbegrip van hun Gaiords en Leowulf, waren een eindje verderop op het kustijs aan het worstelen. Ploegen jagers keerden terug en er werd overal gekookt voor het ontbijt. Niemand zag de oude vrouw, behalve Joeri.

Maar een heleboel aan haar – bijvoorbeeld hoe het opgloeiende ochtendgloren door haar vodden, haar haar en haar rug scheen – duidde nog op iets anders. Ze was net als Joeri zelf: niet levend.

Joeri zweefde omlaag naar de plek waar ze zich had geïnstalleerd. Dat was naast de glijkar met de regenbooggetuigde hnowa's, die tussen de disselbomen stonden te snurken. De Ranjals stonden in de kar. Een stel mannen hing daar rond om naar het gegarandeerd opgewekte nieuws te luisteren dat de Ranjals altijd ten beste gaven. Leowulfs banier wapperde er vlakbij.

De oude vrouw jammerde.

De mannen die kwamen luisteren, hoorden haar niet.

Joeri zag nu dat haar gezicht gevlekt was als van een slang, ook al was ze gedeeltelijk doorzichtig.

Hij ging achter haar staan en zei hardop, maar alleen voor haar oren bestemd: 'Wat is er?'

Ze hoorde hem uiteraard. Ze keek hem over haar broze oude schouder aan, met een gezicht vertrokken van verdriet en woede.

'Zij... zij... waarom zij hier? Zij is mijn. Wil haar terug.'

'Je kunt haar niet krijgen, opoe. Jij bent toch een van de sibulla's uit het sneeuwdorp? Je bent zeker gestorven van verdriet toen zij jullie verliet.'

'Gestorven? Ben helemaal niet dood. Hou je mond.'

'Hou jij zelf je mond, idiote ouwe tang.' Joeri stond versteld over zijn eigen heftige reactie. Hij was woedend dat een vrouw het waagde om zo tegen hem te spreken, een vrouw die geen Olchibi moeder en ook geen crarrow was. Toen bedaarde hij weer een beetje, omdat hij besefte dat wat hem het meest dwars zat aan haar het feit was dat ze nu een van zijn soort was.

Hij stond haar ontzettend kwaad aan te kijken, maar ze negeerde hem gewoon. Hij wist niet wat hij moest beginnen. Toen kwam de zon op en met een wanhopige gil doofde ze uit als de sterren. Dus toch een zwak spook. Niettemin moest hij voor de oude wel op zijn hoede blijven, want zelfs haar soort kon soms problemen veroorzaken, als je tenminste de overlevering mocht geloven.

Aan het eind van die dag was de meute de Randstreek binnengetrokken.

Joeri was prikkelbaar van verwachting. Weldra zou hij onder zijn eigen mensen zijn. En zijn mensen moesten voor het grote plan gewonnen worden, of anders op bloedige wijze worden ingelijfd. Wat zou het worden?

'Stook op dat vuur.'

'Gooi het bloed erbij.'

'Berenklauw en wolfstong...'

'Bittere honing, zure wijn...'

Vier in getal, in het noorden het gevaarlijkste en ingrijpendste machtsaantal, draaiden de crarrowin rond hun vuur, dat geel was als kattenogen, maar minder geel dan hun huid.

De nacht was als een gordijn rond die plek dichtgetrokken en de sterren leken nt betekenisloze, opgenaaide schittertjes.

De vrouwen bleven maar ronddraaien.

'Verbrijzeld bot uit een gevecht...'

'Gebroken bot van een vijand...'

'Walvistand en vissenhuid...'

'Kruiden, barnsteen en uitgetrokken haar.'

Zoals gebruikelijk bij zulke heksenkringen waren ook hier de vier algemene leeftijden en stadia van de vrouw vertegenwoordigd. Eén was er nog een kind, van een jaar of negen; één een maagd van een jaar of veertien; de derde was een vrouw die kinderen kon krijgen, en die ook metterdaad had gebaard, en zo te zien zelfs op dit moment weer zwanger was. De vierde crarrow, hun crax, was de leeftijd van het kinderen krijgen voorbij, hoewel ze nog niet echt oud was.

Al ronddraaiend staarden ze in de vlammen.

Om hen heen was de reusachtige nacht vol geluid. Aan alle kanten rezen oerwouden omhoog. Daarin hoorde je af en toe van alles gorgelen, als griezelige begeleiding van het gezang en het geslof van de vrouwenvoeten.

Ineens vielen stemmen en beweging stil. De vier crarrowin stonden rond het vuur. Verder gebeurde er niets. In de vlammen was niets bijzonders te zien. Langzaam draaiden de vrouwen het vuur hun rug toe om naar de vier hoeken van de wereld te turen: noordwaarts naar de Jechen, zuid- en westwaarts naar het land van de Rukar en oostwaarts naar de Jafn.

Het was de jongste die die kant op keek. Ze zei: 'Van daar.'

'Maar ook van hier,' zei de zwangere vrouw die naar het zuiden keek.

'En van deze kant,' zei de maagd, terwijl ze met een dunne, boterkleurige vinger naar het westen wees.

De crax stapte uit hun omcirkelde vierhoek. Ze hief haar linkerarm naar de hemel en wees met haar rechterhand omlaag naar de aarde. 'Van boven – en van beneden.'

Het vuur dat blijkbaar niets anders had gedaan dan verteren wat erin was gegooid, rimpelde en rolde zich op tot een bal die opsteeg in de nacht. Hij bleef een ogenblik als een vurig baldakijn boven de crarrowin hangen. En toen zag je wat het voor vuur was geweest, want het verdeelde zich in vier stromen en zakte langzaam terug in de buiken van de vier vrouwen, zelfs in die van de vrouw met de dikke zwangere buik. De crarrowin namen het vuur zonder opwinding of commentaar weer in ontvangst. Het was hun persoonlijke vuurvermogen dat ze op elk tijdsgewricht uit hun lichaam konden oproepen, om zichzelf of anderen te verwarmen.

'We moeten het aan de Grote Leider gaan vertellen,' zei de crax.

Ze gaf hem die titel, omdat ze hem als de beste beschouwde van de verschillende opperhoofden van de Olchibi. Onder zijn leiding opereerden dertien vandalenbendes, alles bij elkaar zo'n vijfduizend man.

De vrouwen trokken een plooi van hun loshangende zwarte bontmantels over hun hoofd. Hun gezichten verdwenen in het niet achter het bont. Zoals ze te voet over de sneeuw gleden, leken het net vier zwarte zuilen, allemaal even lang – want Olchibi kinderen groeiden snel en volwassen Olchibi vrouwen waren zelden erg groot.

Van de hoge open plek daalden ze af naar het lager gelegen oerwoud. Hier was een smal pad van behakte boomstammetjes dat ze ruim een uur bleven volgen. Aan het eind van het pad lag de sluhtin van Peb Juve.

Deze gemeenschap was indrukwekkend van omvang en status. De individuele sluhts stonden in groepjes bijeen, verdeeld over vele open plekken in een gebied van vijf of zes vierkante kilometer. Het gemeenschappelijke dak, met zijn vele lagen van hout, leer, veren, ijs en andere materialen, steeg en daalde als het aardoppervlak. Vele schoorstenen staken eruit omhoog. Daarboven waren de bevroren vijgentakken en ananasstengels helemaal rood en oranje verkleurd van het jarenlang in de sluhtinrook hangen.

De mannen die op wacht stonden, lieten de vier crarrowin zwijgend door.

Ze werden trouwens toch al verwacht.

Voorbij de ingang hing er wasem in de lucht. Het was binnen vochtig en het stonk er, naar de blonde mammoeten, die in de schaduw spookachtig rondwaarden aan hun overdekte tuipalen, en traag kauwend uit bakken sluimergras en graan stonden te eten. Thuis waren ze heel vreedzaam. De kolossen schuifelden zachtjes voor de heksen uit de weg, net als de mannen voor de poort gedaan hadden.

De sluhtin verbreedde zich. In feite was het een soort reusachtig overdekt kamp en overal in de groepjes woningen brandden de vuren in hun kleikachels. De vloer was van aarde, ontdooid door de voortdurende warmte, en daar speelden de kinderen die met veel pret door de modder rolden. Ze staarden de crarrowin met grote ogen aan, te jong om echt onder de indruk te zijn. Maar de vrouwen bij de vuren en de rondstappende mannen groetten eerbiedig.

Juve zat in een van de centrale gemeenschapsruimten. Hij zat op een stapel pelzen en was verdiept in een spel met vrolijk beschilderde, uit verschillende vijandelijke schedels geslagen kiezen. Zijn favoriete adjudanten, dertig krijgers, zaten om hem heen te drinken, en ze hielden zich gereed om hem zo nodig bij te staan bij de volgende zet.

Maar nu de crarrowin binnenstapten, was dat allemaal meteen afgelopen.

Peb Juve stond op. Hij drukte zijn rechtervuist tegen zijn voorhoofd, en gebaarde om zich heen om aan te geven dat de crax kon nemen wat ze maar wenste. Toen de plichtplegingen eenmaal achter de rug waren, nam de crax het woord.

'Hij is op komst, Grote Leider – hij is bijna hier. Hij brengt een grote krijgsmacht mee: Jafn stammen zoals we al hadden gehoord. Maar zoals we al vermoedden, gaat het verder dan dat, want hij is niet menselijk.'

'Niet menselijk? In welk opzicht?'

'Voor de helft een god.'

'Maar voor de helft?' zei Juve. Zijn vlechten waren grijs, maar hij was nog gezond en sterk. Hij keek naar zijn adjudanten en grijnsde zijn eigen gezonde, gekleurde tanden bloot. 'Een van die krankjorume goden van de Rukar heeft hem verwekt, zeggen jullie. Er is maar één soort Grote Goden. En dat zijn die van ons.'

'Amen,' galmden de adjudanten.

'Mm,' zei Juve, 'die halfgod, dus.'

'Hij zal je voor zich winnen,' zei de crax.

'Hoe? Met een gevecht?'

'Met liefde,' zei de crax.

Geen andere man, laat staan een vrouw, had Peb Juve zoiets kunnen vertellen. Maar de crarrowin deden wat ze moesten doen.

Peb fronste zijn wenkbrauwen. Hij zei: 'Ik geef mijn liefde nooit onverdiend aan iets levends.'

De crax sloeg de bontmantel terug van haar hoofd. Peb keek haar strak aan. Ze was een van zijn vrouwen. Tot nu toe was het niet gebruikelijk geweest om dat openlijk te erkennen.

'Ik weet het,' zei ze.

'Je weet het en toch vertel je me dat hij me voor zich zal winnen. Staat dat dan ergens geschreven, vrouw?'

'Ja,' zei Pebs vrouw. 'Het is geschreven door een blauwe zon op een bladzijde van brandende sneeuw.'

Voor hij de tent binnenging, bleef Joeri even staan. Hij keek naar de sterren. Hij voelde een vreemde weemoed en hij dacht dat die uitsluitend het verleden betrof – en zijn volk. Hij had hen vannacht gezien, door sneeuw en landschap, ruimte en tijd naar hen toe gesprongen. Een kort moment dat tegelijk een dag en een nacht duurde, had hij aan de rand van hun leven rondgehangen. Hij was nooit eerder naar de Olchibi teruggekeerd. Het was allemaal nog precies zoals hij het zich herinnerde: de sluhtins met de omsloten vuren als sterren in de nacht.

Op een kale ijsheuvel boven oerwouden vol basalt en rinkelende rijp hadden de crarrowin hun vuren ontstoken, gevoed en weer in hun persoon opgenomen. Joeri had hun passende eerbied betoond, ook al scheen hij nu onzichtbaar te zijn zodat het niet langer uitmaakte of hij inbreuk maakte op hun rite of niet. Ze hadden zijn aanwezigheid blijkbaar niet opgemerkt. Of misschien had de crax als enige toch iets ongewoons bespeurd. Hij had haar ooit gekend als een heksenkringlid van ongeveer dertig jaar – zij had Joeri destijds toegestaan om haar haar eerste jonkie te geven. Dit keer was hij bij haar uit de buurt gebleven.

Joeri liet de herinnering van zich afglijden, als een mantel op het ijs en hij stapte dwars door de tentwand naar binnen.

'Nu heb je me nodig,' zei Joeri.

Leowulf, die bezig was zijn boog klaar te maken voor een nachtelijke jachtpartij, keek naar op. Hij bevestigde noch ontkende de opmerking. Joeri vond dat Leowulf de tactiek van majesteitelijk zwijgen magnifiek onder de knie begon te krijgen.

Joeri keek opzij. Leowulfs schaduw was zichtbaar op de verlichte tentwand. Hij zag er heel gewoon uit. En toen ving Joeri de rode schittering op, kleine glimmertjes, als oogjes van kleine wezentjes die zich in de plooien van de schaduw schuilhielden.

'Ik zal je precies vertellen wat je bij de Olchibi moet doen,' zei Joeri. Hij stond kaarsrecht en zijn trots straalde van hem af; dit was een groots geschenk dat hij de jongeman aanbood. Joeri zou dat nooit aan iemand anders gegeven hebben. 'De grootste leider uit hun midden zal nu Peb Juve zijn, onder wie ik diende toen ik nog leefde. Hij heeft in de loop der jaren heel wat bendes onder zich verzameld, precies zoals jij nu. Ik had niet anders verwacht – hij is een geboren leider.'

'Ja?'

Er begon iets te kolken in Joeri's onbelichaamde bloed. Bars zei hij: 'Binnen die paar maanden ben je wel een heel andere toon gaan aanslaan. Zijn de Olchibi je nu soms te min? Is dat je stomme Jafnse pishelft, of je stomme Rukarse stronthelft? Nou?'

Leowulf kwam voor Joeri staan. Hij legde zijn handen op Joeri's schouders, wat maar weinig anderen hadden kunnen doen. 'Wacht even, oom, ik zei alleen maar *Ja*.' Zijn handen waren warm, troostend en vol genegenheid.

Joeri dacht na. Hij was niet ongevoelig voor Leowulfs charismatische uitstraling. Wie was dat wel, of kon dat zijn? Toch was er nu iets in Joeri dat kwaad opzij stapte. In die ene tel bedacht hij dat hij Leowulf niets had verteld over de oude sibulla die achter de Ranjals aan zat.

Joeri wist dat hij op het punt stond om zijn voormalige opperhoofd te verraden, Peb, die Joeri destijds altijd de Grote Leider noemde – hem te verraden aan deze Leowulf die Joeri nog maar net zijn naam had gegeven.

Maar ja, mokken deden alleen vrouwen bij zulke gelegenheden. Joeri ordende zijn gedachten, en voor de jacht begon vrtelde hij zijn neef alles wat hij nodig zou hebben.

Tegen een achtergrond van ijsoerwoud kwam in de maanloze nacht iets aandraven over de golvende sneeuwbanken. Het gloeide bleek op in het licht van de sterren.

Van de andere kant naderde ook iets, in een wolk van onder glijders en leeuwenpoten opstuivende sneeuw.

Hoog op zijn rijdier gezeten tuurde Peb Juve kwaad naar de horizon. 'Wat is dat daar.' Het was geen vraag maar een bevestiging.

De vijftig mammoeten kwamen tot stilstand.

Ze stonden als marmeren beelden onder de sterren. En wat op hen afkwam bleef maar naderen.

Leowulf bestuurde zijn eigen strijdar, met als enige zichtbare gezelschap in de slee de standaard die hij voor zichzelf had uitgekozen. Die was in de bodem van de ar gestoken en met stalen pennen aan de zijwand bevestigd. Hij werd niet als een belemmering voor de jacht beschouwd, vannacht niet, want de helderzienden onder hun tovenaars hadden hun allemaal al verteld wat ze tegen zouden komen.

Toen hij de kolossen van de mammoets als heuvels boven de sneeuwlijn zag verschijnen, herinnerde Leowulf zich plotseling een speelgoedje dat hij als klein kind van Joeri had gekregen.

Kritisch vergeleek Leowulf de enorme massa van elk dier met dat stukje speelgoed. Hij zette het speelgoedje uit zijn hoofd.

Hij was uitermate opgewonden maar ook doodkalm; hij verkeerde vaak in zo'n tweeslachtige toestand. Zo ging dat omdat alles nog zo verschrikkelijk *nieuw* was, maar hijzelf tegelijk al zo zelfverzekerd en vaardig – zo beheerst.

Dat was dus Peb Juve, die man op de voorste mammoet. Net Joeri, maar tegelijk heel anders, want Juve was gewoon ouder geworden. Zijn vlechten zaten vol met grijs en wit. Op de donkere okerkleurige wangen spiraalden tatoeages die blijk gaven van gezag.

Leowulf stuurde zijn ar recht op de heuvel van Juves mammoet af en pas vlak voor het dier zwenkte hij opzij, zodat het een wolk stuifsneeuw over zich heen kreeg. De mammoet reageerde niet; hij torende hooghartig boven hem uit.

Met een minimaal rukje aan de leidsels bracht Leowulf zijn span tot stilstand.

'Gegroet, Grote Leider,' riep Leowulf tegen de aanvoerder op het monsterlijk uitvergrote speelgoeddier. 'Een goede nacht voor de jacht – geen maanlicht. Mag ik u bidden om uw jachtkunsten voor onze zaak aan te wenden? Wij zijn hier vreemd.'

Hij sprak in Olchibi. Dat deed hij foutloos – Joeri had hem dat lang geleden al geleerd. Hij had de taal met opzet gekozen omdat hij deze oudere man naar hem wilde zien staren met dikke vraagrimpels in zijn al door ouderdom gerimpelde voorhoofd, en ook al de krijgers die hem vergezelden.

'Wie ben jij?' vroeg Peb Juve ten slotte.

'Mezelf.'

De Olchibi krijgers keken elkaar eens aan. Ze zagen dat deze 'vreemdeling' de waarde doorgrondde van een Raadsel en van het geheim.

Peb Juve knikte. 'Ze hadden me al verteld dat je onderweg was.'

'Mij werd ook verteld,' zei Leowulf nog steeds in vlekkeloos Olchibi, 'dat ik op mijn pad een held en leider zou treffen.'

'Wat is dat voor iets, jouw banier? Wat betekent hij?' vroeg Peb Juve. 'Ik heb er nog nooit zo-een gezien.'

'Mijn Jafnse vader stierf voor mijn geboorte,' zei Leowulf. 'Daarom is het embleem niet mogelijk.'

'Een blauwe zon van geslagen metaal,' zei Peb Juve, 'met wapperende repen zijde eronder – rood en geel als flakkerende vlammen.'

'Dankjewel, Grote Leider, dat je het vod hebt opgemerkt.'

Peb Juve zei: 'Over de heuvels bevindt zich een grote meute Jafn, maar toch rij jij uit met maar twintig man?'

'Wat heb je aan twintig miljoen krijgers,' zei Leowulf, 'als de Grote Goden hen in de steek laten?'

'Je kent onze gebruiken.'

'Ik ken sommige van jullie gebruiken.'

'Hoe heb je die leren kennen?'

'Als kind heeft een krijger van de Olchibi mij het leven gered.'

'Ja, als je nog een kind was, zou hij je redden. Wat was zijn naam?'
'Ik mocht hem Oom noemen.'
'Maar wat was zijn naam?'
'Die van een dapper man, vader van velen, doder van nog meer.'
'Hoe was hij bekend onder de mensen?'
Leowulf betoonde zich gehoorzaam op de manier van de Olchibi – hij drukte zijn vuist tegen zijn hoofd, maar zonder zijn hoofd te buigen.
'De Grote Leider laat zich niet van de wijs brengen. Mijn Olchibi oom is bekend als Joeri.'
Peb Juve knipte een keer met zijn ogen, dat was alles.
Langzaam en kalm zei hij: 'Dat is in de sluhtins geen onbekende naam. Weet je wat hij betekent?'
'Sterrenhond.'
'Ja.'
Over de verse sneeuw kwam een dunne witte wind aanrollen. Voor de twintig Jafn miegelde de wind van de spritten. Voor Peb Juve was de wind een Goddelijke adem.
Leowulf beschouwde de wind als wind, met ijs erin – in weerwil van vorm of illusie.
'Ter jacht dan,' zei Peb Juve. 'Weet je hoe wij jagen, de Olchibi bendes?'
Leowulf pakte zijn Olchibi boog van zijn rug. 'Misschien wil je zelf beoordelen of ik dat al dan niet weet.'
De Olchibi begonnen te joelen. Hun mammoeten kwamen onmiddellijk in beweging en zetten spoorslags een lange galop in. De Jafn hadden hier wel van gehoord en sommigen hadden het zelfs wel eens gezien. Aan Leowulf was deze manoeuvre natuurlijk lang geleden al nauwkeurig beschreven.
Met de leidsels om zijn middel zorgde hij ervoor dat zijn arrenslee hen bijhield.
Vanaf zijn hoge zitplaats op de rug van zijn mammoet zag Peb op de grond een vlammend span van man en ar dat hem met gemak bijhield en zelfs bijna voorbijreed.
Ze galoppeerden naar het noorden. De Olchibi die deze kant al op waren geweest, hadden onderweg het wild al opgejaagd. Nu stoven de herten voor de jagers uit de bevroren bosjes tevoorschijn.
Peb Juve zag hoe die ene arrensleerijder daar voor hem telkens drie pijlen van zijn boog liet wegsnorren, soms zelfs wel vier, en elke keer allemaal tegelijk. Elke pijl trof doel, en goed raak ook. De leider van de Olchibi kon niet precies zien hoe hij dat deed. Hij had nooit iemand gekend die onder het rijden meer dan twee pijlen tegelijk kon afschieten, die ook nog doel troffen; hij kon het zelf ook niet.
Weldra lieten ze de rest van de herten lopen omdat ze ruim genoeg hadden. De jacht was hard, geslaagd en uitermate kort geweest.

Ze stegen af en Peb Juve wachtte tot zijn rijdier zich op zijn knieën had laten zakken. Hij liep naar de jongeman toe, die nu temidden van de zee van dode dieren op de van bloed dampende sneeuw met zijn eigen buit bezig was – hij had er drieëntwintig geschoten. Geen enkele andere krijger, Jafn of Olchibi had er zoveel omgelegd.

'Ik vraag je nogmaals, wie ben je?' zei Peb Juve.

Leowulf lachte. Had er ooit zo'n mooi schepsel bestaan? Zelfs vrouwen waren zo mooi niet, zelfs Olchibi vrouwen van vijftien niet, met hun haar los en ingewreven met geurige kruiden. Maar op die manier was het ook al niet eenvoudig, want Peb voelde geen lust voor deze man.

Walgend van zichzelf, van zijn eigen bewondering die deze uitheemse vreemde zo razendsnel had weten op te wekken, wist Peb Juve genoeg om zich in te houden. Hij oordeelde snel, veroordeelde zichzelf en legde toen zijn oordeel terzijde.

Hij was tenslotte gewaarschuwd. Hij had nog heel wat in petto.

'Ik weet het niet, Grote Leider,' zei Leowulf. 'Ik weet niet wie ik ben.'

'Nog steeds het Raadsel?'

'Nee, de waarheid.'

Peb Juve knipperde nogmaals. Hij staarde hem aan. Zonder zijn hoofd om te draaien riep hij vervolgens een stel van zijn krijgers naar voren om Leowulfs herten te ontweien en uit te laten bloeden. 'In de buurt van onze sluhtin zitten witte beren,' zei hij. 'Heb je wel eens op beren gejaagd?'

'Een enkele keer.'

'Onze wijsvrouwen hechten grote waarde aan de beren en dus laten we ze met rust. Maar,' zei Peb Juve, 'er is er een die ons voortdurend lastigvalt. Hij maakt jacht op onze kindertjes, en laat onze dieren zo verminkt achter dat ze voor ons geen nut meer hebben.'

Leowulf kwam vlug overeind en veegde zijn handen schoon aan de sneeuw. Peb zag dat hij eelt op zijn handen had, als een ambachtsman, maar ze waren tegelijk fraai gevormd als de handen van een prins. Ja, hij had Rukars bloed, hij was de zoon van een god – ook al was het een waardeloze malloot van een god en al loog hij erover. De godenzoon richtte zich op. Peb zei: 'Als je wilt ,kun je die mammoet daar wel nemen. Mijn adjudant vindt dat wel goed.'

Leowulf keek naar het dier. De adjudant was al afgestegen. Hij stond grijnzend te wachten tot dit toonbeeld van volmaaktheid zichzelf ten overstaan van iedereen voor gek zou zetten.

'Dat is teveel eer,' zei Leowulf.

Hij liep op de mammoet af die inmiddels weer in zijn volle hoogte overeind stond. Hij waagde geen poging om hem te laten knielen, hoewel Joeri hem had geleerd hoe dat moest. In plaats daarvan liep Leowulf kalmpjes tegen de harige flank van het dier omhoog, zoals hij dat gewend was met steile heuvels en hoge bomen. De Jafn die dat al eerder hadden gezien keken eerbiedig toe. De Olchibi keken ook, maar met een stalen gezicht.

Boven op de mammoet zwaaide Leowulf zich met gemak in het eigenaardige zadel. Hij krabde het dier stevig over zijn kop tussen zijn vettige haar en boven zijn slurf en zijn slagtanden. De mammoet snorkte zachtjes van genoegen.

De Olchibi en de Vreemdeling, die sommige van hun gewoonten kende, gingen op berenjacht en lieten het slachten verder aan de Jafn over.

Pebs vrouw, de Crax, had tegen hem gezegd: 'Een beer doden is de ware beproeving. Als hij er een zootje van maakt, roept hij de toorn van het woud over zich af. Als het hem niet lukt, is hij geen krijger en is hij waardeloos, wat hij verder ook allemaal mag zijn.'

Maar toen ze de roodharige man de plek van het berenhol lieten zien, hoog op een sneeuwrichel tussen de verijsde takken van de vijgenbomen, haalde hij weer een wonder uit.

Hij begon de beer te roepen, zoetjes als een minnaar – als een moeder. En de beer kwam uit zijn hol gewaggeld. Hij was oud en zijn tanden waren helemaal zwart, wat ook de reden was dat hij achter de kleintjes en de lamaskepen aan ging. Toch was zijn vacht spierwit als pasgevallen sneeuw.

De rode tovenaar klauterde naar de oude, kwaadaardige beer omhoog. Hij deed dat zonder enig spoor van onrust of zelfs behoedzaamheid. Toen hij de beer bereikt had, tikte hij hem zachtjes op zijn flank en de beer zakte voor hem in elkaar. Dat was alles.

Peb en zijn naaste adjudanten waren afgestegen en stonden in een halve cirkel onder het sneeuwhol. Ze keken zwijgend toe. Toen de tovenaar hen riep, kwamen ook zij naar boven geklauterd om te kijken. De beer lag dood in de sneeuw alsof hij sliep. Er was geen wond op zijn lijf te bekennen en zijn vacht was helemaal gaaf.

'Vertel me nu hoe je heet,' zei Peb Juve. 'Je hebt laten zien dat je een tovenaar bent. Jij hoeft niet bang te zijn om je naam bekend te maken.'

'Leowulf.'

Er trok iets door het oerwoud. Er stond geen wind meer; misschien was het de vertrekkende levenskracht van de dode beer.

'Wie heeft jou die naam gegeven?'

'Ik,' zei een man die alleen Peb Juve op dat moment naast Leowulfs schouder zag staan.

Hij was een Olchibi en nog jong ook, een jaar of dertig. Nu hij elf jaar na zijn dood zijn aanvoerder terugzag, was zijn haar voor deze sociale gelegenheid extra fraai gevlochten.

'Wat ben jij?' vroeg Peb.

'Ik was een van jouw krijgers,' zei Joeri. Hij stond stijf van ontroering – van de kwelling van dit pijnlijke ogenblik van hernieuwde kennismaking.

Zou Peb zich Joeri herinneren?

Joeri dacht van niet. Waarom zou hij ook? De krijgers van een aanvoerder kwamen en gingen, leefden en stierven, net als beren.

Geen van de andere mannen kon Joeri zien. Ze zagen alleen de voetstappen die hij hun liet zien en die zonder hem erin in de sneeuw verschenen.

'Misschien was je ooit mijn krijger,' zei Peb Juve, 'maar nu ben je van hem. Jij bent het die hij "oom" noemt. Heb jij hem de gebruiken van de Olchibi geleerd?'

De vandalenbende hoorde Peb tegen een onzichtbaar iemand boven deze onbelichaamde voetstappen praten.

Jafnse toverij.

Joeri zei tegen zijn aanvoerder, die hem inderdaad vergeten was: 'Grote Leider, zoals je vrouw, de crax, je al heeft voorspeld is deze man weliswaar de wettige zoon van een Gaiord, maar in werkelijkheid is hij de zoon van een god bij een sterfelijke vrouw. Haar naam is Safee. Herinner je je een prinses van de Rukar die je wilde ontvoeren? Dat was zij. Je stuurde mij eropuit om haar te halen, maar het lukte me niet.'

'Je *praat* als een Rukar,' zei Peb Juve.

Dat bracht Joeri van zijn stuk. Hij schaamde zich, want hij besefte dat dat heel goed mogelijk was. Hij was tenslotte langdurig met Safee en met zijn neef omgegaan.

Hij zei alleen: 'Als je je de vrouw herinnert, weet je ook dat je haar waarschijnlijk had willen houden. Ze was jong en knap en sterk van geest, verstand en lijf. Ze zou je zonen gebaard hebben. Een daarvan had *hij* kunnen zijn.'

Peb Juve wendde zijn blik af van dit spook van zijn krijger. Hij keek nogmaals naar Leowulf, die de naam van een mystieke bastaard van de Jechen droeg en een banier had met een blauwe zon erop. De blik waarmee Leowulf hem over de witte beer heen aankeek, was nederig noch verwaand.

Jij, dacht Peb onaandoenlijk, *jij, vrouw, dit is jouw werk. Door me te vertellen dat hij me voor zich zou winnen, heb je me dat opgelegd. Nu kan ik niet anders doen dan me ook inderdaad voor hem te laten winnen.*

'Waarom ding je naar de gunsten van de Olchibi, wat wil je van ons?'

'Ik wil een oorlogsverbond met je sluiten. Heel Jafn is al verenigd.'

'De Jafn verachten de Olchibi. Olchibi minachten de Jafn.'

'Dat kan bijgelegd worden. Wederzijdse verdraagzaamheid levert wederzijds voordeel op.'

'Hoezo?'

'De Jechen zullen zich bij ons aansluiten. Jullie willen toch niet mislopen wat de Jechen kunnen krijgen?'

'En dat is?'

'Als we eenmaal groot genoeg zijn, trekken we samen zuidwaarts op tegen de Ruk. De Olchibi mogen dan de Jafn minachten, jullie haten de Ruk.'

'Dat is waar. We haten ze. In het verre verleden hebben de Rukar ons land leeggeplunderd. Ze hebben ons als slaven weggevoerd en ze hebben de sluhtstad Veins platgebrand zodat er niet meer dan een mesthoop van over is.'

'Nou dan. Jullie hebben eeuwenlang kleine hapjes uit de Ruk genomen. Zouden jullie niet graag je tanden eens in de hele schotel zetten? Samen hakken we die Rukar aan flarden, Peb Juve,' zei Leowulf die de aanvoerder nu bij zijn naam noemde, zoals een medeaanvoerder of een tovenaar dat kon doen. 'De oorlogsbuit uit hun steden zal voor ons en voor jullie zijn, om het verdriet over Veins goed te maken. Ze zullen ons overladen met vloeibaar goud en parels, ze zullen ons hun vrouwen geven om kinderen bij te maken, en hun tuinen om ons mee te voeden, wel duizend jaar lang.'

'Volgens je schaduwoom is jouw moeder een Rukar.'

'Mijn moeder,' zei Leowulf, 'zal met liefde de platgebrande puinhopen van Ru Karismi beklimmen om erop te *dansen*.'

Zijn poging om Safee bij Peb Juve te brengen had Joeri zijn aardse leven gekost. Misschien herinnerde Peb Juve zich Safee nog wel vaag, maar Joeri was hij totaal vergeten.

En Joeri had Peb Juve trouwens nu toch verraden door zich in zijn rol als adjudant van Leowulf aan Peb te presenteren als de bondgenoot van iemand anders – en door alles te doen wat hij Leowulf had beloofd.

Dat kolkte als een gistend vergif in Joeri's binnenste rond. Hij had voorgoed zijn geboorterecht verspeeld.

En dus rende hij, vlóóg hij, zoals zo vaak, over de ijsschotsen, langs de zwarte kruiranden van de zee, en op land door bossen van turkoois en grotten van nacht.

Op de terugweg naar het sneeuwwoud en naar de dorpsstad van Ranjal, zag Joeri helemaal niets van zijn reis. Dat was niet waar hij zich op richtte.

Toen hij vertrok, zaten de Olchibi met zijn allen te smullen van het vlees van de door Leowulf gedode beer. De puntgave vacht was aan Pebs vrouw, de crax, cadeau gedaan. Joeri vond dit alles... beledigend.

En hij klampte zich dus vast aan de vrouwennaam die even was gevallen – Safee. Ze hadden haar daar achtergelaten; Leowulf had haar daar achtergelaten. Ze was voor haar zoon nu blijkbaar nog louter een symbool, dansend op de puinhopen van een stad. Leowulf was erger dan Peb, hij vergát gewoon alles. Hij vergat zijn moeder, vergat zijn godin daar in die stomme glijkar, die door een af en toe opduikende oude vrouw achtervolgd werd. Hij vergat Joeri.

Hij was een kind, de Leowulf, maar zonder de kinderlijke behoefte aan genegenheid of enig benul van rechtvaardigheid, hoe hardvochtig ook. Zijn omstandigheden waren veranderd; hij had nu wel andere dingen aan zijn hoofd.

Kwaad en vloekend landde Joeri in het sneeuwwoud. De zon kwam al bijna op. Hij moest kijken of alles goed was met Safee.

Na een tijdje begon het hem op te vallen dat de opgehoopte bevroren sneeuw van de tunnellanen overal tot rare vormen was weggesmolten, alsof het kaarsen waren. De hemel piepte overal doorheen, verlegen blozend van de dageraad.

Toen Joeri in het dorp aankwam, bleek het niet meer te bestaan. Alles was spoorloos weggedooid. Overal lagen pijpen en andere voorwerpen van metaal en stukken hout en zinloze werktuigen. Tussen het puin liepen de bomen wranggroen uit. Bessen hingen in zware trossen omlaag en waar ze de grond raakten, liep het sap eruit.

Het huis van Nabnisj bestond ook niet meer. Maar Joeri vond wel het halfvergane lijk van Nabnisj in de buurt. Van Safee was geen spoor te bekennen, al vond Joeri in het sneeuwpuin wel een paar vrouwenkammen, een Jafnse ring en enkele kledingstukken waar inmiddels zwarte irissen omheen groeiden. Waar was ze heen?

De oproepsteen met het gat erin die hij haar had gegeven, kwam Joeri ook tegen. Ook die was kapot.

Zelfs de kat kwam niet opdagen op zijn roepen.

Joeri zat op zijn hurken op de gesmolten vloer en keek omhoog door de ruimte waarin de sneeuwwanden ooit hun schoorsteen vormden. De hemel was roze als een perzik. Daarheen was ze weggevoerd, besloot Joeri.

Geesten en goden deden zulke dingen. Ja, het was alweer een god die haar te pakken had – de tweede al. Ze was een slet. Eén god was haar niet genoeg.

Tweede Tussendeel

Aangezien een sterfelijke man niet kan bestaan als hij niet in een vrouwenschoot is gegroeid, heeft God eerst de Vrouw geschapen.

Gezegde van de crarrowin van de Olchibi

Hoe vind je tussen alle veranderingen die in de lucht gaande zijn een enkel beeld dat voortdurend beweegt, maar tegelijk nooit verandert?

Wolken – het waren wolken waarin hij woonde. Misschien waren het echt wel een soort wolken.

Bleek en neutraal namen ze de kleur van zonsopgang en zonsondergang aan, terwijl ze soms bijna helemaal niet te zien waren. Of ze nu maanlicht vingen of zonlicht, het bleef een torenhoog aambeeldwolkencomplex met een bollende bovenkant, zwaar maar gewichtloos, gaas dat graniet bleek.

Ddir, Sterrenschikker, zeilde traag door de lucht. Hij bezat volstrekt geen geest. Aangezien hij een god was had zijn persoon geen geest nodig. Hij keek vaak omlaag naar de ijsbal van de wereld. Maar vaker keek hij omhoog naar de vergezichten aan de hemel. Hij rangschikte de sterren niet echt. Sterren hadden al een plaats. Maar in zijn ongeest schikte Ddir ze wel degelijk en hoewel hij dus geen fysieke invloed op de sterrenbeelden uitoefende deed hij het tegelijk juist wel. Nu en dan zag een tovenaar, of zelfs wel een gewoon mens, wat Ddir had gedaan. Hoe er tussen de sterren plotseling de vorm van een dier of een voorwerp opdook aan de hemel, even duidelijk alsof het met een diamant was ingekrast. Vanavond had Dddir in de nachthemel een rangschikking ontworpen die wel een reusachtige schildpad leek. Die was de oplettenden of de geoefenden in vele landen schitterend opgevallen. Alleen de lui in de Ruk die zijn naam kenden, wisten wie daarvoor verantwoordelijk was.

Voorbij Veins, de gebrandschatte stad van modder en uitgestrekte markten, lag de Koperen Poort. Die met metaal beklede boog gaf toegang tot Jech. Het landschap van Jech bestond uit ijsmoerassen. Bij elkaar gehouden door bevroren wilgen en mangroven miegelde het er van de gestreepte veelvraten, apen met lichtbruine vachten die helemaal over de grond sleepten, en boomnesten makende wolven. Hier bouwde de mens bijenkorfwoningen van de koudste slurrie. Hoewel verwant aan de Olchibi waren de Jechen toch anders – een veel ouder, duisterder en occulter volk.

Achter de moerassen lag de wildernis van Jechs Noordland. Enorme keien lagen verspreid over het land alsof ze in een kwaaie bui uit de lucht omlaag waren gesmeten om ze kapot te gooien. Daarnaast staken bergen omhoog, verblindend wit van de sneeuw. Daarginds, heel hoog, lag een hoogvlakte, prehistorisch, kolossaal, nog nooit in kaart gebracht. Dit gebied was de Grote Waard, de ijswoestijn van het noorden.

De Waard was een onvruchtbaar oord. Het hele gebied was dor en zo hard als been, maar het bevatte een zondvloed aan fijn wit zand, alsof er iemand hopen zout had gemorst. Dit zand bestond zelf uit vluchtig ijs. Het waren kleine korreltjes en scherp als splinters. Uit de zandduinen stak soms een mesa van ijs omhoog waar het daglicht of een maan doorheen scheen.

De mensen die daar leefden, waren nomaden, met een gepokte, door bevriezing opgedonkerde huid en hardvochtige gewoonten. Als zenslakken sleepten ze hun huizen en hun tempels altijd met zich mee.

Die middag waren er wat wolkenbanken overgetrokken. Eén daarvan kwam niet van zijn plaats.

Die avond ontdekten nomadische astrologen boven de vlakte van de Waard een Pad tussen de sterren.

Na een tijdje begon het zelfbedachte sterrenbeeld te veranderen. Even later was het geen Pad meer maar de fonkelende omtrek van een Hand, die met zijn vingers omlaagwees naar de wereld.

In onopvallende kleren met de kleur van stof daalde Ddir af uit de hemel. Hij wandelde door de nacht omlaag alsof het een lange trap was.

En wie het zag – niet wat hij deed maar wat hij leek te zijn – zou hem de eerste keer al geen blik waardig keuren, laat staan een tweede.

In de woestijn van de Waard werd Ddir omringd door speels tollende kleine wervelwindjes, ijshoosjes. Hij liep op blote voeten tussen ze door. De god dacht na met zijn ongeest.

Eerst was er Zezet, sprankelend en dodelijk, die in de zee onder het ijs een mensenvrouw had bezeten en zo, blijkbaar tegen zijn wil, een kind had geschapen. Toen was er Yyrot, tegennatuurlijk geprikkeld door deze daad van Zezet, de gevolgen en het wezen dat eruit voortkwam. Yyrot had zijn hondengedaante aangenomen en gepaard met een kat. Daaruit moesten ook wezens – van enigerlei soort – voortkomen. Ddir die lekker op zijn wolk rondscharrelde, was daardoor op een of andere manier wakker geschud. Als begaafd ambachtsman wilde hij nu ook iets *maken*. Louter het groeperen van sterren kon hem niet langer bevredigen.

Deze goden, drie van de miljoenen die ze in Ruk kenden, kenden op hun beurt de mensen. Ze waren onder de mensen opgegroeid, letterlijk, want de mens had zulke goden naar zijn eigen evenbeeld gevormd. Geen wonder dat ze krankzinnig werden.

Het feit dat ze aan Safee waren gegeven, had dit drietal verbonden. Het was om te beginnen natuurlijk al een zwakke band, want elders waren ze uit elkaar gehaald en in andere drietallen aan andere stervelingen toegewezen. En opnieuw was het de daad onder het ijs die Zezet zo eigenaardig had verbonden met Yyrot en Ddir. Maar zelfs die daad van lust, verkrachting en bevruchting was niet willekeurig geweest. Daar moest ook een reden voor geweest zijn...

Zelfs de magikoi hadden die niet kunnen doorgronden. Misschien hadden ze het nooit op die manier bekeken. En de goden zelf deden nimmer enige moeite om erachter te komen.

De sneeuw was van de noordelijke bergen omlaaggegleden en in een ondiep dal op de hoogvlakte eronder terechtgekomen.

Wat was die sneeuw ongelooflijk wit tegen het donkerder wit van de omringende Waard.

Ddir liet zich omlaag drijven naar de sneeuw.

Hij stond er een tijdje naar te kijken, zijn maagdelijke doek.

Toen begon hij.

De witheid deelde zich. Het leek wel of er een kind door een dunne doek blies. De helften werden omhooggeduwd om ze daarna dubbel te vouwen en terug te slaan. Ertussenin vormde zich uit de maagdelijke sneeuw een nieuwe vorm.

Alleen de nacht en Ddirs sterren keken toe.

Ze zagen de vorm in de sneeuw heel snel in een vrouwengedaante veranderen. Ze had een lang en slank lijf met volmaakte verhoudingen, aanvankelijk nog in alle opzichten onopvallend. Toen verhieven zich onweerstaanbaar de geslachtsheuvel en de twee borsten en op de zachte ronding van de borsten werden twee knopvormige tepels geplaatst. Op hetzelfde moment vormden zich op het gladde eierschaalmasker van het gezicht spontaan twee halfgeloken ogen en twee volle, golvende lippen. Waarna een neus, jukbeenderen en twee fraaie oren volgden. Vanaf het hoge, gebeeldhouwde voorhoofd begonnen rivieren van haar over de sneeuw te stromen als een gestage watervloed uit een innerlijk stuwmeer. Smalle, soepele handen en voeten verschenen. En de lichaamsrondingen waren van een slanke zinnelijkheid die veel weg had van een gekromde dolk in een fluwelen hoes.

Ddir hield even pauze om zijn werk te beoordelen. Samen met het duister en de sterren keek hij nu ademloos toe. Toen eindelijk de bewegende vlakken van de sneeuw hun werk hadden gedaan, liep hij om de vrouw heen, helemaal rond haar klinkklare witheid – deze ongelooflijkheid die hij had gemaakt.

En als een oude kindermeid klakte Ddir ineens met zijn tong. Hij gaf zichzelf een standje voor zijn slordigheid. Hoewel uitgerust met ledematen, borsten, lendenen en mond, gewimperde ogen en een mantel van haar, onzichtbare organen en tanden, was zijn meesterwerk natuurlijk niet geboren. Daarom miste ze een eigenschap die haar voor mannen aanvaardbaar zou maken. Hij boog voorover en stak vlug zijn vinger in haar platte sneeuwbuik, om het gave kuiltje van de navel aan te brengen.

De nacht die geduldig had afgewacht, meende dat het nu zijn beurt was.

De sneeuw moest levend worden en warm. Hij moest zijn aard omkeren. Ddir vouwde zijn ambachtelijke handen open en de nacht stroomde door zijn vingers naar buiten en maakte de wonderbaarlijke vrouw in de sneeuw zwarter dan het zwartste git.

Of Ddir had legenden van buiten Ruk gehoord, of goden deden zulke dingen nu eenmaal – en dan waren de eerstgenoemde legenden dus waar.

⁂

Hirdiynomaden hadden hun tenten opgeslagen aan de voet van drie ijsmesa's. De nacht had een elastische helderheid gekregen die hij vaak voor een ijsstorm had. Ze hadden dus de leidsels van hun hondenspannen aan de grond vastgepind, en hadden ogen, oren en geslachtsdelen van de dieren voorzien van beschermende hoezen. De meeste honden waren dit wel gewend. Alleen een van de jongste bezorgde hun wat last. De mannen, vrouwen en kinderen kropen in de leren tenten en verzegelden de tentflappen met metalen staven. Vier mannen bleven bij het vuur zitten om de wacht te houden, met hun eigen persoonlijke beschermingsspullen bij de hand.

Tot nu toe was het weer glashelder, maar toen de manen opkwamen vertoonden die elk een wazig bruine kring.

'Dit nacht voor iets bijzonders,' zei een van de vier mannen die de wacht hielden. Zijn naam was Ipeyek. Hij was geen tovenaar, maar hij wist soms dingen. Omdat ze geen tovermeester of crarrow hadden, luisterden zijn hirdiy naar hem.

Toen hij verder zweeg, zei een van de andere mannen: 'Meer dan storm op komst, dan?'

'Misschien geen storm op komst. Alleen iets anders.'

Op dat moment stak de wind op. Hij dook zomaar op uit het niets en van nergens; hij gierde over de hoogvlakte van de Waard. Het was weliswaar niet de tollende bijtende wervelwind van een ijsstorm, die je met z'n dodelijke ijskorrelnaaldjes geselde, maar de tenten stonden er wel van te trillen. Zelfs de mesa's van massief ijs leken op hun grondvesten te schudden.

Toen was de wind alweer voorbij. Hij was gekomen en weer gegaan en hij kwam niet meer terug.

De mannen hieven hun hoofden op. Hun vuur was uitgewaaid.

Ipeyek zei: 'Als enkele ademtocht.'

'Gods adem,' zeiden ze.

De vier mannen stonden op en keken naar de vier windrichtingen van de wereld om te zien wat er nu zou komen. Maar het was Ipeyeks negende zoon die het het eerst zag.

Alleen de jongste kinderen huilden als de grote wind overtrok – net als de onervaren jonge hond hadden zij nog niet geleerd dat je voorzorgsmaatregelen moest nemen, maar klagen legde geen enkel gewicht in de schaal. Ipeyeks negende zoon kende met zijn drie jaar het klappen van de zweep als geen ander. Terwijl zijn twee moeders de zuigelingen troostten, stak het kind, dat eerder dan de anderen doorhad dat de wind was gaan liggen, nieuwsgierig zijn hoofd uit een spleet in de tent.

Zodoende zag hij haar.

Zelfs de nacht was nu niet zo donker. Maar het leek wel alsof hier de Nacht in eigen persoon over de hoogvlakte wandelde, slechts gekleed in een waterval van haar. En haar ogen waren sterren.

Ze noemden haar Nacht. Dat was de naam die ze haar gaven. In de context van de nomadentaal die niet alleen werkwoorden meed maar ook al evenzeer overbodige woorden als *een* of *de*, betekende *Nacht* ook kou, en schoonheid en een galmend geluid dat samengesteld was uit stilte, verte en eeuwigheid. Hun woord voor nacht was *Killa*.

Ze woonde in de hirdiy tempel. De tempel was niet het huis van God – want ze geloofden dat hemel en aarde Gods huis vormden – maar van het gebeente van hun voorouders. Het was een soort harde tent, gemaakt van gelakte huiden, met stevige met snijwerk versierde staken van fossiel hout. De tempel werd, net als de woontenten, meegevoerd op een glijkar getrokken door een ploeg van zes trekhonden, terwijl de andere honden ernaast liepen met pakken en werktuigen op hun rug, zoals overal bij de hirdiy.

Overdag liet ze onder het trekken altijd de flap van de tempeldeur open. De nomaden konden haar zien zitten, Nacht, tussen de lakwerkkistjes met het gebeente.

Ze zei niets. Ze had nimmer een woord tegen hen gezegd noch enig geluid gemaakt. Ze wisten niet of ze wel een stem had. Maar misschien wist ze dat zelf ook wel niet.

Toch verspreidde ze zelf zachte muziek. Je had het ruisen van haar lange haar, dat rokerig zwart was en gekruld als de fijnste lamaskeepwol en helemaal tot op haar enkels hing; dan had je het zijdeachtige schuiven van haar spiegelgladde huid, tegen zichzelf of tegen haar haar. of later tegen de kleren die ze haar gaven. Ook ademde ze, in en uit – maar ze wisten dat haar allereerste ademteug van de mond en de neus van God was gekomen.

Nacht – Killa – was ongevoelig voor kou. Ze was gemaakt van sneeuw – zij meed juist het vuur, waar ze ver bij vandaan bleef, en anders bleef ze in de open deur van de tempel zitten.

Aangezien ze van God afkomstig was, verwachtten de hirdiy min of meer dat ze hun wat kwam vertellen. Toen ze helemaal niets zei, dachten ze dat ze hun misschien door haar voorbeeld iets kwam leren. Ze letten goed op of ze soms een teken zou geven.

De kleren die ze haar gaven, waren kleren die ze aan een crarrow zouden geven als er ooit een aangeboden zou hebben om zich bij hen aan te sluiten. De meeste hirdiy hielden zulke kleren in voorraad. De lange jurk was gevoerd met gesponnen sluimergras dat ze hadden geruild met de bewoners van het moerasland in het zuiden, en van boven was hij afgezet met zwartgestreept veelvraatbont uit dezelfde streek. De mantel was van geweven zwarte wol met een ingeweven patroon van oranje, blauwe en paarse oogfiguren. Ze gaven haar haarspelden van antiek walvisivoor om haar haar in bedwang te houden, oorringen van goud en een halsketting van verzilverd messing, allemaal afkomstig van een plaats die ze niet meer konden achterhalen.

Killa kleedde zichzelf aan, nadat de vrouwen haar hadden laten zien hoe dat moest. Net als de nomaden trok ze naderhand nooit haar kleren meer uit en ze waste ook haar lijf niet. Dat was heel gebruikelijk. Maar in haar geval verspreidde ze niet de benauwde verschaalde zweetlucht van mensen. Killa's geur was koel en leek niet op een lijflucht.

Hoewel ze altijd symbolisch wat voedsel tot zich nam, dachten ze dat ze geen lichaamsbehoeften had. Als ze 's avonds gestopt waren, kwam ze uit de tempel naar buiten en liep ze langzaam een rondje langs de rand van het kamp. In de schemering zag Ipeyek Killa een keer als een doodgewone vrouw achter een sneeuwduin hurken. Maar de urine die in een straaltje over de grond liep, was zilverkleurig als haar halsketting, er sloeg geen warme damp af en hij rook naar versgevallen sneeuw.

Ze leerde hun helemaal niets, zelfs niet door een voorbeeld te geven. Haar gezicht vertoonde geen uitdrukking, zelfs niet van verbijstering of kwaadheid. Haar trekken waren altijd volstrekt kalm, net als haar lijf. Toch keken haar ogen in het rond en kon ze ermee knipperen en ze dichtdoen. Haar gecoördineerde bewegingen waren subliem.

Ze had witte oogbollen en witte tanden – en misschien waren haar botten ook wel wit – en ze hadden gemerkt dat haar handpalmen en haar voetzolen een beetje bleker en rossiger waren dan de rest van haar huid en dat ze aan de binnenkant van haar mond een gewone mensenkleur had. Haar bloed – als ze al bloed had – zou dus rood zijn, ook al was ze door God gemaakt van nacht.

Ipeyek vertelde niemand over de intieme verrichting die hij had gezien.

De hirdiy kenden het Jafnse heldenverhaal van Ster Zwart niet, de krijger van sneeuw. Ze hadden geen enkele richtlijn behalve hun religieuze achting.

Al die tijd trokken de nomaden niet in een speciale richting. Ze trokken voortdurend kriskras door de Waard, hoewel zelden langs de randen met in het noorden de bergen en verder de zee. Soms trokken ze zelfs in grote kringen. Ze hadden wel wat van een klokwerk van de magikoi. Als ze eenmaal in beweging waren, hielden ze dat vol – maar voor hen was het een doel op zichzelf.

Toen kwam de nacht dat er drie manen tegelijk aan de hemel verschenen.

Dan haalden ze altijd het gebeente uit de tempel om het vragen te stellen.

Het ritueel werd aan Killa uitgelegd. Ze knikte niet eens, maar ze waren van mening dat ze inmiddels hun taal was gaan begrijpen. Dat klopte. Ze liet de deurflap van de tempel wijd open staan toen ze naar buiten ging en ver bij de vuren vandaan ging staan kijken.

De hirdiy haalden de kistjes naar buiten en legden het gebeente in het vierkant dat de vier windrichtingen symboliseerde. Toen brachten ze het gebeente offers.

De drie manen hingen als witte gezichten aan de hemel. Het leek wel middag, zo helder was het.

Soms gaf het hirdiy gebeente antwoord.

Deze nacht kwamen de botten overeind. Ze vormden een palissade. Wazige lichtjes kronkelden ertussendoor. Toen begonnen ze te glijden, tegen de zon in, langs de onzichtbare lijn die het vierkant vormde.

De hirdiy keken met zwijgend ontzag toe. Voor zover ze zich konden heugen, was zoiets nog nooit gebeurd. Maar er kwam nog meer. De glijdende botten schoten plotseling weg uit het vierkant. Ze vlogen omhoog en daalden als een regen van speren neer, waarbij ze nu onmiskenbaar een heining vormden. Die heining lag tussen de hirdiy en de vrouw die ze Killa hadden genoemd.

Rechtop als heiningpalen in de grond gestoken bleven de botten weer doodstil staan. In de lucht begonnen krakende stemmen hoorbaar te worden.

'Eruit,' kakelden ze, 'eruit – weg ermee. Zij – nee. Uit Waard. Eruit zij – weg zij.'

De hirdiy stonden sprakeloos achter de onverwachte bottenheining. Maar de stemmen bleven doorzeuren, en klonken steeds schriller en griezeliger.

Ipeyek die met de anderen achter de heining stond, mompelde: 'Maar voor ons zij–'

Waarop de botten een soort vurig slijm uitspuugden.

Een stel nomaden drukte Ipeyek tegen de grond. Ze stopten ijs in zijn mond om hem het zwijgen op te leggen, zijn tovenaarsstatus even terzijde geschoven.

Toen de botten maar bleven spugen en krijsen, werden de hirdiy helemaal dol en ze begonnen kluiten bevroren ijszand op te rapen om daarmee over de bottenheining de vrouw te bekogelen die ze hadden gekleed, en gehuisvest in hun tempel.

Ze joegen Killa weg zoals ze haar hadden opgenomen, zoals ze alles wat bruikbaar was opnamen en alles wat schadelijk was wegjoegen. Hoewel God haar had gemaakt, wilden de voorouders haar niet hebben. Niemand dacht gelukkig dat ze voor hen zou vluchten. Dat deed ze ook niet. Ze wandelde gewoon steeds verder bij de geworpen kluiten vandaan, tot ze achter de duinen verdween.

Op haar gezicht was niets te zien geweest. Haar ogen stonden wijd open, maar heel rustig. Ze keek niet om. Alleen Ipeyek zag dat ze naar het zuiden liep en hij herinnerde zich dat ze destijds ook die koers had gevolgd, want toen ze bij hen kwam, kwam ze uit het noorden.

Dagen later volgde hij haar, of liever gezegd het spoor van haar smalle, holle voeten over de sneeuwduinen.

Ipeyek had zijn gezin van twee vrouwen en twaalf kinderen achtergelaten, plus zijn woontent en zijn glijkar, zijn hondenspan en drie vrachthonden. Het enige wat hij meenam, waren zijn strijd- en jachtwapens en de kleren die hij altijd droeg. Niemand protesteerde hoewel de vrouwen ernstig keken en een paar van de jongste kinderen begonnen te huilen. Het was in het

Noordland niet gebruikelijk om te redetwisten.

Waarom ging hij achter de vrouw die ze Killa noemden aan?

Om een doodeenvoudige reden: hij was verliefd op haar geworden. En in zo'n hevige mate dat hij alles voor haar wilde opgeven.

Meestal kon hij zijn doelwit niet zien. Soms zag hij haar in de verte, maar zij bleef na zonsondergang gewoon doorlopen. In het land van de Jechen was 's nachts slapen de norm, maar Ipeyek stelde zichzelf op slaaprantsoen.

Onderweg door de ijswoestijn hield hij zich in leven met jagen. Wild was schaars, maar hij was opgegroeid met die schaarste in dit land en hij kende beider geheimen. De paar hazen die hij zag, velde hij met zijn slinger. Hij zag een keer het spoor van een touwflard, wist in de sneeuwduinen zijn hol te vindfen en trok de slang naar buiten. Terwijl hij achter Killa aan liep, at hij uitsluitend rauw voedsel en om te drinken sloeg hij met een scheermesdun vuursteenmes ijssplinters van de mesa's.

Volgens hem at Killa helemaal niet. Misschien had ze het eten dat de hirdiy haar gaven wel louter uit een soort bizarre beleefdheid aangenomen, omdat eten nu eenmaal iets was wat mensen blijkbaar deden.

Ipeyek vroeg zich verbaasd af of ze misschien om diezelfde reden wel eens plaste.

Hij probeerde niet één keer om haar in te halen. Zelfs niet wanneer hij haar ver voor zich uit als een eenzame zwarte vinger over het witte sneeuwzand kon zien bewegen, een boodschap in de lucht schrijvend die hij niet kon lezen.

Op een morgen, toen hij al uren achter elkaar had gelopen, merkte Ipeyek dat hij het eind van de hoogvlakte naderde.

Hier vermengde zich het randgebergte weer met het vlakke terrein. De grond begon te hellen en te verbrokkelen. Naarmate het land meer begon te wijken, kreeg Ipeyek ook steeds meer te zien van de hellingen die omlaag leidden tot helemaal naar de laagvlakten van de noordelijke wildernis van Jech. Hij was nog nooit zover naar het zuiden geweest.

Die hele dag kreeg hij Killa geen keer te zien en de rotsige bodem hield haar voetstappen verborgen. Hardnekkig en vastberaden bleef hij koppig doorlopen.

Die avond maakte hij in de luwte van een rotsblok zonder toverkunsten een vuur door met zijn vuursteen vonken te slaan. De duisternis viel en alles was leeg – maar Killa was ook nacht en het ontbreken van geluid.

De volgende dag vond hij haar. Ze zat ongeveer zes meter bij hem vandaan. Toen ze voor de laatste steile afgrond kwam te staan, waar het hoogland abrupt afdaalde naar de wildernis in de verre diepte, was ze blijven staan. Hij dacht niet dat ze zich door angst had laten weerhouden. Ze wist gewoon totaall niet wat ze moest beginnen.

'Ik en jij van berg omlaag,' zei hij. 'Ik weet. Geen zorgen met mij.'

Ze kon niet vliegen. Dat was vreemd, maar gelukkig, want anders had hij haar misschien wel nooit ingehaald.

Hij had overal in de Waard rotsmassa's beklommen, zelfs de glibberige mesa's van ijs. Daarom ging Ipeyek voorop, om de veiligste route te kiezen. Zonder tegenspreken of iets te vragen kwam ze achter hem aan.

Ze hadden twee dagen nodig om langs de helling af te dalen. De tweede nacht, toen de wildernis in de diepte zo nabij was dat ze die de volgende dag zeker zouden bereiken, wist Ipeyek met zijn slinger een wild grijs rattenzwijn te doden. Hij vilde het dier, sneed het in stukken en grilde het vlees. Toen hij Killa ook iets aanbood, nam ze een klein hapje van hem aan zoals ze bij de hirdiy ook altijd had gedaan. Naderhand ging hij bij haar liggen en hij legde zijn hoofd in haar schoot. Ze duwde hem niet weg.

Ze rook nog steeds fris en ver. Hij nam aan dat ze nooit sliep; hij had het tenminste nooit gezien. Er waren meer van die volken. Hij stak stilletjes een hand uit en legde die op een van haar verrukkelijke borsten onder de jurk. Killa duwde hem nog steeds niet weg.

'Ik op jou?' vroeg Ipeyek haar. Onder de nomaden was dat de gebruikelijke vraag. Hij overwoog of ze het begrepen zou hebben. Blijkbaar wel.

Uitdrukkingsloos en gewillig ging ze met haar benen wijd tegen de helling liggen.

Ipeyek omhelsde haar, liet zijn handen onder haar jurk glijden en begroef zijn gezicht in haar borsten, haar haar, haar lendenen. Haar middelpunt was betoverend. Toen hij erin binnendrong, leek ze koeler dan enige andere vrouw die hij ooit had gekend, maar tegelijk stevig en sappig. Ze was geen maagd. Ipeyek wist niet dat de god die haar had gemaakt aan al dat soort dwaze beletselen geen boodschap had gehad – of ze misschien gewoon had vergeten, zoals hij ook bijna haar navel had vergeten.

'Geen kwaad,' fluisterde Ipeyek na een tijdje. 'Vrouw.'

Ze waren getrouwd.

De hirdiy van de Waard kenden geen woord voor geluk. Hij viel in slaap met haar dicht tegen zich aangedrukt in zijn armen – *zijn*.

Als man en vrouw trokken Ipeyek en Killa daarna verder door de wildernis naar het zuiden naar de moerassen van Jech. Hij nam aan dat ze nog steeds die kant op wilde en als ze van gedachten veranderde, zou ze dat wel op een of andere manier laten merken.

Elke nacht paarde hij een of twee keer met haar. Ze weigerde nooit, maar ze liet ook niet blijken dat ze genoot – toch had haar gebrek aan deelname niets afwijzends of ergerniswekkends. Het leek er sterk op dat ze wel degelijk deelnam nu ze haar heerlijke lijf telkens zo onmiddellijk ter beschikking stelde. Haar zwartglanzende open ogen brachten hem tot steeds hogere toppen van vervoering. Omdat hij vruchtbaar was overwoog hij of hij haar zwanger zou maken. Hij besloot dat het niet erg waarschijnlijk was. Hij had gelijk.

Toen ze het zuiden van Jech begonnen te naderen, kwam er een eind aan de matte gelijkmatigheid van het weer.

Hier begon het moeras, loodgrijze modder onder doorzichtige gebarsten ijslagen. De gruwelijke spinnenpoten van de mangroves omsloten hen met berijpte stammen en tentakels. Boven hun hoofd scheurde de hemel donderend open om griezelige bliksemstralen en vuurballen uit te braken.

Ze trokken moeizaam verder door de moerassen. Onder half doorzichtige ijsstroken waren dingen zichtbaar: grote sauriërs die elders hadden weten te ontkomen en nu over het land schuifelden. Ze waren bepantserd, die dieren, met koppen die bijna doormidden spleten van de slagtanden, maar ze konden bijna niets zien. Ipeyek die verhalen had gehoord over het zuiden van Jech, bracht Killa in veiligheid in hoge palmbomen, door ladders van ijs te beklimmen. Er waren ook apen die hem in troepen wilden aanvallen, maar Ipeyek doodde er drie met zijn slinger en toen hij vreselijk tegen ze begon te brullen, vluchtten de andere gauw weg.

Wanneer ze door de zachte modder trokken, werd Ipeyek belaagd door bloedzuigers. Hij wreef er met een brokje ijs overheen om ze los te krijgen. Ze zogen zich niet één keer aan Killa vast.

Nog verder zuidwaarts kwamen ze op mensenterrein terecht. In nederzettingen van bijenkorfhuizen bleven de deuren dicht. Niemand kwam er naar buiten. Eén keer kwam er een eenzame crarrow tevoorschijn. Ze vroeg Ipeyek in een andere Jechentaal wat hij hier deed. Toen hij niet begreep wat ze bedoelde, keek de crarrow hem hoofdschuddend aan. Ze had groen geverfd haar. Zonder haar toverkunsten te vertonen dook ze haar huis weer in. Killa had ze volstrekt genegeerd.

Ze zagen geen wolven. De onweersbuien namen af.

Ipeyek vertelde zijn vrouw over de Koperen Poort die het einde aangaf van al het land van de Jechen. Voor Ipeyek stond dat gelijk met het einde van de wereld, ook al had hij er altijd van geweten.

Eindelijk zagen ze door een zware mist vol met bevroren wilgentakken, aan de andere kant van een brede moddervlakte vol jagende sauriërs, de Poort liggen. Het was vlak na de morgenstond. Vroeger was de Poort breed en hoog geweest – toen konden er wel twintig arrensleden naast elkaar onderdoor. Hoewel nog steeds indrukwekkend, was hij gedeeltelijk ingestort en de glanzende koperen platen van vroeger waren in een ziekelijk kopergroen veranderd.

Voorbij de Poort lag nog meer modder, helemaal tot aan de puinhopen van Veins.

De stadsmuren waren weggevaagd. De resten van de prachtige gebouwen lagen al eeuwen diep onder de ijskoude prut begraven. Boven op en uit deze mesthoop hadden mensen als insecten een soortement bouwseltjes opgetrokken. Veins was een doolhof van steegjes en gevechtsarena's, slavenmarkten, bordelen en poelen van uitheemse ontucht.

De Olchibi bendes van buiten de stad hadden het nog altijd over Veins. Alle Rukar slaven die ze in leven lieten, brachten ze naar Veins, om de schande

die de Rukar over de stad hadden gebracht te verzachten.
Vandaag was het tamelijk druk in de poel van verderf. Dikke rookwolken hingen erboven.
Ipeyek en Killa liepen door de Poort en luisterden naar het grommen van de moeraskaaimannen tot ze geleidelijk aan een ander geluid begonnen te horen dat maar rond en rond bleef zingen. Ipeyek wist natuurlijk niet dat het in Veins niet altijd zou luid, zo rokerig en zo vol leven was

Ze waren van heel ver gekomen. Voor een nomade stelde reizen op zich natuurlijk niets voor, maar Ipeyek had heel zijn wereld achtergelaten. Voor ze de stad ingingen, bond hij Killa om haar te beschermen met een riem aan zijn lijf.
Dat was heel verstandig, maar het hielp uiteindelijk niets.
In de steegjes waren ze vrijwel voortdurend omringd door een heleboel andere mensen. De meesten staarden Killa stomverbaasd aan – in deze gebieden had niemand een zwarte huid. Ipeyek ving het woord crarrow op toen hij zich een weg baande.
Tussen de Olchibi en de Jechen in Veins, die niet noodzakelijk de legende van Ster Zwart kenden, was het al erg genoeg. Maar nu waren er ook Jafn stammen in de stad, iets wat maar zelden gebeurde. De eersten van deze withuidige krijgers die Ipeyek ooit had gezien, kwamen in drommen in hun arrensleden over de heuvels van de verzonken huizen aanrijden. Olchibi stapten beleefd opzij, want de Olchibi waren tegenwoordig zeer verdraagzaam jegens de Jafn, ze hadden zelfs een vriendschapsverbond gesloten.
Dat vond Ipeyek op zichzelf al verbazend. En ineens was hij ingesloten door verscheidene arren met leeuwen ervoor ingesloten.
Killa stond aan het eind van haar riem die Ipeyek om haar middel had gebonden. Ze had een slavin geweest kunnen zijn, maar dan een van git. Ipeyek had begrepen dat ze Veins in wilde. Hij had niet geprobeerd om erachter te komen waarom.
Hij wachtte met zijn slinger in de hand op wat er ging gebeuren. Hij wist van de Jafn dat ze oorlogszuchtig en snel vertoornd waren.
Maar de mannen in de arrensleden staarden alleen maar – ze staarden naar Killa. Sommigen maakten tekens voor hun borst tegen dingen in de lucht die Ipeyek niet kon onderscheiden.
Toen begon een Jafn tegen Ipeyek te praten.
Ipeyek praatte terug.
Geen van beiden begreep de ander.
Uit de dichte mensenmenigte glipte een tanige eenogige kerel naar voren. Hij was een Jech en hij zat onder de littekens want vocht voor zijn levensonderhoud in de kuilen van de stad met kaaimannen. Hij wierp zich op als tolk, want hij kende de taal van de Waard en ook een beetje Jafn. Hij wist Ipeyek al gauw aan zijn verstand te brengen dat ze dan misschien wel zijn

vrouw was, maar dat de zwarte vrouw nu toch met de Jafn mee moest. Ze wilden haar meenemen naar hun Bijzondere Baas – zoals de Jech het vertaalde – die haar vast graag zou willen zien.

'Nee. Zij met mij,' riep Ipeyek vergeefs toen de witharige Jafn uit hun glijkarren stapten, Ipeyek beetpakten, hem door de kaaimanvechter lieten vasthouden, Killa's riem doorsneden en haar over de modderheuvels wegvoerden.

Toen de hemel weer opklaarde, had hij een diepe, egaal violette kleur. Hier en daar hingen nog enkele wolken, waarvan er één zich absoluut niet verplaatste, noch van vorm veranderde.

Was Ddir verantwoordelijk voor wat er beneden gebeurde? Of was het slechts het onvermijdelijke gevolg van een treffen tussen legende en werkelijkheid?

In de wolkenmassa was geen levend wezen te bespeuren.

Was Ddir zijn belangstelling kwijt nu hij zoveel in beweging had gezet?

Waar Veins verder naar het zuiden ophield, lag nog een soort van ijsweg. Daar had de grote massa van het bondgenotenleger, alle stammen van Jafn en vele van de Olchibi, zijn kamp opgeslagen. Het leger met zijn tenten leek wel een valkerij: bedrijvig en woest. Daar voegden de Jechen zich nog bij. Groepen mannen waren uit het moerasland komen aanmarcheren onder totembanieren die al voor de strijd waren verfraaid met gemummificeerde dierenkoppen en schedels – van sauriërs, wolven, veelvraten en apen. Anders dan de Olchibi staken de Jechen maar zelden mensenhoofden op staken. Jechen en Olchibi leverden beide vrijwilligers uit Veins. Daar waren lui onder die in de dierenkuilen vochten, dieven, en ontvluchte gevangenen die op een of andere manier iemand hadden weten om te kopen en nu liever tegen de Rukar wilden vechten dan aan een roeiriem geketend om te komen aan boord van een moederschip van de Vormen of de Beisters.

Ipeyek zou niemand opgevallen zijn als hij geen bovennatuurlijk wezen aan een riem bij zich had gehad.

Het kamp galmde van gezang en gehamer, vermengd met gesnork, gebrul en gestamp van mammoeten, leeuwen en honden. Overal hielden mannen schijngevechten om zich te oefenen voor serieuzere gelegenheden. De lucht gonsde ook van het ploinken van boogpezen en het snorren van werpsperen.

Toen de Jafn krijgers haar door het kamp meevoerden, draaiden overal hoofden hun kant op. Smid na smid aarzelde even tussen de ene klap en de andere zodat het zwaard of het mes op het aambeeld begon af te koelen. Olchibi na Olchibi die iets aan het koken was op zijn draagbare kachel, liet zijn stuk vlees in het vuur vallen.

Buiten de verhalen had er nog nooit iemand zoals zij bestaan. Ze had een majesteitelijke tred. En hoewel ze geen van allen vorsten kenden, herkenden ze die majesteitelijkheid onmiddellijk. Zwart als de nacht, schoon als de zon.

Misschien beschouwden de Jafn krijgers zich aanvankelijk als haar gevangenbewaarders, maar louter door haar aanwezigheid maakte zij ze tot haar lijfwachten, zoals ze van Ipeyek geen echtgenoot maar een slaaf had gemaakt.

Langzamerhand werd het stil waar zij ging.

Ze zagen haar houding, haar haar dat met iedere stap langs haar enkels streek, haar ogen, en ze bleven stokstijf staan.

Híj was op dit moment bij de mammoeten. Hij klom af en toe voor de gein met het leeuwenspan van zijn Jafnse ar op de rug van de mammoet die hij van Peb Juve had gekregen. Daar zaten ze nu ook weer, hij en de twee leeuwen samen op de rug van de mammoet. Omdat hij dat wilde, had hij de mammoet er met een bezwering toe gebracht om het niet erg te vinden en de leeuwen vonden het zo te zien allemaal prima en lagen op hun hoge plekje lekker te zonnen in de heldere vrieslucht, terwijl ze ondertussen met hun klauwen de warrige vacht van de mammoet lagen te kneden, zoals katten dat doen als ze tevreden zijn.

Een van Pebs krijgers, een jonge Olchibi, kwam aanrennen.

'Hé! Hé!'

Geen van de mannen sprak Leowulf aan als een vorst of een leider – ze stopten dat allemaal in zijn naam.

'Leowulf, kom eens kijken wat je witharen voor je hebben gevonden!'

Leowulf keek langs de enorme mammoetrug naar beneden en zag Killa, geschapen uit sneeuw en nacht, door het oorlogskamp op hem af komen lopen.

Als een vloeiende, kronkelende rivier ... als de vlucht van een vogel uit het hart.

Haar schoonheid was onaards, hoewel ze gemaakt was van wat op de grond lag.

In de taal van de Olchibi zei Leowulf zacht: 'Wat hebben we daar.' Geen vraag, een bevestiging.

Hij zette zich lichtvoetig af tegen de mammoetflank en stond met een paar sprongen beneden, de spinnende leeuwen als oppassers achterlatend. Het verzamelde leger dat deze manoeuvre al had verwacht, knikte tevreden. Ze hadden dit al vaak gezien. Ze aanvaardden dat hij, de Leowulf, een god was – ja, want zijn sterfelijke helft was voor hen langzamerhand volstrekt onbelangrijk geworden.

En de vrouw, wat kon zij anders zijn dan door een god geschapen? De Jafn vonden het ook volstrekt aanvaardbaar dat de Grote God haar had gemaakt, want ze was net als Ster Zwart, de held van Klauw en Krie.

En dus hadden ze haar naar *hun* held gebracht.

Hij en zij.

De afloop stond al vast.

De hemel had haar hierheen gezonden, voor *hem*. Maar vond *hij* dat ook? Leowulf had een goed verstand; hij dacht als een man – hoewel soms nog als een jongen. Hij aanschouwde haar schoonheid, voor hem even vertrouwd als de zijne, gewoon een feit.

De toeschouwers in het kamp zagen hen als volgt: Leowulf was een standbeeld van barnsteen en zijn rode haar vlamde over zijn hoofd, zijn schouders en zijn rug, alsof de opkomende of ondergaande zon heimelijk in zijn schedel brandde. En zijn blauwe ogen – ogen die je onder Jechen en Olchibi nooit zag en onder de Jafn maar zelden – waren hemelsblauw.

Van zijn veelbesproken bezieling, tovervaardigheid en krijgskunst hadden ze al heel wat staaltjes gezien. Hij *rook* zelfs niet als andere mannen. Hij geurde naar licht en *nieuwheid*, nooit vies.

En voor hem stond zij, de vrouw, de volmaakte tegenhanger. Ze hadden wel eens zwarte ogen gezien, maar nooit zulke als die van haar; voor haar zwarte haar gold hetzelfde. Haar huid was nachtzwart en de geur die om haar heen hing was net als de zijne een hemelse gave.

Hoe zou ze dan voor iemand anders bestemd kunnen zijn dan voor hem?

Hoe kon zelfs hij met zijn grillige koopmansbrein iets anders denken?

'Wie ben jij?' vroeg Leowulf vriendelijk aan de zwarte vrouw, temidden van zijn krijgerschare.

Dat hadden velen ook tegen hem gezegd, als hij ze voor het eerst ontmoette.

Leowulf wist niet dat deze vrouw in haar hele korte leven nog nooit had gesproken – en ook niet dat ze nog veel jonger was dan hij en al helemaal geen jeugd had gehad.

Toen ze hem antwoord gaf, verbaasde dat niemand. Alleen Ipeyek zou verbaasd geweest zijn, en zijn hirdiy, maar die waren er niet bij. Haar stem klonk zacht als uit de verte en klaar als stilte.

'Ik Killa,' zei de vrouw. Ze gebruikte de syntaxis van het Noordland.

Maar Leowulf die haar in het Olchibi van Veins had toegesproken, vond het niet verbazend dat ze hem verstond, omdat hij zelf alle talen van de Jechen kende. Van hem werd al heel lang verteld dat je hem maar een paar woorden in een bepaalde taal hoefde te laten horen en hij sprak hem meteen vloeiend.

Nu zei hij dus hoffelijk in het Noordlands: 'Jij Killa. Waarom hier?'

Geen van allen wist dat ze tot dat moment nog nooit had gelachen. Ze deed het schitterend. Het was uiteindelijk niet denkbaar dat Killa iets zou doen dat er lelijk uitzag. Zelfs plassen had ze tenslotte met nauwgezette zwierigheid gedaan.

Toen ze lachte, zagen ze dat Leowulf teruglachte.
'Hier als vrouw,' zei Killa.
'Van wie?' zei hij.
Ze had *Ipeyek* kunnen zeggen. Killa deed dat niet.
'Ik kies nu,' zei Killa.
Dit was geen bescheidenheid. Maar hoe kon zij als godin ook bescheiden zijn?
Die honderden mannen die dichtbij genoeg stonden om haar te kunnen zien en horen, verwachtten helemaal geen bescheidenheid. Alleen de Jechen uit het Noordland waren beledigd omdat ze een werkwoord had gebruikt.
Dat was ook Leowulf opgevallen en hij schakelde over op zuidelijk Jechs om te zien of ze daarmee ook uit de voeten kon. 'Je wilt kiezen? Nou, kijk maar rond. Wie wil je hebben?'
Nee, ze had geen enkele moeite met de verandering van taal. Ze keek Leowulf lachend aan en hij lachte terug en zijn lachende gezicht was een beschaduwde zon tegenover haar zonovergoten schaduw.
Alsof ze zich tenslotte toch bescheiden wilde voordoen, sloeg Killa haar ogen neer. Ze draaide haar hoofd om, en toen haar hele lijf, en wees regelrecht naar de langste van de vier witharige Jafn die haar hadden opgebracht.
'Die man,' zei Killa. 'Ik kies hem als man. Hij heet Arok.'

Het koren gloeide als goud.
Safee stond ernaar te staren, verbaasd en verdrietig. Het was niet wat ze vroeger had gekend.
Ten slotte begon ze door het koren te lopen. Dat had ze wel eerder gedaan. Stengel na stengel boog met een sierlijke zwaai opzij om terug te springen als ze voorbij was. De gepluimde aren reikten hoger dan haar eigen hoofd, hoewel hun kleur erg op die van haar haar leek.
Voorbij het korenveld lag een appelgaard. Rode vruchten hingen vrolijk te glanzen als de robijnrode ramen van Ru Karismi.
Ze bereikte een gebied waar niets was en ging opgelucht op een afgeronde ijspiek zitten.
Toen ze opkeek zag ze het taps toelopende plafond van de ijsberg, zelf kleurloos en dodelijk vertrouwd. Hij reikte tot de hemel.
Deze piramides waren van Yyrot. Er waren er drie of vier. Door grote grotachtige deurportalen in het ijs liep je van de ene naar de andere. Ze zaten helemaal vol bossen, akkers en wijngaarden – maar niet van het soort waarmee Safee vertrouwd was, want elk grasprietje en elke korenaar, elke tak en blad en vrucht, was levend geworden, gewekt door de hitte van Yyrots aanhoudend kwade kant.
Hier had de god Safee neergepoot. Ze was onder groene bladeren bijgekomen en toen ze haar hand uitstrekte, raakte ze een wijnrank met jadegroene druppels. Aanvankelijk was ze opgetogen over dit land van overvloed.

Groenten en granen waren nooit van dit soort – althans zij had ze nooit gezien. In de schitterende agrarische streken rond de steden in Ruk groeiden alleen sluimersoorten met een strakke buitenhuls of een glasachtige stengel of in een gesloten cryogene bol.

Deze piramidale overvloed werd minder aantrekkelijk nadat ze zichzelf misselijk had gegeten aan paarse pruimen en dadels.

Ze was ook eenzaam. Het was de eenzaamheid van de gevangene, erger dan die van een vrij iemand.

Als ze door de ijspiramides dwaalde in het glanzend parelmoeren schemerlicht, dat er dag en nacht heerste, zag Safee nu en dan Yyrot zelf. Hij was dan in zijn hondengestalte en altijd aan het donderjagen met Safees kat.

Safee bedacht kwaad dat ze met seks flink bedrogen was. Haar minnaars bleken haar naderhand te willen vermoorden of lieten zich heel zelfzuchtig doodschieten, en nu gaf deze die mogelijk haar minnaar had kunnen worden, er de voorkeur aan om als hond met haar *kat* te paren.

De waanzin van het feit dat ze zich daar nog aan ergerde ook, werkte haar helemaal op haar zenuwen.

Een of twee keer was ze op een van de wanden van de ijsbergen gestoten. Meestal kon ze niet naar buiten kijken. Eén keer maar, toen ze op een soort helling was geklommen, leek ze wel door een half doorzichtige ruit als van kathedraalglas naar buiten te kunnen kijken. Toen had ze de nachthemel gezien. De sterren stonden fel te stralen boven de wereld en in de nevels meende ze een sterrenbeeld in de vorm van een reusachtige pad te kunnen ontwaren.

Voor hij haar hierheen had gebracht, had Yyrot bij wijze van stoel op een pad gezeten. Was hij soms dol op dieren? Op haar in ieder geval niet – terwijl ze, gezien zijn band met haar kat, nog wel een soort schoonmoeder voor hem was.

Toen ze daar op die ijspiek zat voelde Safee weer de schrijnende pijn in haar hart. Dat was voor die andere trouweloze, haar zoon. Had ze van hem gedroomd? Ze dacht van wel. Ze was in die droom jaloers geweest op een andere vrouw aan wie hij aandacht schonk, hoewel ze zich vroeger nooit iets aangetrokken had van zijn talloze erotische avontuurtjes. Maar deze vrouw uit de droom – een vreemde die ze zich totaal niet herinnerde – had Safee vervuld met afgunst en een bijkomend gevoel van machteloosheid.

Toen ze aan dromen dacht begonnen Safees ogen dicht te vallen. De omgeving maakte haar slaperig.

Er stond iemand voor haar.

Yyrot als mens? Nee, hij was het niet. Het was... het was haar zoon, Naamloos.

Nee.

Safee probeerde wakker te worden. Het was al zolang geleden dat dit was gebeurd, dat ze haar waakzaamheid had laten varen. Nu was het te laat.

Hij stond voor haar – Zet Zezet, die in de schrijn van haar jeugd met Rukarse letters slechts aangeduid was als *ZZt*. Er klonk geluid als van een dolk die door stof snijdt.

'Wat?' zei hij. 'Dacht je dat ik met jou klaar was? Jouw straf bewaar ik voor je in een agaten doosje. Daar zullen we samen in ieder geval van genieten.'

'Wanneer?' fluisterde ze.

Zijn haar was van lavakleurig zilver en zijn adembenemende gezicht was gemaskeerd met indigo. Met dit schepsel van hete vitriool had zij in vervoering gelegen.

'Er is niemand als jij,' zei ze.

Ze was nog steeds bang voor hem. Nadat ze zijn toorn had leren kennen, was er op aarde niets meer waarvoor ze bang was. Hij had haar sterker gemaakt en haar genezen van elke angst, behalve die voor hemzelf.

Ze dacht dat hij lachte, maar het was het trekken met de lippen van een etende wolf voordat hij zijn kaken dichtklapt.

'Niemand,' stemde hij met haar in.

IJdel – dat was hij nog steeds.

Safee knielde voor hem op het ijs.

Ze vroeg zich duizelend af waarom hij zich al die tijd nooit aan haar had vertoond en waarom hij dat nu wel deed.

'Je zoon,' zei Zet Zezet.

'Wat bedoel je?

'Vraag me dat over een tijdje nog maar eens. Vraag het me maar als ik het agaten doosje meeneem en je huid van je zielebloed stroop met de kwellingen die ik voor je bewaar. Ik zal je krijsend naar de eeuwigheid voeren, Safee. Dat ben je me schuldig.'

Safee hief haar hoofd op. Beschaamd mompelde ze: 'Is er niets anders mogelijk? Waarom... waarom...?'

Nu stond ineens Yyrot voor haar en niet de ander. Ze zat niet geknield maar hing slap over de ijspiek. De kat zat vlakbij, met haar gladde vacht en een dikke buik met jongen van Yyrot. Maar Yyrot was inmiddels in zijn krankzinnige welwillende belichaming teruggekeerd, die van een norse man gekleed in ijspegels. Het koren stond al te verschrompelen. De kou verkrampte Safee zoals de pruimen met haar ingewanden hadden gedaan.

Zonder een woord tegen Yyrot stond Safee op om vol minachting weg te lopen. Toen de kat na een tijdje doorkreeg dat haar beminde een ongewenste verandering had ondergaan, kwam die gauw achter haar aan hollen.

Safee liep inmiddels te huilen. In weerwil van alles was ze gaan inzien wat de waarde van liefde was. Ze was gaan begrijpen waarom ze zoveel van haar zoon had gehouden en helemaal niet van Atluan. Dat was geen deugdzaamheid; het was gewoon omdat ze van *hem* had gehouden, dat monster dat haar had willen doden en dat alsnog zou doen. Hem, Zezet.

'Ze ligt te huilen, het arme ding, kijk maar, in haar slaap. Laat haar maar met rust. God weet wat ik moet beginnen.'

De vrouw wier dorp aan de noordoostkust in het land van de Jafnse Hola's lag, had al genoeg problemen. Haar man was kortgeleden vertrokken om zich aan te sluiten bij de verenigde legers – naar de Olchibi, hadden ze gezegd, en daarna zouden ze optrekken naar het buitenland in het zuiden en het westen.

Ze praatte in zichzelf, de visvrouw van het dorp. Ze had niemand anders om mee te praten. De arme, getroebleerde vrouw die die dag – nu elf jaar geleden – uit de vloeibare zee aan land was getrokken, was wel wat ouder geworden maar niet helderder.

Dit menselijke wrak was ooit mooi geweest, althans dat vond de visvrouw: toen was ze een jonge vrouw met knalgeel haar, als wijn uit de kassen.

Ze had nooit haar levensverhaal uit de jonge vrouw weten te trekken. Zelfs de dorpsheks was dat niet gelukt, hoewel de heks schijnbaar niet graag in de hut kwam toen het meisje er eenmaal was.

Vissers hadden haar gevonden. Ze was verstrikt geraakt in hun netten. Soms wilde de Hola vrouw wel dat de mannen hun vangst wat verderop hadden afgeleverd, bij een ander huis. Misschien hadden ze haar zelfs maar liever moeten laten sterven, zoals haar visserman altijd zei. Hij was nooit erg dol geweest op hun gedwongen gast. Misschien kwam hij wel nooit meer terug nu hij ten oorlog was getrokken en zou hij het aanleggen met een Olchibi teef of een Rukarse slet...

Dan zou de visvrouw helemaal geen ander gezelschap meer hebben dan de geredde vrouw. En ze at maar heel weinig.

'Naamloos!' riep de waanzinnige van haar voddenbed. Die onnaam riep ze vaak – soms tamelijk kwaad. Inmiddels sprak ze altijd Jafn, hoewel ze in het begin een of andere uitheemse taal had gebrabbeld. De visvrouw was van mening dat de vrouw op een of andere manier Jafn had geleerd doordat ze hen in de hut had horen praten. Maar nu riep ze al even vaak weer andere nog vreemdere woorden – Yyr-en nog iets en dan nog iets dat net klonk of je met een mes een stuk stof aan repen sneed. Omtrent haar eigen naam hadden ze nooit echt zekerheid kunnen krijgen, Saffie vonden zij er nog het dichtst bij komen.

Safee die ver weg op Yyrots dode koren lag te huilen, wist niet dat haar lichaam ook hier lag. Ze wist niet dat op de dag dat Atluan haar uit de ijspiramide had bevrijd, een deel van haar persoonlijkheid ook uit de zee was opgedoken, maar op een heel andere plek. Wie was dan de echte Safee? Zij die Atluans vrouw was geweest en de zoon van een god had gebaard, die over de ijsvlakten was getrokken en in het sneeuwhuis had gewoond? Of deze, dit zielige hoopje in de vissershut, oud voor haar tijd – alsof Safees jurk ook haar leven had overgenomen in dat fatale uur van onderzees minnespel met Zezet, om naderhand hier aan te spoelen en niet beter te weten.

Derde Deel

IN HANDEN VAN DE NACHT

Soms is het mogelijk om je Noodlot te slim af te zijn, maar daardoor kun je het Noodlot van anderen in je nabijheid fataal verstoren – zoals vuur de haard blakert waarin het brandt.

Uitspraak van magikoi uit Ruk Kar Is

EEN

De begrafenisrituelen voor Oppervorst Sallusdon hadden, zoals gebruikelijk, maanden geduurd. De eerste twintig dagen kwamen de steden van Ruk Kar Is en vooral de hoofdstad Ru Karismi helemaal tot stilstand. Alleen de Dood waarde rond langs de oevers van de rivier de Bleekste, gekleed in mantel en maliën van zwart met zeer donkerrood. Daarna, met het gebalsemde lijk eenmaal bijgezet in het Grafgewelvenoord aan het eind van de Bleekste, waren de rituelen weliswaar nog niet afgelopen, maar het werden er wel minder. De straten en markten raakten hun roerloosheid kwijt. Op het middaguur van de vijftigste dag, besteeg de nieuwe Oppervorst in rouwdracht gestoken de treden naar zijn troon hoog boven de stad; Vuldir, de aartskonkelaar. Aan de voet van de troon stond één enkele Bijvorst, en dat was Ward, de sukkel.

Vuldirs opvolging was probleemloos verlopen; hij was geheel volgens de regels gekozen. Ru Karismi galmde van klokgebeier en gezangen van trouw. Vuldir zat op zijn marmeren zetel toe te kijken, onberispelijk gekleed, en met een kalm gezicht.

Die avond vertrok Sryf de tovenaar uit de stad naar zijn huis in het zuiden.

Het was een maanloze nacht. Toen hij de verglaasde bossen uitreed, zag hij de ramen van zijn huis in de verte wit opflitsen, ten teken van gevaar. Sryf sprak de wimperherten voor zijn arrenslee toe. In een waas van snelheid stond hij binnen enkele minuten voor zijn huis.

Buiten in de sneeuw stond een groot aantal gargolem bedienden op wacht.

'Wat is er gebeurd?'

Een van de bedienden antwoordde met zijn trage mechanische stem: 'Dat weten wij niet, hoogheid. Er waart iets rond.'

Sryf droeg de ar over aan de niet menselijke stalknechten. Hij bleef eerst een tijdje buiten in de sneeuw staan afwachten en staarde kilometers ver over het besneeuwde land. In weerwil van zijn adelaarsblik zag Sryf helemaal niets. Toch bespeurde hij een hele lichte elektrische trilling in de lucht, meer dan alleen de kou of de hevige duisternis. De ruiten hadden inmiddels door dat hij terug was en ze begonnen langzaam te dimmen. Binnen gingen de lampen aan.

Na een tijdje draaide Sryf zich om en hij liep het huis binnen, de halve cirkel van gargolem schildwachten op hun post achterlatend.

Dat Vuldir Oppervorst werd, was voor Sryf geen verrassing. Zelfs nog voor Sallusdon gestorven was, zou Vuldir daar al volop mee bezig geweest zijn. Het lot van koningen interesseerde de magikoi niet erg. Eeuwen geleden was een koning ook de hogepriester van zijn volk, hun leider en – indien noodzakelijk – bemiddelaar bij offers. Maar dat was niet meer zo. Nu was alleen nog het koningschap over, een inhalige parasiet die getolereerd werd en door velen vereerd omdat het de Rukse natie een boegbeeld leverde. Om die reden werden ook alle rituelen zorgvuldig afgehandeld. Geen enkel gebaar van ontzag werd ooit overgeslagen. Want door daar de hand mee te lichten zou je de heersers van het land als onbelangrijke holle speelgoedschepsels te kijk zetten, en zelfs hun enige waarde nog uithollen.

Voor Sryf telden zulke lui amper mee – alleen soms wat ze deden of veroorzaakten.

Hij zat in de spitzerij van het zuidelijke huis naar zijn eigen gedachten te staren, die helemaal niets met Vuldir te maken hadden.

Hij had een aantal maanden in het Insularium onder de stad verbleven, temidden van zijn medemagikoi. Boven in de stad gingen er geruchten dat zij daar beneden een speciale voorstelling of voorwerp aan het voorbereiden waren ten bate van het welzijn van de Ruk. In zekere zin was dat waar. Want het betrof de Ruk waarover de magikoi met elkaar debatteerden en zwoegden en woedend op elkaar werden, daar in de ingewikkelde onderwereld onder het ijs.

Daar beneden kregen ook zij geruchten te horen. Er waren oorlogen gaande tussen de Jafn barbaren in het oosten. Dat was wel eerder gebeurd en het gebeurde altijd. Maar het had voor Ru Karismi weinig te betekenen. Later hoorden ze weer ander nieuws. De Jafn hadden gezamenlijk een of andere onbenullige koning gekozen – belachelijk – en voerden nu oorlog tegen de ondermenselijke Olchibi en de Jechen. De beschaafde stad vond het eigenlijk wel een hele prettige gedachte dat de Jafn nu eindelijk dat schuim opruimden, want dat betekende dat de Rukarse karavanen, die nog wel eens naar het oosten of het noorden trokken, een stuk veiliger zouden zijn.

Maar de magikoi reageerden met afschuw op dat verre oorlogsgewoel. De magikoi wisten wat er in de kern daarvan smeulde.

Het schepsel, half mens, half god, was nu door verscheidenen van hen in de oculusbollen gezien: als een vuurfex, als een leeuw of als een wolf van vuur. Sryf had iets anders gezien. Hij had het wapen te zien gekregen dat het schepsel had aangenomen; een rokende blauwe zon boven een vlammende baan. Maar geen van hen – zelfs de allergrootste niet – had ooit het gezicht of het lichaam van het schepsel te zien kunnen krijgen. Zo groot was zijn kracht en zijn vijandigheid dat toverij hem uitsluitend symbolisch kon laten zien.

Toch toonden die symbolen duidelijk genoeg aan wat hij allemaal kon. Hij kon winnen en zich wie en wat hij maar wilde toe-eigenen. Bijgestaan door zo'n enorm gewapend legioen als hij nu om zich heen verzamelde, kon hij geen ander doel hebben dan de Ruk zelf. Het was louter een kwestie van tijd voor de lawine van deze woeste, door een briljante geest geïnspireerde horde naar het westen en zuiden zou komen rollen.

Het gebied van de Rukar moest verdedigd worden. De magikoi waren daar allemaal van overtuigd: tegen zo'n overmacht zou dat alleen met bovennatuurlijke middelen mogelijk zijn.

Hoewel velen in bovengronds Ru Karismi zich de antieke toverwapens herinnerden die volgens de verhalen hier in het hart van het Insularium opgeslagen lagen, hadden ze geen benul van hun betekenis. Voor de magikoi zelf waren deze fatale vergeldingswapens volstrekt ondenkbare dingen. Maar nu waren ze misschien wel hun enige kans om de ondergang van de Ruk af te wenden – misschien zelfs wel de ondergang van de wereld.

In een bedrukte en angstige sfeer werd er dus over het heropenen van het arsenaal gesproken.

Sryf was in de nonagesmische zaal voor de groep gaan staan. 'Nee,' had hij gezegd. '*Nee*, we lijken wel gek dat we dat zelfs maar willen overwegen!'

'Maar deze thaumaturgische wapens zijn nog nooit geprobeerd,' zei iemand anders. 'Misschien zijn ze wel een beetje anders dan ons is verteld.'

'Erger,' zei Sryf. 'Ze zijn erger. De menselijke verbeelding kan de aard ervan niet bevatten. Wie heeft de geschriften niet gelezen die ons dat vertellen?'

Anderen spraken zich ook tegen de wapens uit. Maar weer anderen pleitten juist voor het gebruik ervan, wat onvermijdelijk was.

De twist woedde voort. De adem van verschrikking zwol aan en maakte het zo verstikkend in het vertrek dat het imitatiezonlicht helemaal modderig werd.

Het wapentuig leek in niets op de toverbundels en de speerlichten die in vrijwel elk gevecht aangewend werden. Het was zelf al even gruwelijk als de gebeurtenissen die in het oosten bleven plaatsvinden. Of nog erger zelfs – veel erger.

Des te ontstellender was het dat juist op de ogenblikken dat ze ervoor of ertegen pleitten, elke magikoi, man of vrouw, meester of leerling, vermoedde dat de tijd voor het wapentuig inderdaad was aangebroken, dat het seizoen om het te ontketenen waarlijk daar was. Het schepsel uit het oosten had hun vergunning gegeven om het te gebruiken. Er was geen andere manier om hem te weerstaan.

Er kwam een einde aan de debatten. Een gruwelijke stilte kwam over de doolhof van het Insularium. Verscheidene magikoi waren inmiddels over de bruggen op weg naar hun eigen huis om even wat rust te nemen. Sryf was daar een van. Hij vertrok want de uitverkiezing van een schurkachtige koning zei hem helemaal niets. De *wereld* stond op het punt om in de afgrond te storten.

❋

Aan het plafond van de schrijn hingen grote kristallen, die tinkelden toen de vrouw eronderdoor liep.

In haar zwart-met-bloedkleurige mantel, en met haar haar vol juwelen was ze onmiddellijk herkenbaar als een van de vorstinnen van het hof. Sommigen vroegen zich af waarom ze met maar zo'n klein gevolg naar de tempel was gekomen. Anderen herkenden haar als de jongste van de twee koninginweduwen. Ze moest wel vroom zijn dat ze hier een offer aan de goden van de dode Sallusdon kwam brengen: Preht, Juvis en Zezet.

Een schrijnwachter maakte een buiging voor de koningin-weduwe Jemhara.

'Waarom?' zei Jemhara, 'staat de god niet in zijn nis?'

'Welke god, verheven vrouwe?'

Jemhara wees. De wachter tuurde naar de rij kleine godenbeeldjes, elk genesteld in zijn eigen vergulde nis. Eén nis was er leeg.

'Ik wilde juist Zet Zezet gunstig stemmen,' zei Jemhara.

'Dat is ongebruikelijk. Het is een zeer wraakgierig god als hij zich van zijn kwade kant laat zien.'

'Waar kan ik hem vinden?'

'Het beeld is om een of andere reden weggehaald. Misschien om het schoon te maken. Of misschien wilde een beheerder van de schrijn het wel lenen.'

'Ben ik dan geen beheerder van de schrijn? Ik ben altijd nog de weduwe van Sallusdon, de dode Opperkoning.'

'Vrouwe, neem me niet kwalijk. Ik ga onmiddellijk vragen waar het beeldje is.'

Jemhara bleef bij de altaartafel wachten en keek onder haar oogleden door naar de goden. Dit was al de derde schrijn waar een beeld van Zezet Zonnewolf ontbrak – terwijl het beeld in Vuldirs persoonlijke schrijn stukgevallen was, naar ze had gehoord.

De slaaf die zo onvoorzichtig was geweest, was een trage, afgrijselijke dood gestorven, maar was tot het eind toe blijven schreeuwen dat hij het beeld helemaal niet had laten vallen maar dat het *in stukken brak* toen hij het aanraakte.

Jemhara had ook gehoord dat de Zezet beeldjes elders allemaal zwarte vlekken kregen. En ze had er zelf een gezien, op de hoek van een klein zijhofje in het paleis, dat geleidelijk barsten begon te vertonen en donker verkleurde als een rottende vrucht.

Tijdens een bezweringsritueel had ze de god ooit één keer in zijn vriendelijke belichaming gezien. Ze was toen nog amper meer dan een kind, maar ze wist genoeg om de grond voor zijn voeten te kussen. Later probeerden de weinige mensen aan wie ze het vertelde, haar wijs te maken dat ze stond te liegen of dat ze zich vergist moest hebben. Zezet zou toch haar onvolwassen bezwering niet met zijn bezoek vereerd hebben; hij was immers geen natuurgeest of demon. Ondanks dat was ze altijd geboeid gebleven door deze god. *Waarom* was hij aan haar verschenen? En waarom trok hij zich nu terug uit de stad – want zij geloofde dat dat het geval was.

Er kwam een schrijnpriester aanlopen. Hij zei: 'Vrouwe, het beeld van de Zonnewolf is een maand geleden verdwenen.'

'Hoe is dat mogelijk – is het gestolen?'

'Het loste op.'

'Loste op!' Jemhara's ogen werden groot van verbazing. Een enkele tel kon je tot op hun bodem kijken, een klein stukje maar; ze waren fraai maar ondiep.

De priester schudde hulpeloos zijn hoofd. 'Er dringt koude buitenlucht in de schrijn binnen. Er zitten gaten in het dak. Deze omstandigheden zijn erg ongunstig–' Hij hield op met zijn gejengel toen de koningin-weduwe zich met een zwaai in een wolk van mantel en haar omdraaide. Haar bedienden renden achter haar aan toen ze in dezelfde zwaai regelrecht de schrijn uit beende.

Jemhara stapte in haar draagstoel. Haar slaven droegen haar door de tempelstad, langs alle andere beschilderde schrijnen en vervolgens over de hellingen omhoog naar het paleis.

Eenmaal terug in haar vertrekken – nieuwe en minder deftig, niet langer die van een tweede regerende koningin – haalde Jemhara haar kristallen bol uit zijn kistje tevoorschijn. Ze staarde in het melkige oppervlak en zag niets. Plotseling verscheen Vuldir in de bol, klein en ver weg, met de grote gouden kroon van de Oppervorst op zijn hoofd.

'Ben jij het?' zei hij. 'Het duurde erg lang voor je me antwoord gaf.'

'Ik was de stad in, hoogmogendheid.'

De kroon was een code. Hij droeg hem niet echt; hij was alleen voor staatsgelegenheden want hij was loodzwaar. Maar de bol toonde haar zijn stemming. Hij wilde pronken met zijn status van oppervorst. En hij wilde iets van haar, leek het wel. Seks misschien? Nee, vast niet.

'Ik heb een uur over waarin je me kunt bezoeken,' zei hij. 'Kom persoonlijk, in je belichaamde vorm.'

Hij vond het niet langer prettig als ze in haar mentale vorm bij hem kwam en door wanden en deuren kon sijpelen zonder dat ze een sleutel nodig had. Vertrouwde hij haar soms niet meer? Ze kon maar beter op haar hoede zijn, want ze had Vuldir geholpen om Sallusdon te vernietigen en degenen die Vuldir hielpen, werden heel vaak door hem uit de weg geruimd, net als de mensen die hem hinderden.

Ze ging op weg naar zijn appartementen waar ze allerlei hovelingen van onbelangrijke statuur aantrof – lagere prinsen en koningin-weduwen.

Toen Jemhara binnenstapte was Vuldir alleen.

'Ik heb een karweitje voor je,' zei Vuldir. Ze boog. 'Je mede koningin-weduwe heeft zich heel gepast uit de stad teruggetrokken. Ze laat zich aan het hof niet meer zien. Nu is het jouw beurt om bescheiden te verdwijnen.'

Jemhara sloeg haar ogen neer om haar ergernis te verbergen. Hij mocht nooit zien dat ze het niet met hem eens was. 'Machtige heer, wat je maar wenst.'

'Ga naar het zuiden naar het Stenen dorp.'

In weerwil van haar grote zelfbeheersing schoot Jemhara's hoofd omhoog. 'Waarheen?'

'Ja, m'n duifje. Een dorp, een varkensstal, en nog wel met alle toebehoren van een stal ook. Maar daar staan de Stenen. Die zou je wel eens interessant kunnen vinden.'

Ze keek hem ontzet aan.

'Je ogen zijn kogelrond geworden,' merkte hij op. Gauw sloeg ze haar oogleden weer neer op haar gebruikelijke manier. 'Dat is een stuk beter. Weet je niet wie nabij de Stenen een huis heeft?'

Jemhara's hoof kwam nu wat trager omhoog.

'Sryf, de meestermagikoi.'

'Precies, Sryf. Zodra ik mijn ambt had aanvaard, vertrok hij als een speer naar dat huis. Ik denk dat hij altijd al heeft geprobeerd om mijn plannen te dwarsbomen. Ik vertrouw hem niet. Ik wil hem uit mijn leven laten verdwijnen en dus ook uit het zijne. En jij hebt zo je vaardigheden, nietwaar, Jemhara?'

'Maar hij is een magikoi.'

'Hij is een man.'

Jemhara trilde. Als een kat staarde ze nietsziend voor zich uit. Haar haar begon helemaal galvanisch te knetteren van de zenuwen.

'Hij heeft geen belangstelling voor vrouwen.'

'Zorg dan dat hij die krijgt. Sallusdon was twintig jaar lang impotent tot jij je kattenklauwtjes naar hem uitsloeg. En kijk maar eens waar dat toe heeft geleid.'

'Maar hij is een magikoi!'

'Ben je soms een gargolem? Dat je jezelf zo mechanisch en dom herhaalt? Dat zou jammer zijn.'

Jemhara drukte haar handen onder haar kin tegen elkaar. Als dit de enige kans had die ze zou krijgen, dan kon ze die maar beter aanpakken.

'Als je dat van me verlangt, heer, zal ik mijn best doen.'

'O, dat moet toch echt beter. Zorg dat je slaagt, anders word ik boos.'

Sryf was uit de torenkamer naar beneden gegaan. Buiten, in de maanloze nacht, ging hij op weg over het hooggelegen land achter zijn huis op weg. Hij had een tocht van een uur voor de boeg.

Hij was diep aan het nadenken over hoe hij het zou moeten aanpakken om de magikoi van het gebruik van hun thaumaturgische wapentuig af te houden. Als ze haast maakten met hun optreden zou het haalbaar zijn om een geheel nieuw wapen te bouwen, krachtig en doelmatig, en ook nog echt bruíkbaar. Dat wil zeggen, toverij die schoon doodde en tenminste nog enige hóóp liet.

Het land werd opener. Een eiland van ijswoud krulde over de vaag door de sterren verlichte sneeuw. In die richting lag een landelijk dorpje dat nu onzichtbaar was. Dichterbij, ongeveer honderd passen van hem af, stonden de Stenen.

Vanwege de Stenen had Sryf in deze buurt zijn huis laten bouwen. Aanvankelijk ging hij ze als hij thuis was elke dag of nacht opzoeken, maar daar was hij op een gegeven moment mee opgehouden. Hun onverklaarbare schoonheid en hun onoplosbare raadselachtigheid maakten uiteindelijk dat hij ze helemaal vergat.

Toen hij dichterbij kwam, begon hij hun licht te zien. Je kon ze niet altijd scherp onderscheiden. Als een kameleon namen ze de kleuren van dag of avond aan en ze glansden donkerblauw in de schemering en bloosden bij zonsopgang, en in de nachten dat er drie volle manen aan de hemel stonden waren ze stralend wit. Maar vannacht hadden ze in het donker een warm turkooizen blauw gekozen – en misschien hadden ze dat inderdaad gekózen, want het was heel goed mogelijk dat ze bewustzijn bezaten.

Ze stonden in een kring voor hem. Het waren er vijftig in totaal; sommigen beweerden van eenenvijftig, maar Sryf had ze geteld. Misschien was er ooit een Steen verdwenen voor hij hier kwam. Ze waren hoog, wel drie of vier meter, en glad en flets. Hun licht begon ergens diep van binnen, als de gloed van een lamp. Een begon er te stralen, toen een tweede en toen verspreidde het licht zich in willekeurige volgorde over alle stenen. Ze knipperden, nu eens snel dan weer bijna onmerkbaar traag. De gloed bloeide op, breidde zich uit, stierf weg en leefde op.

IJs en sneeuw weerkaatsten het licht tot in de wijde omtrek, zodat alles een turkooizen gloed kreeg.

Sryf bleef staan alsof hij ze voor het eerst zag.

Was de onmenselijke energie die de gloed in de Stenen voedde net zoiets als de energie die de geheime wapens van het Insularium had gevormd? Toverij vond je overal, en ieder met aanleg en scholing kon daar gebruik van maken. Maar deze dingen hier waren van een heel andere aard. Ze lagen buiten het gezichtsveld van zelfs de allerbeste tovenaars. Je kon er maar beter afblijven.

Er knalde iets door de lucht als een zweepslag.

Sryf veranderde. Hij stond niet langer roerloos – hoewel hij geen centimeter van zijn plaats kwam.

Hij besefte heel goed dat het geen geluid was dat hij had gehoord, of iets dat hij had gezien, die plotselinge zweepslag. Iets spookachtigs dat geen deel uitmaakte van zijn persoon, en waarschijnlijk ook geen deel uitmaakte van de Stenen, was ten tonele verschenen.

Tegen de zee van licht vond Sryf het op de blauwe sneeuw gauw genoeg.

Het was een haas, lang en slank, met opgestoken oren. Anders dan de meeste hazen was hij niet wit maar zwart, en op de oplichtende bodem dus even makkelijk te herkennen als een gemorst plasje nacht. Hij sprong speels rond en leek zich zo in zijn eentje uitstekend te vermaken.

Sryf bleef naar de haas staan kijken. Nee, het was géén haas. Er was hier een vormwisselaar aan de gang.

In Sryfs ziel werd iets wakker dat lang onderdrukt en ongebruikt was gebleven. Maar weinigen hadden hem ooit zien lachen. Die lach was trouwens niet vriendelijk of geamuseerd. Hij veranderde zijn gezicht in een meedogenloos masker. Toen was hij met lach en al verdwenen.

Adelaar, zijn alternatieve zelf, steeg omhoog naar de lucht. Over de spelende haas viel een grote, zwijgende schaduw.

Het was een zware tocht geweest naar het dorp, vond ze. Jemhara had elke minuut ervan vreselijk gevonden. En het was des te beroerder omdat ze donders goed begreep dat als ze zich daar eenmaal had gevestigd, niet alleen haar arrenslee, maar ook het grootste deel van haar luxe reisuitrusting teruggehaald zou worden.

Dit was al net zo'n mesthoop als waarin ze was opgegroeid. Dat was een hoeve in het westen net buiten de kleine Rukse stad Sofora. Het was de bedoeling van de boeren daar dat Jemhara – toen bekend als Jema – zou opgroeien tot een eerlijke, hardwerkende boerenvrouw. Toen ze erachter kwamen dat ze op haar vijfde al hele bijzondere dingen kon doen, zoals binnen een paar seconden met louter wilskracht een kruik met dikke ijsbrokken in water veranderen, deden ze haar in de leer bij de hoeveheks. Dat was een ongeduldige en sarcastische vrouw. Bovendien mishandelde en misbruikte ze Jema. Het kind kende geen ander leven, maar de behandeling die ze kreeg stond haar helemaal niet aan. Toen ze acht was, ging ze met haar oude meesteres het ijs van een bevroren rivier op om daar met toverkracht onder de voeten van de heks een gat te smelten. De heks kreeg zelfs de kans niet om te gillen voor ze kopje onder ging en Jema liet het ijs meteen weer dichtvriezen. Waarschijnlijk verdacht niemand haar. Er zakte nu eenmaal wel eens iemand door het ijs. En in elk geval hadden ze haar nu hard nodig omdat ze geen andere tovervrouw hadden. Met haar negen jaar genoot Jema het ontzag van de hele hoeve. In ruil voor haar hulp kreeg ze het beste eten en daarnaast chanteerde ze de boeren met voorvallen die ze in haar kristallen bol had gezien – toen nog een scherf van een kapotte fles.

Op haar veertiende liet Jema de hoeve in de steek. Ze trok met een pelzenhandelaar naar de stad. Onder de indruk van Ru Karismi, en de man allang zat, begon Jema – die zich inmiddels Jemhara noemde – zich in de laagste hofkringen naar binnen te wurmen.

Ze was gewiekst, harteloos en een schoonheid. Ze was ook nog maar zestien toen Vuldir voor het eerst zijn oog op haar liet vallen en net achttien toen ze door gekonkel van Vuldir met Sallusdon de Oppervorst trouwde.

Ze was heel ver gekomen en het beviel haar helemaal niet dat ze nu terug moest naar haar walgelijke begin.

Het Stenen dorp was voor haar een verschrikking. De huizen bestonden uit boomstammen en ijsblokken met daartussen een mist van verstikkende, kille, roetige rook van de vuren. Jemhara logeerde met haar twee bedienden in een leeg pension. Ze bood het armzalige dorp geen toverhulp aan. Ze was nu een deftige dame.

En wat Sryf betreft had Jemhara nog geen vastomlijnd plan. Ze kende de waarde van haar eigen vaardigheden, maar ze wist dat ze tegen een meester-magikoi niet opgewassen was. Had Vuldir haar soms alleen maar hierheen gestuurd om haar door Sryf te laten ombrengen? Vuldir zat altijd vol grillige, hardvochtige plannetjes.

Na een dag en een nacht in het dorp begon ze zich al verschrikkelijk te vervelen. De dorpelingen hadden ontzag voor haar status en ze brachten haar brandhout en voedsel, maar drongen zich vooral niet op. De twee bedienden zaten neerslachtig in de achterkamer.

Jemhara's verveelde geest legde ineens een eigenaardige hang naar de buitenlucht aan de dag. Ze bedacht dat ze naar het huis van Sryf zou kunnen gaan om hem daar te bespieden – want haar kristallen bol kon geen dingen weergeven die met magikoi tovenarij beschermdwaren.

Sinds ze op haar elfde was gaan menstrueren, had ze van vorm kunnen wisselen.

Het was een maanloze nacht en Jemhara gaf de voorkeur aan donkere nachten voor haar vormwisselingen. De bedienden dachten dat ze sliep en ze had van binnen haar deur op de knip gedaan. Uit een van de lage vensters sprong een zwarte haas naar buiten die met grote sprongen over de sneeuw verdween.

Hoewel Jemhara een meer dan normaal begaafde heks was, had ze haar gaven nooit goed leren gebruiken. Als ze een dier werd, ging er een stukje van haar verstand verloren. Zij genoot daardoor meer van die wisselingen.

Maar toen ze in die toestand op de Stenen stuitte en in het golvende blauwe licht terechtkwam, gaf Jemhara-de-haas gehoor aan de aandrang om te spelen.

Zodoende miste ze een mogelijk signaal in de atmosfeer dat haar had kunnen waarschuwen dat er een *ander* in de buurt was.

Pas toen de schaduw over haar heen viel, begreep ze zo'n beetje dat ze in gevaar was.

Met grote ogen van angst bleef ze als een echte haas doodstil op de sneeuw zitten.

Als mens zou ze geredeneerd hebben dat adelaars en kritten hier zelden voorkwamen, omdat ze liever in het hoogland of aan de kust bleven. Als dier kon ze alleen de dood maar zien die op haar af kwam suizen op vleugels die de hele hemel omspanden.

Ineens was de betovering verbroken. Ze vluchtte weg en holde met grote sprongen langs de helling omlaag naar de dekking van het ijswoud.

Nu waren er twee gestalten zichtbaar, een kleine rennende op de grond en een zoetjes zwevende in de lucht.

Toen ze de gloed van de Stenen achter zich lieten, werd de jacht nog slechts verlicht door de sterren.

De haas spoot voorwaarts. Er werd niet meer gedacht. Paniek had haar in zijn greep – ze was niets meer dan een klein opgejaagd dier.

De adelaar liet zich zachtjes op zijn vleugels door de lucht drijven. Het leek wel of hij net zo weinig gewicht had als een spinnenweb. Toen spreidde hij zijn machtige slagpennen om ze vervolgens in één klap te sluiten –

Hij viel omlaag, niet langer een spinnenweb, maar een hamer van basalt. De nacht week uiteen, scheurde stuk, om hem door te laten.

Aan de rand van het bos aan de voet van de eerste ijsstammen, trof de adelaar zijn prooi. Zijn klauwen sloegen als bronzen haken in haar rug.

Ze gilde. Het bloed spoot de nacht in.

Er leek een nevel over te trekken die meteen weer oploste en daar lag Jemhara tegen de grond gedrukt, naakt op de sneeuw, op een robijn aan haar hand na en haar mantel van haar. Sryf stond over haar heen, als een nachtmerrie die niet wilde wijken. Zijn gezicht was nog steeds dat van een adelaar, hoewel hij de messcherpe snavel en de pikzwarte veren had afgelegd. Zijn ogen lieten hun schattende blik over Jemhara glijden. Ze brandden van felheid en stonden – erger dan krankzinnig – uitermate verstandig.

Toen ze de verandering in haar tegenstander bespeurde en merkte dat ook haar eigen menselijkheid terugkeerde, duwde de vrouw zich omhoog op haar ellebogen. De koude grond bezorgde haar brandblaren maar die waren minder erg dan de bloedige wonden die in haar rug gaapten.

Ze wist wie hij was. Wie kon hij anders zijn? Ze had hem ook nu en dan aan het hof gezien als hij daar minachting uitstralend rondbeende. Toen ze haar hoofd achterover liet zakken om hem te kunnen zien, was ze zo verstandig hem niet in z'n ogen te kijken.

Maar Sryf had haar eigenlijk nooit opgemerkt.

'Waarom heb je me verwond?' fluisterde ze. Zelfs in deze toestand probeerde ze nog te flirten.

'Om je een lesje te leren,' zei hij.

'Ik heb mijn lesje geleerd.'

'Nee. De volgende keer dat er een adelaar achter je aan zit, neem je je mensengedaante weer aan vóór hij toeslaat. Heb je dat nu geleerd?'

'Ja. Mag ik nu alsjeblieft opstaan, anders heb ik straks overal bevriezingsverschijnselen.'

Sryf stapte achteruit. Hij zag haar overeind klauteren. Haar voorkant was rood bevroren, maar niet ernstig. Haar aantrekkelijke punten, die op deze manier heel duidelijk waren, zouden niet bedorven raken. Maar haar rug was een heel andere kwestie.

Zou ze de wonden kunnen genezen die zijn klauwen ongetwijfeld hadden geslagen? Wie was ze trouwens eigenlijk? Aan haar ring kon hij zien dat ze een vrouw uit de stad was – maar wel een heks. Toen herinnerde hij zich ineens wie ze was en dat ze bij de levende Vuldir hoorde en niet bij de dode Sallusdon.

'Goedenacht mevrouw,' zei Sryf. Hij draaide zich om en begon weg te lopen.

Het verbaasde hem niets dat hij haar een zachte kreet hoorde slaken om vervolgens met een zacht plofje op de sneeuw te belanden. Natuurlijk was ze niet flauwgevallen; het was gewoon een truc om zijn hulp los te krijgen.

Hij bleef even staan. Zou hij erin trappen? Toen hij achterom keek, lag ze daar op haar zij op de grond terwijl zwart haar en zwart bloed over haar fluwelen lijf stroomden. Als dit een voorwendsel was, vergde het nogal wat doorzettingsvermogen, zo stil als ze op de bevroren grond bleef liggen.

Sryf liep terug en tilde haar op. Het was al heel wat jaren geleden dat hij een vrouw in zijn armen had gehouden. Haar ogen vlogen open. Even van zijn stuk gebracht zag Sryf dat ze niets had voorgewend maar echt bewusteloos was geweest. En toen hij in haar ogen keek, stuitte Sryf al gauw op de ondiepe bodem, maar hij bespeurde ook dat er achter die ondiepte een diepgang schuilging die wel kilometers ver doorliep. Haar ogen leken wel een oculus; je kon er de eeuwigheid in zien.

'Ik kan maar beter die schrammen even verzorgen,' zei hij. Ze zuchtte toen hij haar over de sneeuw naar zijn huis droeg.

Op een gegeven moment trok Sryf zijn mantel van zijn schouders om haar erin te wikkelen. Het bloed sijpelde dwars door de dikke stof heen. Zijn handen en zijn kleren zaten al vol.

Terwijl hij met haar door de duistere nacht liep leek haar bloed wel te geuren, maar niet naar de dure parfums die ze in haar haar en op haar lijf droeg. Het rook naar zuiver, vloeibaar water.

Hij was zich er volledig van bewust dat hij als adelaar haar bloed had willen zien vloeien en de stukken vlees van haar botten had willen rukken. Hij had al twintig jaar niet meer op die manier gejaagd, ongeveer net zolang als hij celibatair leefde.

Toen hij bij zijn huis aankwam, waren de gargolem bewakers weer naar binnen gegaan. Wat voor vreemds er ook in de nacht had rondgewaard, het was niet langer actief. Sryf vermoedde trouwens dat hij het op dit moment in zijn armen hield. Ze was bewusteloos en ijskoud. Ze had wel dood kunnen zijn, hoewel ze nog steeds hevig bloedde.

Maar ze zou het overleven.

Meer dan de meesten hadden de magikoi, die de oude teksten van de Ruk hadden bestudeerd en rapporten uit de hele bewoonde wereld, er slag van om mensen in leven te houden. Toen de eerste ijstijd deze landstreken in zijn greep had genomen, was er een groot hart stilgelegd. Mensen en beesten en planten van allerlei soort vroren dood door de kou. Om te beginnen was overleven alleen mogelijk als men in burchten bij elkaar kroop. Misschien hadden ze gebeden, maar de kou liet zich niet vermurwen. Het was Winter en de winter liet zich niet verjagen.

Maar toen de winter eenmaal heerste, ontwikkelde zich onder de mensen een krachtige toverbranche. Volwassen geworden uit wanhoop of blind vertrouwen groeide de tovenarij uit tot de onbegrensde technologie waarmee de mensheid kon voortbestaan. Maar ook de mensheid zelf begon zich aan te passen. Ruim een eeuw was verstreken, waarin de zwakste mensen, dieren en planten uitgeschakeld waren. Een nieuwe soort dook op uit de as van de oude. Dit waren mensen en schepsels die de lage temperaturen konden doorstaan en wier bloed op de bevroren vlakten niet stolde. En wat het plantenleven betreft, dat had duidelijk geleerd de kou te slim af te zijn. Palmbomen omwikkelden zich met staal, wijnranken omkapselden het ijs in beschermende koelcocons; fruit en graan sluimerden en wachtten tot de warmte ze zou wakker kussen.

Daarom kon Sryf nu ruim een uur over de bevroren wildernis sjouwen met een naakte, bloedende vrouw in zijn armen. En ze zou het overleven.

Hij heelde snel haar wonden, in de souterruimte diep onder het huis. Toen bracht hij haar bloed weer op peil. Dat deed Sryf allemaal met behulp van zijn tovervaardigheid. Voor iemand van zijn orde was dat niet moeilijk.

Hij legde haar te slapen onder de hoede van een jinnan, een goedaardige huisgeest die zeer geschikt was voor zulke taken.

Boven in de spitzerij vatte Sryf zijn innerlijke debat over de wapens van het Insularium weer op. Zijn gedachten wilden er niet bij blijven, aangezien Jemhara nog aan de rand van zijn waarneming zweefde. Zijn gedachten keerden telkens naar haar terug. Ze leek wel een zilveren splinter onder zijn huid.

De nacht verstreek en de volgende dag. In zijn oculus bekeek Sryf de stad Ru Karismi, vol wapperende banieren, blij dat de lange rouwperiode achter de rug was. Via de spiegel bracht hij ook een bezoek aan de Jechen en de Olchibi. Als mieren krioelden de legers van noord en oost nu door elkaar. En in hun midden gloeide iets.

Sryf wist dat hij een besluit moest nemen om vervolgens naar de hoofdstad terug te keren.

Toen hij de tweede avond de kamer binnenstapte waar hij at, wanneer hij tenminste at, vond hij daar de tafel gedekt voor twee. Dat hadden de jinnan huisbedienden gedaan, misschien wel omdat de jonge vrouw hun daarom had gevraagd, maar zelf had hij het niet verboden. Hij vroeg zich af waarom eigenlijk niet.

Toen kwam Jemhara het vertrek binnen. Ze hadden een jurk voor haar gemaakt naar een patroon dat ze hier bewaarden voor bezoekers – alsof er hier ooit bezoekers kwamen, of alsof die dan ooit extra kleren nodig zouden hebben. Ze droeg geen sieraden aan haar handen en geen make-up op haar gezicht. Ze leek wel een knap kind – maar hij had haar in de ogen gekeken.

Niemand anders dan Sryf, of een even scherpe tovenaar, had ooit kunnen zien wat haar ogen waarlijk bevatten. En wie van zulke lui zou ooit gekeken hebben? Als hij nu naar haar hartenziel keek zou hij hetzelfde te zien krijgen. Harteloos, maar er was wel een hart in knopvorm, een miniatuur atoom. Het was gaan zwellen en groeien tot de kelk openbarstte.

Jemhara stond zwijgend naar Sryf te staren. Haar ogen – ze overweldigden hem – maakten dat het hem duizelde. Hij had nooit geleefd en hier stond het leven voor hem. Hij had dit moment niet kunnen voorspellen en ook niemand anders had het voor hem kunnen voorzien. Toch was het even onvermijdelijk als het opgaan van de zon. Al was de nacht achtentwintig jaar lang, uiteindelijk moest toch de dageraad aanbreken.

En zij, zij kon haar ogen niet van hem afhouden. Zij die alles verborg, verborg niets. Hij had haar ziel gezien. Ze had er een; dat viel nu niet meer te ontkennen. Ze wilde slechts gezien worden – door hem.

Ze liet zich voor hem op haar knieën vallen. Dit was angst noch bedrog.

'Je moet terug naar het hof,' zei Sryf.

Terwijl hij dat zei dacht hij: *Wat kraam ik nu voor onzin uit?*

Jemhara zei: 'Stuur me niet weg. Vuldir dwong me om hierheen te komen. Hij wenst je dood. Ik kan je alles vertellen wat hij heeft gedaan – en wat ik voor hem heb gedaan.'

'Vuldir?' Sryf aarzelde tussen in lachen uitbarsten om het absurde idee en ondraaglijke pijn vanwege *dit*. 'Sta op,' zei hij.

Jemhara ging languit voor zijn voeten op de grond liggen.

Ze was een heks en ze had gaven. Sryf kon die dwars door haar fysieke omhulsel heen zien liggen als edelstenen in ijs.

Hij bukte zich en zette haar overeind op haar voeten.

Haar ogen waren nu zo dichtbij, hij kon de zegevierende blik erin zien. Waarom had hij haar nooit opgemerkt, deze vrouw? Hij geloofde dat hij het niet had gedurfd.

Maar zij had hem wel gezien. Haar leugens tegen haarzelf waren veel groter geweest.

Het zegevieren in haar ogen was seksueel. *Hij* wilde haar eruit gooien – haar doden zelfs.

In plaats daarvan hield hij haar daar.

Jemhara voelde geen angst – behalve dat er een eind zou komen aan deze ogenblikken.

Anders dan de tovenaar, was háár vroeger liefdesgeluk voorspeld. Haar moeder had haar op de hoeve een zoete toekomst beloofd en de oude sadistische heks had haar gedreigd die af te pakken als de achtjarige Jema haar niet zou gehoorzamen. Maar opzettelijk harteloos gemaakt, was Jemhara al net zo slecht voorbereid als Sryf. Hoewel haar hart, net als haar ogen, weldra een onder mensen abnormale diepte bereikt zou hebben. Jemhara kon tenslotte ijs smelten. Ze had zijn ijs gesmolten – en ook dat van haarzelf.

Veel dapperder dan hij, gooide ze zich in zijn armen en pakte ze hem bij zijn nek. Haar nagels prikten als adelaarsklauwen in zijn hals.

'Vuldir gaf me een ring met een robijn. Ik heb hem stuk getrapt. Ik zal Vuldir voor je doden. Laat mij voor je sterven,' zei ze. 'Maak me maar dood als je dat wilt.'

'Morgen,' zei hij. 'We hebben tijd genoeg.'

Mond aan mond, adem aan adem en huid tegen huid werden woorden overbodig. De hemel stortte omlaag en de wereld tuimelde de afgrond in. Nieuw verliefden denken dat altijd.

TWEE

In de tent van Arok, krijger van de Jafnse Hola's, zat een nachtzwarte vrouw zwijgend kralen in haar haar te vlechten.

Die had ze cadeau gekregen van een krijger van de Jafnse Sjaji, en ze waren van goud.

Arok lag op de vloer van de tent met een kussen onder zijn hoofd. Het was een slaapnacht maar hij kon niet slapen.

'Killa?'

Ze gaf geen antwoord. Haar stiltes waren soms even veelzeggend als een gesprek.

'Killa – kom eens hier. Kom bij me liggen.'

Killa legde de kralen weg en ging naar haar echtgenoot met wie ze op Jafnse rituele wijze was getrouwd door een koord dat haar rechterhand en zijn linkerhand verbond.

Arok bedreef vervolgens de liefde met Killa, hoewel dat in een slaapnacht niet gebruikelijk was. Zoals altijd was ze uitnodigend en verrukkelijk – maar volstrekt onbetrokken.

Arok gaf haar een klap in haar gezicht. Dat leek haar wel helemaal niets te doen. Hij had dat wel eerder gedaan en er was nooit enig spoor van te ontdekken. Oorspronkelijk had hij verwacht dat haar zwarte huid bij een kneuzing wit zou verkleuren.

De Gullahammer, de gezamenlijke strijdmacht van Jafn, Olchibi en Jechen, was omgedraaid en trok nu, te voet, op rijdieren en in sleden, langs de noordelijkste landmassa omlaag naar het zuiden.

Zoals altijd verplaatste hij zich maar traag, met al z'n sleden, glijkarren, mammoeten, leeuwen en manschappen, als een slaperig vloedtij van de ontdooide zee.

Ze hadden inmiddels de Randstreek bereikt. Uit de ijswouden bleven nog steeds mannen komen die zich bij hen wilden aansluiten. Elders lagen de dorpen er verlaten bij, uit angst of omdat ze zich niet meer konden handhaven nu de mannelijke bevolking was vertrokken.

Een maand geleden was een groep Beisters op hun duivelse hippijnse vispaarden het oorlogskamp komen binnenrijden. Dat lag op dat moment een flink stuk van de kust, maar ze hadden de reis toch ondernomen.

Verscheidene Jafn spraken hun brabbeltaaltje en hij, de Leowulf, had het natuurlijk ook geleerd. Toen hielden hij en een aantal Gaiords, Peb Juve, de Olchibi aanvoerder, en drie tovenaars van de Jechen een bijeenkomst met de Beisters. Hun blauwgeverfde gezichten en het wapen met de blauwe zon werden gezamenlijk verlicht door de groene gloed van de Jafnse bestandsfakkels.

Arok was er ook bij geweest. De Leowulf kende hem wel en had het ritueel van het huwelijk van Arok met Killa bijgewoond, en ook naderhand was hij nog blijven feestvieren met de andere bruiloftsgasten. Zoals de traditie voorschreef sprak Arok pas tegen zijn vrouw toen ze alleen waren. Die gewoonte stamde van Ster Zwart en was in dit geval griezelig toepasselijk.

Maar de Beisters waren gekomen om een verbond te sluiten met de Gullahammer. Ze zagen een aardige oorlogsbuit in het verschiet liggen en boden aan om hun tien moederschepen met tien jalies van dertien schepen elk, in dienst te stellen van Leowulfs zaak.

Arok die zelf een klein beetje de taal van de Beisters kon verstaan, had ze onder elkaar horen mompelen. 'Hij is een god,' zeiden ze over Leowulf. Zij hadden minder tijd nodig dan de anderen om van drogredenen af te zien.

Binnen de kortste keren hadden hun sjamanen een toverbericht uitgestuurd om andere Beistergroepen op te roepen en ook enkele Vormse bondgenoten van de Beisters.

De Jafn bekeken de Beisterse sjamanen met kritische afkeer – het waren smerige stinkende kerels omhangen met ruftende vishuiden en horens van dode hippijnen, die met ratels zwaaiend rondhupten en gilden als meiden die seks hadden of een kind kregen. Maar het bericht was een groot succes. Nog meer Beisters kwamen aangereden, samen met de Vormen die hun gezichten met rode strepen beschilderden. De Vormse hippijnen waren op precies dezelfde manier gestreept.

Arok lag na te denken over deze nieuwe rekruten, die zorgden dat het hele kamp van de Gullahammer nu naar vis stonk. En dan was er nog zijn verrukkelijke vrouw, die hem had uitgekozen, hoewel alle mannen haar wel hadden willen hebben... nu ja, inmiddels hadden de meesten haar ook wel gehad, geloofde hij.

Omdat ze haar voor een bovennatuurlijk wezen hielden, had niemand haar andere keuzes ontzegd, en ook Arok had geen enkele keer geprotesteerd. Hij wist niet wat hij moest doen; voor het eerst in zijn volwassen leven was er geen toepasselijk gedrag voorhanden.

Hij was ermee naar de Ranjal godinnen in de glijkar gegaan en had hun zijn moeilijke situatie voorgelegd.

Zij antwoordden dat hij alleen maar van Killa hoefde te genieten en dat er dan geen kwaad zou geschieden.

'Maar als ze zwanger wordt van een zoon, hoe kan ik dan weten of die van *mij* is?'

Met ongebruikelijke helderheid zeiden de Ranjals: '*Is* van jouw als jij haar man.'

God had Killa gemaakt, rechtstreeks – zonder enige menselijke hulp. Daar kon je niet tegenin gaan. En zodoende had ze Arok hulpeloos in haar macht, al was ze dan maar een vrouw.

Als hij haar sloeg was hij bang. En omdat hij bang was, sloeg hij haar nu regelmatig en met opzet. Het deed haar helemaal niets. Maar ook werd Arok voor zijn godslasterlijk gedrag niet door God verpletterd. *Wat wilde God?*

'Mij voor gek zetten,' zei Arok hardop.

Ze was inmiddels uit bed gekropen en ging weer verder met haar kralen.

Arok stond op. Hij liep de tent door en smeet de kralen alle kanten op.

'Ketshoer, donder op uit mijn tent. Ga maar naar een van je drieduizend anderen en blijf daar maar – vuile teef.'

Zonder een woord te zeggen stond Killa op. Ze had dat bekoorlijke lachje om haar mond dat hij voor het eerst had gezien toen ze hem tot man koos. Hij wilde haar nek breken maar was te laf om het te proberen.

Toen ze de tent uit was, ging hij in de opening staan om haar na te kijken terwijl ze wegliep door de vuurverlichte duisternis van het reusachtige kamp.

Bijna op de horizon, boven de tenten met slapende Jafn, zag Arok een Beisterse krijger opduiken – die zoals altijd de barbaarse gewoonte hadden om zeven nachten niet te slapen.

Aroks trotse bloed bevroor. Eerder ging ze altijd naar de Jafn, misschien ook nog wel eens naar de aanvoerders van de Olchibi vandalenbendes, maar nooit naar zulk uitschot.

De Beister hield haar zijn uitgestoken hand voor en Killa pakte die.

Arok kokhalsde. Hij schraapte zijn keel en spuugde op de sneeuw. Zodoende zag hij niet meer hoe ze langs de helling omlaag liep naar de haard van haar huidige partner.

Peb Juve zat tegenover Leowulf in de Jafn tent. Aan de voeten van de mannen lag Leowulfs leeuwenspan met hun gouden binnenhalsbanden om. Peb was, net als Leowulfs mammopet, gewend geraakt aan de leeuwen.

Peb en Leowulf speelden een Jafns oorlogsspel, met een beschilderd speelbord en kleine gesneden poppetjes. Leowulf liet Peb winnen, en Peb wist dat en waardeerde het beleefde gebaar. Toen hij zich gewonnen had gegeven nadat Leowulf de witte beer had gedood, had Peb Juve de jonge man-god de vormelijke hartelijkheid betoond van een Olchibi vader jegens een volwassen zoon - precies zoals de Olchibi geest Joeri al had geopperd.

Peb Juve had de geest maar één keer gezien – en ook vanavond zag hij hem niet, hoewel hij op een kleine tafeltje vlak achter Pebs rug zat. De leeuwen zagen Joeri soms wel, maar die duldden hem gewoon – al trok hij ze af en toe even aan hun manen waarop ze boos naar hem hapten.

Leowulf kon hem ook zien over Pebs schouder.

Joeri zat daar met een boos gezicht naar de grond te staren en aan een stuk door zijn vlechten over te doen. Hij was een heel seizoen afwezig geweest.

'Jouw opperhoofd is dood,' zei Peb terwijl hij het poppetje van het bord nam en daarmee het spel won.

'Zo is het. Goed gespeeld, heerschap.'

Ze spraken Olchibi tegen elkaar, maar Peb was inmiddels ook gewend geraakt aan Jafnse zinswendingen en Rukarse zegswijzen en aanspreektitels.

'Je hebt me laten winnen.'

'Ik?' zei Leowulf met onschuldig opengesperde ogen. Hij had niet de bekoring van een mens, maar van wat hij wás – iets tussen een koning, een dier en een natuurgeest in, altijd overgoten met goddelijkheid en vreemdheid.

Over Pebs schouder zag hij Joeri vloekend een tist uit zijn haar halen en driftig de vlecht overdoen.

'Die zwarte vrouw,' zei Peb Juve, 'ze zeggen dat ze haar Jafnse man heeft verlaten. Ze schijnt nu ergens tussen de blauwgezichten te zitten.'

'Tussen de Beisters? Ach, waarom ook niet?' Het leek Leowulf koud te laten.

'Ze heeft nogal wat ruzie tussen jouw Jafnse krijgers veroorzaakt,' zei Peb. 'Er werd om haar gevochten.'

'Binnenkort hebben ze wel iets belangrijkers te doen.'

'De mannen die er destijds bij waren, waren er stuk voor stuk van overtuigd dat ze uitsluitend voor jou hierheen was gekomen.'

'Dan moet ze in de war geweest zijn,' zei Leowulf. 'Misschien scheen de zon wel in haar ogen. Waarom hebben we het eigenlijk over vrouwen, Peb Juve?'

'Jij denkt dat ze een heilig schepsel is, net als jullie held uit het oosten, Ster Zwart. Maar ze is een slet - en het is maar goed dat je haar nooit in je bed hebt genomen.'

'O, denk je soms dat ze er met een ander vandoor gegaan zou zijn als ík haar in m'n bed had genomen?' zei de jonge tovenaar in zijn wiek geschoten.

Joeri schoof heen en weer op zijn tafeltje. De kom die daar stond, maakte een kloppend geluid.

Zonder om te kijken zei Peb: 'Zit hij daar, jouw schaduwoom?'

'Ja.'

'Gegroet, Joeri,' zei Peb Juve. Hij was altijd beleefd tegen Leowulfs bewaarengel. Joeri schudde zijn hoofd. 'Heeft hij me gehoord?'

'Hij is ermee aan dat hij een geest is, Peb Juve. Hij zou graag onder jouw banier naast je gevochten hebben, net als vroeger.'

'Hij zou meer dan welkom geweest zijn. Ik dank je, Joeri.'

'Heb ik je nooit verteld,' zei Leowulf, 'dat jij hem de dood ingestuurd hebt?'

Als een kat die zoetjes zijn nagels laat zien.

Peb Juve en Joeri schoten allebei rechtop. Toen zei Juve: 'Als hij deel uitmaakte van mijn vandalenbenden, dan is dat heel goed mogelijk. Was het bij een overval of in een gevecht?'

'Het was toen je hem eropuit stuurde om mijn vluchtende moeder terug te halen. Hij heeft je verteld dat het hem niet gelukt was. Omdat hij toen dood was.'

Peb dacht na. Met een sluwe blik in zijn ogen keek hij Leowulf aan en hij zei: 'Ja, ik herinner me die man – een dapper man. Ik zal zijn naam op mijn banierstaf laten bijschrijven.'

Leowulf antwoordde: 'Misschien zou hij dat wel prettig vinden. Kijk eens aan – nu is hij er plotseling vandoor. Verlegen, zoals ik al zei.'

Toen Peb later naar zijn eigen tenten terugkeerde om te gaan slapen, keek hij zorgvuldig om zich heen. De drie of vier adjudanten die hem vergezelden, verwonderden zich daarover, want op dit moment was geen enkele bondgenoot hun vijandig gezind. Peb zelf, die met een half oog uitkeek naar de onzichtbare geest, besefte dat Leowulf nog een ander spelletje met hem had gespeeld, dat van een zoon met zijn vader. De geschiedenis van de Olchibi zat vol met dat soort grappen en mentale beproevingen die je op het verkeerde been konden zetten. Peb maakte zich er dus geen zorgen over, hij verwachtte niet anders, en het was altijd verstandig om behoedzaam om te gaan met de doden.

Maar Joeri hing inmiddels al terneergeslagen rond bij de Ranjal-glijkar. Als hij in het kamp van de Gullahammer was, hield hij daar altijd de wacht. Vaak vond hij daar ook de oude sibulla. Vanavond was ze er ook en ze zat belabberd als een ouwe schoen op de bodem van de glijkar.

'Wat moet je hier?'

Ze keek hem niet aan. 'Bij vrouwe,' zei Narnifa.

Joeri kende haar naam omdat zíj die kende. Ondoden-telepathie. Op die manier was hij ongewild een heleboel over haar te weten gekomen en hij vertrouwde erop dat hij voor haar heel wat minder doorzichtig was.

'Waarom ga je niet terug naar je graf, stom oud wijf?'

'Wil hier.'

'Nou dan wil je maar.'

De morgenstond zorgde altijd voor haar verdwijnen, althans zo was het altijd gegaan. Joeri was al een tijd niet wezen kijken.

Hij zag dat Peb Juve inmiddels ver bij Leowulfs tent vandaan was. Joeri verdween van de plek waar hij stond om weer op te duiken op het tafeltje in de tent.

De lamp was gedoofd. De leeuwen lagen voor de deur en Leowulf zelf lag op de vloerkussens. Hij had zijn ogen wijd open. Joeri zag ze rood opgloeien toen ze zijn kant op draaiden. Zijn schaduw was vanavond ook heel fel geweest; voor wie zulke dingen zien kon leek hij wel een donker fosforescerende vlek op het tentdoek. Leowulf was sterker dan ooit en minder voorspelbaar.

'Je bent ten minste twee maanden weggeweest,' zei Leowulf. 'Was je op een prettige plek?'

'Soms.'

Joeri was weggevlucht nadat Leowulf Peb Juve had leren kennen. Hij was maar één keer even teruggekomen om Leowulf te vertellen dat Safee opnieuw zoek was. Die keer had Leowulf hem langdurig aangekeken met zijn ogen blauw in het daglicht. Leowulf had gezegd: 'Ze heeft een andere beschermheer gevonden.' In zijn toon had koppige onverschilligheid doorgeklonken maar ook veroordeling – preuts, net als Joeri's eigen reactie – en wat nog het ergste was, jaloezie. Joeri wist dat je nooit mocht vergeten dat Leowulf momenteel weliswaar een man van eenentwintig was, maar tegelijk nog maar elf of twaalf jaar oud. Bij de Olchibi hangen jongens niet zo aan hun moeder, omdat ze tussen de mannen opgroeiden en zich als mannen leerden gedragen. Wat voor mannen had deze jongen als kind nu helemaal gezien? Een dode stiefvader en een schurk van een stiefoom, een ranzige brokslaaf, andere kinkels uit Ranjalla en een god uit de hel. Joeri was er natuurlijk ook nog geweest en Joeri had zijn best met hem gedaan. Maar Joeri was – een ondode.

En dus had Joeri met grote sprongen over de ijsvlakten gehold en had hij de sterren proberen te pakken – waar hij nooit bij kon. Soms glipte hij dwars de tussenwereld in waar hij spookvijanden versloeg en banketten verorberde. Hij had gemeenschap gehad met een mera en zich schokkend van verrukking aan haar meerminnenstaart vastgegrepen. Zij had hem gebeten en beloofd dat ze zijn ei zou leggen – maar al die dingen vervaagden razendsnel als hij weer in deze bedroevende, volstrekt fysieke wereld terugkeerde.

Het was een feit: Joeri schaamde zich. Dat hij niet meer terecht had gebracht van Leowulfs opvoeding, dat hij hem zoveel over de gebruiken van de Olchibi had geleerd dat Peb zich helemaal door hem had laten inpakken. Hij schaamde zich dat hij doodgegaan was.

Nadat er een half uurtje was verstreken zei Leowulf: 'Weldra trekken we het land van de Rukar binnen.' Bij het horen van zijn stem hief een van de leeuwen hief zijn kop op, maar hij liet hem vervolgens weer zakken. Hij liep liever voor een krijgsar in de strijd en er was al een stel leeuwen gestorven. Deze nieuwe die ook in de tent sliepen en uit de hand gevoederd werden, lagen heel vaak op de mammoet die hij uitsluitend voor zijn plezier bereed.

'Het land van de Ruk, ja.'

'Dan nemen we alles in, de dorpen, de steden, Ru Karismi zelf. Het spijt me dat mijn moeder daar niet bij zal zijn. Misschien komt ze wel onverwacht opdagen van waar ze dan ook heen is. Weet je, Joeri, mijn vader... ik bedoel mijn *vader*, díe dus –'

'Ja?'

'Volgens mij is hij ook vertrokken. Dat moet haast wel, anders had ik hem toch wel gezien. Ik droom niet eens meer over hem.'

'Droom je dan wel eens, Leowulf? Je leeuwen slapen, maar jij niet.'
'Nee, maar als ik wil kan ik het wel.'
'Wat is dat allemaal voor gedoe over die vrouw van ebbenhout?' vroeg Joeri. Hij was afwezig toen het leger in Veins lag, maar op dit moment gonsde het hele kamp van de praatjes over haar. Hij had haar gezien en had grote ogen opgezet. Een levend ding hoorde niet zo diep zwart te zijn. Haar schoonheid was zo extreem dat ze Joeri lelijk voorkwam. Desondanks voelde hij zoals niemand anders dat kon, dat Leowulf haar hartstochtelijk begeerde. Hij had altijd vrouwen kunnen krijgen waar en wanneer hij maar wilde. Maar deze had hij nog nooit benaderd.
'Wie is dat?' zei Leowulf.
Verlegen? Joeri sprong overeind en stampte ongeduldig op de grond alsof hij koude voeten had, wat tegenwoordig nooit meer het geval was.
'Je begeert haar. Waarom neem je haar dan niet?'
'Ze is de ar van de Gullahammer. Op zijn minst twee derde van de krijgers hebben op haar gereden.'
Joeri schoot in de lach. 'Maar ze is toch door een god gemaakt? In haar geval zal hoererij haar niet veranderen.'
'Misschien heeft híj haar wel gemaakt, díe dus,' zei Leowulf, 'om me toch nog in de val te krijgen.'
Joeri dacht daarover na. Het was mogelijk. Zet Zezet – wie kon raden wat hij bekokstoofde, als hij zijn kaarten verborgen hield? Ineens flitste er een eigenaardige gedachte door Joeri's geestenbrein. In zijn herinnering zag hij een bijzonder fraai sterrenbeeld, waar hij ooit op af was gevlogen - om het vervolgens te missen. Het had de vorm van een kikker of een pad gehad.
De jongeman lag nu gewoon maar strak in het niets te staren. In een opwelling van oude genegenheid ging Joeri op zijn hurken naast hem zitten.
'Ga maar slapen,' zei Joeri. 'Vooruit maar. Ik hou de wacht.'
'Ik ben niet bang om–'
'Natuurlijk niet. Ga nu toch maar slapen. Je ouwe oom is hier.'
'Joeri, ik kan *alles* – of misschien ook niet, ik weet het niet. Maar deze koers die ik volg, is gemaakt van vuur. Soms kijk ik achterom en dan zie ik hoever ik gekomen ben. Of ik kijk vooruit en dan zie ik een zee van licht, alsof de hele aarde in brand staat. En soms vraag ik me af of ik eigenlijk wel een keus heb.'
'Je hebt geen keus. Jouw soort – geen enkele.'
'Grote Goden,' zei Leowulf zacht in de taal van de Olchibi. 'Amen.' Hij draaide zich op zijn zij. Joeri ging op zijn gemak zachtjes zitten fluiten en hoorde de jongen huilen. Toen hield het huilen op. De jonge god sliep.

Killa stond voor een Beisterbivak, hals en polsen versierd met ringen en kettingen van ogen – Beisterse oorlogssieraden. Een paar meter verderop waren drie Beisters bezig elkaar om harentwil af te slachten.

Haar gezicht stond kalm, niet angstig en ook niet blij. Het was trouwens tamelijk lastig om haar gelaatsuitdrukkingen te lezen; ze werden voor een groot deel gemaskeerd door haar donkere huid en haar schoonheid.

Andere Beisters hingen rond bij het duelleerterrein. Aan hun pinnen hinnikten de hippijnen schril om de verloren zee.

DRIE

De Gullahammer kroop naar het zuiden – een zuiden dat nogal westelijk uitviel, want daar lagen de belangrijke centra van de Ruk, de grotere dorpen, de kleinere steden – en ten slotte Ru Karismi zelf.

De top van het continent, zoals de kaartenmakers dat gedeeltelijk hadden opgetekend, had de vorm van een opgeblazen, onhanteerbaar zwaard. Het Noordland vormde het gevest; en naar het oosten liep de kustlijn schuin weg tot waar De Speer een zielig dun pareerstangpuntje leverde. Naar het westen omsloot de andere helft van de pareerstang, terugkrullend als om de reuzenvuist te beschermen die het zou kunnen vasthouden, de Rukarse steden Tasj Jir en Kandexa. Daarheen was het grootste deel van de moederschepen en de jalies van de Beisters en de Vormen onderweg. Twaalfduizend man waren met behulp van houten rollers, omgehakte boomstammen en toverij bezig hun schepen over land te halen. Anderen voeren eerst naar het noordwesten om daar hun schepen over de bevroren baai die de kustlijn gladtrok, naar het land te slepen.

Tasj was enigszins gewaarschuwd – de tovenaars hadden berichten onderschept die tussen het zeevolk en de rest van de Gullahammer heen en weer gingen. Ook hadden de magikoi een alarmbericht laten uitgaan naar het westen. Maar van de magikoi die in het westen persoonlijke toezichthouderfuncties hadden, ging er niet een terug. Alle wegen naar het westen raakten trouwens in hoog tempo afgesloten voor Rukars verkeer. De over land oprukkende Beisters sloten ze af. Bovendien speurden van de Gullahammer afgescheiden vandalenbendes van Olchibi en Jechen systematisch de sneeuwvlakten af naar Rukarse prooi. Om als lammergieren af te duiken op alles wat ze vonden. Afgedwaalde karavanen en kleine garnizoenen en dorpen werden met de grond gelijkgemaakt. Slaven werden er nu niet gemaakt. Dikke rookkolommen vormden hele zuilengalerijen in de woestenij.

In Tasj, en ook in Kandexa toen ze daar het slechte nieuws ontvingen, zeiden ze dat de magikoi als enigen door de vijandelijke blokkade heen hadden kunnen komen, maar dat ze het westen aan zijn lot hadden overgelaten. Alle macht van de magikoi was in de hoofdstad geconcentreerd. De rest mocht platgebrand worden of naar de verdommenis gaan.

En branden deed Tasj Jir. Sallusdon had daar een paleis gehad en dat had door tovenaars ontworpen verdedigingswerken. Het tiental op mentale kracht werkende stukken dat ingeschakeld was op de muren, sloeg met de opgewekte stralenbundels een flink gat in het landingsleger van Beisters en Vormen. Maar de invallers bleven maar als water toestromen om de bres te dichten. Maar de stukken, die niet goed bemand waren, bleken voor de soldaten en de plaatselijke tovenaars zo moeilijk te bedienen dat ze ontploften. Hele stadswijken verdwenen onder een regen van vuurballen. Onder luid gekrijs vloog er overal van alles in brand. De poorten werden ingebeukt.

Kandexa gaf zich zonder verzet over. Ze meenden verstandig te zijn en lieten de zeerovers meteen binnen, probeerden ze zelfs welkom te heten. Maar Kandexa werd verwoest, verkracht en vermoord. Alleen de stenen bleven over om zich door volgevreten Vormen te laten onderbraken en onderpissen, terwijl de kraaien op schildwacht stonden.

Deze steden waren klein, en de legerschare van zee was vrij groot. Maar toch zou een zeerover vroeger nooit een aanval op een stad in Ruk Kar Is hebben durven ondernemen. Die vermetelheid was op zichzelf al genoeg om de Ruk met doodsangst te vervullen. Bovendien was hun eigen leger al een halve eeuw niet echt meer op de proef gesteld. Niemand had ooit gedacht dat het oosten en het noorden zich in een bondgenootschap zouden verenigen, laat staan dat daar ook nog eens de volken van de noordelijke zee bij kwamen.

Inmiddels vulde de hoofdmacht van de Gullahammer het hele landschap.

De grotere Rukarse dorpen werden opgeslokt. Er werd geen genade verleend en er werden geen volwassenen als slaven meegevoerd. Alleen kinderen werden gespaard, volgens het gebruik van de Olchibi, tot de leeftijd van twaalf jaar. En zelfs dat niet altijd, want voor Jafn, Beisters en Vormen bleef het gevaar dreigen dat de kinderen van de vijand als ze eenmaal volwassen waren, een bloedvete zouden beginnen. Leowulf zelf had destijds het slachtoffer moeten worden van zo'n motief.

Leowulf.

Daar op de rug van de mammoet die hij van Peb Juve, een van zijn vele adoptievaders, had gekregen, of in zijn leeuwen-ar, was hij een symbool van brons en vuur. Op bewolkte dagen straalde hij voor hen als de zon.

Hij hoefde maar zo weinig te doen. Hij liep tussen de krijgers door, of zat een tijdje in hun midden. Hij deed mee aan hun behendigheidsspelen, hun boogschutterswedstrijden, hun feesten, en hij dronk met hen in de berm van het oorlogspad. Hij vertelde verhalen bij het vuur, zoals alleen de beste barden dat konden, wonderlijke verhalen die ze nooit eerder hadden gehoord – of gedroomd – over helden, over strijd en eer en het verwerven van vrouwen en rijkdom. Wat hun weer deed denken aan wat de Ranjals voor hem voorspeld hadden. Hij had zelf die gave die in de liederen van de oude barden bezongen werd; hij verstond het om een te zijn met zijn manschappen zonder ook maar iets van zijn majesteit, zijn goddelijkheid te verliezen.

Soms haalde hij ook een toverkunst uit. Hij liet een wonder gebeuren – hij veranderde een ijzeren armband in een armband van goud, een kruik Jafnse wijn in vinnig Beisters gedistilleerd. Een keer vroeg een man op een draagbaar of Leowulf zijn gebroken been kon genezen. Leowulf keek bedenkelijk. Toen legde hij zijn hand op het been onder de knie. De krijger – een Jech – zei dat hij een verschroeiende hitte voelde. Toen kwam hij op twee benen overeind en hij holde in het rond onder luid gejuich van de hele meute soldaten. Later viel de Jech weer om; het bot had het blijkbaar toch weer begeven. Het was zijn eigen schuld, vond hij – hij had veel te gauw atletische toeren uitgehaald.

Elk van de manschappen had het gevoel dat hij met de Leowulf had gesproken, dat hij hem kende, dat Leowulf hem kende en dat ze als broeders met elkaar verbonden waren.

Ze schepten over hem op, bewonderden hem en voelden eerbiedig ontzag voor hem – angst zelfs. Maar meedogenloos was hij alleen jegens de vijand; zijn eigen mensen uit het noorden en het oosten wenste hij slechts overwinningen en beloningen toe. Als ze hem zagen, die ze zo goed kenden, twijfelden ze er geen moment aan dat ze door de blauwe zon te volgen hun hartenwensen in vervulling zouden zien gaan. Ze waren eeuwenlang onderdrukt en geminacht.

En dus bleef de tomeloze meute voortmarcheren en gingen overal steden in rook op.

'Hoe kunnen hun rijdieren in leven blijven zo ver bij de zee vandaan. Ik dacht altijd dat ze op vissen reden.'

Vuldirs grapje werd genegeerd.

'Hippijnen. De zeerovers slepen vaten zeewater mee waarmee ze de dieren af en toe afspoelen.'

'Dat begrijp ik. Maar dan blijft de tweede vraag nog over. Hoe hebben ze dat voor elkaar gekregen?

'Ze zijn bezield.'

'Waardoor?'

'Door wat je al eerder is verteld, Vuldir.'

'Die onzin van Sryf, die god-koning – dat is toch zeker alleen maar een berserkend Jafns prinsje?'

Vuldir wist duidelijk niet dat hij het over Safees zoon had, zijn eigen kleinkind.

De magikoi die tegenover hem zat, een oudere man met grijs haar, maakte hem niet wijzer. Deze tovermeester was toezichthouder over een dorp aan de westkust – maar nu niet meer.

'Ru Karismi,' zei de magikoi, 'moet zich voorbereiden.'

'Helemaal niet. Dat is jullie taak.' De magikoi draaide zich om en begon het vertrek uit te lopen. 'Wacht,' commandeerde Vuldir. De magikoi liep door of hij niets gehoord had. Bij de deur stapten de twee schildwachten voor hem opzij. Niemand versperde een magikoi de weg, tenzij hij niet goed bij zijn hoofd was.

Even leek Vuldir woedend. Toen zette hij het van zich af. Hij maakte zich niet ongerust. Hij wist dat dit gepeupel uit de provincie hier niets kon aanrichten. Uitsluitend door de idioterie van Tasj en Kandexa hadden ze daar zo kunnen huishouden. Ondertussen was het niet Sryf die hem op de hoogte kwam brengen van het toverbericht uit het westen, maar deze kerel. Sryf had blijkbaar iets anders te doen. Wat boeiend dat zo'n onbeduidend lekkertje als Jemhara zo'n tovermeester als Sryf ten val kon brengen. Maar voor Vuldir waren alle mensen feilbaar. Behalve hijzelf, misschien.

Leerlingbedienden van de magikoi reden uit naar het westen en naar het zuiden, waar men twee huizen van Sryf wist te staan. Bij het kwintelhuis was alles stil en leeg. De ramen glansden blauw: hier was niets gebeurd. Het zuidelijke huis, dichter bij Ru Karismi, en waar men Sryf had verwacht, was moeilijker op te sporen. Het was alleen voor geoefende magikoi te vinden.

Ze stonden in hun arren op de sneeuw en keken vol ontzetting naar het huis.

Sryf had beloofd om binnen vijf dagen naar de hoofdstad terug te keren. Hij was nu al zestien dagen weg.

'Maar hij kan onmogelijk híer verbleven hebben,' merkte de oudste toverleerling op. 'Hij moet dit gezien hebben en toen elders zijn heil gezocht hebben.'

'Niemand heeft gezegd dat zijn huis er zo verwaarloosd bij stond,' mompelde een van de anderen. 'Er moet iets gebeurd zijn.'

'Wat dan? Wat zou Sryf kunnen overkomen? Hij is een van de meest vooraanstaande tovenaars, hoewel hij dat in zijn bescheidenheid nooit zal willen toegeven.'

Boven hun groepje stak het huis dreigend af tegen de schemerlucht. De grond eronder was een beetje ingezakt, alsof de sneeuw door een onbekende hittebron een beetje was gesmolten en verzakt, om vervolgens al even plotseling weer te verharden.

Van de mindere gargolems was er nergens een te bekennen. Een bewakende geest bleef ook uit. De kleur die de ramen eventueel hadden aangenomen om al dan niet dreigend gevaar aan te geven, was niet te zien. Ze waren helemaal ingekapseld in een laag ijs. Het hele huis was ingekapseld in ijs. Hoewel de vorm van het bouwwerk nog te onderscheiden was, want het ijs volgde elke contour, was de kapsellaag meters dik en melkig ondoorzichtig.

'De Stenen die licht geven, liggen daarginds,' zeiden ze. 'Niemand weet wat die Stenen echt zijn. Zouden zíj dit met het huis van de magikoi uitgespookt kunnen hebben?'

Ze stapten uit hun sleden en de wimperherten stonden onrustig met hun kop te schudden. Niet veel minder onrustig, maakte de oudste leerling een ronde om het huis.

Er viel niet in door te dringen, tenzij je een explosiespreuk zou aanwenden. De oudste leerling was weliswaar heel capabel, maar hij had noch het gezag noch het zelfvertrouwen – en misschien ook de vaardigheid niet – om dat te proberen.

Gure windvlagen gierden over de sneeuwvlakte.

Een lid van het gezelschap zei: 'Als hoogheid Sryf niet hier is en hij is ook niet in het westen... waar is hij dan?'

Niemand gaf antwoord.

Toen ze langs de helling bij het huis weg reden, keken er een paar even om. Ze kregen de indruk dat het ingesloten huis de ijslaag nog veel dikker aan het maken was, tot hij bijna massief werd.

Boven hun hoofden klom de maan omhoog langs de hemel. In de wouden beneden sponnen melkige spinnen hun gemene webben.

Tussen de Gullahammer en het hart van het Rukgebied lag nog de zuidwestelijke stad Sofora. Om die onder de voet te lopen had moeilijker moeten zijn dan een dorp.

Het was mogelijk, maar niet verstandig om Sofora over te slaan. Sofora had troepen, die vast en zeker de Gullahammer in de rug zouden aanvallen als de Gullahammer de stad niet zou belegeren. Berichten uit Ru Karismi hadden Sofora daar zelfs bevel toe gegeven.

De stad stuurde in elk geval het soldatengarnizoen naar buiten om de barbaren onder de muren op de ijsvlakte te treffen.

Vanaf een toren op een hoog punt in de stad, stuurden niet-magikoi een visoen van het uitheemse leger naar de hoofdstad. Met de woorden: *Het zijn er te veel.*

Later kwamer er een tweede beeldbericht in Ru Karismi aan. Er was een blauwig vuur op te zien dat sneeuw, muren en heel Sofora verslond – vergezeld van woorden die telkens weer herhaald werden maar nooit afgemaakt:

Er is er EEN in hun midden...

In de slag om Sofora reed hij net als tegen de Jafnse Klauw in zijn met leeuwen bespannen strijdar.

Elders had hij soms de mammoet bereden, maar misschien wilde hij die liever niet aan te veel gevaar blootstellen omdat hij hem van Peb Juve cadeau had gekregen. Hij was al heel wat leeuwenspannen kwijtgeraakt door pijlen, messen en knuppels – maar er werden hem altijd weer nieuwe leeuwen gebracht, de beste die de Jafn in reserve hielden voor de strijd. Het was niet zo dat hij niet van de leeuwen hield. Hij voerde ze met de hand en ze sliepen in zijn tent. Niemand maakte de vergelijking: dat hij wie hij liefhad gebruikte, vervolgens kwijtraakte en dan vergat.

In Sofora hadden ze maar één toverkanon. Maar omdat ze geen magikoi hadden, durfden ze het niet op te starten omdat ze van de ramp in Tasj

Jir hadden gehoord. Het toverkanon tuurde door de muren naar buiten; een groene drakenkop met opengesperde muil, maar volstrekt ongevaarlijk. Tegen zonsondergang hadden de mannen van de Gullahammer het van zijn standplaats geduwd en het op de ijsvlakte onder de muur te pletter laten vallen.

Leowulf was hun voorgegaan naar de stad, dwars door de Rukse soldatengelederen regelrecht op de poort af, onkwetsbaar voor de van alle kanten op hem neer regenende slagen en deze keer was ook zijn leeuwenspan er ongedeerd onder vandaan gekomen. Eigenhandig doodde hij zoveel mannen in de poort dat ze helemaal een barricade vormden – maar dat duurde niet lang. Ongeduldig als altijd stapte hij vervolgens uit zijn slee. Hollend dook hij de stad in, op de voet gevolgd door de luidruchtige, losgeslagen kolos van het leger.

Daar hakte hij er ook lustig op los. Degenen die het zagen, zeiden altijd dat hij vrouwen net zo makkelijk afslachtte als mannen. Het leek wel of hij geen verschil zag. Alleen de kinderen spaarde hij – dat was er bij hem ingehamerd door een Olchibi.

Onder zijn banier met de blauwe zon werd Sofora weldra ook fysiek in brand gezet.

In de tovenaarstoren verzond de laatst overgebleven tovenaar zijn beeldbericht van de gruwelijke taferelen in de stad. Toen dat gebeurd was, wierp hij zich net als het ene ongebruikte kanon van de hoge toren om beneden op de stenen te pletter te vallen in bloed, vuur en duisternis.

Na Sofora verzocht Ur Tasj, de enige stad die nu nog in de weg stond tussen de Gullahammer en de hoofdstad, de Oppervorst om hulp.

Vuldir wees dat hoofdschuddend van de hand. 'Ze zullen het zonder onze hulp moeten stellen,' zei hij. 'Het lijkt erop dat dit een ernstige zaak is. Wij houden al onze soldaten hier.'

Ward, de domme, zwakke Bijvorst, draaide zich op zijn hielen om en verliet het doodstille vertrek. Hij daalde met zijn lijfwacht uit de paleizen af naar de stad en reed rechtsreeks naar zijn dichtstbijzijnde landgoed om daar elke gezonde man op te roepen. Met een legertje van tweeduizend man, uit Wards vorstelijke bezittingen bewapend en van krijgsarren voorzien, trokken ze in noordwestelijke richting naar Ur Tasj. Ze hadden geen magikoi mee. In een klein verlaten stadje begon er een sneeuwjacht te woeden die hen dagen en nachtenlang opgesloten hield. Geen enkel bericht wist door de geselende sneeuw heen te dringen. Toen ze eindelijk verder konden trekken en ze bij Ur Tasj aankwamen, had de Gullahammer de stad al ingenomen op dezelfde manier als een wolf of een luipaard een hert slaat.

Als bij toverslag waren toen Ward en zijn ontstelde geïmproviseerde legertje ook ineens door de horde omringd.

Ward die koelbloedig zijn strijdbijl en zijn gegraveerde zwaard hanteerde, zag mannen van de Jafn schouder aan schouder vechten met Olchibi en het blauwe geteisem van de open zee. Als hij zijn hoofd er niet bij had moeten houden, was zijn mond opengevallen van verbazing.

Toen werd hij zelf neergeslagen.

Weer bijgekomen merkte hij dat ze wisten wie hij was. Dat was niet zo moeilijk, want hij had de traditionele stalen bijvorstenhelm gedragen, met als versiering een gouden kroon. Ze lieten Ward slechts drie leden van zijn lijfwacht behouden, allemaal gewond. De barbaren voerden hen over de rokende buitenrand van Ur Tasj, waar mannen, sleden, wimperherten en leeuwen door een rivier van langzaam bevriezend bloed waadden.

In zijn waanwijsheid meende Ward dat ze van zijn dood ook een spektakel wilden maken. Hij verschroeide hen met zijn blik. Hij was een koning.

Maar ze bleken met hem naar hun eigen leider onderweg te zijn.

De tent die naast de puinhopen van de stad was opgezet, stelde helemaal niets voor. Met de pracht van de Ruk wisten deze onbeschaafde woestelingen niets beters te doen dan die te vernielen. Maar buiten dat maakte de eigenaardige banier Wards onheilspellende voorgevoelens alleen nog maar dreigender. En wat lager op de helling zag hij ook een gehavende glijkar vol houten dingen die wel bezems leken en die op bovennatuurlijke wijze tegen een meute lachende, bloeddronken krijgers leken te spreken.

Bijvorst Ward werd de tent ingeduwd.

Hij zag een gemengde groep mannen zoals waar hij tegen had gevochten, witharige Jafn en geelhuidige Jechen of Olchibi. Een Vormse zeerover met paarsrood gestreepte wangen, was juist naar buiten gekomen toen Ward binnenstapte. Ward had gedacht dat alle zeerovers wel aan de kust zouden zitten om op de puinhopen van Tasj te dansen.

Toen gebeurde er iets. Het had wel wat weg van de manier waarop de wind op de ijsvlakten plotsklaps van richting kan veranderen.

Ward staarde ineens tussen de mannen in de tent door naar één enkele man die daar in een kom sneeuw zijn handen en zijn gezicht stond te wassen. De man schudde zijn haar achterover en droogde zijn gezicht af met een handdoek die een van de Jafn hem aangaf.

Ward had wat verspreide geruchten opgevangen over rood haar, maar had daar verder geen geloof aan gehecht. Hier zag hij het met zijn eigen ogen.

Ward was geen man die seksuele of romantische gevoelens voor mannen koesterde. Hij was ook niet erg esthetisch aangelegd. Maar als kind had hij eens een zonsondergang gezien, met in het hart de rode zon en gouden uitlopers eromheen en hij had dat wonderbaarlijke schouwspel nooit kunnen vergeten. Deze man – dit schepsel – was net zoiets, een natuurverschijnsel. Je kon hem niet over het hoofd zien – althans niet zonder gevaar voor eigen leven. En deze gedachten kwam van Ward, die men voor een domkop hield.

Het natuurverschijnsel liep op hem af. Een leeuw liep als een hond naast het natuurverschijnsel mee – er zat bloed in zijn grijze manen.

'Goedenavond, heer,' zei Leowulf in onberispelijk aristocraten Rukars. 'Ik neem aan dat u het niet weet, maar wij zijn familie van elkaar.'

Wards mond ging zijn eigen gang en viel wagenwijd open. Pas na enkele tellen kon hij zeggen: 'Hoe dat zo?'

'Mijn moeder is Safee, dochter van Opperkoning Vuldir. Aangezien u de broer van mijn grootvader Vuldir bent, heet ik u welkom als mijn oudoom.'

'Ik herinner me geen dochter met die naam.'

'U moet er toch op vertrouwen dat ik mijn eigen afstamming ken,' zei Leowulf. Hij stak zijn hand uit. Hij had het bloed eraf gewassen, net als van zijn buitenissige gezicht. Verder zat hij nog helemaal onder, hoewel hij er niet naar rook, en zijn huid had niet de gele kleur van de Olchibi, zoals Ward aanvankelijk dacht, maar was egaal lichtbruin. Hoewel er Jafn rondliepen, en ook wel Beisters, met blauwe ogen, was dat toch niet het blauw van de zijne. De ogen van deze jongeman hadden de kleur van de zon op zijn banier. *Er is er EEN in hun midden...*

'Wat ben jij?' vroeg Ward zonder Leowulfs uitgestoken hand aan te nemen. Maar Leowulf bleef gewoon onverveerd, doodkalm met zijn uitgestoken hand staan. Het was onvermijdelijk, hij moest die hand aannemen. Ward huiverde onder zijn vet. Hij was moe en een gevangene, maar toch had hij zijn vraag gesteld. Hij wist niet hoevelen die vraag al eerder gesteld hadden.

'Wat ik ben? Net als jij, heer Ward, een koning.'

Misschien was dit wel de eerste keer dat de Leowulf zichzelf ooit zo had genoemd, maar er was geen man in de tent die er bezwaar tegen maakte. Natuurlijk was hij een koning, Koning tot in lengte van dagen, over allen.

'Jij bent een barbaar,' zei Ward, 'en dat ben je.'

Leowulf lachte hem toe.

'Ben ik dat? Misschien zijn we voor God en de goden allemaal wel barbaren, heer. Maar wil je mijn hand niet aannemen. Ik zal je niet verzengen, hoor.'

'Nee, dat wil ik niet,' zei Ward.

'Ach,' zei de Leowulf zacht, 'dan zal ik de jouwe moeten pakken.'

Zoals een moeder dat heel zoetjes doet bij een kind, hield de jongeman, nog voor Ward goed en wel doorhad wat er gebeuren ging, Wards hand, murw van het hanteren van de strijdbijl en met beurse knokkels van het gevest van zijn zwaard, al in zijn eigen sterke warme hand. Die sterke, warme hand was eeltig, maar niet getekend door de strijd – toch vocht hij als een duivel hadden ze hem verteld. Het leek wel of zijn lijf alleen wonden accepteerde die er goed voor waren.

Ward wilde de hand van de Leowulf, Koning over allen tot in lengte van dagen, niet meer loslaten. In een losgeslagen wereld was deze hand het enige wat hem overeind kon houden.

'Je bent een dapper man, oudoom,' zei de koning. 'Jij was de enige vorst die het tegen ons opnam.'

'Ik en mijn manschappen.'

'Het spijt me van je manschappen. Maar jou draag ik geen kwaad hart toe. Ik zal je in ere houden.' Zwanendons kon niet zachter zijn: 'Als Vuldir en zijn hoofdstad in puin liggen, kan jij Ward, in leven blijven.'

Uren later schaamde Ward zich diep voor dit onderhoud. Toen zat hij inmiddels in een andere tent. Zijn wonden en die van zijn drie lijfwachten waren door een heks met kruiden uitgewassen. Ward zat op de grond en ze hadden hem zwarte Jafnse wijn en wat te eten gebracht. Hij wist niet of hij als gevangene werd beschouwd of niet en het kon hem niet schelen ook. Het zou trouwens toch niets uitmaken. Hij was verdoemd, net als iedereen.

Als Vuldir en zijn hoofdstad in puin liggen...

Ergens in Wards brein knaagde een herinnering die hem te binnen bracht dat Vuldir en hij lang geleden hier al voor gewaarschuwd waren. En nu was het te laat.

Luide stemmen vulden het enige gebouw dat in Ur Tasj nog overeind stond. Leowulf had zich de gewoonte aangemeten om soms een enkel gebouw heel te laten en daar dan met zijn aanvoerders de overwinning te vieren. Dat was op een of andere manier op de werf van de Klauw begonnen, waar hij Lokesj en Rosger had achtergelaten voor hun gruwelijke banket. Het gebouw dat hij in Ur Tasj had uitgekozen, was een nimmer door vorsten bezocht ruwstenen paleis op een terp.

Het feestvuur laaide hoog op. Jafnse tovenaars hadden het gevuld met rondtollende gestalten van leeuwen en beren en vrouwen. Andere vrouwen, waar er trouwens maar heel weinig van in het oorlogskamp verbleven, kwamen nooit naar deze festijnen.

Alle opperhoofden en aanvoerders waren aanwezig. De gunstelingen zaten het dichtst bij Leowulf – Peb Juve en enkele van zijn adjudanten, drie of vier andere aanvoerders van de Olchibi, en Jech oudsten uit de moerassen. De opperhoofden van alle Jafnse stammen, hun zonen en verwanten zaten allemaal op hun vaste plaatsen. Niemand probeerde voorrang te krijgen – vroeger waren er bloedvetes begonnen over minder. De twee jaliekapiteins van de Beisters, de enigen die niet nog in Tasj en Kandexa rondhingen, zaten op met vachten belegde houten banken. En er waren ook nog dieren binnen. Jafn namen altijd hun leeuwen mee naar een feest, en nu wilden de drie Vormse scheepsheren hun hippijnen naar binnen halen.

De Leowulf stemde toe, in weerwil van de klacht van de Jafn dat nu al het eten altijd naar vis smaakte.

Vanavond kwam de derde Vorm pas laat aan met zijn zoon, en met zijn rijdier – een gehoornde vis op het droge, van kop tot kont beschilderd met rode strepen. Achter de man en de hippijn liep de vrouw van de Vorm.

Elke andere man in het vertrek zat met open mond toe te kijken, want vanavond had de Vorm zwarte Killa als vrouw.

Op haar zwarte huid sprankelde inmiddels een fortuin aan sieraden en snuisterijtjes, gekregen van haar eindeloze rij minnaars.

Alleen Arok van de Jafnse Hola's draaide onmiddellijk zijn hoofd af. Hij was op het feest omdat hij familie was van de Gaiord van de Hola's en hij had zich inmiddels tijdens haar afwezigheid van Killa laten scheiden op de snelle Jafnse manier. Niet alle mannen die haar ooit hadden gehad, bleven wrokken wanneer ze vertrok. Maar Arok had ze natuurlijk wel in het openbaar uitgekozen en hij was met haar getrouwd; dat was toch anders.

Als Leowulf al met de anderen meekeek, keek hij ook snel weer weg. Hij leek geen bijzondere aandacht voor Killa te hebben terwijl toch geen enkele man daar, of hij haar nu had gehad of niet, haar leek te kunnen negeren. Ze was net een subtiel geluidje in de lucht. Als je het altijd hoorde, wist je op het laatst niet beter.

De stemmen begonnen weer luider te klinken, tot de hanenbalken er helemaal van zoemden. Buiten toonde de verpletterde stad zijn lijk aan een stel hoge, smalle manen.

Peb Juve boog zich naar Leowulf. 'Die vrouw moet je niet in leven laten.'

Leowulf keek hem aan. 'Welke vrouw?'

Met een stalen gezicht zei Peb: 'Had ik mijn crarrowvrouw maar bij me, die zou het je wel aan je verstand weten te brengen.'

'Een crarrow, ja – maar wat valt er van een doodgewone *vrouw* te vrezen, heerschap?'

Op dat moment stond de derde Vormse scheepsheer op om zijn eigen zoon een mekajem voor zijn hoofd te verkopen. De jongere man ging onderuit.

De Vorm ging niet zitten. Zijn gezicht, met dezelfde strepen beschilderd als zijn vispaard, was moeilijk te lezen, maar zijn handelen was voor elke man een open boek. Blijkbaar had de zoon Killa ook gehad.

De Vorm boog voor Leowulf en bonkte op de Vormse manier met zijn hoofd op zijn vuisten. In de taal van de noordelijke zee mompelde hij: 'Vergeef deze mij die toesloeg bij jouw eethaard. Zal ik gaan sterven, jonge vader?'

Leowulf schoot in de lach. 'Nee, ga toch zitten. Maak het goed met je zoon. Hij is een prima krijger, bijna net zo goed als jij zelf.'

'Je oordeel is feilloos, jonge vader.'

De Vorm boog zich over zijn zoon – die na de forse vaderlijke dreun bewusteloos op de grond lag – en begon hem sussend toe te spreken.

Peb Juve zei tegen Leowulf: 'Nu gaat hij haar doodmaken.'

'Wie gaat hij doodmaken?'

'De Nachtvrouw.'

'Weet hij dan niet dat ze slaapt met elke man die erom vraagt...' Leowulf aarzelde en zijn lippen vormden geluidloos de Rukse woorden: 'Behalve met mij.'

De Vormse vader en zijn zoon zaten inmiddels weer met zijn tweeën op hun bank. Killa die op een laag krukje naast hen zat, werd daar nu door de Vormse scheepsheer zonder omhaal afgeschopt en ze viel op de grond.

In de zaal werd het doodstil, op de eeuwig fluisterende muziek van Killa's aanwezigheid na. Daar veranderde niets aan.

Het was uiterst eigenaardig. Hoe kon zelfs de bevalligste vrouw haar gratie bewaren als ze zo werd weggeschopt?

Voor Leowulf zelf zag het wegschoppen en vallen van Killa eruit alsof er plots een brede straal vloeibaar water naar buiten spoot en veranderde – zonder zijn vorm te verliezen – om dan al even plotseling weer terug te veren. Hij keek haar vol verbazing aan. Zij krabbelde alweer overeind, ongedeerd, onbedorven, alsof haar niets was gebeurd.

Was ze ook zo als je de liefde met haar bedreef? Ja, vast wel.

Leowulf ging staan.

De andere mannen staarden geboeid van de vrouw naar hun man-god en weer terug.

Even was alles weer precies zoals toen op de ijsweg bij Veins, toen Killa voor het eerst bij hen kwam.

'Kom hier maar zitten,' zei Leowulf tegen Killa.

Ze gehoorzaamde op een bewonderenswaardig gewone manier.

Nu stond Peb Juve op en toen zij kwam aanlopen, liep hij weg met in zijn kielzog al zijn adjudanten. De dichtstbijzijnde Jafn opperhoofden schoven een stukje op. Leowulf wees naar de bank naast zich. Killa ging zwijgend zitten. Toen ging Leowulf ook weer zitten.

Hij sprak zacht tegen haar, maar anderen hoorden het ook: 'Je kunt beter een tijdje bij me in de buurt blijven.'

Killa nam dat zonder problemen aan.

Was ze nu een nieuw speelgoedje voor hem – een intrigerend ding dat hij nog niet uitgeprobeerd had? Hij wist het niet, maar hij begeerde haar. Hij was zich hevig bewust van zijn seksorgaan, waarover hij gewoonlijk grote beheersing had, maar dat nu tegen zijn wil probeerde te groeien, en dus liet hij het uiteindelijk maar naar hartelust dikker en langer worden.

Opnieuw heel zacht zei hij tegen haar: 'Wat doe je nu voor *mij*?'

'Niets.'

'Ach, net als de laatste keer, dus.'

Ze keken alletwee de zaal weer in. Niemand die dat toevallig had gehoord, hechtte geloof aan haar afwijzing of zijn toenaderingspoging. Hoe konden twee schepsels als hij en zij zich met zulke alledaagse zaken inlaten?

Hij gaf haar wijn te drinken. Zij dronk ervan. Leowulf dronk overvloedig, net als zijn manschappen, hoewel hij nooit dronken was. Maar zij dronk heel weinig en ze zette na elke slok de kom weer neer. Met voedsel deed ze al net zo.

De rest – zelfs de Olchibi krijgers, met uitzondering van Peb Juve – raakte aangeschoten en uitgelaten. Ze begonnen met elkaar te wedijveren en te worstelen, en toen begonnen ze verhalen te vertellen.

Het tweetal zat er ondertussen bij als twee beelden van barnsteen en git.

De nacht kroop naar de ochtend toe. Bij zonsopgang zou de Gullahammer zich weer op het oorlogspad begeven en naar Ru Karismi optrekken.

Zijn aanvoerders die misschien weldra voor Leowulf zouden sneuvelen, klopten met hun kommen op de banken en riepen luidkeels om een verhaal van hem.

Leowulf keek over zijn schouder en zag dat er niemand zat. Joeri was tegenwoordig nog maar zelden bij hem. Hij had Joeri blijkbaar beledigd – en de levende Peb Juve nu ook. Maar Leowulf kon hen wel weer terugwinnen. 'Wat voor verhaal moet het worden?'

Van de andere kant van het vreugdevuur zei Peb Juve tegen hem: 'Laat de vrouw maar eens een verhaal vertellen.'

Leowulf haalde zijn schouders op. Onder de Jafn en de Noordlanders was het niet gebruikelijk dat vrouwen in de zaal verhalen vertelden, zelfs crarrowin niet.

'Ken je een verhaal?' vroeg Leowulf aan Killa.

Op de andere bank liet de Vorm die zijn zoon een mekajem had verkocht, kwaad als een stier zijn hoofd hangen maar hij hield wel zijn mond.

Killa was opgestaan, zoals het de verhalenverteller paste. Ze had natuurlijk anderen wel heldendichten horen voordragen.

Peb Juves gezicht was als versteend.

Killa pakte de kom waaruit ze had zitten drinken. Die was nog voor driekwart vol. Ze liep ongehaast bij Leowulf vandaan tussen de banken en het vuur door. Elke man die ze tegenkwam, hield ze de kom voor, of het nu een aanvoerder was of een adjudant of een verwant. De meesten namen een slok uit de kom.

Dit was geen gedienstigheid, dit was een mystieke, priesterlijke handeling. En de mannen die weigerden – niet de Vorm en zijn zoon ook niet, maar Arok, Peb en nog twee of drie anderen – liep ze als een maanschaduw voorbij.

Daarna keerde ze terug naar haar zitplaats op Leowulfs bank.

Het vreugdevuur brandde inmiddels vrij laag. Toen ze over het vuur heen begon te spreken vulde haar kalme stem als een klinkende klok de laatste zaal in Ur Tasj.

'Ik ben deze kom. Als je eruit drinkt, drink je. Als je er niet uit drinkt, word ik niet door jou gedronken.'

Er was geen man aanwezig bij wie zijn nekharen niet overeind gingen staan. Zelfs Peb Juve voelde het en dacht: *Ze is dus toch een crarrow. Laat haar dan haar gang maar gaan, de Grote Goden zijn m'n getuige.*

Killa begon te vertellen: 'Ik ben gemaakt van niets – van nacht en sneeuw. Ik ben het instrument van wat mij heeft gemaakt, en dat zijn drie goden, of één god die drie personages heeft. Daarvoor en om dit te zijn ben ik geschapen, en ben ik. Hij die daar in het paleis van de koning zit, hij is ook gemaakt door een god die in drieën bestaat, maar op een andere manier. Ooit,' zei Killa, 'was het *Zomer* in de wereld. Maar op een avond zakte de zon in de zee om nooit meer op te komen. Alleen de geest van de zon kwam op en die gaf geen warmte. Winter sloop de wereld binnen.'

Peb Juve dacht: *Ze spreekt heel goed Olchibi.*

De Jafn – zelfs die arme Arok – dachten: *Ze spreekt de taal van de Jafn. Ik heb het haar goed geleerd.*

Leowulf wist dat Killa, net als hij, elke taal kon spreken die nodig was, en nog tegelijk ook als het moest.

Hij wilde een eind maken aan haar woorden. Ze sprak over goden: de goden van zijn moeder Safee en dus ook over *hem* – over Zet Zezet.

'Zwijg Killa,' zei Leowulf. Hij had haar naam om zich heen vaak genoeg horen vallen. 'Dit is geen verhaal.'

Killa hield haar mond.

Leowulf zei: 'Het is genoeg geweest. We gaan naar buiten om ons hoofd wat af te laten koelen. Er staan doelwitten op de puinhopen van de stad, daar gaan we op schieten.'

De mannen holden joelend de sneeuw in. Anderen, Jechen en Olchibi, groetten Leowulf en liepen de zaal uit om nog wat slaap te vatten.

Toen hij langs Killa naar de open deuren liep, pakte Leowulf de kom uit haar hand om er een slok uit te nemen. Hij was leeg.

'Ik kom straks weer bij je terug.'

Killa zei: 'Ik ben niet voor jou. Jij hebt me niet nodig.'

'Jawel, ik ga je neuken, meid. Hierbinnen, bij zonsopgang, voor mijn leger vertrekt.'

Wat voor taal spraken ze nu? Alle talen die ze ooit hadden gehoord en misschien ook wel een paar die ze nooit hadden gehoord.

Maar weer antwoordde ze: 'Nee, ik ben niet voor jou.'

Leowulf gaf haar de kom terug. Hij bukte zich om haar een zoen op haar voorhoofd te geven, maar miste op een of andere manier haar huid. Ze rook geurig en koel, zoals hij op zijn beurt schoon en vurig rook.

Buiten schoot Leowulf de doelwitstaken finaal aan flarden, zoals hij ook Ur Tasj en Sofora aan flarden had geschoten. Hij nam niet de moeite om te gaan kijken of de vrouw nog op hem zat te wachten. Dat zat ze niet.

Het licht van de ondergaande zon viel over het Ru Karismi van de Koningen. Hoe vaak had de stad al onder ditzelfde licht liggen glanzen. Nu leek het meer of er iets in brand stond.

Een koortsachtige angst had de straten in zijn greep. Mensen holden rond als torren. Maar aan de andere kant werden de deuren juist dichtgeslagen en werden ramen gesloten en van luiken voorzien.

Er was niemand gevlucht. Je kon nergens heen, behalve de sneeuwwoestenij in, of naar de onbeschaafde, nauwelijks verkende streken in het zuiden.

Er waren voorzieningen getroffen en voorraden gevormd. Ook graan, vee en mensen van de omringende hoeven waren naar de stad gehaald. Soldaten hadden langs de ijssnelweg van de Koningsmijl geïmproviseerde houten uitkijktorens opgetrokken. Ten noorden van de stadsmuur was een bolwerk van bevroren sneeuw gebouwd waar ook nog uitkijktorens op stonden. Op de hoogste punten van de stad stonden dag en nacht schildwachten op de uitkijk.

'Wat zal er van ons worden?' hoorde je voortdurend fluisteren.

Waarop dan teruggefluisterd werd: 'Hier had al lang geleden een eind aan gemaakt moeten worden.'

Sommigen beweerden: 'Wij hebben toch onze hoge tovermeesters – de magikoi. Zij kunnen ons beschermen. Niemand kan op tegen hun toverkunsten. Er zijn hier wapens die alles overtreffen.'

In de paleizen in het hoogste deel van de stad verdeed Oppervorst Vuldir zijn avonden met muzikaal omlijste banketten, ook al was zijn broer, die stomme Ward, door de vijand krijgsgevangen gemaakt.

Godenbeelden werden in groten getale uit de tempelstad gestolen. Iedereen wilde zijn eigen drie persoonlijke goden bij zich in de buurt hebben en in de heiligste vorm waarin ze voorhanden waren. De mensen vochten erom en op de Grote Markten vochten ze ook om hamstervoorraden. De soldaten moesten helemaal uit de bovenstad komen om de meute met zwaarden en door de tovenaars uitgereikte toverbundels uit elkaar te jagen.

Het zonsondergangslicht doofde uit boven Ru Karismi. Er brandden nu bijna geen lampen in het donker omdat er op olie werd bespaard, net als op alle andere onmisbare dingen. Het werd dus donker in de stad.

In de schemering was er een man aangekomen die de duizend marmeren treden, die als De Trap bekend stonden, begon te beklimmen. De diagonaal geplaatste stalen beelden stonden er onverstoorbaar bij. Hij bekeek er maar één, het beeld dat hij altijd bekeek als hij op de zevenhonderdste of de zevenhonderdeerste trede even op adem kwam. Het was een zwaardvechter die met zijn hoofd een beetje scheef en zijn zwaard omlaag in rusthouding stond.

Toen de man boven aan de Trap kwam, stapte de Gargolem uit zijn nis in het hoge portaal.

'Gegroet en welkom, hoogheid Wundest.'

'Goedenavond Gargo. Maar ik ben hier niet voor de koningen. Ik wil met jou praten, Gargo,' zei magikoi Wundest.

De Gargolem bleef wachten. Zijn metalen gezicht, dat van een onbekend dier, keek uiteraard uitdrukkingloos op Wundest neer.

'Hoe kan ik u van dienst zijn?'

'Je weet toch dat er oorlog dreigt en hoe het ervoor staat – en wat er staat te gebeuren?'
'Inderdaad.'
'Weet je ook dat Sryf, wiens hulp wij hier goed hadden kunnen gebruiken, verdwenen is?'
'Ik ben ervan op de hoogte.'
'Gargo,' zei de magikoi Wundest, 'volgens een zeer oud decreet moeten alle magikoi de hoofdstad bijstaan, want die is het hart van de Ruk. Dat weet je, maar weet je misschien ook waar Sryf is?'
'Jawel hoogheid.'
De magikoi zette zich schrap. 'Ik ben gestuurd om je dit te vragen. Geef mij dan antwoord op het volgende: Is hij dood?'
'Hij is niet dood. Hij is in zijn zuidelijke huis.'
'Achter muren van ondoordringbaar ijs waar een oculus niet eens doorheen kan kijken. Wat is er daar gebeurd, Gargo?'
In de diepe stilte die er in de stad en de paleizen heerste, zei de Gargolem: 'Ik kan met mijn innerlijk oog een klein beetje naar binnen kijken. Het ijs heeft ook alle kamers en elke opening gevuld. Maar het is eigenlijk helemaal geen ijs, hoogheid Wundest.'
'Wat is het dan wel?'
'Tijd.'
Wundest deinsde achteruit. Hij staarde om zich heen alsof hij Ru Karismi nooit eerder gezien had. Maar in werkelijkheid zag hij het helemaal niet.
'In het zuidelijke huis staat de tijd stil,' legde de Gargolem uit, 'en daarom is het een doorgang naar een tweede dimensie die niet met deze verbonden is, wat een indruk van ijs wekt.'
'Heeft Sryf dat zelf gedaan? *Waarom?* Verzaakt hij zijn plicht jegens het volk van de Ruk? Heeft hij zichzelf levend begraven?'
'Daar kan ik geen antwoord op geven, hoogheid.'
'Hij zou hier misschien iets hebben kunnen bijdragen,' zei Wundest tegen de stad. 'Hij had misschien een andere koers kunnen bedenken.'
De Gargolem bleef beleefd op de Trap staan tot Wundest weer langs de treden omlaag begon te lopen. De tovenaar liep nu heel wat aarzelender en hij bleef wel drie of vier maal pauzeren. Toen hij helemaal onderaan was, keerde de Gargolem terug in zijn nis.
Bekommerde hij zich eigenlijk om het menselijk lot? Hij was met toverkracht vervaardigd om de mens te dienen, maar verder onverschillig en uitsluitend verstandig door zijn programmering. Eenmaal teruggekeerd in zijn duistere hoek zou hij waarschijnlijk zijn eigen gedachtetrein weer in gang zetten.
Veel verder langs de benedenloop van de rivier de Bleekste, kwamen die nacht andere, lagere gargolems naar buiten. Ze stelden zich op langs de oever van de bevroren rivier om de wacht te houden bij bepaalde stukken waar

in het ijs vreemde symmetrische scheuren waren verschenen. Sommige inwoners van de stad schreven die scheuren misschien zelfs wel aan een weersomslag toe.

Maar nog weer dieper onder het ijs waren zeven magikoi, waar Wundest niet bij was, maar waar Sryf wel bij had *moeten* zijn, over de lavaglazen bruggen en de rotshellingen van het Insularium onderweg naar de allerlaagste verdieping.

Dit zevental was door de orde aangewezen voor een speciale taak.

De route omlaag werd door verscheidene gargolems bewaakt. De zeven magikoi die als enigen de juiste wachtwoorden kenden, waren al gauw alle wachtposten gepasseerd.

Als laatste betraden ze via zeven verschillende, ingewikkelde poorten de centrale schacht.

Dat was een put van zwart glas die tot op onbekende diepte doorliep. Zwevend op de lucht zakte het zevental door middel van een mechaniek van de schacht zelf gezamenlijk omlaag naar het vertrek in de diepte, de Telumultuaanse Kamer.

Elk van deze machtige magikoi scheen het toe dat hij in zijn eentje terecht was gekomen in een klein hokje, amper groot genoeg om hem te bevatten en geheel van steen en zonder deuren of ramen. Van de andere magikoi met wie hij samen was afgedaald, was nu geen spoor meer te bekennen. Hij was helemaal alleen.

Enige tijd gebeurde er helemaal niets. Elke magikoi moest geduldig en kalm afwachten. Als goed geoefende vaklieden deden ze dat ook.

Toen klonk de stem van de Gargolem van de Kamer uit de wanden: 'Wat doe je hier?'

En elke magikoi antwoordde: 'Er dreigt waarlijk groot gevaar. Ik ben hier om het Rukarse volk daartegen te beschermen.'

'Ken je de prijs?'

'Ik ken de prijs.'

'Wil je hem betalen?'

'Ik wil hem betalen.'

'Betaal dan.'

In elk van de zeven krappe, vierkante hokjes schoot een zwaard uit de wand. Ze hadden niets gemeen met strijdzwaarden. Soepel, lang en zwiepend staken en sneden ze pijnlijke wonden in de lichamen van de magikoi. De tovermeesters moesten onder deze aanval doodstil blijven staan. Anders zouden ze sterven. Het bloed droop langs hun lijven omlaag.

Na enige tijd schoven de zwaarden weer terug in de wand.

Bevend – dat deden ze allemaal, maar niet zozeer van pijn als van de fysieke shock – bleven de magikoi overigens doodstil staan.

De wanden die uit hun bloed hun oogmerken en hun kwaliteiten hadden bepaald, begonnen langzaam te wijken.

Zeven magikoi kregen zeven smalle deuren te zien, elk gevuld met een kil licht. Ze liepen het licht in en dat heelde hun wonden. En erachter lag de Kamer van de Telumultuaan, die al talloze eeuwen niet door een levend wezen was betreden, behalve dan in nachtmerries.

Het vertrek was tegelijk hoog en ver. Naar alle kanten verdween het in vage verre nevelen. Het was volstrekt neutraal, op de dingen na die erin stonden.

De magikoi die daarnaast wel dwergen leken, moesten eindeloos omhoog turen.

Ze wisten dat ze naderhand nooit zouden mogen spreken over wat ze hier hadden gezien, maar ook voor zichzelf zouden ze nooit helemaal in staat zijn om dat te beschrijven.

Als een woud rezen ze omhoog die onbeschrijfelijke dingen, niet telbaar maar wel veel.

Ze glansden zwak als platina in een grijze dageraad. Hun vorm leek misschien nog het meest op die van ontzagwekkende bomen, ontdaan van sneeuw en ijs, maar ook van alle tak en blad – die onder die wrede behandeling juist groeiden en sterker werden. Ze waren zo verschrikkelijk hoog dat je niet precies kon zeggen waar ze eindigden, en ook niet of de een langer was dan de ander, en toch waren ze allemaal verschillend en tegelijk volstrekt identiek.

Dit waren de thaumaturgische wapens die de orde van de magikoi, in een tijd zo lang geleden dat het een andere wereld was, had gemaakt om als laatste redmiddel te dienen.

Geen van de hier aanwezige mannen vroeg nog of het wel zover moest komen. Het wás zover gekomen. De discussie was gesloten.

Het zevental ging op de grond zitten die wel van een soort gepolijst graniet leek.

Ze moesten wachten tot de Wachter van de Kamer hun het teken gaf. Dat was het. En het was *alles*.

Op geen van de hoeven die ze passeerden, was nog een mens of een dier te bekennen.

De Rukar die naar de stad waren gevlucht, hadden hun stallen en schuren leeggehaald, net als de kweekgreppels en de rokerijen en de brouwerijtorens. Broeikassen en boomgaarden waren gruimd en platgebrand. Niets werd vrijwillig voor de invallers achtergelaten.

Maar deze mensen uit het noorden en het oosten waren gewend aan ontberingen en nu kookte hun bloed. Bovendien kenden ze uit de woestenij allerlei trucs. Als vindingrijke en zorgvuldige jagers wisten ze in elk glaciaal bosje vlees te vinden. Ze schoten vogels uit de lucht en spoorden voorraden sluimerfruit op onder het ijs.

Deze streken waren enorm vruchtbaar en rijk. Ze leken wel gek dat ze hier nooit eerder heengetrokken waren.

Die morgen bezochten de sjamanen van de Beisters en de Vormen hun koning-aanvoerder Leowulf in zijn tent. Ze vertelden hem dat ze de stad inmiddels konden ruiken. Hij was nabij, minder dan twee dagmarsen ver. De omvang en de rijkdom ervan had voor hen de geur van weelde en overvloed en overrijpheid. Ze smakten met hun lippen.

Wichelaars van de Jechen deden voorspellingen. De Olchibi die hun crarrowin nooit meenamen op het oorlogspad of in een vandalenbende, zagen het op hun mammoeten glimlachend aan. Zij wisten heel goed dat de stad nabij was en dat ze hem zouden bereiken. Maar onder de Jafn waren de tovenaars aan het werk, binnen kringen van bloedrode toortsen waar ze toverbrouwsels bereiden om Ru Karismi bang te maken.

'Ze hebben daar nog een paar magikoi wapens liggen,' zeiden de Jafnse krijgers, 'wel een beetje oudbakken geworden omdat ze al zolang niet gebruikt zijn.' Ze lachten om de wapens omdat ze erg veel eigen legenden kenden en maar heel weinig over Ruk Kar Is.

Toen ze later weer halt hielden, werden er in het kamp slederennen op het ijs gehouden. Leowulf deed mee. Hij zat op de leuning van zijn ar en zijn leeuwen leken wel op de lucht te lopen. Hij won; hij won altijd alles – een wedstrijd, een stad.

Toen de nacht inviel en ze verhalen zaten te vertellen rond het vuur, troffen ze als ze opkeken Leowulf die tussen de vuren rondslenterde, zoals hij vaak deed. Hij vertelde ook een paar verhalen en zijn verhalen waren altijd de beste. Toen hij zijn vriendschapsoffers ging brengen bij de glijkar met de Ranjals, gingen honderden van zijn manschappen mee om te kijken. De Ranjals waren de talisman van de Gullahammer en God was God – of Goden – maar de Leowulf was hun eigen god, hier en nu.

'Als we de Ruk eenmaal veroverd hebben, wat komt er dan?' vroegen ze elkaar. Ze grinnikten en antwoordden: 'De hele wereld, misschien?'

Ze bevonden zich op een gloeiend wiel dat heuvelafwaarts rolde terwijl in de verte in de denkbeeldige vallei onderaan de helling, Ru Karismi klein en zielig lag te wezen.

Het was een slaapnacht want morgen zouden ze voor de muren staan.

Leowulf ging laat slapen. Hij liet de tentflap achter zich neer tegen het licht van de tovervlammen en de schildwachtfakkels en de uitbrandende kookvuren. Hij voerde de leeuwen lekkere hapjes, waarna ze voor de tentingang gingen liggen. Leowulf ging op de grond zitten.

'Joeri?' vroeg hij aan de tent. Maar Joeri was er niet. Joeri was nu meestal elders.

Als kind zou Leowulf daar razend om geworden zijn, dat er iemand die hij in zijn nabijheid wenste vertrokken was. *Hij* kon wegsturen of zelf weggaan – anderen niet.

Nu voelde hij zich louter eenzaam. Daar was hij natuurlijk wel aan gewend: van het begin af aan was hij een buitenbeentje geweest. Eenmaal uit zijn moeders schoot verbannen, was hij altijd alleen geweest. Het kwam nooit bij hem op dat dat uiteraard voor iedereen opging.

Vanavond had hij Killa gezien. In het praktisch vrouwloze kamp viel ze op als een zwarte maan. Momenteel was ze met een Olchibi samen, niet eens de leider van een vandalenbende. Hij behandelde haar met eerbied, want blijkbaar waren de Olchibi tot de slotsom gekomen dat Killa een soort crarrow was. Terwijl ze hun toch in haar verhaal had verteld dat ze rechtstreeks door de goden was geschapen.

Leowulf begreep niets van vrouwen. Hij had ze altijd te makkelijk kunnen krijgen; ze verafgoodden hem en gaven altijd toe. Zelfs als ze tegen zijn trouweloosheid tekeer gingen, wat er trouwens maar een of twee gedaan hadden – waarvan Safee er dan nog een was – deden ze het op zo'n manier dat hij niets over hen opstak.

Hij besloot dat hij Killa zou nemen na deze slag om de Rukse hoofdstad. Als de rest was afgehandeld, totaal verwoest. Hij keek uit naar de strijd, zonder te beseffen dat dit werd ingegeven door zijn kinderlijkheid; hij hield het voor manhaftige krijgslust.

Zou hij vannacht nog wat gaan slapen? Nee, teveel moeite.

Leowulf voelde dat iets hem aanraakte. Het leek wel of er een veertje langs zijn nek streek. Hij draaide zich met een vragend gezicht om – en merkte verbaasd dat hij wel degelijk sliep en droomde.

Hij kende deze droom. Dit was juist wat hij altijd probeerde te vermijden. Joeri kende hem ook – moest Leowulf nu om Joeri roepen?

Voor Leowulf vercheen een schaduw. Even hoopte hij nog dat het zijn eigen schaduw was, die glanzende schaduw met de schitterende vonken.

De schaduw sprak hem aan. *'Je laat me wachten.'*

Het was níet zijn eigen schaduw.

Leowulf was niet bang voor mensen; hij was onkwetsbaar voor ze en voor hun geweldsmiddelen. Maar dit was geen sterveling.

Hij, wiens naam door Rukarse klerken als Zzt werd gespeld, verscheen daar voor hem ín de schaduw. Zijn haar was van gloeiendheet zilver. Zijn ogen waren zonneschijven van goud. Maar zijn gezicht was niet blauw gekleurd.

Aan zijn zijde stond een grote blauwig witte wolf. Hij streelde die terloops over zijn kop, zoals Leowulf de koppen van zijn leeuwen streelde.

'Ik zei, je laat me wachten, jongen.'

Leowulf keek kwaad terug. 'Wat moet je van me?'

'Op een dag zul je het weten.'

'Wil je me doden? Ik ben sterk. Dat lukt je niet.'

'O, lukt me dat niet? Dat zullen we nog wel zien als het moment daar is. Geef de stad een zoen van me, morgen. Ik heb daar schrijnen.'

Leowulf dook in de draaikolk van de droom en sprong naar de uitgang. Met een schreeuw die hij alleen in zijn hoofd hoorde, barstte hij vrij.

Eenmaal wakker bleef hij op de grond liggen. Waarom droomde hij juist nu weer van de god? Zou de god terugkeren om hem aan te vallen en te vernietigen? Dat ging niet gebeuren; Leowulf was volwassen, zijn levenskracht was onovertroffen–

In Leowulfs binnenste stak zijn menselijke deel de kop op om hem geamuseerd te melden: *Het was maar een droom, hoor.*

En hij luisterde ernaar, zoals mensen dat doen. Hoe zou je anders kunnen overleven?

Jemhara en Sryf lagen stijf tegen elkaar aangedrukt. Als Rukar hadden ze geen enkele moeite met de slaap – die voor de Jafn zo sterk verbonden was geraakt met sterven en de dood. Zelfs de sterren waren slechts honden in handen van de nacht, zeiden de Jafn. De nacht doofde de sterren uit, zoals honden in dienst van mensen stierven. Verzet je dus tot het uiterste.

Maar Sryf en Jemhara sliepen, uitgeput van het vrijen en hun seksuele honger. Zonder dat ze het wisten hadden ze naar wellust en bevrediging gesmacht; nu konden ze er geen genoeg van krijgen. Weldra zouden ze weer in verlangen naar elkaar wakker worden. Huid en haar, ledematen en handen gleden in verrukte kringen rond tot hij en zij elkaar in vlekkeloze volkomenheid aanvulden. Geen van beiden had dit gewenst of verwacht. Het leek wel of dit hén had verlangd en verwacht. Ze hadden geen enkele zeggenschap. Ze werden twee delen van één wezen dat zich louter wenste te herstellen. Zíj had gewenst dat er geen eind aan die ogenblikken zou komen – híj had nergens anders tijd voor dan voor haar. Als de machtige tovenaars die ze waren, kón er voor haar geen eind komen aan die ogenblikken, en voor hem was tijd verder overbodig.

VIER

Als door een meedogenloze hand was Joeri weggehouden – weg van de veroveringstocht van de Gullahammer, van Leowulf die hij had geadopteerd, en, naar Joeri sterk begon te vermoeden, ook van de fysieke wereld. Hij merkte dat hij zich steeds meer ergerde aan de daden van de mensheid. Ja, zelfs aan de daden – de overgave – van Peb Juve. Joeri had zelf nota bene geholpen om Peb tot een oorlog met het zuiden te bewegen. Maar Joeri had het vreselijk gevonden om zijn voormalige leider daarna als een van de onderbevelhebbers van deze... *jongen* te moeten zien. Hoewel Joeri zelf die *jongen* vroeger ooit ook zijn leider had genoemd.

Hij had de manieren van een Rukarse prins, de Leowulf, maar dan wel de *slechte* manieren, vond Joeri nu.

De tussenwereld lokte Joeri als de schuimkraag van een kroes bier. Hij dook naar binnen, sliep met meerminnen en bevruchtte hun ei, en speelde met mammoeten en Olchibimakkers oorlogje tegen onschendbare of denkbeeldige tegenstanders. Hij zat ook dagen en nachtenlang op hoge punten in het aardse landschap naar de hemel en de sterren te turen.

Dat was immers de betekenis van zijn naam: 'Sterrenhond' of 'Hondsster'. Joeri was zo aan zijn eigen naam gewend dat hij dat vergeten was, tot Leowulf er tegen Peb over begon.

Joeri verlangde naar de sterren, hoewel hij dat meestal niet wilde erkennen. De sterren en wat erachter lag... achter het hele treurige zooitje.

De dag dat de Gullahammer uitzwermde over de ijsvlakten ten noorden van Ru Karismi, was Joeri naar de kust gegaan. Hij stond op het verre pakijs naar het zwarte vloeibare water te turen dat helemaal doorliep tot een ijzeren horizon. Hij stond daar uren of minuten, op zoek naar iets – zonder te weten wat. Het leek wel of een stem hem riep van onder de zee, van onder de ijsplaten van het pakijs – een mera misschien, een die echt tot het vlak der stervelingen had weten door te dringen.

Joeri voelde zich somber en oud. Als hij in leven was gebleven, zou hij nu achter in de dertig zijn. Olchibi, die taai waren en vaak heel oud werden, kregen al vroeg rimpels en grijs haar. Je zou hem zijn leeftijd hebben kunnen aanzien, net als Peb.

Hij kon maar beter teruggaan om te zien hoe het ging. Weer een stad in puin geslagen en levend verslonden. Weer een zegepraal. Joeri had de snoeverijen in het kamp ook gehoord: morgen de Ruk, overmorgen de wereld. Zo'n wereld liet hij maar liever achter zich. De ellende was dat Joeri de middelen kwijt was – het was inmiddels minder wanneer dan hoe.

Toen hij op de Rukarse ijsvlakten in het bestaan terugkeerde, zag Joeri dat hij naast de Ranjal-glijkar terecht was gekomen, wat hem helemaal niet aanstond. Misschien had hij wel op Leowulfs banier gemikt, maar die zag hij hier nu niet.

In plaats daarvan zat de dode oude sibulla op de kar, gefrustreerd als een niet begane zonde.

'Donder op, oud wijf,' snauwde Joeri.

Hij zag dat ze bittere tranen van verlies schreide.

Als ze alletwee in leven waren geweest, zou ze lucht voor hem geweest zijn. Hij zou haar zonder meer afgemaakt hebben omdat ze veel te oud was om te verkrachten. Maar nu was Narnifa er een van zijn eigen soort, alsof ze een Olchibi vrouw was.

Met tegenzin ging Joeri naast haar zitten.

'Hoor nou, mallerd, er zijn allerlei andere plekken waar je heen kunt. Weet je dat dan niet?'

'Wil vrouwe,' snikte ze.

'Jouw vrouwe ging een beetje aan de wandel, maar dat was maar een tovergril. Ze is gewoon maar een brok hout. Net als de meeste andere goden, trouwens, meer zijn ze niet. Alleen de goden van de Rukar lijken wel echt – en de Grote Goden natuurlijk, amen. Kijk maar,' zei Joeri. Hij deed iets met de lucht, zoals hij dat tegenwoordig kon, en die schoof open als een gordijn.

In weerwil van haar verdriet keek de sibulla toch naar binnen. Het was een glimp van de tussenwereld en Joeri wilde haar iets moois laten zien. Misschien zou ze dan wel vertrekken en hier niet blijven rondhangen.

'Misschien vind je daar je Ranjal-vrouwe wel,' zei Joeri. Hij herinnerde zich dat hij zelf ook een paar maal had gedacht dat Ranjal een echte god was. Zulke vergissingen kwamen nu eenmaal voor.

Toen zag hij wat Narnifa door de spleet in het gordijn kon zien. Dat was een soort mistige leegte.

'Ga niet,' zei ze koppig. Hij kon haar dat niet kwalijk nemen. Joeri vroeg zich af waarom ze dát had gezien in plaats van wat er werkelijk was. Zou zij soms geloven dat er na de dood niets meer was? Maar ze zat hier toch zelf.

Joeri was in één klap zijn belangstelling voor haar kwijt. Hij trok het luchtgordijn dicht, stond op en keek om zich heen.

Ze waren Vuldir komen vragen of hij soms in een hoger vertrek van het paleis wilde komen kijken naar de horde die de ijsvlakte voor de stadsmuren bedekte. Vuldir had gezegd dat hij zich niet bezighield met vullis; dat was de taak van anderen.

Toen de drie magikoi binnenstapten, bleek een van hen de oudere man Wundest, die Vuldir al eerder had bezocht om Sryf te vervangen.

'Waar is Sryf?' zei Vuldir. Hij zette een speels gezicht. 'Wat onattent van hem. Hij is toezichthouder aan mijn hof. Hij zou toch op zo'n dag als deze hier aanwezig moeten zijn?'

'Sryf kan hier niet aanwezig zijn, Vuldir. Maar wij zijn magikoi en dat moet genoeg voor je zijn.'

'O ja? Altijd zo hooghartig, die Orde van jullie. Maar kijk eens naar de hachelijke situatie waarin de stad zich bevindt. Wat hebben jullie daaraan gedaan?'

'Wij hebben de verdediging van de stad voorbereid,' zei Wundest.

'O, mooi zo.'

'Het is helemaal niet mooi, Vuldir. De wet van de magikoi schrijft voor dat de Orde hier blijft, maar jij had zelf troepen moeten inzetten. Als je de kleinere steden had verdedigd, waren ze misschien te redden geweest. Je bent ze nu allemaal kwijt – Tasj Jir, Kandexa, Sofora...'

'Ja, ik herinner me hun namen.'

'...Ur Tasj,' maakte Wundest zijn zin af. Aan zijn stem was te horen dat hij met moeite zijn boosheid inhield; heel ongebruikelijk voor een magikoi.

Maar Vuldir lette daar niet op. Vuldirs wereld was altijd al minuscuul geweest. En alleen in dat kleine wereldje geloofden anderen, net als hijzelf, dat zijn slimheid diepgang had. Maar de zaken lagen inmiddels anders.

'Blijkbaar zijn er nogal wat van die barbaren,' zei Vuldir.

'We geloven dat ze met meer dan dertigduizend man zijn.'

Zelfs Vuldir was nu toch een ogenblik verbijsterd. Eén tel maar. 'Gepeupel.'

'Vuldir,' zei Wundest, 'jij hebt met je eerzucht en je schurkachtige gekonkel, je domheid, je zelfingenomen luiheid en onverschilligheid Ru Karismi en de Ruk in dit ongeluk gestort. Alleen de hoogste goden weten nu nog welke uitkomst er in het boek van het Noodlot geschreven staat. Maar als ook maar één magikoi dit overleeft, zul je je tegenover ons moeten verantwoorden.'

'*Ik?*'

'Jij. Wat stel jij helemaal voor? Je bent minder dan de laagste van je onderdanen die de uitwerpselen verwijderen of de doden begraven. Die mannen verdienen hun brood. Zelfs een dronkaard die altijd ligt te dromen, is meer waard dan jij, Vuldir, want hij doet niemand kwaad met wat hij doet. Maar jij, *jij*, jij parasiteert op je volk, jij neemt alles en geeft niets terug. Het enige wat je hun hebt gegeven is hun dood.'

Vuldir stond even met zijn mond vol tanden. Toen zei hij: 'Maar er gaat helemaal niemand sterven in Ru Karismi. Ik ben de koning hier. Er is mij verteld dat er onder de rivier toverwapens liggen...'

Wundest draaide Oppervorst Vuldir zijn rug toe. De twee andere magikoi volgden hem na.

Ze lieten Vuldir daar achter, in zijn eigen rottige kleine wereldje, in zijn elegante, kunstzinnige kamer waarin hij niet eens de vijand kon zien die de vlakten voor de stad vertrapte.

Maar verder was heel Ru Karismi uitgelopen om vanaf hoge terrassen, torens en daken uit te kijken.

Wat ze zagen, was verlichte duisternis, een sprankelende schaduw die over de witte helling van sneeuw en ijs onstuitbaar op hen af kwam rollen.

Het leek wel een enorme berglawine of een vloedgolf van de ijsvrije wijde zee.

De mensen zagen dit en het werd hun bang te moede.

De soldaten uit de uitkijktorens en de geïmproviseerde sneeuwforten kwamen over de ijswegen en de sneeuwbarricaden teruggerend. Ze holden haastig terug naar de stadspoorten en ze werden binnengelaten. Met mankracht alleen was deze vloedgolf van vijandige duisternis met zijn glimmende wapens en kleurige banieren niet te stuiten. De Rukse soldaten zouden de muren van binnenuit bemannen; meer kon je van hen niet verlangen of verwachten.

Eerlijk gezegd hadden deze bataljons, als ze eerder naar de Rukse steden in het westen waren gestuurd, die tegen zo'n overmacht nooit hebben kunnen redden. Maar als er aan de andere kant in die steden nog magikoi waren geweest, hadden ze misschien wél alle vier gered kunnen worden. Wat Wundest tegen de Bijvorst had gezegd, was ingegeven door zijn woede over Vuldirs onverschilligheid en verdorvenheid, maar het klopte niet. De orde van de magikoi wist dat dit allemaal Vuldirs fout was – het was voortgekomen uit zijn complot om zijn eigen dochter Safee te laten vermoorden, in plaats van haar voor een bondgenootschap tot nut te laten zijn. Daardoor was zij op het pad van een god terechtgekomen, wat weer tot de geboorte van Leowulf had geleid. Toch hadden de magikoi zelf ook schuld. Zij waren er niet in geslaagd om de sluier op te lichten en tijdig en afdoende de ellende te voorzien. En dat wisten ze ook.

Toen de kolossale poorten aan de zuid- en de noordkant van Ru Karismi werden gesloten en de reusachtige grendels op hun plaats waren geschoven, begon de zuidwaarts afdalende horde aan de kop een grote bult te vertonen. Vervolgens spleet die bult in tweeën, waarna beide helften eerst een heel eind opzij schoven voor de hele horde in twee gescheiden stromen verder trok. De bedoeling van deze manoeuvre was onmiddellijk duidelijk. De twee gruwelijke armen die uit het lichaam van de hoofdgroep staken, bleven maar langer worden en langer worden tot ze de hele stad omcirkelden en in een ijzeren greep namen.

Tot nu toe was de horde een zelfstandig wezen geweest, en daardoor meer of minder gruwelijk. Maar nu hij steeds dichter bij de stad kwam, zagen de wachters eindelijk waaruit hij bestond. Ze zagen de eindeloze stroom arren, de galopperende leeuwen, de vlasharige kolossen van de mammoeten, de vispaarden met hun verglaasde of verbronsde voorhoofdshoorn. Banieren zagen ze, felgekleurde wimpels en vlaggen van rood en blauw en geel en wit, en schedels en afgodsbeeldjes op pieken. De zwakke zon schitterde op metalen glijstrippen en schilden, pantsering, klingen en lansen. Niettemin bleef de schaduw die zo schitterde en glansde, voor de stad zo zwart als de nacht. En met de nacht zo nabij waren ze doodsbang.

Inmiddels liepen in Ru Karismi de mindere gargolems van de magikoi door de straten. De burgers draaiden zich om en bezagen ook de gargolems met angst. Maar de gargolems spraken hun vriendelijk toe: 'De magikoi laten het volgende bekend maken: Ga allemaal naar binnen. Ga naar binnen en doe ramen en deuren dicht en dicht elke andere opening in je huis af. Hou je kinderen bij je. Bind een dikke doek voor hun ogen en voor je eigen ogen net zo. Ga op je buik op de grond liggen. Wat er ook gebeurt, ga niet kijken. Bid tot je goden.' Dit bericht bleven ze telkens en telkens weer herhalen. 'Wat–' riepen de burgers, 'wat betekent dat?' De gargolems legden niets uit, maar ze liepen verder om anderen dezelfde boodschap te vertellen. De mensen dromden bijeen en gingen weer uit elkaar. De magikoi moesten gehoorzaamd worden. En de meesten begrepen al hollend wel ongeveer wat de maatregelen te beduiden hadden – het roemruchte arsenaal zou gebruikt worden. De stad zou gered worden.

De weghollende mensen zagen dat het ijs beneden in de rivier de Bleekste ontstellend was gespleten. Er ontstonden brede scheuren maar eronder zag je geen dooiwater, louter een onmogelijke diepte. Hieronder lag het Insularium – meer hoefden ze niet te zien.

De soldaten en de wachters werden van de muren gehaald. Sommigen onder protest, want er kwamen al speren, pijlen en brandende projectielen van de belegeringsplatforms die beneden werden opgetrokken. Wat de vijand deed, zag er voor de beroepssoldaten van de Ruk roekeloos en wispelturig uit. Maar als je het eindeloze aantal vijanden in aanmerking nam, waren zelfs deze slordige acties overweldigend bedreigend.

'Het ligt nu in handen van de magikoi,' kregen de soldaten te horen.

Ze zagen Wundest de tovenaar boven op de muur lopen. Twee anderen van de orde liepen met hem mee. Hij droeg de soldaten die nog aan de noordkant op de muur stonden, op om naar beneden te gaan.

'Maar jullie dan, heer?'

Wundest gaf geen antwoord.

De soldaten gingen naar beneden en trokken zich terug in hun beschermende barakken. Daar kregen ze te horen dat ze een doek voor hun ogen moesten binden en op hun buik op de grond moesten gaan liggen.

Van buiten de muur bleef het barbaarse pijlen regenen die voor het overgrote deel misten, want de muren waren hoog en ze beschutten de stad. Nu en dan landde er iets dat knetterend en sputterend in de kou bleef liggen.

Het leek wel of deze schoten nog helemaal geen toverkracht hadden meegekregen. De vijand was nog niet serieus bezig.

Wundest staarde naar het noorden. De grond zag tot kilometers ver zwart van de horde.

'Hij is daar,' zei hij.

De andere magikoi knikte.

Ze konden hem voelen, de god-demon-man die Leowulf genoemd werd, net zoals de gretige Beisterse sjamanen de stad hadden kunnen *ruiken*.

De tweede magikoi zei tegen Wundest: 'Heet hij zo – Vasjdran?'

'Ja, in het Rukars heet hij Vasjdran. Dat betekend Leeuw-die-wolf-is en Wolf-die-leeuw-is. Dat is hij voor hen. Een fabeldier uit het Noordland.'

Ze hielden op met praten en keken naar de duizenden krijgers van de jongeman die Vasjdran heette, en dachten aan een dood zo nabij dat ze de stilte van zijn hart konden horen.

Hij reed op zijn mammoet langs de linies van zijn manschappen.

Hij had de mammoet gekozen om zijn hoogte, zodat ze hem allemaal konden zien.

Hierna zou hij zijn leeuwenar nemen, zoals altijd. Dat zou hij doen als hij een poort ging openrammen of als er iemand naar buiten kwam om tegen hen te vechten.

Tot dusver bleef het doodstil in de stad.

De geringe activiteit uit het begin – Rukarse soldaten die wegrenden, vlammende pijlen van vaste plekken op de muren – was helemaal gestaakt en er was niets voor in de plaats gekomen.

Leowulf vond deze stad nogal een teleurstelling. Hij had er veel meer van verwacht. De stad zag eruit of hij gewoon maar uit sneeuw was geboetseerd en hij was lang niet zo groot als Safee hem had doen geloven.

Zou het gevecht hem ook teleurstellen?

De Rukars zouden zich toch wel aan het klaarmaken zijn?

De Jafnse krijgers die in hun krijgsarren met de rusteloos en gretig snuivende leeuwen ervoor en hier en daar ook tovervuur erin, in lange linies stonden opgesteld, begonnen de Rukarse stad uit te jouwen. 'Liggen jullie soms te slapen daar, luilakken?' Dat spottende geroep werd al gauw door de anderen overgenomen. Met zijn allen brulden ze tegen de hoge, lege muren: '*Wakker worden! Je vrienden zijn er!*'

Leowulf lachte om zijn Jafn te laten zien dat hij hun bravoure en hun gevatheid op prijs stelde.

Op de linkerflank van de Gullahammer torende de mammoet van Peb Juve boven alle andere torenhoge mammoeten uit. Leowulf stak zijn hand op en Juve schudde even met zijn gele banier, met een vers afgehakt hoofd erbovenop.

Leowulfs eigen banier met de blauwe zon boven de vlammenstrook was al in zijn strijdar vastgezet.

De gevechtslinies van de Jechen lagen achter die van de Olchibi. De aanvoerders hadden met een beschilderde dobbelsteen beslist welk volk de eer van de voorste linies zou toevallen – en de Olchibi hadden gewonnen. Vanuit de linkerflank hadden de Olchibi de linker omsingelingsarm gevormd, maar de Jechen waren gewoon met ze meegereden, ook al hadden ze de tos verloren.

De rechterarm zat vol met Jafn, Vormen en Beisters, broederlijk vereend in hun roofzucht.

Leowulf had de Beisters de zuidelijke poort beloofd omdat ze bij Tasj en Kandexa zo hard hadden gewerkt en zich daarna over land nog weer zo snel mogelijk bij hem hadden gevoegd.

Leowulf knikte tegen de Beisterse sjamaan die meters beneden hem naast de poten van de mammoet meeholde. De sjamaan stak zijn magere arm omhoog en liet een koperkleurige lichtbal boven de troep krijgers rondtollen, die daarop luid begonnen te juichen. Dat was het signaal dat de rechterarm de *hammer* kon laten zwaaien.

Gullahammer – *hamer van een miljoen koppen*, dat betekende het oude woord. Het was een woordspeling – die koppen waren de hoofden van de bondgenoten die de Gullahammer vormden en die wel een miljoen in getal leken – maar het sloeg ook op de hoofden van alle vijanden die ze zouden inslaan.

Leowulf bleef even geboeid staan toekijken hoe het in beweging komen zich als een reusachtige rimpel door de hele horde verplaatste.

Tegen de mannen om hem heen, die hun oren gespitst hielden voor elk woord dat van zijn lippen kwam, zei hij: 'Als ze te moe zijn om naar buiten te komen, hoeven we ook niet met ze te vechten. Dan duwen we die verdomde stad gewoon omver.'

De linies schaterden het uit. 'Wat zei hij? Zei hij dat echt? Ja! Laten we die luilakkenstad omverduwen.'

Leowulf zwaaide zich uit het zadel en wandelde langs de flank van de mammoet omlaag.

Zijn krijgsar stond al klaar. Hij holde erheen en pakte de twee leeuwen bij hun manen om een zoen op hun liploze bekken te planten. 'Hou je taai, broertjes. Dat jullie er maar veel mogen doden.'

Hij sprong in zijn slee en zwaaide nog een keer, nu naar de blonde mammoet, alsof hij zijn liefje vaarwel zei – maar voor niet langer dan een paar uurtjes. De mammoet trompetterde.

Van de linkerarm van de Gullahammer steeg het getrompetter van de andere mammoeten kilometers veel hoger dan zijzelf de lucht in.

De lucht die tot nu toe stil was geweest, op het geluid van de wachtende dieren en het gerammel van metaal en het gejouw na, galmde nu als een bronzen klok. Het weerklonk overal van het gedaver van sleden, poten en voeten, het gekletter van wapens, bepantsering en schilden, het felle geklapper van de banieren, en de luide strijdkreten van de manschappen.

Een nieuwe regen van brandpijlen en speren werd op de muren losgelaten.

Leowulf reed regelrecht naar de noordelijke poort, die de Noorderpoort heette. Die was voor hem, die had hij zich toegeëigend. Zijn leger week voor hem uiteen en vormde een haag langs een brede laan, om meteen nadat de vlammende komeet in zijn krijgsar was gepasseerd, als dollen het lege gat van de staart op te vullen.

Aan beide kanten kruisten regenboogkleurige lichtbundels en omhoog vliegende sterren van tovervuur elkaars baan op hun koers naar Ru Karismi.

Leowulf reed met zijn hoofd achterover. Hij vloog ook.

Maar opgepept door zijn snelheid zag hij op de noordelijke muur ineens heel duidelijk drie mannen staan.

Drie, niet meer – maar haarscherp afgetekend tegen de lucht. Dat moesten de tovermeesters van de stad zijn, de beroemde magikoi.

Leowulf lachte toen hij ze zag. Hij kon al voor zich zien hoe de poort zou openbarsten, omdat niemand stand kon houden tegen hem en hoe hij, een god, dan regelrecht tegen de kolossale stadsmuur omhoog zou rennen om die drie magikoi bij hun lurven te grijpen en ze omlaag te smijten onder de snijdende glijders van de lui die achter hem aan de weerstandloze stad kwamen binnenstormen...

Net als zijn Jafnse krijgers uitte Leowulf een luid gebrul van zegepraal en bloeddorst. Zijn geest was zo scherp als een glasscherf. En in die scherf zag hij deze wereld die hij in handen zou krijgen, omdat hij onoverwinnelijk was.

Hoog boven hem stonden tovermeester Wundest en zijn twee metgezellen omlaag te kijken.

'Nu,' zei Wundest. 'Dit is het moment. Mogen de goden ons dit vergeven en onze vrijwillig geschonken levens aanvaarden als boetedoening.'

Net als de Gullahammer, net als de Leowulf, liet nu ook Wundest een geweldige schreeuw horen. Een schreeuw van verlies, van woede en van ontzetting, en voor het komende leed.

De Noorderpoort begon te splinteren. Eromheen wankelden de muren onder het geweld van ijzeren en houten stormrammen en brandbommen. Tovervuur danste langs de kantelen. De hemel werd door toverbundels aan repen gesneden. Ook in de zuidelijke poort begon beweging te komen. Met staal geschoeide hippijnen schopten krijsend tegen het weerloze hout.

Ru Karismi lag ondertussen geblinddoekt op zijn gezicht. De vloeren waren doorweekt van tranen en urine. Niet kijken – vooral niet kijken.

Onder het ijs van de rivier de Bleekste begon iets te sissen. Daarna klonk er een geruis als van reusachtige vleugels.

Het was trouwens ook helemaal niet mogelijk om te zien wat er door de spleten in het ijs naar buiten kwam uit de ingewanden van de Telumultuaanse Kamer in het Insularium onder de rivier. Een schittering in de lucht, als een hele zwakke bliksemflits – dat was alles.

Maar o, het *geluid.*

Er was een kolossale stem ontketend. Mensen, tovenaars noch mammoeten konden zo'n kabaal voortbrengen. Hij evenaarde de Gullahammerhorde. Overstemde die zelfs. Zo luid was hij, en toen ging hij ineens over in stilte. De stilte was *wit* – kabaal was stilte geworden, en stilte wit.

Wit heerste op de vlakten rond Ru Karismi. Er volgde een schok; die was geluidloos. De schok was witter dan de witste sneeuw. Hij was de witheid voorbij. Hij was rood en toen zwart. Het was nacht. Het was de nacht die een eind maakt aan alle dagen.

De ene seconde was er nog beweging, oorlog, geweld, *leven*...

Een seconde later, een seconde van wit dat zwart was, en geluid dat wit was dat zwart was...

Een derde seconde brak aan. In de derde seconde was alle beweging verdwenen. Geen geweld, geen geluid, zelfs geen geluid dat stil en wit was. Het wit stierf weg.

De hemel had een ouwelijke donkergroene kleur gekregen. Er dwarrelde een soort doorzichtige natte sneeuwvlokken uit omlaag.

Die daalden zachtjes neer op de ijsvlakten en op de stad Ru Karismi.

Maar die derde seconde bleef maar duren. Er veranderde helemaal niets. Er bewoog helemaal niets.

Ach, toch wel iets – van de noordelijke stadsmuur tuimelden drie zuilen, vormloos en onbenoembaar als blokken steenzout, traag omlaag.

Ze tuimelden hals over kop door de groene lucht. En toen ze neerkwamen, spatten ze in stukken uit elkaar. En daarbij verbrijzelden ze de alles wat daar op de grond lag – de andere dingen van zout, sommige vormloze klompen, andere *bijna* herkenbaar.

Een griezelige glans bleef als een doorschijnend woud van stengels lang boven de platte, kleurloze vlakten hangen, om uiteindelijk toch weg te trekken.

Er bewoog nog steeds niets. Eindelijk stak er een windje op, een achteloze wind.

Een man kwam overeind in een kooi van zout die ooit een arrenslee was geweest – klopte dat wel? De wind streek zijn rode haar achterover. Hij was naakt. Zijn kleren waren in zout veranderd, net als zijn banier met zon en vlammen. Hij stond naar de leeuwen van zijn sleespan te kijken, elk een volmaakt standbeeld van een springende leeuw die in steen was veranderd. Maar o, daar kwam die achteloze wind hen met zijn adem beroeren. Ze verkruimelden en hun zoutstof woei weg op de wind.

VIJF

Als je dit oord nooit had gezien, zou je het nu niet herkennen.

Je zou het ook nooit meer kúnnen leren kennen. Het was onkenbaar.

Joeri stapte als een man van vlees en bloed tussen de zuilen, stapels en hopen van deels geërodeerd zout door. Telkens weer kwam een fluitende windvlaag nog een laag van het zoutstof wegblazen. Sleeschotten, lansen, banieren, mannen en dieren, huid, haar en botten – ogen, harten – verwoeien geurloos en kleurloos op de wind.

Joeri bukte zich en moest overgeven. Althans hij dacht dat hij stond over te geven. Het was het enige wat erop zat, spugen of in tranen uitbarsten. Of gewoon ergens gaan liggen sterven, en dat was een optie die Joeri niet had.

Hier, waar hij gearriveerd was, hadden de vrachtsleden gestaan, de trek- en rij-hnowa's, reservewapens en voertuigen, extra leeuwenspannen, jonge mammoeten die om ervaring op te doen meegenomen waren, omdat ze nog alles moesten leren. Hier had hij ook een paar heksen en vrouwen gezien. Dat zou je nu allemaal niet meer kunnen raden.

Joeri huilde.

Toen bleef hij staan en hij vertelde hardop waar hij getuige van was geweest: 'Als een bliksemschicht die bleef hangen–' en toen: 'Ik zag de geesten van mensen en dieren door de wolken opstijgen, allemaal tegelijk, als rook. Ze gingen naar een andere hemel, achter de sterren.'

Joeri huilde als een kind, wreef zijn ogen uit en snoot zijn neus in zijn vlechten.

Peb Juve was dood. Olchibi – alle Olchibi – dood. Jechen. Jafn. De helft van de zonen van het land van Vormen en Beisters.

Joeri ging niet op zoek naar de Leowulf. Als hij nu de Leowulf had gezien, zou Joeri weer erg beroerd geworden zijn. Nee, hij was gekomen om te zien wat er van de oude sibulla was geworden die de Ranjal-glijkar achtervolgde.

Maar waar was de glijkar? Ze was geen godin, Ranjal – geen echte godin. Hoewel ze een keer als een horzel was opgestegen, zou ze nu net als verder al het andere in steenzout veranderd zijn.

Ineens werd Joeri van achteren hard in zijn ribben gepord.

Hij draaide zich met een sprong om.

Hij viel bijna plat op zijn gat van verbazing.

Daar stond in de zoutwoestijn een Ranjal, op het zure, verkleurde ijs. Ze was niet langer van hout of onbezield. Zoals hij zich van haar beelden herinnerde hing haar slordige, stekelige haar als de vacht van een das over haar rug omlaag. Aan haar vele handen had ze vingers en nagels als takachtige klauwen, en met één daarvan had ze hem in zijn rug gepord. Ze had grote zwarte, glanzende ogen.

'Ranjal-Narnifa, ik,' zei ze. Ze had een jonge stem nu. 'Buiging voor mij, man-geest.'

Wat zovele dingen van allerlei soort had gedood, had met de sibulla en haar godin iets heel anders gedaan. Ze waren beiden geen belichaamde levensvorm geweest en ze waren versmolten geraakt en levend geworden.

Joeri wilde haar een schop geven, deze twee-in-een onwaardige vluchtelinge. Maar hij was verstandig. Wie weet waartoe ze nu in staat was? Hij boog en legde met een vleiend woord een paar handenvol niets aan haar voeten.

Over Ru Karismi was de echte nacht verstreken. De nieuwe dag was zonnig, maar de blauwe hemel had een eigenaardige, streperige kleur, alsof hij ingekleurd was.

Nu de blinddoeken af waren, keken ze er angstig naar.

De volgende dag zag de hemel er weer helemaal fris uit. Maar dat was de dag waarop ziekte en sterven toesloegen.

Bij de Grote Markten, waar de handel aarzelend op gang begon te komen, zakte er op straat zomaar ineens een kind in elkaar. Toen de moeder het kind optilde, merkte ze dat het al dood was. Naarmate de zon hoger aan de hemel kwam te staan, zakten ook anderen dood in elkaar. De ziekte had een snel verloop – moeheid, bleekheid, een toestand tussen flauwvallen en slapen. De zwaksten waren binnen een paar minuten weg. De allersterksten hielden het tussen de een en de zeven dagen vol.

Sommigen waren blijkbaar immuun. En er waren er ook een paar die niet ziek maar waanzinnig werden en gillend door de stad renden, om zich heen slaand en bijtend en wartaal uitslaand. Alle logica leek zoek bij deze aandoeningen. Vaak werden de zwaksten juist niet ziek en waren het juist de jonge, gezonde lieden die overleden.

Ze zeiden dat de vijandelijke horde een pest meegenomen had naar de stad. En de medische wapens van de magikoi hadden hem gedesinfecteerd, maar niet helemaal op tijd.

Maar het waren natuurlijk juist die wapens die de pest hadden veroorzaakt. Langzamerhand begon dat tot sommigen door te dringen.

De mensen in de stad hadden zelden voorbij de stadsmuren gekeken – daarbuiten kon er toch onmogelijk iets zijn dat hun belangstelling kon wekken? Maar nu het hun om veiligheidsredenen verboden werd om uit de stad naar de zoutgaard erbuiten te gaan, brak er claustrofobie uit onder de inwoners. Er vonden relletjes plaats, die door de overgebleven soldaten en wachters met harde hand werden onderdrukt.

Bij de schrijnen in de tempelstad werden de deuren platgelopen, maar op een gegeven moment sloeg het om en kwam er niemand meer.

Boven hun hoofd bleef de lucht maar stralend helder; schoongewassen en opgepoetst door de handen van harteloze goden.

Er waren ook veel magikoi omgekomen. Vastbesloten om de mensen zo goed mogelijk te helpen waren ze al binnen een uur uit hun schuilplaatsen in het Insularium naar buiten gekomen, waardoor ook zij aan de sluipende dood blootgesteld waren.

Uit het voorheen onbekende aantal tovermeesters waren in Ru Karismi maar elf mannen en twee vrouwen over.

Ze stonden in een have cirkel opgesteld en staarden naar Vuldir, Oppervorst, die op zijn gebeeldhouwde zetel zat.

'Vanavond moet je sterven, Vuldir.' Vuldir, die zijn elegante kleren en zijn juwelen had mogen houden, maar niet zijn koningskroon, verwaardigde zich niet om antwoord te geven.

Toen die avond drie verblindend felle manen aan de hemel stonden, werd Vuldir aan de voet van de grote Trap levend verbrand.

De stad stond met zwijgend venijn en met angst toe te kijken. Hij had niet geprobeerd om te ontsnappen, hij smeekte niet om genade, hij vroeg niet om vergeving, hij schold niet en hij schreeuwde zelfs niet terwijl de vlammen hem verteerden.

Later dwaalden de mensen door de lanen en beklommen ze de duizend marmeren treden om met grote ogen naar de paleismuren te staren. Er stonden geen wachtposten meer. Iedereen die dat wilde, kon zo de vorstelijke citadel binnen lopen om onder beeldhouwwerk van ijs en marmer door de onverlichte paleizen en paviljoens rond te dwalen.

Het was afgelopen met de wet en de dagelijkse rituelen. De magikoi riepen om de Gargolem, maar die verscheen niet. Hij was zelfs niet tevoorschijn gekomen toen de mensen de Trap beklommen.

Het bleef zachtjes waaien. Kleurloos stof bedekte de stad. De inwoners waren er inmiddels aan gewend. De mensen die in de koningstuinen ronddwaalden, kregen hun haar en hun lippen vol fijne as, die naar *wit* smaakte.

'Geen andere manier. We hadden geen andere manier om ons te verdedigen. Er zullen nog meer levens verloren gaan, nu en de komende maanden; misschien wel een derde van de mensen binnen de muren zal ziek worden en doodgaan. Maar als de barbaren uit het noorden en het oosten waren binnengedrongen, zouden we allemaal omgekomen zijn. We hebben gezien hoe genadig ze in Ur Tasj waren, die door een god bestuurde meute...'

Ward lag te woelen in zijn bed, geplaagd door de stem die hij hoorde. Even dacht hij dat het zijn eigen stem was die hem in zijn eigen hoofd de les las.

Hij ging rechtop zitten. Hij lag niet op een strozak in de tent van de vijand, maar op de grond. Ja, hij lag in het zoutstof – dat uit lijken bestond.

Ward stond op. Hij veegde zijn lijf af, spuugde op de grond. Hij was naakt – zijn kleren waren samen met al het andere verdwenen in de witte seconde. Eigenaardig genoeg had die kracht die hem zonder hitte de kleren van zijn lijf had geschroeid, hem verder geen haar gekrenkt. Hij had het ook niet koud.

Hij herinnerde zich nu weer dat hij, nadat de vrouw was vertrokken en voor er een eind aan de wereld kwam, in de tent had gezeten. Dat was een eigenaardig geval geweest. Had de Leowulfkoning haar naar hem toegestuurd als een soort beproeving, of als een geschenk? Ze was helemaal zwart, van top tot teen – Ward had nog nooit zo'n vrouw gezien, zo mooi, zo volmaakt. Ze had zich zonder omhaal aangeboden en Ward was gretig op het aanbod ingegaan.

Er was tussen de bagage en de reservevoorraden een tent voor hem opgezet , en zijn drie lijfwachten piepten er met twee van de heksentussenuit, Jechen, met groengeverfd haar. Hoewel die lijfwachten en Ward krijgsgevangenen waren, waren ze op geen enkele manier geketend of in hun bewegingsvrijheid beperkt.

Ward wist wel dat de stad aan de andere kant van deze ijsvelden lag, maar toen was hij inmiddels in zijn eentje en had hij geen leger meer. Hij had zijn best gedaan. Toen de zwarte vrouw bij hem wegging, bleef hij knorrig en vloekend naar de krijgsgeluiden liggen luisteren. Hij weigerde naar buiten te gaan om te kijken. Wat voor zin zou dat hebben? Toen kwam de witheid en dat geluid dat helemaal doodstil was.

Sindsdien dwaalde voormalig Bijvorst Ward tussen de zouthopen rond, om een of andere reden op zoek naar zijn verleden. De stad bleef voor hem verborgen achter een soort waas, dat overdag en in maanlicht oplichtte. Ward kon zich er niet toe zetten om naar de verborgen stad te gaan.

Hij vroeg zich af wat hij zou gaan doen, maar hij kon er geen antwoord op geven. Hij bleef trouwens ook telkens maar vergeten wat er gebeurd was, omdat hij steeds weer in slaap viel, maar als hij dan wakker werd, herinnerde hij het zich juist weer helemaal overnieuw. Hij wist dat dat gebeurde. Wat hij daarnet tegen zichzelf had gezegd, had hij al eerder gezegd. Als bijvorst had hij geweten van de laatste-redmiddelwapens onder de stad. Hij had altijd gedacht dat ze een leugen waren. Maar blijkbaar waren leugens die waar bleken, krachtiger dan gewoon maar de waarheid. Waarschijnlijk hadden de magikoi gezegd wat Ward nu steeds tegen zichzelf bleef herhalen. Op een of andere manier had hij dat in de wind van de nasleep opgevangen en herhaalde hij het nu in zijn eigen woorden.

Ward stapte om een bonk dood zout heen en bleef ineens stokstijf staan. Daar stond een man – een man zoals hij, maar van een ander volk. Hij had een gele huid en hij was net als Ward helemaal naakt, al had hij nog wel haar op zijn hoofd en zijn lijf.

Ward werd bijna gek van blijdschap toen hij hem zag. Hij holde op de man af, sloeg zijn armen om hem heen en drukte hem aan zijn borst als een verloren gewaande zoon.

De man omarmde hem ook. Hij brabbelde tegen Ward in een of ander uitheems taaltje.

Ward dacht dat hij het misschien wel zou kunnen verstaan – Jechs, ja het was Jechs, uit het hoge noorden.

'Naam – zeg me je naam,' vroeg Ward die alles wilde weten, maar zichzelf op rantsoen zette.

'Ipeyek.'

Ward was dankbaar dat zijn kennis van de taal van de Jechen zoveel beter bleek dan hij zich herinnerde.

'Ik ben Ward–' Bijna had Ward iets over zijn koningschap gezegd, maar hij bedacht zich en gromde alleen. 'Zijn er anderen – als wij?'

'Ja,' zei de man die Ipeyek heette. 'Sommigen levend.'

'De goden mogen weten hoe dat komt. De explosie moet ons gemist hebben...'

Hij en Ipeyek deden een stap achteruit.

Ipeyek zei met een ernstig gezicht: 'Nee, maar bescherming op ons.'

Ward dacht daarover na. Hij was een vorst, maar blijkbaar was dat niet de reden waarom hij was uitgekozen om in leven te blijven, want hier stond deze Jechse nomade – had hij eigenlijk gezegd dat hij een nomade was – en die leefde ook nog. Het kwam Ward voor dat hij zelf toch wel Rukars sprak, maar de Jech kon het gewoon volgen, precies zoals Ward het Jechs van de nomade kon volgen.

'Wat voor bescherming?'

'Door vrouw,' zei Ipeyek.

'Van wie?'

'Vrouw van mij.'

'Is jouw vrouw een tovenares? Dan moet ze wel enorme vermogens hebben. Ken ik jouw vrouw eigenlijk?'

Ipeyek sloeg bescheiden zijn ogen neer. Zijn wimpers zaten vol stof.

Er stak een windje op. Toen het weer ging liggen, moesten de mannen het bittere stof uit hun mond spugen.

Op dat moment zag Ward zo'n driekwart kilometer verderop nog twee overlevenden, Jafn aan hun witte haar te oordelen, die doelloos tussen de zoutpilaren ronddoolden.

'Kijk daar!' schreeuwde Ward. Zwaaiend begon hij op deze medeoverlevenden af te hollen, om ze te omhelzen en te liefkozen, terwijl hij ze tien dagen geleden nog zonder omhaal aan zijn zwaard geregen zou hebben.

❄

Er zaten dertig mannen bij elkaar op de grond. Ze waren allemaal ongewapend en naakt en het enige wat hun lichamen bedekte was haar. Ze leken de kou wel niet te voelen, zelfs in het holst van de nacht niet.

Soms zaten ze te praten. Iemand zei wat en dan zei een ander weer wat anders, of iets soortgelijks. Ze waren het volstrekt met elkaar eens en ze konden precies verstaan wat iedereen zei, hoewel ze vele verschillende talen en ook nog verschillende dialecten spraken. Ze gingen broederlijk met elkaar om en nu en dan legde er iemand een hand op iemand anders' schouder of iemand gaf een ander een speelse zet.

Alleen de stuurse en bedroefde Arok viel buiten de groep.

Niet omdat hij niet ook de talen kon verstaan, of zichzelf verstaanbaar kon maken. Het was ook niet dat hij buitengesloten werd.

En aanvankelijk was hij net als iedereen juist dol van vreugde geweest bij het vooruitzicht van gezelschap. Maar terwijl hij met hen meeliep door het stof, met hen in een slordige kring zat als rond een onzichtbare gedoofde haard, raakte Arok er langzamerhand van overtuigd dat hij van hen verschilde.

Hij was trouwens niet eens haar eerste man geweest – van Killa. Ipeyek was de eerste. Daarna kwam Arok. En dáárna pas alle anderen, van wie er deze nacht maar enkelen hier verzameld waren. Je zou denken dat de rest van de anderen toch ook ergens in de buurt moest zijn. Want ieder met wie Killa geketst had, had het magikoiwapen overleefd. Zij waren niet in zoutpilaren veranderd, die langzaam door de wind werden weggeblazen.

Ze begrepen er geen van allen een snars van. Ze had hen niet eens uitgekozen, maar had zich laten uitkiezen. Als ze nog twijfelden, maakte het verhaal van de kom met wijn – dat na Ur Tasj in het hele oorlogskamp was rondgegaan – alles overduidelijk. Maar Arok was juist wel door haar uitgekozen.

Waarom had ze Arok uitgekozen?

Nadenkend zat hij aan de rand van de kring met zijn blote voeten in het stof te schuifelen. Hij ergerde zich aan zijn eigen belangrijkheid en aan het feit dat de andere negenentwintig mannen er geen benul van hadden. Arok had nooit veel gezag gehad. Als verwant van de Gaiord van de Hola's had hij nooit andere verwachtingen dan die verwantschap kunnen koesteren. Hij leefde in de zaal met de andere Hola krijgers, nam een vrouw als er een beschikbaar was en vocht als zijn opperhoofd zei dat dat moest.

Het zat Arok vreselijk dwars dat hij nu blijkbaar iets doen moest.

'Ze koos mij,' zei hij tegen de kring.

Geen van allen reageerden ze op zijn woorden.

Arok besefte dat hij ze niet hardop had uitgesproken.

Hij draaide zich om en keek door de nacht in de richting waar de Rukarse stad nog steeds stond. Die had in puin moeten liggen, maar hij stond nog overeind. En 's nachts verdween hij in de maanlichtloze stofmist.

Arok overwoog of hij die kant op zou gaan. Die man daar was een van de ondervorsten van de stad – was Arok verteld of had hij geraden, op dezelfde manier als ze elkaars talen konden raden. Maar die man, Ward, maakte totaal geen aanstalten om naar zijn stad terug te keren.

Arok besloot dat híj erheen zou gaan.

'Vaarwel,' zei hij.

Niemand hoorde hem. Blijkbaar had hij zich met zijn afzijdigheid buiten hun aandachtskring geplaatst.

Toen hij met grote sprongen door het stof op pad ging, vroeg Arok zich af of Killa zelf nog in leven zou zijn. Misschien was ze trouwens niet eens echt – maar eenvoudig een soort tegengif tegen de wapens van de magikoi dat God voor mannen had gemaakt. Arok dacht geen moment aan het lot van Leowulf. Dat hadden ze geen van allen gedaan. Het leek of hij, het wezen dat de oorzaak van dit alles was, uit hun geheugen was gewist.

De nacht was zeer donker. Arok schatte zijn koers verkeerd. Ook de toestand van het ijs, nu hard als een versteende trommel, en het stof brachten hem in de war.

Hij holde de verkeerde kant op, niet naar het zuiden maar naar het oosten. Hij holde terug naar de landstreken van de Jafn. En misschien was zijn lijf zich daar ook wel van bewust, al was het kompas van zijn geest blijkbaar uitgeschakeld.

Na verloop van tijd begon hij iets anders te ruiken dan de witte geur van de poederdood. Het was de geur van ijs en sneeuw op eindeloze vlakten, en misschien zelfs een vleug van de kille ziltheid van de zee. Al hollend snoof Arok deze geuren op en hij begreep dat hij de verkeerde – of juist de goeie – kant op ging.

Twee of drie uur later kwamen in het oosten recht voor hem uit de manen op. Inmiddels had hij een prettig tempo gevonden. Hij draafde voort, gestaag als een wolf, in de richting van de manen.

Derde Tussendeel

God vergeef me dat ik ooit geleefd heb.

Heldendicht over de Held Goedhart uit Jafn

Vasjdran... Leowulf... Naamloos.

Als er vogels in de lucht geweest waren – en die waren er niet – hadden ze hem gezien. Het was een eenzame figuur, mythisch in zijn ongerijmdheid, een naakte man die naar het zuiden liep. Zijn hoofd hing omlaag; hij keek zo te zien alleen maar naar de sneeuwvlakte alsof het riskant was om daar je voet neer te zetten. De ijssnelweg, de Koningsmijl, was verdwenen, maar die had hij inmiddels toch allang achter zich gelaten. Het landschap was eentonig. Boven zijn hoofd hing in een bleke lucht een matte zon die in zijn eigen rook gewikkeld leek. Hij liep waarschijnlijk al dagen zo, en ook al vele nachten. Er was op hemzelf na geen levend wezen te bekennen. Eén keer zag hij in het westen een ijswoud – of misschien toch in het oosten. Het glansde, anders niet. Later verdween ook dat in de verte.

Er waren dus geen vogels om dit te aanschouwen. Misschien kon daarom alleen de zon, die zoveel hoger stond, zien wat er achter de naakte roodharige man aan kwam, op misschien een halve dagmars afstand. Deze tweede voetganger leek wel... zijn *schaduw.*

Het land begon te hellen. De man bleef naar zijn voeten kijken en liep door, zonder ook maar een keer mis te stappen, zonder aarzelen, zonder ook maar ergens aandacht aan te schenken.

Op de een of andere manier – feitelijk heel makkelijk zelfs, want de woestenij was uitgestrekt – had hij geen enkel herkenningspunt gezien, niets van wat hem ooit was verteld, door zijn Rukarse moeder of door zijn over de aarde dolende Oom Joeri. En was dat wel zo geweest, had hij wel iets herkenbaars gezien, zou hij dan zijn pas vertraagd hebben of zouden zijn gedachten een andere wending hebben genomen? Als hij de *Schaduw* had gezien, zou hij *die* dan opgemerkt hebben?

Het kon natuurlijk nooit zijn schaduw zijn. Zijn schaduw zat vol glimlichtjes en deze was zwart als roet. Bovendien was de vorm niet die van een man maar duidelijk die van een vrouw.

Toen de lange helling van het land eeuwenlang naar de hemel had gestreefd, en een nieuwe nacht aanbrak, viel de man, zelfs voor zichzelf onverhoeds, plat op zijn gezicht. Met zijn hoofd op een van zijn armen bleef hij languit op het ijs liggen en hij leek wel te slapen. Hij sliep uren achtereen, zoals hij sinds zijn zuigelingentijd niet meer had gedaan. Zodoende wist zij, Killa, hem tegen het ochtendgloren eindelijk in te halen.

Toen hij wakker werd zat ze naast hem. Ze was een uitermate afstandelijke figuur, al even naakt als hij, op haar lange, lange haar na. Ze draaide zich om en keek hem aan. Ze zei: 'Nu ben ik de jouwe.'

Leowulf schonk er geen aandacht aan. Maar misschien toch ook wel, want hij draaide zijn gezicht van haar weg.

Terwijl hij weer in slaap viel, zat Killa naast hem. Zij leek zich prima thuis te voelen in de sneeuw, waar hij die louter leek te verdragen. Nu was sneeuw natuurlijk haar moeder.

De zon kwam op. De hemel werd blauw.

Toen werd hij weer wakker. Leowulf krabbelde overeind. Hij stond een moment schutterig te hannesen als een jongen van een jaar of elf, en liep toen hooghartig een stukje opzij om een eindje naast Killa, die onbekommerd op de helling zat, te gaan staan sassen.

Ze keek zwijgend toe.

Leowulf kwam terug. Hij ging naast haar zitten.

'Nu kan ik je niet meer gebruiken.'

Ze zei niets.

Na een uur stond Leowulf weer op en hij begon zonder nog een blik op de vrouw langs de sneeuwhelling naar het zuiden te lopen.

Killa stond ook op. Ze volgde hem als eerder, maar nu bleef ze maar een Jafnse speerlengte achter hem lopen.

Aan de voet van de helling lag weer een witte woestijn, met niets anders dan richels en geulen van bevroren sneeuw, sommige behoorlijk groot.

Het land ten zuiden van de grenzen van de Ruk was altijd door iedereen als onbeschaafd gebied beschouwd. Over een onberekenbare afstand viel er geen leven in te bekennen en zelfs de bossen waren praktisch onbevolkt. Op een gegeven moment doken dan de verijsde toppen van het Zuidpiek Gebergte in het landschap op. Daar liepen holle, misschien wel natuurlijk gevormde tunnels doorheen, die via smaragdgroene grotten naar een gebied leidden waarover door magikoi of andere wijzen amper iets opgeschreven was, Kraagparia, het land van de Kraag. Wat dat voor mensen waren, vroeg men zich binnen de Ruk wel eens terloops af, maar de volken in het noorden en het oosten interesseerde dat al helemaal niet. Safee wist niets van ze en Leowulf dus ook niet, hoewel ze beiden de naam wel eens hadden gehoord.

Of Killa iets over hen wist – of over wat dan ook, trouwens – kon alleen de god zeggen die haar had gemaakt.

Leowulf liep en Killa liep achter hem aan. De zon wandelde door de lucht, en toen het donker werd de manen.

Toen bijna driekwart van de nacht was verstreken, hield Leowulf halt. Nu viel hij niet pardoes in slaap. Hij stond naar de sterren te kijken; de manen waren inmiddels al onder.

Tenslotte zei hij toch weer iets tegen haar.

'Wat wil je?'

'Wat je me zult geven.'

'Wat is dat?'

'Dat moet ik afwachten.'

'Ik heb je verteld wat ik je wilde geven en dat wilde je toen niet aannemen. Maar nu je naakt bent als een mes geef ik niks meer om je. Weet je niet dat er iets gebeurd is, vrouw – daarginds bij de stad en bij het gevecht? Weet je dat niet?'

Ze bleef zwijgend zitten.

Leowulf zei: 'Waar moet ik heen om daarover te praten? Ik roep Joeri, maar die geeft geen antwoord. Is het mogelijk dat hij *ook*... Waar moet ik heen?'

Killa zei: 'Je loopt naar het zuiden.'

'Ik weet niet waarom. Weg, anders is het niet. Ik loop weg van dáár.' Hij ging op zijn hurken zitten zoals Joeri ook had gedaan. Leowulf zei: 'Wat moet ik doen?'

Vroeg hij dat aan háár?

Killa gaf geen antwoord. Niets trouwens.

Als een kind dacht Leowulf: *Ik wou dat ik dit allemaal kon vergeten.* Als man dacht hij: *Ik kom hier nooit meer van los, van wat ik deed en heb veroorzaakt.* Hij had niemand om tegen te bidden, geen vriend die hij kon raadplegen. Hij kende zichzelf niet eens, behalve als een verleidelijke vreemdeling.

Hij wipte overeind, en begon harmonieus en lichtvoetig als een dier of een machine te hollen waarbij hij zonder aarzelen over alle richels en geulen sprong – naar het zuiden, almaar naar het zuiden. Killa liep achter hem aan. Toen hij doordat het terrein nu omlaag liep ruim een kilometer voor raakte, kon ze hem nog steeds moeiteloos zien.

Kort voor de zon opging, waagde een witte ijspels zich uit zijn holletje onder de sneeuw om vlak voor Leowulf langs te rennen. Leowulf bukte, en zonder vaart te minderen plukte hij een brok ijssneeuw uit de bevroren toplaag. Hij kneedde er al hollend razendsnel een harde bal van en raakte het ratachtige diertje met de dikke vacht zo hard dat het dood neerviel.

Toen stond hij stil. Hij boog zich over de ijspels en bedacht hoe verbazend plotseling de dood toch altijd was. Hij had een soort vaag idee dat hij het dier had gedood om het op te eten, maar nu had hij helemaal geen trek meer. Hij had dit gedaan uit angst voor wat hij allemaal kón doen. Het zinloze doden van de ijspels joeg hem onvoorstelbare angst aan. Het was op zijn eigen kleine, totale manier net zo erg als de dood van dertig of veertigduizend menselijke wezens.

Killa haalde hem in toen de zon boven de horizon uitkwam, want hij stond daar nog steeds naar de ijspels te staren.

Toen deed ze iets eigenaardigs. Althans hij vond het eigenaardig, en hij draaide zich om en keek naar haar.

Ze begroef de ijspels onder sneeuw en ijs en vormde met haar handen een klein grafheuveltje. Toen boetseerde ze van dezelfde sneeuw drie kleine bloemen, die ze daar boven op het heuveltje legde.

'Doen ze dat zo bij de Jechen?' vroeg hij.
Killa lachte haar raadselachtige glimlach en schudde haar hoofd.
Leowulf ging weer verder, maar nu liep hij gewoon, hij holde niet.
Killa bleef nog een minuut of zo staan. Ze keek naar hoe de zonnestralen de randen van de bloemen die ze had geboetseerd verglaasden. Het ongewone verschijnsel leek haar op een of andere manier te treffen, maar het viel moeilijk op te maken.

Het land liep steil af naar een ijsmeer. Dat was breed en reikte bijna tot de rand van de hemel. Toen ze ernaar afdaalden en het ijs begonnen over te steken zagen ze grote leikleurige vissen in en onder het doorzichtige ijs gevangen zitten. Ze hadden een hele dag nodig om aan de overkant te komen.
Op de zuidoever leefde een groep primitieve hutbewoners, de eerste levende wezens – afgezien dan van Killa en de ijspels – die Leowulf na Ru Karismi tegenkwam.
De hutbewoners waren niet bang en hun ook niet goedgezind. Ze snelden uit hun lage dunne ijshutten naar buiten en kwamen dreigend op hen af, met ijssperen met in vissenhuid gewikkelde schachten. Een kort, dun volk dat precies bij de hutten paste. Ze holden hoog joelend langs de oever.
Leowulf zei: 'Wat zal ik doen? Zal ik hen ook doodmaken?'
Killa zei niets.
Leowulf gromde en spuugde op het ijs van het meer. Toen stormde hij voorwaarts. Van de eerste drie mannen brak hij de speren en vervolgens met zijn blote vuisten de schedels. De rest splitste zich gauw in twee groepen, waarvan er een roerloos bleef toekijken terwijl de andere schreeuwend op Leowulf afstormde.
Hij doodde ze allemaal door ze finaal in stukken te breken. Zoals gewoonlijk bleef hij volkomen ongedeerd onder hun slagen en houwen.
Toen de anderen eenmaal dood waren, vluchtte de overgebleven groep langs de oever terug om snel in hun hutten weg te duiken, waarna ze de deuropeningen barricadeerden met deurvormige ijsplaten die al klaar stonden.
Leowulf trok de doden hun kleren van vissenhuid en pelzen uit. Die smeet hij voor Killa op de grond.
'Kleed je aan,' zei hij, 'hoer.' Toen barstte hij in lachen uit.
Toen hij zelf ook wat van de stinkende kledingstukken uitgezocht had, ging Leowulf weer verder. Killa die zich gehoorzaam had aangekleed, kwam achter hem aan.
De smerige stank van de geïmproviseerde kleren verdween al snel, weggewassen door hun twee bovennatuurlijke lichamen.
Na deze ontmoeting kwamen ze geen anderen meer tegen. Maar de volgende dag dook er een ijsoerwoud op dat over de volle breedte op hun koers lag.
Toen ze het eenmaal bereikten en erdoorheen begonnen te trekken,

merkten ze dat er in het ijswoud wel degelijk dierenleven bestond. Op een gegeven moment doodde Leowulf een hert met een ijsspeer die hij bij de hutten vandaan had meegenomen. Hij vilde het, liet het leegbloeden, sneed het in stukken, ging op de grond zitten en at het vlees rauw. Killa at niets, maar ze trok een bot uit het karkas dat ze met sneeuw schoonwreef.

'Waarom wil je dat hebben?'

'Ik heb nog nooit een bot gezien dat net uit een vers karkas kwam.'

'Wat bén jij?' zei Leowulf.

Het was opnieuw de vraag die men ook hem het vaakst had gesteld.

'Ik ben Killa.'

Hij haalde zijn schouders op, maar bleef haar in de zilverige schemering schattend aan zitten staren. 'Wat betekent jouw naam eigenlijk?'

'Kou,' zei ze. 'Duisternis,' zei ze. 'De nomaden hebben me zo genoemd.'

Met zijn talenkennis moest hij dat natuurlijk allang weten.

'Wie was je moeder?'

Killa zei: 'Ik ben niet geboren.'

'Niet? Hoe dan? Eerder had je het eens over drie goden.'

'Ik weet het niet.'

'Je weet het wel.'

'Dan weet ik het wel, maar ben ik het vergeten.'

'Laat mij ook vergeten, Killa,' zei hij. 'Kom eens bij me.'

'Gauw,' zei ze.

'Wat, wijs je me toch weer af – na alles wat er gebeurd is?'

Ze zaten een meter of zo uit elkaar terwijl ze deze dingen zeiden. Hij had niet geprobeerd haar in zijn armen te nemen. Zelfs zijn geslachtsorgaan kwam niet in beweging bij het vooruitzicht haar te bezitten, hoewel het onder de pelzen schuilging.

Leowulf ging liggen en draaide zich op zijn buik. Hij begon met zijn vuisten op de bevroren grond te hameren en te schreeuwen en te brullen op de luide manier van hertebokken, en mannen.

Toen deze aanval van smart, waarvan hij niets begreep en die hij dus noch kon aanvaarden noch van de hand kon wijzen, voorbij was, viel hij weer in slaap.

Later die nacht stond hij op en begon hij op de open plek in het oerwoud luidkeels om Joeri te roepen. Maar Joeri kwam niet.

De vrouw deed beide keren helemaal niets. Ze zat de hele nacht met het hertenbot in haar hand, dat ze maar om en om bleef draaien.

Ze kwamen verspreide bossen en oerwouden tegen. Nog tweemaal zagen ze andere levende wezens – één keer een lomp uitziende karavaan met wolharige olifanten als trekdieren, en één keer een dorp, een rommelige verzameling krotten en rookpluimen. Leowulf voelde zich tot geen van deze menselijke verschijnselen aangetrokken. Hij voelde inmiddels trouwens een diepe minachting voor de mensheid. Door de mens te slim af te zijn en hem te bekoren, door hem te overwínnen vooral, was hij tot die overweldigende verachting gekomen; hoewel hij die mens door hem te *vernietigen* juist weer een nieuwe macht over zijn eigen persoon had gegeven – maar dat had hij nog niet door.

Ook zagen ze een keer iets dat veel weg had van de ruïne van een stad of een groot dorp zomaar verloren midden in de ijsvlakte liggen. Ze gingen er niet heen. Misschien was het trouwens wel alleen maar een eigenaardige formatie van gesteente en ijs.

Inmiddels waren de ijstoppen van het Zuidpiek Gebergte ook zichtbaar. Ze beklommen ze, waarbij hij horizontaal tegen steile hellingen opliep, zoals hij sinds Ru Karismi niet meer had gedaan. Hij sloofde zich uit en etaleerde al zijn glorie en zijn slimheid voor Killa. Misschien besefte hij dat niet eens echt.

Als ze 's avonds op de grond zaten, vertelde ze hem verhalen. Hij was ze gaan waarderen, was erop gaan rekenen – een vertrouwde troost. Vroeger had Safee hem verhalen verteld, en Joeri, en zelfs Ranjal, de godin van hout.

De verhalen van Killa begreep hij niet helemaal. Ze waren net als destijds in de paleiszaal in Ur Tasj, indirect en dubbelzinnig.

Ze vertelde vaak over het sterven van de zon. Ze vertelde over de IJstijd, over de Winter die wel meer dan vijf eeuwen duurde.

Eén keer vertelde ze een min of meer actueel verhaal. Dat ging over hoe dieren uit sterren waren geschapen door ze eerst op de hemel te schilderen en ze daarna los te laten om de aarde te bevolken.

Elke avond probeerde hij haar over te halen om bij hem te komen liggen en de liefde met hem te bedrijven. 'Gauw,' zei ze dan.

'Het is altijd gauw, nooit nu. Ik kan je natuurlijk ook dwingen.'

Met een stem als een heel zwak schittertje op het ijs zei Killa: 'Er zou niets aan zijn.'

'Hoe weet je dat? Misschien moet ik het gewoon maar proberen.'

Maar de lichte verhitting in zijn ogen – rood, blauw – doofde uit. Hij bedacht dat ze om hem er vanaf te houden alleen maar over dat oord hoefde te beginnen – het oord van zout – over twee leeuwen van zwart of wit aardewerk dat in de wind verkruimelde...

'Er is een toren,' begon Killa te vertellen. 'Dat is de zonnetoren. Mensen herkennen hem aan zijn ramen. Hij bestond ooit, bestaat nu niet, maar zal ooit weer bestaan. Een held gaat altijd op zo'n toren af, de toren van een god, ook al is hij slechts een sterfelijk mens en een gewone krijger. Er zijn er meer. Eén,' zei Killa, 'is er een toren van ijs en één is er een toren van wolken. Maar dit is de toren met de felle ramen.'

Toen ze stilviel, vroeg Leowulf haar: 'Welke held gaat altijd naar zulke torens?' Hij wilde de helden namen geven en de volken waar ze uit voortkwamen benoemen – maar hij kon ze niet noemen. Ze bestonden niet meer.

Hij lag een verschrikkelijke tijd met zijn niet aflatende pijn te worstelen en keek onderwijl naar de manen en de sterren en de Zuidpieken. Hij veronderstelde nu dat het een fout van hem was, vanwege zijn niet-menselijkheid, dat hij niet met wanhoop, leed en schuld kon omgaan – zonder te weten dat het juist zijn menselijke helft was die dat niet kon, en dat die daardoor veel sterker was geworden.

Ze zei maar zelden iets informeels tegen hem. Zoals bijvoorbeeld toen ze bij het eerste grottenstelsel aankwamen, dat door de ijspieken liep. 'Hier is het – hier gaan we erin, toch?'

'Waarom niet,' zei hij. Hij had er geen idee van waar hij heen ging, of waarom. Hij probeerde alleen maar de gruwelijkheid voor te blijven, maar die hield hem met gemak bij.

De grotten leken wel uit druifgroene toermalijn te bestaan.

'Ken jij deze grot?' vroeg hij haar.

'Nee.'

Hij geloofde dat ze inmiddels wat vaker praatte; misschien was ze er door verhalen te vertellen aan gewend geraakt. Maar ze loog ook vaker.

Hij vond haar niet aardig. Hij begeerde haar – meer en meer, naarmate ze vaker sprak. En hij voelde zich vreselijk alléén met haar, zo alleen had hij zich nog nooit gevoeld, zelfs niet wanneer hij alleen was en zich eenzaam voelde. Zoals met zoveel dingen begreep hij niets van zijn gevoelens.

Ze liepen de toermalijngroene grotten in.

Het was warm daarbinnen Overal hingen grote ijspegels die als gele slagtanden oplichtten. Zelfs 's nachts bleef het licht in de grotten hangen, en de luchtstromen en de wind die door gaten en kieren bliezen, zongen vreemde liederen.

'We zouden hier ons huis kunnen bouwen,' zei hij. 'Waarom zouden we nog verder reizen?'

Die avond maakte ze vuur, niet door het uit haar eigen lijf tevoorschijn te halen zoals de crarrowin altijd deden, en ook niet uit de lucht zoals de tovenaars van de Ruk of de Jafnse werven. Ze trok eenvoudig een vuursteensplinter uit haar hutbewonerspels, schraapte daarmee langs een rotsblok en toen er een vlam oplaaide, schudde ze die eraf en liet hem op de grond vallen. Waar hij prachtig bleef branden. En dat voor iemand die nota bene altijd zo ver mogelijk bij vuur vandaan bleef.

'Is het nou, Killa? Zijn we al bij gauw?'

Leowulfs ogen lichtten in de groene grotten rood op en zijn schaduw op de groene wanden was helemaal bespikkeld met rode granaten.

Ze zei: 'Gauw is nou, nou is gauw.'

'Grote god, wat heb je me lang laten wachten.'

Toen ging hij staan, van top tot teen; zijn lijf op zijn voeten, en zijn fallus recht overeind. Als een mensenman, had hij god bezworen. En zij ging als een mensenvrouw verwelkomend achterover liggen en haar kleren vielen als mist van haar lijf.

Toen zijn mond de hare raakte en zijn handen haar huid, voelde hij meteen wat ze moest zijn. Het was al te laat. Niet alleen had zij hem aangetrokken, maar zelf vond zij hem op haar beurt onweerstaanbaar.

'Wij zijn één,' hoorde hij zichzelf zeggen. Het was een Jafnse uitdrukking. Mannen zeiden dat zo nu en dan op de werf; het was voor een vrouw een groot compliment als je je één met haar maakte. Atluan had dat blijkbaar de eerste keer ook tegen Safee gezegd.

Maar nu hij haar lichaam binnendrong, waren Leowulf en Killa écht één.

In haar ogen ontwaakte de vloed die hij al in zovele vrouwenogen had gezien – maar bij haar was het niet hetzelfde.

Hij staarde in haar ogen – glanzend ijs, spiegels, zwart als vloeibare oceanen – en boog zich toen weer over haar lippen.

Hij had nog nooit zoveel genot beleefd met een vrouw. Hij had dat ook wel verwacht – zij was tenslotte bovennatuurlijk, net als hij. Het was ook altijd van haar uitgegaan, trouwens, de pikante belofte van bijzonder seksueel genot.

Dat hij haar op zijn beurt hevig liet genieten was te merken aan elke centimeter van haar lichaam, zelfs aan haar natte weefsels – en aan haar ogen. Ze mompelde tegen hem. Haar tong schreef vreemde talen in zijn mond...

Maar...

Aanvankelijk neemt hij de tijd niet om zich bewust te worden van wat hij zojuist in haar ogen had gezien, op zijn tong geschreven voelde worden. Toch dringt het langzaam tot hem door. Terwijl ze paren – *paren*. Dan...

En...

Het is de god die Leowulf daar diep in de zwarte spiegels van Killa's ogen ontdekt – Zezet, *hij* is daar. En hij is geen onderdeel van haar, maar de weerspiegeling van Leowulf *zelf*.

Hoewel Leowulf het heeft gezien, kan dit niet meer stilgezet worden.

Niet alleen begeerte en de zegepraal van het bezitten jagen hen voort, het tweetal dat zich aan elkaar vastklampt en het uitschreeuwt – het is, zoals nooit eerder, de voorbestemde loop van het noodlot. Want nu zal Zezet terugnemen wat hij ooit – lichtzinnig en door eigen handelen – weggaf.

Drie in één, één in drie, Yyrot, Ddir en Zezet. Dat waren ze, of waren ze althans geworden. Zezet had Leowulf gemaakt, misschien ongewild, in de schoot van een mensenvrouw. Toen deed Yyrot hem dus na, met een onbenullige kruising van dieren. Waarna Ddir Killa schiep. Van al deze drie scheppingen had alleen de eerste iets van zijn schepper gestolen.

In de grot golfde huid over huid, en vlees bereed vlees als een motor van eeuwigheid. Sterren vielen, barstten, spatten uiteen in haar ogen, in zijn ogen.

Voor andere mannen had ze een wonder weten te bewerkstelligen. Ze had hen ingeënt tegen de thaumaturgische dood. Bij Leowulf zou ze heel anders te werk gaan.

Hij is het die het uitschreeuwt. Hij voelt zich splijten, als een slang die uit zijn oude vel barst. Terwijl de hitte als een speer uit hem wegschiet, barst ook de rest van het vuur dat hij altijd in zich heeft gehad, uit elke mentale porie van zijn lijf naar buiten.

Gehavend en gemankeerd voelt hij dit andere vuur als het zich van hem losrukt; een flonkerende vlammenzee die een ogenblik lang tot bergachtig formaat uitgroeit en de wanden van de grot in een rode gloed zet. Het is volbracht.

Hij ligt op de grond en weet helemaal niets. Hij ligt daar verstandeloos, aangeslagen en tevreden.

Maar die tevredenheid kan natuurlijk niet duren.

'Killa...'

Killa geeft geen antwoord – zoals zo vaak.

En dan staart Leowulf over zijn schouder, naar waar achter zijn rug zijn schaduw, ontzagwekkender dan hij of wie ook hem ooit heeft aanschouwd, fel gloeit en gewoonweg *borrelt* van de vurig sprankelende edelstenen.

De schaduw is niet langer een evenbeeld van Leowulf. Hij doet nu niet net als hij.

Hij is los van hem, en van hem bevrijd.

In plaats daarvan werpt zijn lijf ondertussen, als in spotternij, een menselijke schaduw op de muur, zoals elke man die kan werpen.

Langzaam draait Leowulf zijn hoofd terug om onder ogen te zien wat er is gebeurd, maar hij kan het niet bevatten. Zijn lijf maakt het hem wel duidelijk: het kraakt en knerst van woede – en plotselinge zwakte. Zo hij het al niet weet, dan weet zijn lichaam in ieder geval heel goed waarvan het is beroofd.

De onafhankelijke, fonkelende schaduw blijft nog een ogenblik hangen, als een reusachtig insect dat zijn met juwelen bestikte vleugels heeft dichtgevouwen. Dan verdwijnt hij, schitterend en wel. Dat laat een diepe duisternis achter.

Huiverend probeert Leowulf Killa te vinden. Maar hij kan haar niet vinden. Zijn handen voelen alleen de harde rotsen en het ijs van de grot.

Seks tussen hen beiden heeft het goddelijk vuur uitgebannen – het *wezen* van Zezet uit Leowulf. Haar – een vrouw van sneeuw – heeft het *gesmolten*.

Dolend, lichamelijk en mentaal, strompelt de man door de groene ijsgrotten.

Hij voelt de verdovende kou en de afstomping van ondervoeding, want hij is hier al een hele tijd, misschien wel maanden. Is hij, beroofd van zijn goddelijke kern, nu sterfelijk? Vast niet als een willekeurige gewone man, maar wel op een onbekende en gruwelijke manier verminkt. Hij is bang van zichzelf en van wat er van hem geworden is, bang om in deze doolhof van grotten rond te waren. Soms gaat hij liggen slapen. Maar dan wordt hij weer wakker van verontrustende dromen. Hij is vergeten hoe hij heet, en wie hij is, maar tenslotte is wie hij is – niet langer wie hij is... Een raadsel een Olchibi waardig.

Soms slaapt hij en droomt hij zonder wakker te worden van zijn dromen. Dan ziet hij steden in vlammen, en bedekt met wit stof, en een vrouw die onder zijn lijf wegsmelt als een vloeibare rivier in de nacht. Zijn dromen gaan allemaal over oplossen.

Op zekere dag dringt er daglicht door in de grot waarin hij ronddwaalt. Het kost hem verscheidene uren om er langs de wand naartoe te klimmen. Hij had geprobeerd om tegen de wand op te lopen maar was eraf gevallen en met een harde klap op de grond beland waarbij hij zich lelijk bezeerde.

Hij wurmt zich door een trechter van ijs naar buiten. Rechts van hem staat de wreed gekleurde zon laag aan de gestreepte hemel. Hij kijkt naar de zon, begrijpt dat die bezig is onder te gaan en begint met dat als leidraad langs de rotsrichel naar het zuiden te lopen. Als de zon die avond eenmaal onder is, begint het te sneeuwen.

Middaglicht hing als een parasol boven de diepe vallei die vol stond met bevroren korenaren. De Zuidpieken die in het noorden oprezen als een muur, wierpen hier nog geen schaduw. Alles glinsterde van de verse sneeuw, alsof er belletjes rinkelden.

Vier vrouwen dansten op een brede open plek tussen het koren. Er was daar een vloertje van stijf aangestampte sneeuw.

Ze droegen witte kleren, dus aanvankelijk waren ze niet makkelijk te zien. Maar sommigen hadden wijngeel haar en anderen donkerbruin en dat was makkelijk te zien – net als het schitteren van de vier zwaarden in hun handen die ze in de dans tegen elkaar sloegen. Het geluid daarvan schalde door de lucht; het leek wel of het metaal schreeuwde.

Voor hun ogen droegen ze donkere glazen vizieren die regenboogkleuren vertoonden.

De man die over de sneeuw omlaag was gestrompeld, stond daar naar te kijken.

Blijkbaar zagen de vrouwen hem niet.

Klang deden de zwaarden.

Naamloos, die Leowulf was geweest, ging op de helling zitten, en geleidelijk aan soesde hij in de middagzon, warm vergeleken bij de kou na de grotten, in slaap.

'Darhana, wie is dit?'

De jongste van de vrouwen, vlasblond, boog zich over Naamloos. Ze bekeek hem nieuwsgierig.

Toen draaide ze haar hoofd om en keek naar haar gezellinnen, de andere drie danseressen. Dat omdraaien van haar hoofd deed ze zonder de rest van haar lijf ook maar een millimeter te verplaatsen.

Zo ging het ook in de dans. Op een gegeven moment stelde deze Darhana zich op met haar gezicht naar het noorden, haar lijf naar het zuiden, haar ene voet met de tenen naar het westen en de andere voet met de tenen naar het oosten. Zonder de stand van haar armen te veranderen kon ze haar handen ronddraaien. Dat deed ze nu ook – dan kon ze beter nadenken.

'Geen vijand,' zei Darhana.

'Is hij dood?'

'Deels. Maar niet helemaal.'

'Hij is lang en hij heeft zwaardere spieren dan je zo te zien zou zeggen,' zei een van de anderen. 'Kun je hem wel dragen?'

Darhana knikte. Ze was nog maar een jong meisje, maar nu bukte ze om vervolgens de roodharige vreemdeling als een lappenpop in een enkele zwaai van de sneeuw te tillen.

Toen begon ze met hem in haar armen zonder enige moeite tussen de witte korenaren door te lopen en de drie anderen kwamen achter haar aan. Naamloos was in Kraagparia.

Vierde Deel

ZONNETOREN MET GOUDEN OGEN

Waar vliegt de zon heen als hij hier sterft?
Waar sterft de zon als hij hier opkomt?

Graffito op de Koperen Poort te Veins in Jech

EEN

Arok had als een wolf over de ijsvlakten gedraafd. Die periode kwam hem nu vaag en vreemd voor. Net als de botsing met de Witte Dood die de wereld had veranderd, duwde hij het, ook al kon hij het niet vergeten, diep weg op de bodem van zijn geest. Ergens was hij uiteindelijk op een hoeve van zijn eigen volk gestuit.

Oude mannen en een groep vrouwen vroegen hem om nieuws van de Gullahammer en de oorlog tegen de Rukar. Beschaamd zei hij dat de Borjiy Leowulf alle mannen had ingeschakeld bij de belegering van een stad. Arok was teruggestuurd, vertelde hij hun, op een geheime militaire missie. Inmiddels was hij niet langer naakt. Hij had een hert gedood met een knuppel die hij van heel stijf aangedrukte sneeuw had gemaakt – een nieuwe vaardigheid, net als zijn volhardendheid. Hij vertelde de bewoners van de hoeve dat hij overvallen en beroofd was door uit de stad gedeserteerde Ruksoldaten; vandaar dat hij in deze stinkende, onbehandelde hertenhuid rondliep. Op de hoeve waren helemaal geen jongens meer te vinden. Arok werd daar neerslachtig van. Die waren natuurlijk ook omgekomen bij Ru Karismi, zoals negen tiende van alle Jafnse stammen. De hoevebewoners gaven hem toestemming om een van hun hnowa's mee te nemen om zijn reis te vervolgen.

Overal langs de noordoostelijke kustlijn trof hij hetzelfde aan. Waar hij ook op een dorp of een hoeve stuitte, vond hij oude mannen, vrouwen, en nu en dan een niet al te gezonde jongen of jongeman die graag mee had willen vechten maar thuisgehouden was. Er waren tenminste gelukkig nog wel jongetjeskinderen over, maar kinderen stierven vaak al voor ze volwassen werden. Hoe lang zou het duren voor de stammen van het oosten weer op sterkte waren? Eeuwen? 'Ze zijn de Ruk aan het belegeren,' verkondigde Arok en hij reed verder.

Hij belandde op de ijsvlakten en volgde nu een noordelijker koers, in de richting van het land van de Hola's.

Hij dacht aan hoe hij bij de Holawerf zou aankomen en aan wat hij dan zou moeten vertellen. Arok zag hier geen enkel persoonlijk voordeel in. Hij wilde geen aanspraak maken op de zetel van de Gaiord om over een verwoest volk te heersen.

En dus bleef hij maar een beetje langs de kustlijn ronddolen. In de wollen kleren die ze hem bij de eerste hoeve ook nog hadden gegeven, waagde hij zich tot aan de rand van het pakijs. Hij viste in scheuren en geulen terwijl de hnowa, voor hij aan zijn tocht begon dik gegeten aan sluimergraan, kalmpjes stond te herkauwen. Het was bijna zinloos om verder te trekken.

Aan het eind van een dag zag Arok een walvisjagersdorpje liggen met een forse totempaal ervoor met daarop het Hola-embleem van de brullende zeehond.

Het dorp leek totaal verlaten. Iedereen was weggetrokken, met de Gullahammer mee, of naar een ander dorp. Maar toen de duisternis inviel, zag hij onder een van de hutdeuren een streepje licht. Dat was een vissershut, want aan de buitenkant hing een stijfbevroren, verwaarloosd net, net als bij sommige omliggende hutten.

Arok zat op zijn hnowa naar de hut te kijken. Hij besloot dat hij er naar binnen zou gaan. Dat stelde het moment dat hij de werf het slechte nieuws moest vertellen tenminste nog een beetje uit.

'Wat wil je?'

Ze was nog tamelijk jong, de vissersvrouw, maar afgeleefd en onaantrekkelijk. En beleefd was ze ook al niet, maar inmiddels bedacht Arok dat hij er ook vast niet uitzag als een Jafn krijger van hoge komaf.

Hij zei dat hij voor de nacht een plaatsje bij het vuur zocht.

Ze aarzelde. Toen kwam de onvermijdelijke tweede vraag: 'Kom je van de oorlog?'

'Ja.'

'Ik heb daar een man. Ze zijn allemaal meegegaan – achter de gouden man met het rode haar aan, de Borjiy. Heb je hem gezien?'

'Wie, je man of de Borjiy?'

'Een van tweeën...' zei ze aarzelend.

'Beiden,' zei Arok boos. 'En nu kom ik binnen.'

Nadat hij de hnowa met geweld achter in de hut had gestald – de enige beschikbare stalling – zag Arok ineens nog iemand op een voddenbed in de hoek liggen. 'Wie?'

De vrouw keek ongemakkelijk, maar ze zei niets. Arok besloot dat deze tweede persoon ook een vrouw was, en nog zwak ook, dus hij liet het maar zo. Hij ging bij het vuur zitten en keek naar de rook die omhoog kronkelde naar het dak, waar hij oude bokkems en ijsbaarzen in puur bladbrons had veranderd. Ze verhongerde niet, de vissersvrouw, al was ze haar man kwijt. Ze hield ook een goede stapel brandhout in voorraad, aangevuld uit een of ander bos in het binnenland. Ze bracht hem een kroes bier.

Buiten werd het donker en onder de deur zag je een streep zwart, precies zoals je andersom juist een streep licht zag. Arok werd slaperig. Hij vroeg beleefd om een bokkem. Zwijgend reikte de vrouw omhoog om er een van zijn haak te trekken. Toen ze hem die overhandigde, begon de gestalte op het voddenbed te bewegen.

'Oh... hij is daar... oh, hij sterft daar...'
Geschrokken sprong Arok overeind. Hij staarde kwaad naar het lompenbed.
'Niets aan de hand, meneer,' zei de vissersvrouw, 'dat is Saffie maar. Soms roept ze ineens wat.'
'Waar heeft ze het over?'
'Ze ziet dingen die anderen niet zien.'
Aroks nekharen gingen overeind staan, tot aan zijn ruw afgehakte baardhaar toe. *Sterft–*
'Is ze jullie heks?'
'Nee, de vissers vingen haar in hun netten. Elf, twaalf jaar geleden kwam ze uit zee opduiken. Nooit helemaal goed bij haar hoofd geweest. En ze leeft in haar dromen in een andere wereld.'
Arok stond op en liep nog eens naar het lompenbed. Hij pakte een brandende tak uit het vuur om bij het licht daarvan de zottin nog eens goed te bekijken.
Ze was oud, dacht hij. Maar nee, niet zo erg oud. Haar verwarde gezicht moest ooit aantrekkelijk geweest zijn. Haar haar was geel als lamplicht.
Nu keek hij haar recht in haar ogen; die waren zwart. Even moest hij aan Killa denken... maar dat ging voorbij. De zottin bleef hem aanstaren.
Toen zei ze volkomen verstaanbaar: 'Jij bent Atluan.'
Daar keek Arok toch heel erg van op. Natuurlijk had hij van Atluan gehoord, de Klauwse Gaiord die in de strijd was gesneuveld, of was vermoord – vader of voogd van *Die Ene.*
'Ik ben Atluan niet.'
'Nee,' was de zottin het met hem eens, 'die is dood. Ze gaan dood. Mannen gaan altijd dood. Maar Naamloos kan niet sterven. Hoe zou hij kunnen –'
'Naamloos?'
'Zo heet mijn zoon. Maar jij kent hem ook bij een andere naam – ik heb gezien... ik heb alles gezien – Vasjdran!' riep de vrouw. Ze begon schor te praten in de taal van de Rukar.
De vissersvrouw zei: 'Ze kent een heleboel vreemde woorden – of het is misschien maar gewoon gebrabbel.'
'Stil,' snauwde Arok. 'Ik kan haar verstaan.' En dat was ook zo. Sinds de Witte Dood kon hij al deze talen spreken en verstaan alsof hij ermee opgegroeid was. Maar hij beefde van top tot teen. Deze gekke Saffie had het over de Leowulf. En ze had het over de stad en het stille Geluid, het Wit, het Zout –
'Hij leeft nog... hij leeft nog. Moet hij nu dan sterven? Hij is meer dan een sterveling – hoe kán hij dan sterven? Niet de dood is voor hem weggelegd, maar macht en eeuwige roem...'
Er stokte iets in haar keel. De zottin begon te hoesten en liet zich op het bed vallen. Met haar ogen dicht. Ze mompelde iets dat zelfs Arok niet kon

verstaan, en viel in slaap.

'Ze ligt veel te doezelen,' verontschuldigde de vissersvrouw. 'Buitenlandse vrouw.'

De vissersvrouw zat de hele nacht bij het vuur netten te boeten en Arok hield haar gezelschap. Kilometers verderop hoorde hij de zee ruisen. Eén keer knalde er een scheur in het ijs, maar het was geen grote scheur en dus niet dringend.

Hij had zelf al talloze dagen en nachten niet geslapen en na verloop van tijd bedacht hij dat het verstandig zou zijn om nu toch wat te slapen. Hij vroeg de vrouw of het voor haar een slaapnacht was, maar dat was het niet. 'Wil je me dan over twee uur wekken?'

Hij had de indruk dat hij tegenwoordig altijd droomde, maar zodra hij wakker werd waren de dromen alweer uit zijn hoofd gewist. Dat was zo sinds Ru Karismi.

Maar vannacht was het anders.

Arok droomde dat er een zwart hondachtig ding op het erf van de hut liep rond te snuffelen. In zijn droom stond hij het met grote ogen te bekijken, want het was een hondensoort die hij nog nooit had gezien. Toen kwam er een corrit omlaag suizen, een Jafnse sprit die Arok al een tijdje niet meer had gezien – in feite al niet meer sinds hij het land van de Jafn verlaten had. Deze corrit was net een venijnige dunne touwlus. Hij zwiepte zich om de nek van het hondschepsel en probeerde het te wurgen. Maar de hond stak zijn voorpoten omhoog – meer als een kat dan als een hond – haakte zijn nagels in de sprit en trok hem los. Vervolgens at de hond de corrit op, met een walgelijk gekners van tanden en corritige bezwaren.

'Word wakker!'

'Ik ben wakker. Zijn mijn twee uren om?'

'*Nee*. Er loopt buiten iets rond te snuffelen. Dat is al eerder voorgekomen, maar nu ben *jij* hier.'

'Ik ben je man niet. Ik hoef helemaal niet te gaan kijken.'

'Je bent een gast,' zei de vissersvrouw, 'en van hoge komaf.'

Arok haalde zijn schouders op en kwam overeind. Hij pakte een kaakmes van de wand. Hij wist nog precies hoe de droomhond eruit had gezien.

Hij gooide de deur open en daar stond hij.

Wat was het voor iets? Hij had nog nooit van zo'n soort sprit of demon gehoord. Het dier had kleine puntoortjes en een lange hondensnuit. De ogen waren niet die van een hond. Het was bedekt met een dikke, zijdeachtige vacht en had een soepele, zwiepende staart aan het eind van zijn rug. Het kauwde op iets onzichtbaars en keek blazend om zich heen.

Arok smeet het mes eropaf. Dat was niet bedoeld als werpmes en het kantelde in de lucht waardoor het de hond miste, die niets merkte.

Bij het licht van de bijna volle maan zag Arok het andere... *ding*.

'Grote God.' Toen stond de vrouw ineens vlak achter hem. 'Ga naar binnen!'

'Nee,' zei ze ongehoorzaam – geen wonder dat haar man liever oorlog ging voeren. 'Deze heb ik hier wel vaker gezien. O, wacht – ik heb nog iets voor ze bewaard, geen moeite,' ging ze verder. 'Ik dacht dat het de beer was die hier soms aan de deur komt krabben om binnen te komen, anders zou ik je helemaal niet wakker gemaakt hebben.'

Arok stapte ontsteld opzij.

De vissersvrouw kwam naast hem staan en gooide de monsterhond een van haar gerookte vissen toe. Maar het andere monster dat op het ijs liep, durfde niet dichterbij te komen.

'Die heeft trouwens zelf al een vis gevangen,' zei de vrouw.

Dat was waar. De tweede griezel die op een ijsrichel rondsnuffelde, had daar een vis opgegraven die hij nu in zijn klauwen hield.

Als hij het dier wat minder goed bekeken zou hebben, had hij het voor een bruine kat kunnen houden. Het had grote smalle oren die dicht bij elkaar op zijn kop stonden en het had een kattensnoet, maar dan met een lange smalle snuit. Het had lange hondenpoten en een hondenstaart met een wit pluimpje aan het eind. Het had een gladde huid, die wel haarloos leek. Het liet zijn vis vallen en liet een hoog fluitend gekef horen. Arok liep de hut weer in.

'Zo,' zei de vrouw die ook weer naar binnen kwam. Ze deed de deur dicht. Ze keek Arok met een moederlijk bestraffende blik aan en zei: 'Ze doen geen kwaad.'

Arok probeerde niet nog eens in slaap te vallen; hij had er helemaal geen zin meer in.

Zij ging weer verder met het repareren van haar stomme netten en op het voddenbed lag de Rukarse vrouw doodstil te slapen.

Toen de zon opkwam, ging Arok buiten op onderzoek uit.

Er stonden pootafdrukken in de zachte sneeuw rond de hut; de poten van het hondenbeest en kleinere, van het kattenbeest.

Arok liep peinzend over de kust heen en weer. De twee dieren waren duidelijk toverbeesten, misschien spritten zoals hij die als Jafns kind ook altijd zag – hoewel hij ze na de Witte Dood eigenlijk maar zelden of nooit was tegengekomen. Er wriemelde iets in zijn hoofd, een naam. Jechs, meende hij, een Jechse naam. Hond-kat, Kat-hond... Het was een soort parodie op die andere legende uit het noorden, die ze ook bij de Olchibi kenden en nu bij de Jafn vast en zeker ook wel, die van de leowulf, geboren uit een paring van een leeuw met een wolf.

Hij wist dat er in het oosten wilde leeuwen voorkwamen, hoewel je ze niet vaak zag – en wolven waren er hier zat. Maar honden en katten zag je overal.

De namen schoten hem ineens te binnen. Hij bleef staan en sprak ze hardop uit.

'Hond-kat, drajerkagk. Kat-hond, kagkedraj.'

En de zottin op de lompen beweerde dat zij de moeder van Leowulf was. Ze raaskalde, dat was alles, meende hij.

Hij trok te voet het binnenland in om met de boog die hij van de eerste hoeve had gekregen op jacht te gaan.

Toen hij pas tegen de avond terugkeerde met een paar hazen over zijn schouder, bleef hij bij de kust een tijdje naar de ondergaande zon staan kijken. De kustlijn maakte hier een bocht naar het noorden zodat de pakijsvelden onder de volle gloed van de zonsondergang in verguld koper veranderden.

Arok meende voorbij de rand van het pakijs iets te zien bewegen. Een donkere vorm onderbrak de brede baan zonlicht.

Zouden het zeehonden zijn misschien, of een jonge walvis die te dichtbij het pakijs was gekomen? Als die zich vastzwom en niet meer weg kon komen, hadden ze voorlopig genoeg te eten.

Maar de donkere vlek versmolt weer met de horizon. En hij wilde hier trouwens ook niet langer blijven – niet eens om het moment uit te stellen dat hij het slechte nieuws aan de Hola's moest vertellen.

Arok deed zorgeloos de deur open en vloekte van schrik. Zijn hazen vielen op de grond. Toen moest hij ze razendsnel oprapen om ze te redden. 'Achteruit jij – wegwezen, kreng –'

'Je moet ze niet schoppen, meneer,' zei de vrouw.

'Ik zal jou schoppen, sekreet. Wat moet dat? Ben jij soms de heks hier? Anders mag je je helemaal niet met toverij inlaten.'

De vrouw was blijkbaar totaal niet bang voor Arok. Eerder ook al niet. Ze keek hem met half geloken ogen aan en bleef rustig doorroeren in de pan met soep die boven het vuur hing.

De drajerkagk hond-kat had zijn pogingen opgegeven om de hazen te pakken te krijgen en zat nu in een hondenhouding naast het vuur. De hnowa stond gewoon rustig in zijn hoek, maar hnowa's waren ontzettend stomme beesten. De vissersvrouw had wat sluimergras voor het dier gepakt en daar stond het nu tevreden op te kauwen. Toen zag hij dat de Rukarse zottin rechtop op haar lompen zat. Op haar schoot lag de kat-hond kagkedraj. Ze aaide hem.

'Ik laat ze soms binnen,' zei de vissersvrouw.

'Het zijn gruwelen.'

Ze bleef zwijgend met de lepel in de pan roeren.

Arok gaf het op. Hij vilde en ontweide de hazen, sneed ze in stukken en gaf ze aan de vissersvrouw om te koken.

Al heel gauw kwam alles hem doodgewoon voor. Met een beetje moeite kon je vergeten dat de twee andere dingen in de hut geen gewone hond en kat waren.

Toen ze hadden gegeten, waste de vrouw haar haar in opgewarmd sneeuwwater en daarna ging ze tegenover hem bij het vuur zitten om het droog te kammen. De geur daarvan wekte zijn wellust.

'Ik moet helaas bekennen,' zei Arok zacht, 'dat er in het zuiden heel veel Jafnse mannen omgekomen zijn.' Ze zei niets. Arok zei: 'Ik denk dat jouw man een van de gesneuvelden kan zijn.'

'Ja,' zei ze. 'Hij was trouwens toch niet van plan om terug te komen.'

'Ben je nooit eenzaam?'

Ze keek hem aan. 'Vraag je me soms?'

'Ik vraag je.'

Ze schoot in de lach. 'Een Jafn van hoge komaf?'

'Dat telt niet langer. Er zijn er nog maar zo weinig van ons over. We moeten dringend nieuwe maken.'

'Is dat alles wat je wilt?'

'Je hebt mooi haar.'

Een tijdje later zei hij in haar haar: 'Hoe zit het met die Rukarse op dat bed?'

'Die slaapt. Kijk maar. Haar dieren liggen bij haar. Als ze die bij zich heeft, is ze een stuk beter.'

'Je bent geloof ik dus toch een heks...'

's Morgens behandelde ze hem nog steeds met vormelijk ontzag. Dat beviel Arok aan haar. Hij ging nog een keer op jacht. Dit was geen beroerd leven. Hij was niet van plan ooit in een boot de open zee op te gaan om vis te vangen, maar hij zou vast wel met een werpnet kunnen leren vissen. Dit was trouwens alleen maar een soort vakantie, voor hij verder trok. Voor hij nog een blik op het lompenbed had kunnen werpen, waren de draj en de kagk al verdwenen.

Die dag schoot hij een zeehond. Dat was een geweldige mazzel. Toen hij hem 's middags langs de kust naar de hut sleepte meende Arok, die altijd al tamelijk sterk was, dat hij nog sterker was geworden.

Hij was nog ongeveer twee kilometer van de hut af, toen uit de zee in het oosten ineens de nacht opdook.

Verbaasd zag Arok de reusachtige kromming van glimmend zwart omhoog komen, ronddraaien en weer in de oceaan wegduiken. Het was kilometers ver de zee in en volgens hem had hij alleen het topje van de rug gezien – een walvis, een van een grote gehoornde soort, maar dan wel een van kolossale omvang. Maar nu was hij weer verdwenen.

Toen Arok weer verder liep langs de kust, zag hij een eindje voor zich een man staan en naast hem een vrouw, slank en met goudkleurig haar. Arok hield even in en vroeg zich af wie dat waren, want ze leken beiden niet op Jafn. Hij was te ver bij hen vandaan om hun gezichten te kunnen zien, maar voor zover hij op die afstand hun kleren kon zien, zagen die er prachtig uit. De man had donker haar, althans dat dacht Arok eerst, maar later was hij er niet langer zeker van, want toen leek de man weer zilverblond – een soort warme kleur die tegelijk koud was. Het leek wel of er een blauwe streep over zijn neus en zijn wangen liep – een Beister met oorlogsbeschildering? Zelfs met een Beister moest je tegenwoordig blij zijn, vond Arok.

Arok zette er stevig de pas in en het verbaasde hem op een of andere manier helemaal niet toen de twee gestalten voor zijn ogen begonnen op te lossen. Dan waren het dus spritten – misschien wel gleren in mensgedaante. Hij kon maar beter voorzichtig zijn. Maar hij was tamelijk blij dat hij weer Jafnse spoken kon zien.

Bij de hut aangekomen, ging hij zelf naar binnen en hij liet de zeehond buiten liggen voor het villen.

Die nacht kregen ze geen bezoek van griezelige dieren. De Rukarse vrouw lag te woelen en te draaien en bleef maar om een man roepen die ze Zet noemde. Arok had er onder het vrijen met de visservrouw een beetje last van, maar niet al te veel. Hij was vergeten haar van de walvis te vertellen.

Ver in het zuiden, in de spitzerij van Sryfs bevroren huis, lag de oculus in zijn ijsweb te gloeien en te schudden van zijn vergeefse pogingen de tovermeester te waarschuwen.

Zelfs het plaatselijk stilzetten van de tijd kon een oculus niet tegenhouden. Als toveroog moest het zíen en als toverspiegel moest het láten zien wat het had gevonden.

Bliksemschichten flitsten over het verijsde oppervlak van de glazen bol. Daarbinnen kwam een zwart ding van kolossale afmetingen omhoog. De oculus trilde van onmacht. Er verscheen een barst, toen nog een en nog een. De oculus trilde niet langer. Hij koppelde zich los van zichzelf en knalde in een fontein van sprankelende flenters uit elkaar.

Sryf deed zijn ogen open. Voor zich zag hij het lieve slapende gezicht van Jemhara en hij streek voorzichtig een paar slierten haar uit haar ogen en kuste ze –

Iets had zijn rustige slaap verstoord. Wat was dat geweest? Was de nacht eindelijk voorbij?

Sryf luisterde, eerst slaperig en toen gespannen. De afwezigheid van alle geluid, op hun beider ademhaling na, leek prettig, toen eigenaardig – en plotseling helemaal fout.

Hij ging rechtop zitten. Jemhara bewoog. 'Blijf lekker slapen, lieverd,' zei hij tegen haar, en de tedere klank van zijn stem vervulde hem met verbazing, en vervolgens met afkeer...

Wat deed zij hier? Wat was er gebeurd?

Blijkbaar had hij met deze vrouw de nacht doorgebracht. Hij kon zich althans alles wat ze samen hadden gedaan herinneren. En dat had zich nota bene hier in zijn geheime huis afgespeeld! Hij met deze goedkope heks van Vuldirs hof – waarom? Sryf had zijn wellust al vanaf zijn adolescententijd in bedwang kunnen houden, en hij gebruikte die energie voor belangrijker werk. Maar deze keer had hij er toch aan toegegeven. Maar waarom met háár? Er waren onder de magikoi vrouwen genoeg die voor seks te vinden waren, ook knappe en gelijkwaardige. En in het verleden waren er ook vrouwen uit koninklijke families geweest, beeldschoon en lang niet dom, die zijn belangstelling hadden proberen te wekken. Al deze vrouwen had hij afgewezen, omdat hij ze nooit echt had begeerd, en voor hen nooit zijn lange onthouding had willen doorbreken.

En toen kwam deze.

Hij stond daar in de slaapkamer naar Jemhara te staren, die langzaam haar ogen opende en hem argeloos aankeek.

Zwijgend stak ze haar hand uit.

Haar naakte lijf, haar borsten, haar haar stuwden een laatste golf van begeerte door zijn lijf. Hij drukte zijn wellust de kop in en voelde die in de diepe afgrond van zijn woede storten.

'Je bent heel slim geweest,' zei hij, 'Jema.' Hij wist natuurlijk hoe ze destijds op de hoeve heette.

Ze lette niet op het beledigend bedoelde gebruik van die naam. 'Is dat zo? Is het zo slim om verliefd te worden, heer?'

'Hou je hoftitels maar voor je. Die stinken naar waar je vandaan komt – van Vuldir.'

Nu trok er toch angst over haar gezicht, alsof ze weer de haas van het begin was, in de blauwe sneeuw.

'Heb jij een plek waar je heen kunt?' vroeg hij.

'Nee...'

'Zoek er dan een. Zorg dat je binnen het uur uit dit huis vertrokken bent, anders zet ik je eruit. Ik neem aan dat je liever vrijwillig gaat.'

'Wat heb ik gedaan?'

'Om mijn boosheid te verdienen? Wat denk je? Wat je werd opgedragen en wat je gedaan hebt. Ga terug naar Ru Karismi dan kun je opscheppen dat je met een magikoi hebt gewipt. *Dat* heb je verdiend. Maar je blijft bij mij uit de buurt.'

Het was ondraaglijk warm in de kamer. Sryf draaide zich om en staarde naar de wanden waar het water vanaf droop, zodat er plassen op de vloer kwamen te staan. Een plaat ijs viel van het plafond en barstte voor zijn voeten in stukken.

Jemhara gilde.

'Asjemenou,' zei Sryf, 'wat is dit nu weer?'

'Ik weet het niet...' fluisterde Jemhara. Maar Sryf de tovermeester was de kamer al uit.

Sryf beende door het huis en begon toen te hollen. Hij brak met zijn handen en voeten en met zijn mentale kracht het ijsnet stuk. Bovendien begon dit ding dat door het stilstaan van de tijd was gevormd, het te begeven.

Hij wist niet wat er was voorgevallen. Maar toen hij vervolgens in de spitzerij de scherven van de oculus vond, verstarde hij in angstige verwachting.

Op zo'n moment zou alleen een blinde, arrogante vent aan zichzelf gaan twijfelen – hoe heb ik, die onaantastbaar ben, me zo kunnen laten verschalken en te gronde laten richten? Sryf twijfelde niet aan zichzelf en ook niet aan haar.

Of ze nu vertrok of hier bleef, kon hem niets meer schelen. De gargolems wankelden traag naar hem toe alsof ze, net als hijzelf, zojuist uit een bedwelmende slaap waren ontwaakt.

Toen de ar compleet met een span wimperherten klaar stond op het erf, stapte Sryf in de slee. Met een tovercommando dat hen zou doen voortijlen, liet hij de hertenneuzen naar Ru Karismi wijzen, stad van de koningen.

Vlak voor hij wakker werd, meende Arok dat hij naast Killa lag. Ze rook niet langer koel, maar net als een gewone, gezonde vrouw van de kust. Arok veronderstelde dat hij haar had veranderd; maar toen werd hij wakker en zag hij de visservrouw naast zich liggen. Ze lag op haar rug en snurkte een beetje.

Even voelde hij zich gegriefd. Toen maakt zich een soort genegenheid jegens haar van hem meester.

Ze was bereidwillig en gretig geweest en hij had genoten. Bovendien bleef ze hem uiterst beleefd behandelen en noemde ze hem *meneer* als ze niet in bed lagen. Ze heette Nirri.

Toch schoot Arok met een vloek overeind. Dit was geen slaapnacht – en hij had liggen slapen.

Ach, dit leven was ook helemaal niks. Hij werd er slordig van en een sukkel. Al die dagen en nachten dat hij over de sneeuwwoestenij was getrokken, had hij geen één keer geslapen en was zijn uithoudingsvermogen beter geweest dan dat van een Beister...

Arok liep naar buiten. De zon was al op en hing ongeveer een handbreedte boven de oceaan.

Op amper dertig passen van het dorp waren grote, brede scheuren in het ijs verschenen. Ze liepen helemaal door tot de smalle blinkende lijn van de vloeibare zee.

Arok wist dat hij het ijs op moest om die scheuren te bekijken, om te zien of ze de stabiliteit van het pakijs niet bedreigden, of anders zwom er misschien wel iets eetbaars in rond.

Voor hij nog een stap kon zetten scheurde de hele horizon open.

Uit de zee, uit het ijs – uit de lucht zelf – stak als een zwaard een *ivoren toren* omhoog.

Een enorm gebulder werd hoorbaar – een combinatie van watermassa's en brekend ijs, die gromde en kraakte met een geluid alsof er reusachtige botten doormidden knapten.

En er vloog een bouwwerk omhoog uit de zee.

De toren was omringd door een palissade van kleinere torens, puntige staken in een kring zo groot als een paleis van de Rukar. Deze bouwkunst leek kilometers hoog op te stijgen. De *oorzaak* ervan kwam erachteraan.

De vrouw Nirri was gauw opgestaan en stond nu achter Arok in de deuropening. Het sierde haar dat ze niet begon te gillen, maar hij hoorde haar adem stokken alsof ze een stomp in haar maag had gekregen.

Wat er uit de oceaan omhoog kwam, was een ijswalvis.

Arok had verhalen gehoord over monsterlijke exemplaren, groter dan een Beisters moederschip, maar vergeleken bij dit dier waren die kinderspel.

Alleen landmassa's, oceanen en de hemel waren zo uitgebreid als deze ene walvis, bedacht Arok verdoofd.

Het ruwe zwarte lijf bleef maar stijgen. Het licht van de zon was al volledig geblokkeerd. Op het strand viel de nacht voor de tweede keer.

Uit zijn spuitgat dat ten minste zo groot moest zijn als het Huis van de Hola's – zo groot als een hele werf misschien wel – loosde hij een kolossale waterzuil. Toen die omlaag viel, spatte de zee heftig op zodat er een dichte zoute regen op het dorp neerkletterde.

De kleine voorpoten van de ijswalvis waren elk wel zo groot als een kleine walvis. Maar ze hingen werkeloos naast zijn lijf – hij had hun hulp niet nodig.

Hoeveel verder kon hij nog stijgen? Hoeveel meer kon zelfs de oceaan bevatten?

In het dikke duister aan de kust draaide Arok zich om naar Nirri. Zij staarde als gebiologeerd naar de walvis. Hij rammelde haar door elkaar.

'Rennen!' Ze staarde hem met open mond aan. 'Nee, wacht– ik pak de hnowa. Dan gaan we harder –'

Haar mond stond nog steeds open. Hij duwde haar opzij en holde de hut in. Hij trok een brandende tak uit het vuur, greep de hnowa en trok hem de hut uit. Arok keek niet één keer naar de oude Rukarse zottin, want in haar toestand kon je maar beter dood zijn, en dat zou nu niet lang meer duren.

Nirri protesteerde niet toen hij haar op de hnowa plantte. Het dier stond zenuwachtig te trappelen en scheet op de sneeuw, bang van de donkere massa die nog steeds bleef stijgen, nog steeds uit zee omhoog bleef komen, maar te dom om erop te reageren. Er hing een stank van rotte vis en zeewater.

Arok sprong op de rug van de hnowa. Hij greep zich vast aan Nirri die voor hem zat en tastte om haar heen naar de teugels. Toen drukte hij de brandende tak tegen de flank van de hnowa. Het dier gilde van pijn en begon snuivend over het ijs te draven – landinwaarts.

Achter hen bleef de walvis maar omhoog komen –

Grote God...

Vanaf iets hoger terrein keek Arok nog één keer om. Ze waren net op tijd geweest. De walvis stond eindelijk op zijn staart – onmogelijk. Hij was onwezenlijk groot, zelfs van deze afstand. En in de door hemzelf geschapen nacht glansde hij met een duivelse gloed.

In die fractie van een seconde zag Arok hoe het buitensporige lijf zich begon te krommen. De opwaartse luchtsprong was afgerond en nu kantelde hij, om met een duik naar de bodem van de zee terug te keren.

Arok ramde de brandende tak tegen het vel van de hnowa en hield hem daar.

Toen het beest rokend en krijsend met hen weggaloppeerde, bedacht Arok dat dit een prachtig verhaal voor de lange nachten zou zijn – als ze het overleefden of als er nog Jafnse Hola's over waren om ernaar te luisteren.

Op de lompen was de Rukarse vrouw die Saffie heette ook wakker geworden. Ze tastte rond naar haar dieren, haar kat en haar hond. Die waren er niet.

Er was helemaal niemand in de hut.

Het was er warm en het vuur knetterde. Ze had een geluid gehoord, waarvan ze wakker was geworden. Maar het was meer dan een geluid.

Ze rook de stank van verbrand haar en een overweldigende vislucht. Een voorwereldlijke geur overstemde alles, er klonk een bulderend geluid – en toen was het nacht.

Ze stond maar zelden op en dan nog louter om aan de roep van de natuur gehoor te geven.

Maar er was iets dat Saffie naar de deur van de hut lokte die wagenwijd open stond.

Ze had eigenlijk geen brein, niet echt. Haar brein was afgestorven onder het ijs, of anders had deze Saffie, overblijfsel of geest van de echte Saffie die Safee werd genoemd – er nooit een gehad.

Ze sukkelde naar de deur en keek naar buiten, en op dat moment plonsde de nacht, in de vorm van die reusachtige walvis, in zee terug.

Het water dat zich naar de zee had teruggetrokken, alsof het door een zinkputje werd aangezogen, werd nu verdrongen door de terugkerende kolos van de walvis.

Zijn zwart glimmende lijf dat als een speer terugplonsde in de oceaan, veroorzaakte een vloedgolf die op zijn beurt maar bleef stijgen en stijgen, tot hij bijna de omvang van het ongelooflijke walvissenlijf had bereikt.

Het water vormde een sprankelende muur voor een zon die nu bijna zichtbaar was. De muur reikte tot aan de hemel.

Saffie gilde. Het was louter een reflexreactie; ze had geen andere. Ze stond daar maar, tot de vloedgolf, in navolging van de walvis, omkantelde en over het bevroren land klapte.

Het pakijs langs de kust ging aan scherven alsof het dun glas was. Reusachtige blokken ijs wervelden door de grijze orkaan van het water.

De golf beukte voorwaarts en denderde krijsend over het land.

Alles ging eraan. Het dorp was in een minuutje weggevaagd, de sterke zwarte hutten verkreukelden alsof ze van papier waren. Alles wat er was, werd door de wind-die-zee-was weggespoeld: hout, stenen, netten, op het strand getrokken boten, voorwerpen die ooit potten en pannen waren en nu nog slechts abstracte brokstukken.

In deze waterorkaan werd ook Saffie meegesleurd, met open ogen en sliertend haar, aan een stuk door rondtuimelend en ongetwijfeld ook kapot gebeukt.

De golf denderde drie, vier kilometer het land op. Hij werd gestuit door een hoge met stenen verstevigde sneeuwklip, maar liet toch zijn sporen achter: de *vorm* van zijn uiteindelijke nederlaag en terugtrekking.

Hij had de man en de vrouw op de hnowa op een halve kilometer na gemist.

Op het land lagen de gestrande vissen flapperend dood te gaan. Het afval van de zeebodem lag her en der verspreid in plakken olieachtig zeewier, door de golf verpulverde schelpen en andere voor de mens onherkenbare voorwerpen.

De vloedgolf kroop inmiddels vermoeid terug naar zijn ouderoceaan en voerde een groot deel van de buit van het ijs mee, waaronder de vrouw die Saffie heette.

Wat er over was van de golf, sleurde haar met de rest van zijn buit mee naar de diepte van de zee.

Nachtduister dat alle nachten te boven ging sloot Saffies ogen, en kou die alle Winters te boven ging dekte haar toe.

Alweer.

De ijspiramides waren niet erg goed onderhouden. De wind blies kreunend door kieren in de naden. Ze deden Safee terugdenken aan haar prinsessenvertrekken in Ru Karismi. Ze slenterde verloren van de ene piramide naar de andere en staarde naar de rottende zwarte korenvelden en boomgaarden. Ze vond nergens iets anders te eten dan dat, maar dat leek haar wel niet te deren, net als de kou waar ze ook geen last van had, alleen mentaal dan. De kat had ook niet te lijden onder de kou en het gebrek aan eten, hoewel ze fanatiek tussen de rottenis op jacht ging.

De kat had al weer een tijdje geleden haar jongen geworpen. Safee had ze niet gezien en daar was ze wel blij om. Op een dag was de kat gewoon slank en erg in haar nopjes teruggekomen. Hoe zouden ze eruit hebben gezien, die jonkies – het resultaat van die paring van de kat met een god in hondengedaante?

Wat moest Safee beginnen? Ze had zoals vaak weinig keus.

Haar gedachten keerden haars ondanks telkens terug naar die ander, naar Zet Zezet. Sinds ze hem de laatste keer in haar droom had ontmoet, had ze nog een paar keer van hem gedroomd. Hoewel die dromen *over* de god Zet gingen, kwam hij er natuurlijk niet echt in voor. Ze droomde dat ze hem uit de verte kon zien. In haar droom rende ze dan gauw weg of soms zat ze in een op hol geslagen slee. Maar naast de doodsangst was er de wens dat hij haar achterna zou komen en haar zou inhalen. Ook had ze een keer gedroomd dat ze met hem over een bevroren kust liep, terwijl in de verre oceaan een zwarte walvis boven het water uit sprong. De dromen waren herinneringen uit haar leven, vermengd met verlangens en angsten. In weerwil van haar betrekkelijk jonge leeftijd kwam het Safee voor dat ze al tientallen jaren had geleefd, dat ze oud en verlept was en misschien zelfs seniel begon te worden. Hoe zou zij dat kunnen weten? Ze had geen gezelschap en geen spiegel. Maar als ze naar haar handen keek, zagen die er jong uit.

Tussen het stinkende koren speelde de kat wild en gemeen met een denkbeeldige muis.

Een vreemd geluid vulde de lucht. Het was een soort gekrijs, maar het bulderde ook, alsof het onweerde in zee.

Safee voelde een ruk aan haar lijf. Ineens begon haar hoofd te tollen. Ze zakte in elkaar en viel op de grond en toen de wereld weer stilstond, lag de kat op haar borst in haar ogen te staren.

Wat was er nu weer gebeurd? Langzaam en voorzichtig ging ze rechtop zitten.

Was er iets met haar zoon, haar trouweloze zoon die haar zo lang zonder bericht in haar eentje had laten zitten – de zoon die ze aanbad en liefhad, alleen maar omdat hij het evenbeeld was van zijn kwaadaardige schurk van een vader? Waarom voelde ze dan deze pijn in haar hart bij de gedachte dat haar zoon iets zou overkomen?

Ze zaten samen op het ijs, Safee en haar kat.

'Waar is Yyrot, je geliefde?'

De kat ging er plotseling met grote sprongen vandoor.

'Waar is alles?' vroeg Safee aan de instortende ijspiramides.

Toen zag ze de kat door een soort deur de buitenlucht in stappen.

Geschrokken en beledigd in weerwil van wat er allemaal was gebeurd, ging Safee staan. Ze liep naar de opening en keek erin en erdoor. Er was helemaal niets. Het leek wel een hele dikke ijsplaat.

Safee stak haar hand uit en voelde met een vinger aan de ijsplaat. Die schoof open.

Voor haar lag een verzengend goudkleurig landschap, als een plaatje, gezien bij de gloed van een vuur. Bomen met lover van vuur omringden een heuvel van rijk orichalcum, die uit zijn top rooskleurige pluimen wegblies.

'Nog niet,' zei een stem.

Safee keek naar alle kanten –

Niemand te bekennen.

Toen ze haar hoofd weer terugdraaide, was de deur naar het vuurlandschap verdwenen.

Joeri zat op een ijsschots en keek hoe zijn mera haar pas uit het ei gekropen kleintje zoogde. Het was een vrouwtje en ze had Joeri met haar scherpe punttandjes al gebeten.

De tussenwereld was vandaag maar bedroevend, in de klauwen van deze snijdende winden. Hij kon de tussenwereld er vandaag niet toe krijgen hem iets anders voor te schotelen. En de mera had hem weliswaar toegestaan om de vader van haar ei te worden, maar erg vriendelijk was ze niet.

Kort nadat hij zijn offer aan de Ranjal-godin had gebracht, had hij de vlakten des doods rond de muren van Ru Karismi verlaten. De Ranjal was als een roofzuchtige bezem door de lucht weggevlogen en had hem daar achtergelaten.

Er ging een zwakke schok door de zee onder het ijs. Joeri keek omlaag. Hij vroeg zich af wat daar de oorzaak van was, want zulke dingen drongen normaal gesproken niet tot de tussenwereld door, laat staan dat ze er feitelijk gebeurden.

Toen werd hij een sterke zuiging gewaar, sterker dan de vage schok onder het ijs. Joeri stelde zich krachtig te weer.

De mera die zijn opwinding blijkbaar opmerkte, dook terug in de golven met het meerkind tegen haar borst geklemd.

Het zuigende gevoel hield op.

Geschokt stampte Joeri op de ijsschots heen en weer. Wat had hem daar in zijn greep gehad? Was *hij* het soms weer? Joeri rook de nabijheid van Zet Zezet – althans zijn aanwezigheid. Blijkbaar had hij uit een of andere bovennatuurlijke gevangenschap weten te ontsnappen en doolde hij weer rond.

Als dat zo was, waar kon Joeri zich dan verstoppen? De hele wereld lag voor hem open, maar ook andere werelden – en nog zou dat niet genoeg zijn. Nee, hij zou zich achter de sterren moeten verschuilen om deze achtervolger te ontlopen. En hij had zich de toorn van de god op de hals gehaald door zijn trouw aan de jongen, aan de *man* door wie...

Joeri barstte als een vallende ster uit de tussenwereld naar buiten. Hij zwaaide zijn benen omlaag naar de sneeuw op het aardoppervlak en deed een hardloopwedstrijdje met de wind. Hij holde of de duivel hem op de hielen zat om dat beeld van Ru Karismi kwijt te raken.

Ru Karismi zelf was inmiddels weer zichtbaar voor anderen.

Het zoutstof begon uitgewerkt te raken en neer te slaan. De stadsmuren konden nu weer gezien worden, en ook de gebeeldhouwde stad erachter, hoewel de kristallen parasols op de toppen niet meer tegen de ondergaande zon knipoogden.

Sryf reed over de eindeloze vlakte.

In een kring van vijf of zes kilometer rond de stad was niets overgebleven. De hoeven, de akkers, alles was spoorloos verdwenen. Het ijs van de vlakten was bruin geworden. Het was een walgelijke kleur, als van iets dat lag te roesten of te rotten. Hier was het stof meer op zand gaan lijken.

Toen de arrenslee hem dichter bij de stad bracht zag hij tegen de harde onnatuurlijke glans van de hemel uit elke stadswijk smalle rookpluimen opstijgen.

Bij de Zuidpoort werd hij met tegenzin doorgelaten door wachters met ingevallen gezichten. De poort was ook nogal beschadigd. Hij liet de slee net binnen de poort achter.

Al gauw vond hij de verklaring voor de rook. De stadsbewoners waren hun doden aan het verbranden, omdat er inmiddels te veel lijken waren om ze te kunnen begraven.

De mensen op de hellende straten hadden geen aandacht voor Sryf. Hun gezichten stonden hopeloos of vertrokken van woede en angst.

Hij zag hoe ze een dode man van ongeveer twintig jaar uit een huis naar buiten brachten. De mensen die hem droegen huilden niet eens. Ze legden hem zomaar op straat om door de crematoriumkar opgehaald te worden, als een dode kasbloem.

Toen Sryf de duizend treden van de Trap beklom, kwam hij een van de magikoi tegen. De man was over de Trap op weg naar beneden.

'Wie heeft de vergoedingsprijs hiervoor betaald?' vroeg Sryf hem.

'Wundest en twee anderen. En Vuldir is verbrand, maar levend.'

'Ook ik moet de prijs betalen. Ik had het moeten voorkomen. Waren de magikoi die oude geschriften maar vergeten die ons deden vermoeden dat dit ooit eerder is gedaan, dat wapens zoals deze ooit werden ingezet in het hoge noorden.'

'Dat is jouw zaak. Steek jezelf maar in de fik als je wilt. Je deed er beter aan om in de stad aan de slag te gaan.'

'Om hen te redden? Ze zijn toch al ten dode opgeschreven.'

De andere magikoi liep verder naar beneden.

Deze twee magikoi hadden niets met elkaar op. Dat was in de hele Orde het geval, wat ervan over was tenminste. Hun individuele schaamte en spijt vergiftigden hen, zoals de restanten van de wapens met hun collegae hadden gedaan.

Sryf nam af en toe even de tijd om op adem te komen bij het beklimmen van de Trap. Maar boven aangekomen merkte hij dat hij toch even tegen de wand moest leunen.

De Gargolem kwam niet tevoorschijn. Sinds die dag had niemand hem meer gezien.

In de paleistuinen was niemand te bekennen. Sryf keek naar de paviljoens en de paleizen en de beelden.

Hoewel – of misschien juist wel doordat – de hemel zo uitermate helder was, vertoonde de ondergaande zon maar weinig rood.

Sryf kon wel janken, maar hij kon toch moeilijk zo onbeschaamd zijn dat hij ging staan huilen om een ramp die hij zelf had kunnen afwenden, of om deze mensen die hij mogelijk had kunnen beschermen, of om zichzelf die geen enkele traan verdiende. Hij was een lang iemand en hij voelde zich in die tuin nu het allerlangste, en tegelijk het allernietigste ding, en geen van die twee toestanden had ook maar enig nut.

TWEE

Het huis van de witte danseressen lag onder een ijsthuja met de kleur van maansteen.

Het had vier deurportalen met zuilen, aan de noordkant, de zuidkant, de oostkant en de westkant, en in de raamsponningen zat gegolfd glas dat alles buiten op stromend water liet lijken. Er woonden daar een stuk of honderd mensen. Ze hadden wat zij een Moeder en een Vader noemden. Anders dan deze twee gekozen heersers oefende er niemand enig gezag over hen uit.

Leowulf zat in het kleine kamertje dat ze hem hadden gegeven. Hij zat op de vloer van hard spaanplaat.

Darhana kwam binnen. Ze had hem in haar armen uit de bevroren korenvelden hierheen gedragen. Hij had dagenlang liggen slapen. Het leek wel of hij zijn hele leven niet genoeg geslapen had.

Het meisje had heldere, lichtbruine ogen nu ze haar vizier af had en ze keek hem aandachtig aan.

'Hier heb je wat te eten.'

Hij knikte, bedankte haar en wendde zijn blik af.

Ze zette de kom naast hem op de grond.

Het was hem moeilijker gevallen om de taal van Kraag te leren dan enige andere taal, maar dat kwam doordat hij veranderd was, mínder was geworden. Het had hem vijf dagen gekost voor hij een beetje een samenhangende zin kon uitspreken en misschien had hij het Kraags alleen maar kunnen leren omdat een paar mensen in het huis een beetje Rukars spraken.

'De Vader,' zei Darhana, 'is genegen om met je te praten. Over een uur – schikt je dat?'

'Ja, als hij dat wil.'

Darhana liep op Leowulf toe. Ze streek hem over zijn voorhoofd en over zijn wilde haar, kalmpjes, vriendelijk en maar één keer. Toen liep ze de kamer weer uit.

Hij meende dat hij haar wel had kunnen krijgen. Maar misschien ook niet. De laatste vrouw met wie hij had geslapen...

Leowulf sprong overeind. Hij schopte de kom graanpap door het kamertje en zag hem tegen de wand aan gruzelementen gaan. Toen had hij spijt. Hij ging gauw weer zitten.

Het rimpelende glas van het venster liet de glanzende thujatakken wegsmelten en vormde weer nieuwe.

De Vader had een kamer onder de hanenbalken waar je over een wenteltrap van boomstammetjes kon komen. Het was een man van rond de dertig, hoewel veel andere mannen in het huis van de dansers ouder waren. Maar de Moeder was een oude vrouw en zij had nog geen woord tegen Leowulf gezegd.

'Ik zal je Vasjdran noemen.'

'Ja, wat je wilt.'

'Ik heb in deze niets te willen. Hoor je liever een andere naam?'

'Ja, mijn eerste. Ik werd Geen-Naam genoemd: Naamloos.'

'Uitstekend.'

Ze spraken Kraags, een zangerige taal met onverwachte keelklanken.

De Leowulf hoorde elk Kraags woord dat hij zelf uitte, en dán begreep hij pas wat het betekende, alsof zijn lijf de taal kon spreken maar híj niet. Deze mentale onmacht bracht hem van zijn stuk, maar dat was hij tegenwoordig van alles. Zijn geestelijke huid stond strak als een snaar.

'Zo, jij komt dus uit het noordelijke zuiden,' zei de Vader. Leowulf – Naamloos – knikte. 'Ben je een Rukar?' zei de Vader. Naamloos gaf geen antwoord. De Vader zei: 'Wij weten niets van je verleden. We weten maar heel weinig van het noordelijke zuiden en het oosten.'

'Heel goed,' zei Naamloos. 'Die bestaan namelijk niet meer.'

De Vader keek Naamloos oplettend aan maar gaf geen commentaar. Hij zei: 'Waarheen ben je onderweg?'

'Niet waarheen – waarvandaan.'

'Weet je iets van het Kraagland?'

'Helemaal niets.'

'Voor ons,' zei de Vader, 'is de werkelijkheid onwezenlijk.'

Naamloos hief zijn hoofd op en keek de Vader recht in zijn ogen. 'Wat kan de werkelijkheid nu anders zijn dan echt?'

'Je bedoelt in de filosofie van de Rukar, of onder de bewoners van het oosten?'

'In het heelal.'

'Tja, alleen een Rukar zou van een heelal spreken. Het is bovendien de gangbare opvatting, want mensen geloven wat voor hen ligt en aarzelen te geloven wat er niet voor hen ligt. Zou jij bijvoorbeeld geloven dat er ver overzee andere landen bestaan, in het oosten en het westen, het noorden en het zuiden?'

'Je hebt de landen van de zeerovers in het noorden.'

'En nog vele meer,' zei de Vader, 'maar slechts weinigen erkennen het bestaan ervan want ze zijn al eeuwen door niemand meer gezien.'

'Heb jij ze gezien dan?'

'Nooit.'

'Maar je gelooft er wel in.'

'Ja. Ik geloof in een heleboel dingen die ik nog niet heb gezien. Wat werkelijkheid wordt genoemd, heeft zich vast voorgenomen dat wij alleen daarin mogen geloven. Daarom maakt hij zich zo hard als staal en wil hij niet van wijken weten. Maar je kunt hem ook als een vloeistof uit elkaar duwen of wegblazen als rook. De werkelijkheid is plooibaar en kan een andere vorm krijgen. Maar naarmate je daar beter in bent, zal hij zich meer tegen je verzetten. Het is net een leugenaar die betrapt wordt; hij kan niet ophouden met liegen maar wordt vindingrijker.'

Naamloos rekte zich uit, als een jongeman die zich verveelde en liever op jacht zou gaan of met een meisje aan de rol. Dat lag allemaal in dat gebaar besloten – en zijn vorstelijke afkomst, die ook. Dat had hij behouden, of hij nu wilde of niet.

De Vader zei: 'Ik vertel je dit soort dingen niet om je te beleren, maar om je voor te bereiden. Heb je wel eens van *Zomer* gehoord?'

'O, *Zomer*. De Jafn haalden soms herinneringen op aan Zomerdooiperiodes; dan overstroomt het land en raken ze vee en mensen kwijt–' Naamloos zweeg. Hij haalde zijn schouders op. De Jafn zouden zich er niet meer om bekommeren – die waren allemaal omgekomen.

'Winter is de werkelijkheid,' zei de Vader kalm. 'Wij geloven niet in de Winter. Onze mannen en onze meisjes gaan uit dansen om de zon terug te roepen van onder de zee. De onwerkelijke zon, die ooit de echte zon was, ligt daar, verdronken. Kraag weet dat deze ware onwerkelijke zon ooit herboren zal worden. We hebben geen priesters, want wij zeggen dat de goden allemaal één met ons zijn en wij met hen. Onze dansen zijn dus onze gebeden.'

'Hoogst merkwaardig.'

De Vader negeerde deze in de taal van de Ruk uitgesproken Rukarse onbeleefdheid. Hij ging verder.

'Door onze inspanningen is er dus soms een stukje van de *Zomer* hier in Kraag.'

Naamloos zei: 'Dooi, hier? Misschien kun je me dan vertellen hoe ik dat gebied en het hoge water kan mijden.'

'Er is geen overstroming. Het land is stevig en groen van de planten. Deze onwerkelijke echte Winterzon schijnt daar met een grotere warmte. De hellingen staan vol bloemen.'

'Een oase met warme bronnen.'

'O, nee.'

'Dan geef je een droom weer, of het is toverij. De Jafn zagen altijd overal demonen en spritten; dat was hun gave. Dan is deze *Zomer* vast jullie gave.'

'In het hart van de Kraagse *Zomer*,' zei de Vader onverstoorbaar, 'staat de ruïne van een hoge toren. Dat is de Zonnetoren. Die is heel lang geleden gebouwd om de zon uit te nodigen voor een bezoek – zoals de dansers van

Kraagparia via hun dans tot de zon bidden.'

'Prachtig. Maar wat heeft dat allemaal met mij te maken?'

'Is je verteld dat je door een vrouw van zestien hierheen bent gedragen?'

'Ja, dat is me verteld.'

'Darhana kan haar hoofd bijvoorbeeld naar het zuiden draaien terwijl haar lijf naar het noorden kijkt. Veel van onze dansers kunnen dat ook.'

'Ja, jullie zijn tovenaars.'

'Nee, het is iets anders. Het is niet wat jij toverij zou noemen. Darhana kan met haar zwaard haar eigen hart doorboren, het er weer uit trekken en gewoon doordansen. Dat kan ze al sinds haar derde. En wederom, velen van ons kunnen gelijksoortige dingen.'

'Jij ook?'

De Vader moest lachen om die uitdagende opmerking. 'Vroeger wel, maar ik ben de vaardigheid kwijt. Ik had een zware periode in mijn leven. Mijn vaste vrouw stierf. Een stukje van mijn geloof sijpelde samen met haar bloed weg in de aarde.'

Leowulf boog zijn hoofd. Hij mompelde met oprecht berouw: 'Wat vind ik dat erg voor je, wat een wreed verlies.'

'Ja, ik zie dat je het meent. Dank je wel.'

Ze zaten even zwijgend bij elkaar. Om hen heen weefden de huisgeluiden van alledag – trommels, fluiten, zwaardgeklik van de dansers, gekletter van keukengerei, en stemmen die door de gangen galmden – een tapijt zoals die in wilde groenen en blauwen aan de wanden hingen.'

'Ik heb je over de vaardigheden van mijn volk verteld, Naamloos, opdat je ons in ieder geval gedeeltelijk kunt vertrouwen. Het gebied van de *Zomer* en de Zonnetoren hebben een niet mis te verstane stempel op jou gedrukt, alsof je naam op die plek op de kaart geschreven staat. Er is jou een stukje afgenomen dat jou is voorgegaan naar de *Zomer*, naar de toren.'

Onder zijn gebruinde huid werd de naamloze jongeman helemaal spierwit van doodschrik.

'Daar?'

'Voor wie ben je bang, Naamloos?'

'Voor eentje maar. Dan – dan moet *hij* daar zijn.'

'Er is in ieder geval iets.'

'Hij heeft me mijn schaduw afgenomen,' zei Naamloos.

'Ik zie je schaduw, Naamloos, die valt duidelijk over de wand.'

'Ik had een andere schaduw. Daar zat vuur in. Ik denk dat híj er ook in zat. Nu is hij van mij losgemaakt. En hij zit te wachten – dat heeft zij me verteld, de vrouw die de sterrennacht was en de dood. Ze zei...' Naamloos verzonk zwijgend in zijn eigen sombere gepeins. Toen zei hij: 'Ze vertelde me dat ik het tegemoet zou lopen. Mijn lot. Joeri zei dat mijn soort... geen keus heeft.'

'Ik geloof,' zei de Vader, 'dat jouw soort de soort is die mijn soort goden zou noemen als wij goden als iets anders zouden beschouwen dan mensen.'

'Ooit,' zei Naamloos. Hij lachte. 'Net als jij, meneer, ben ik de vaardigheid kwijtgeraakt. Die is weggesijpeld in de grond, niet met bloed maar met as.'

Darhana danste met haar drie zusters en vier broers. De zwaarden knalden tegen elkaar. De dansers gooiden de zwaarden in de lucht, lieten zich op de grond vallen, vingen de zwaardpunten op in hun lijf, sprongen weer overeind en wervelden weg, terwijl ze het scherpe staal vonkend uit hun ongedeerde lijf trokken.

Twee manen klommen achter de ijsthuja omhoog.

Darhana dook op uit de witte schaduwen onder het raam. 'De Moeder zegt dat ik je de weg naar de *Zomer* moet wijzen, Naamloos.'

'Nee.'

'Ze zegt dat het moet. Ik vind het niet erg.'

'Nee, het is gevaarlijk. Ik kan zelf de weg wel vinden.'

'De Moeder zegt dat je bang bent en dat je daarom zult verdwalen om de weg maar niet te hoeven vinden. Maar omdat je toch moet gaan, moet ik met je mee om ervoor te zorgen dat je er komt.'

'Praat Rukars. Jij praat Kraags zoals je danst, wervelend en dan ineens komt er een zwaardhouw.'

'Ik zal je gids zijn,' zei Darhana die uitstekend Rukars sprak. 'En daarmee basta.'

'Ik wil je niet mee hebben.'

Darhana ging vlak voor Naamloos staan. Ze moest op haar tenen gaan staan, want ze was niet lang, om hem een zachte kus op zijn mond te kunnen geven.

'Niet doen. Iets anders heeft me daar gezoend, een godgeschapen demon uit de donkerste nacht.'

'Het is niet besmettelijk, hoor, Leowulf.'

'Noem me niet zo.'

'Kijk,' zei Darhana.

Hij keek en zag dat ze niet op haar tenen stond maar zo'n vijftien centimeter boven de grond zweefde. Ze liet zich giechelend terugvallen. Leowulf, of Naamloos, draaide zich af. 'Dan gaan we nu weg.'

'Zo je wilt.'

'Het is niet wat ik wil,' zei hij, net als de Vader in het Kraags, 'ik heb geen andere keus.'

Als hij had verwacht dat ze zou tegensputteren of tijd zou vragen om afscheid te nemen, dan stelde ze hem nu teleur. Dan was ze dus verliefd op hem, net als al die anderen. Daarom wilde ze alles achterlaten, zelfs haar veilige omgeving, om zijn gids te worden. Maar ze was nog maar een jong meisje, net zo oud als zijn moeder Safee toen Vuldir haar over de ijsvlakten haar dood tegemoet had gestuurd.

❄

Achter de bijgebouwen stond een kleine glijkar klaar met een span breedgeweiherten ervoor. Kar en herten waren versierd met kleurige linten en belletjes. In dit voertuigje begonnen Leowulf en zijn metgezellin nog voor de maan onderging aan hun tocht.

De eerste dagen hadden ze prachtig weer. Na de eerste nacht sliepen ze als het donker werd tussen de vachten in de kar. De vijfde nacht nam hij haar. Ze was gewillig, genoot ervan, leek de daad te beschouwen als net zoiets ondergeschikts als onder dezelfde deken slapen.

'Stel dat je zwanger wordt?' zei hij.

'Jij kunt geen kinderen maken.'

'Wat? Hoe kun je dat weten?'

'O, je kunt het gewoon niet – nog niet.'

Die opmerking stond hem helemaal niet aan. Hij was bang geweest dat hij niets meer zou klaarspelen, na Killa, na... dat alles. Dit vrijpartijtje, waaraan hij en het meisje allebei veel plezier hadden beleefd, had hem weer een beetje opgevrolijkt. Nu bedierf zij alles weer. De volgende dag deed hij de hele dag nors en kil tegen haar. Darhana trok zich er niets van aan. De zesde nacht zoende hij haar al weer. 'Als je toch zo zeker weet dat je met mij niks kan gebeuren –'

Later zei hij in het Rukars: 'Hoe weet jij nou dat ik onvruchtbaar ben?'

'Dat zei ik helemaal niet. Ik zei dat je dat nú bent.'

Daar lag hij een tijdje over na te denken. In weerwil van al zijn macht en roem, was hij nog niet af en ook niet zo best gemaakt.

In elk geval was Darhana geen maagd meer geweest. Hij had al gemerkt dat de Kraag seks van dezelfde orde achtten als muziek en eten, en zelfs als ze een vast paar vormden, werden de kinderen gemeenschappelijk verzorgd.

De herten draafden snel en zeker onder de heldere hemel en de belletjes aan hun geweien rinkelden vrolijk. Het terrein was grotendeels vlak en de bovenste sneeuwlaag was stevig.

Ongeveer op de tiende dag begon er verse sneeuw te vallen. Tegen zonsondergang was de hemel al pikzwart. Toen stak de storm op.

Felle buien met hagel, natte sneeuw en harde windvlagen joegen over het land. De donder rolde als metalen ballen door de lucht.

Hij stelde voor dat ze zich in de sneeuw zouden ingraven. Darhana zei dat het niets uitmaakte.

De herten bleven lichtvoetig door het donkere noodweer galopperen, met niets anders dan hun natuurlijke beschermvliezen voor hun ogen, en zo'n dikke ijslaag op hun geweien dat hij bang was dat ze af zouden breken.

De rijwind deed zijn gezicht gloeien. Wat kon hem dat schelen? Hij probeerde Darhana achterin de kar te laten plaatsnemen waar ze haar gezicht zou kunnen beschermen. Dat wilde ze niet. Haar wangen waren vuurrood van de snijdende wind, dat was alles. Haar ogen glansden.

Ze draafden de hele nacht door. 's Morgensvroeg lieten ze het noodweer achter zich.

Ze bevonden zich inmiddels in een heuvellandschap. De hellingen waren bedekt met ijsbossen van naaldbomen en thuja's en ijsoerwouden met vijgen, palmen en terebinten. Daar waren ze blindelings doorheen gegaloppeerd zonder dat hun iets was overkomen.

'Je bent een heks,' zei hij tegen haar.

'Nee, het komt door wat ik geloof, anders niet.'

'Dat niets van dit alles echt is?'

'O, het is echt op zijn eigen manier – maar het kan naar onze behoeften veranderd worden. Hoe zou dit alles anders ooit gemaakt kunnen zijn als het niet plooibaar was?'

'God, of goden, hebben het gemaakt,' zei hij.

'Maar dan nog, hoe dan, als het niet plooibaar was?'

Haar opvatting van een kneedbare wereld die je zo nodig kon omkneden, vond hij wel vermakelijk.

De dag was zo grijs als het haar van de Moeder. 's Middags rustten ze wat; ze sliepen niet maar deden andere dingen. Het regende ijs van de takken en een vlucht zwarte kraaien met zilverberijpte vleugels vloog op.

'Zijn die echt?'

'Even echt als wij.'

'Zijn wíj echt?'

'Zo echt als we onszelf laten zijn.'

'Raadsels.'

'Antwoorden.'

'Antwoorden in raadsels.'

'Wat zijn raadsels anders dan antwoorden in de vorm van een vraag?'

'Jij,' zei hij, 'zou zo met de magikoi mee kunnen discussiëren.'

'Daar heb ik wel eens van gehoord,' zei ze. 'Zijn ze echt zo machtig?'

Er trok een verandering over het gezicht van Naamloos. Het veranderde in dat van de Leowulf. Woede en sadisme waren daarop te lezen, en pijn en wanhoop.

'Tot enige tijd geleden waren ze dat inderdaad. Maar hun oorlogswapens waren machtiger.'

Het had hem al die tijd gekost om zekerheid te krijgen over wat er op de vlakten rond Ru Karismi was gebeurd. Hij hoorde de woorden nu uit zijn eigen mond, een antwoord in de vorm van een doemraadsel.

De hertenkar snelde voort. De herten leken ook zelden rust nodig te hebben. Ze rekten hun sterke nekken en sloegen met hun geweien bevroren bladeren en klimplanten van de bomen om die onder het rennen op te eten waarbij ze soms afschuwelijk luide boeren lieten. De menselijke reizigers hadden ook proviand mee.

'Zijn er in deze streken geen andere huizen?' vroeg hij haar.

'Kijk daar.'

In de verte zag hij een breed laag gebouw met een strooien dak, in een waas van warmte en rook. Het was letterlijk tussen de bomen opgedoken toen ze hem antwoord op zijn vraag gaf. Was het wel echt?

'Heb jij dat huis net uit de lucht geplukt om mij een plezier te doen?'

'Misschien heb je dat zelf wel gedaan – of heeft het huis het gedaan. Of was het elders maar heeft het zichzelf hier zichtbaar gemaakt.'

Soms liet ze de Kraagse mantra horen: 'Wat echt is is onecht; wat onecht is is echt.'

Ze kwamen terecht in terrein met lage, steile rotshellingen. De herten galoppeerden er met de glijkar regelrecht tegenop, vrijwel zonder schokken en zonder ook maar een keer te struikelen.

Naamloos Leowulf dacht aan toen hij nog horizontaal tegen de zijkant van dingen kon oplopen, het zelfs nu nog wel kon – alleen met veel minder gemak.

Op een avond op de rotsen zei hij: 'Heb je er geen spijt van dat je de goden kwaad maakt door niet in ze te geloven?'

'De goden komen voort uit de mensheid,' zei ze. 'Als je goden nodig hebt, hoef je ze maar te roepen. En anders laat je ze met rust.'

'Hij,' zei Naamloos, 'híj is echt.'

Ze keek hem aan, met de leidsels van de voortijlende herten in haar handen. 'Is dat de god die je wilt vinden?'

'Vinden? Nee, ik wil hem kwijtraken. Ik ga hem doden. Het is mijn enige kans. Zijn smerige aanwezigheid in mij heeft alles vernietigd wat ik had kunnen worden.'

Ze zei minzaam: 'Geloof dat maar niet.'

'Geloven? Ik geloof helemaal niets,' zei hij tegen haar. 'Daarom is voor mij helemaal niets echt. Het echte niet en het onechte niet, en ook jij en ik niet – helemaal niets.'

De zon ging onder en ze lieten de glijkar stoppen om wat te eten. Daarna bedreven ze de liefde. Waarschijnlijk geloofde hij dat ook allemaal niet.

De volgende dag kwamen de buien terug. Er stond een wind als een zeis. De herten doken er doorheen als visjes door een oceaangolf.

Aan de andere kant van de steile rotsheuvels lagen valleien vol bevroren graan, verlaten boomgaarden met cryogeen coconfruit of bessensnoeren. De windvlagen smeten hele bomen omver, nog voor ze los konden blazen wat zich er zo hardnekkig aan vastklampte.

Darhana stuurde de herten nu in oostelijke richting; het land helde in terrassen omlaag. Tegen de steile hellingen links van hen hingen boven poelen vol sneeuw traptreden van bevroren water te schudden en te dreunen in de wind. Door de felle sneeuwbuien kon je soms helemaal niets zien. Het was precies wat hij had beschreven: een wereld van niets.

Ze bereikten een inham van de zee. Door en tegen het witte geweld was

het water donkerblauw als inkt – rimpelend en vloeibaar.
'De zee beweegt,' zei hij.
'We zijn er bijna.'
De buien namen af en de zonsondergang kleurde de hemel boven de indigokleurige vinger van de zee eronder.
Die avond maakte ze een vuur door vonken te slaan met een vuursteensplinter, net als Killa had gedaan.
'Kun je het niet gewoon oproepen?' vroeg hij spottend.
Darhana draaide haar hoofd en keek hem aan, terwijl de rest van haar lijf gewoon naar het vuur gericht bleef. 'Wat heb ik met de vuursteen dan anders gedaan?'
'Je hebt dat vuur op een doodgewone manier gemaakt, kind, ook al zit je hoofd achterstevoren op je lijf.'
'Een vuursteen is ook toverij,' zei ze. 'Want waar komen die vonken dan vandaan? Het is net als de zon die onder de aarde verdwijnt.'
'De Jechen zeggen,' zei Naamloos, 'dat hij dan in de hel schijnt, maar dat de zon daar koud vuur uitstraalt.'
Het voedsel was allemaal op. Ze verwarmde het laatste restje honingbier uit het dansershuis en dat dronken ze op. De rand van de sneeuw smolt door de hitte van het vuur druppelend weg.
De Naamloze Leowulf dacht na over alles wat hij had gedaan en over alles wat hij nog moest doen. Hij zou de god doden die hem had verwekt, en anders zou de god hem doden. Nu hij daar niet langer bang voor was, vond hij het zelfs een saai vooruitzicht. Hij vroeg zich af wat Joeri nu zou doen en merkte dat het hem niets kon schelen. Hij dacht aan Safee en kon zich amper herinneren dat ze zijn moeder was. Het bliksemde.
Hij dacht aan Killa en aan Ru Karismi. Als een boek dat hij uit zijn hoofd moest leren, en eeuwig moest blijven leren, las hij de geschiedenis van zijn leven. Het waren maar een paar jaren – maar het leken er wel duizend. Hij vond het vreselijk, maar in weerwil van alles wat hij had beweerd, geloofde hij dat het onverbeterlijk was en dus bleef het helemaal echt.

Door vuur gesmolten sneeuw bevriest gewoon weer.
Soms krijgt het zelfs zijn vroegere vorm terug.
Leowulf lag naast Darhana boven de gesmolten zee en hij droomde van een plek in het verre noorden.
Herders waren met hun lenige schapen omhoog getrokken naar de rotshellingen om hun dieren daar op de sluimergrasweiden tussen de rotsblokken te laten grazen. Dit waren de langgenekte schapen met de leeuwenkoppen die Leowulf zich uit het dorp Ranjalla herinnerde. Onder de witte toppen zaten de mannen temidden van hun kudde samen wat te drinken rond het vuur. Op die plek was het windstil. Boven hun hoofden wentelden de sterren langzaam voorbij.

Toen verscheen er ineens iets in een grotopening.

De mannen draaiden zich om en keken. Ze gingen staan. Hij hoorde ze grommen. Ze hieven hun staven om het weg te jagen, dit nachtelijke zwart dat langs de rotshelling naar hun kamp gegleden kwam.

Killa kwam aanlopen door de kudde, die helemaal niet bang voor haar was, want de schapen likten haar handen.

Ze kwam aanlopen, gekleed in de schoonheid van de nacht, en bracht een heerlijke geur mee, en de zachte, wonderschone melodie van haar naakte huid die langs het pantsergras streek en haar eigen lange haar dat langs de grond slierde.

Ze had gedaan wat haar schepper van haar verlangde, de drie-in-een-god Ddir, Yyrot, Zet. Ze had Leowulfs astrale lichaam ontdaan van het wezen van de god. De warmte die daarbij vrijkwam, had haar in vloeibaar water veranderd. Maar de hevige kou had haar uit een of andere mentale mal teruggebracht in haar eigen volmaakte vorm.

Leowulf keek naar de herders, die van schrik op verwondering overgingen en haar in een vacht wikkelden en bij het vuur zetten. Zo te zien had ze geen afkeer meer van de vlammen. Ze nam plaats tussen haar nieuwe hofhouding. Hij nam aan dat ze hun straks wel een verhaal zou vertellen – over de zon die stierf in de zee.

Ze leek hem niet slecht, ze was geen verwoester. Alleen in zíjn geval had ze iets in zijn nadeel gedaan... In de waanzin van de slaap vroeg hij zich een ogenblik af of ze in plaats van volmaakte slechtheid, misschien een toonbeeld van volmaakte, gedachteloze goedheid was. Tenslotte had hij wel degelijk straf verdiend.

In zijn droom wist hij dat hij niet droomde. Natuurlijk kon Killa naar het leven terugkeren, wat ze ook was. Van hemzelf, als halve sterveling, en beroofd van de bron van zijn kracht, was dat niet zo zeker.

In weerwil van wat Darhana had gezegd, verstreken de dagen en nachten snel in de glijkar en al gauw hadden ze de zee-inham achter zich gelaten, maar van enige bijzonder Zomertafereel was nog geen sprake.

'We blijven gewoon eeuwig doorrijden,' zei hij. 'Dat is mooi. Zal ik met je trouwen, Darhanna?'

'Nee, Kraag trouwen niet. Wij hebben alleen lief.'

'Heb je mij lief?'

'Ja – maar anderen ook.'

'Trouweloos.'

'Trouw.'

De buien waren voorbij en de hemel was diepblauw. Terwijl ze nog steeds in zuidelijke richting langs de oostrand van het land trokken, waren er aan alle kanten ijsmeren te zien. Onder de zonnige lucht lagen die meren blauw te glanzen alsof ze vol vloeibaar water stonden, maar dat was maar schijn.

Waar ze de oevers konden zien, waren die ook dik bevroren en alleen heel in de verte waren wat bewegende golflijntjes te zien.

Ze had het mis gehad over de inham. Er zat daar op een of andere manier zeker wat warmte in de grond dat het zeewater vloeibaar bleef. Dat had niets met een Zomerperiode te maken.

'Morgen krijg je het zien,' zei ze.

'O ja?'

'Ik moet je hier verlaten.'

Het leek hem dat hij toch wel zonder problemen een ouwe toren kon vinden in de sneeuw. En als de god hem daar inderdaad opwachtte, dan was het maar beter dat Darhana zo ver weg was als maar kon.

Ze hadden al een paar dagen niet gegeten. Deze avond maakte ze vuur en vervolgens zette ze hem een bord voor met geroosterd vlees met gesmoorde wortels en zoute deegvierkantjes. Naast zijn elleboog zette ze een houten nap met wijn, de zwarte wijn die hij bij de Jafn altijd dronk. Hij zei niets tegen haar. Er was tot nu toe geen eten geweest en ze had niets gekookt.

Hij at het eten op. De nap was telkens als hij hem had leeggedronken weer vol.

'Als het zo makkelijk is, Darhana, waarom kan dan de hele mensheid dit niet?'

'Ze zouden het allemaal kunnen. En sommigen kunnen het ook.'

Die nacht vlogen er vogels over, hele troepen – winden van vogels. Een eenzame maan gaf ze een fraaie gouden gloed.

'Zie je,' zei ze, 'ik ben hier niet echt bij je. En de glijkar met de herten ook niet. Ik heb je laten geloven dat ik er was. En dus was ik er. De reis ging snel, niet? Geloof alleen wel dat ik je liefheb.'

De nachtlucht voelde lauw, zoals in de grotten waar hij na Killa had rondgedwaald. Toen hij wakker werd was Darhana verdwenen. Net als de kar met de herten. De sneeuw was zacht genoeg om zijn voetafdrukken aan te nemen en hij zag ook sporen van hazen en ijspelzen. Andere sporen waren er niet. Ook zag hij nergens sporen van de glijkar. Ook de herten die bij iedere stopplaats een dampende hoop hadden geproduceerd, hadden hier niets achtergelaten.

Toen de zon begon op te komen, zag hij over de vlakte onderaan de helling twee heuvels, de een iets achter de andere. Er hing een nevel omheen, een waas van hitte. De een had een lila gloed en de andere was blauwig groen. Tussen deze twee heuvels kwam de zon op. In de koele, windstille lucht rook Leowulf gras, zoet als het lijf van een jong meisje, en bloemen als uit een Jafnse broeikas of van een kamerklimplant.

Toen schoof de zon boven de heuvels uit en waar hij tussen de paarse en de groene heuvel ruimte had gemaakt, stond een duister ding dat naar hem keek als een beest met drie gouden ogen.

DRIE

Paarse irissen groeiden uit de sneeuw en het ijs van de eerste heuvel. Bij de tweede heuvel prikte hoog groen gras door de sneeuw. De twee heuvels werden gescheiden door een lage pas. Vandaar keek je in een kom van land die ook groen was, maar die ook nog ribbels van een heleboel andere kleuren bevatte. Iemand die over de heuvels trok, zou kunnen denken dat de kom wel honderdvijftig kilometer breed was. Maar de derde heuvel, waar de toren oprees, was betrekkelijk dichtbij.

Naamloos stond daar en keek in de *Zomer*.

Het was inmiddels middag; zelfs voor hem was de afdaling nogal lang geweest en daarna moest hij nog weer een stuk omhoog.

De bloemen en het gras leken echt genoeg, en uit de brede, ronde vallei kwamen de rijke geuren van groeiende dingen. Hij moest aan de sjamanen van de Beisters en de Vormen denken die de stad hadden kunnen ruiken. Waar zou de toren naar ruiken? Misschien naar grote hitte.

Waarom zou hij zich anders voordoen. Hij bleef evengoed de Leowulf. Zijn oude naam weer aannemen kon zijn walgelijke schuld niet wegnemen.

Leowulf liep omlaag naar het komvormige dal van de *Zomer*, in de richting van de derde heuvel met de toren waarvan de ramen zelfs overdag goudkleurig licht uitstraalden.

In het uur voor de zon onderging, bereikte de hitte van de *Zomer*dag zijn kookpunt. De lucht trilde en het zonlicht lag als brandblaren over het land, verblindend en ondraaglijk. Bloemen gloeiden in het gras. Zelfs waar plukjes oerwoud als eilanden uit de vlakte omhoogstaken, wachtte de hitte, een natte, dampende, druipende verschrikking. De hitte drukte loodzwaar op hem alsof reusachtige handen zijn lijf tegen de grond wilden duwen. Hij bleef zoveel mogelijk in de schaduw lopen. Want hij zweette niet als andere mensen; hij kon niet afkoelen. Aanvankelijk maakte het hem woedend, die hitte van de waanzinnige *Zomer*zon. Later had hij geen energie meer voor die boosheid.

Toen dat laatste uur voor zonsondergang bijna aanbrak ging hij onder een dichtbebladerde boom zitten. Het waren groene bladeren – de hele wereld was groen, kolkend groen met schuine witte strepen. De schaduw zelf leek wel roodgloeiend koper op het aambeeld. Maar Leowulf was toch gaan zitten en hij staarde voor zich uit, naar waar de zon van de ramen van de hoge toren achterom leek te kijken. Misschien gloeiden de ramen van de toren wel alleen door het weerkaatste licht zo helder, want de zon zakte nu achter zijn rug en achter de boom omlaag. Of misschien ook niet, want ze hadden de hele dag al zo fel gegloeid.

Hij kon nu heel goed zien dat de toren geen ruïne was, maar een stevig bouwsel van vele verdiepingen hoog.

Hij was een stuk dichterbij gekomen en was in feite nu vlakbij, maar in de *Zomer*hittewaas waren afstanden bedrieglijk.

Weldra zou de nacht vallen. Dan moest het koeler worden. Leowulf had nog nooit zo'n gruwelijke hitte meegemaakt. Hij wenste terloops dat hij in de hel was, waar het volgens de Jechen nog kouder was dan op de koude Winteraarde.

Leowulf viel in slaap. Hij sliep wel honderd minuten. Hij werd wakker doordat hij zichzelf zat te vervloeken, om wat hij was kwijtgeraakt, en wat hij had vernietigd.

En toen zag hij de slang – de draak – die zich glinsterend rood voor hem uitrolde. Hij stond langzaam op. Zijn blik verhelderde.

Nee, het was geen mythische slang. Dat was een optische illusie geweest – of anders golden de wetten van Kraag weer en was hij alleen maar *veranderd*. Want wat hij nu zag, was een stoet van misschien wel duizend personen, omhangen met scharlakenrode kleren en met in hun handen stukjes zon op een stok: toortsen. De optocht kronkelde in de richting van de toren, en begon tegen de derde heuvel op te kruipen om daar in een bos te verdwijnen waar je de fakkels alleen nog hier en daar tussen de bomen door kon zien. Waar de optocht was begonnen, wist hij niet precies.

Leowulf ademde gulzig de dodelijk hete lucht in, alsof hij grote slokken wijn dronk. Toen begon hij te rennen. Hij was nog altijd zo snel als een luipaard.

Onder het rennen viel de pijn van de hitte van hem af, als een afgeworpen mantel. Hij merkte dat hij veel meer kon dan hij had gedacht en dat hij nog steeds grotendeels zichzelf was, wie dat dan ook mocht zijn.

Weldra had Leowulf de achterste deelnemers aan de optocht ingehaald. Toen ging hij gewoon lopen.

Onder hun fakkels droegen ze dichte kappen over hun hoofd, misschien tegen de zonnestraling. Waar de kappen een opening hadden voor de ogen, droegen ze donkere schermen. Het waren natuurlijk Kraag. Ze waren op weg naar de toren die ze blijkbaar met wilskracht hadden hersteld, precies zoals ze hier *Zomer* hadden gemaakt. Ze gingen de zon aanbidden.

Leowulf liep met hen mee. Hij zei niets tegen hen. Zijn haar had wel iets weg van hun rood, dat was alles. Ze verzetten zich niet tegen zijn aanwezigheid maar ze verwelkomden hem ook niet.

Boven het sappige lover van het bos tekende de toren zich recht vooruit onder een vreemde hoek af tegen de lucht. De ramen waren net fakkels; ze gloeiden van binnenuit. Hij dacht aan de steden die gebrand hadden en aan de Klauwse werf – maar daar had het vuur alles verteerd en hier deed het dat niet. Het vuur wóónde slechts in de toren.

Hoeveel verdiepingen hoog zou hij zijn? In ieder geval hoger dan het hoogste dak van Ru Karismi. De ramen die de top omringden, waren enorm hoog en ovaal van vorm – drie, vier, vijf waren er zichtbaar terwijl de optocht door het bos trok. Toen ging de toren achter de takken schuil.

Hij hoorde vogels zingen. Dat had hij nooit eerder gehoord, want in de Winterlanden maakten ze alleen geluid en zelfs dat niet eens altijd. De vogelzang bracht hem van zijn stuk; hij vond het niet prettig.

Het bos wikkelde Leowulf in zijn gloeiende natte schaduwen en vulde zijn hoofd met geuren. Dat gaf hem een onaangenaam gevoel van dronkenschap, zoals hij dat wel had horen beschrijven, maar zelf nooit had meegemaakt.

Op een open plek werd de toren weer zichtbaar. Net als eerder leek hij wel een beetje te leunen en met al zijn ogen te kijken.

Ze bereikten een in de helling uitgehakte trap. De treden waren steil en begroeid met mossen, klimranken en andere planten.

De optocht beklom de trap en verspreidde zich bovenaan over een enorm terras. Dat was geplaveid, wat heel goed pas gisteren gedaan had kunnen zijn. De stenen zagen er maagdelijk uit.

De toren stak uit het terras omhoog. De voet was een doosvormige zuilengalerij die zelf al twintig à vijfentwintig meter hoog was. Via schemerige openingen kon je in het onpeilbare binnenste komen. Uit het midden van de doos stak de toren als een slangenkop omhoog.

De optocht was niet erg indrukwekkend meer want naast het zuilengebouw met de toren verzonk hij in het niet. Leowulf kwam tot een besluit, hij wist nu wat hij hier voor zich zag. Dit was een tempel, het huis van een god.

Toen flikkerde er iets in de schemering van de doos, alsof er een kracht ontwaakte.

Achter iedereens rug werd de zon op de horizon uitgeperst. Bloed stroomde de hemel in. De tempel kleurde vermiljoen.

Allen stonden zwijgend te wachten, de gezichtloze Kraagse pelgrims en Leowulf, terwijl de rode zonnegloed wegstierf en de schemering steeds hoger langs de heuvel kroop. Sterren barstten uit de naden van de duisternis.

Naarmate de nacht naderbij kwam, werd de kracht in de doos sterker. Het was een soort lamp, die met tussenpozen oplichtte en dan heel fel werd. Maar er kwam niets naar buiten en niemand ging naar binnen.

Leowulf voelde de eerste welkome koelte van de avond. Hij herinnerde zich hoe de god hem in zijn dromen had nagejaagd. De god was hier, de god leefde met vuur in zijn huis – Zet Zezet, Zonnewolf.

De hoogste ramen bleven telkens oplichten. Ze straalden niet echt licht uit, ze verlichtten niets. Ze hielden alles binnen.

Leowulf stapte naar voren.

Zoals onder de Jafn en in het Gullahammerleger ook altijd het geval, weken de mensen op het terras uiteen om hem door te laten.

De in duisternis gehulde gangen tussen de zuilen lieten weinig zien, behalve op het moment van een flits. Maar Leowulf kon door het donker heen kijken; zelfs tussen de lichtflitsen door zag hij grote stenen gestalten en toen er een lichtflits kwam, herkende hij ze als beelden van de god.

Ten slotte bereikte hij de ingang naar de toren. Hier stond een groot stenen altaar – hij nam tenminste aan dat het een altaar was – klaar voor een offer of een verschijning of een ander bovennatuurlijk schouwspel.

Leowulf legde zijn hand plat op het steen. Dat was zo heet als een kachel. Hij spuugde op het altaar. Zijn spuug siste en vonkte en verdween.

Een geluid als van een grote vleugel die zich opende, uitspreidde en weer dichtvouwde, ruiste door de tempel.

Bij de volgende lichtflits was er achter het altaar in de opening naar de toren ook een beeld te zien. Dat stond er een tel geleden nog niet.

'Ik heb je laten wachten,' zei Leowulf. 'Het spijt me.'

Weer een lichtflits. Nu was het beeld weer verdwenen en in plaats daarvan werd er een wenteltrap zichtbaar die in de toren omhoogliep.

Zoals hij de *Zomer*hitte van zich af had geschud, schudde Leowulf nu ook zijn bangelijkheid van zich af, zijn akelige doodsangst die nu geen betekenis meer had, hoe lang hij hem ook met zich mee had gedragen. Die gleed nu van hem af.

Met een leeg gevoel beklom hij de wenteltrap.

Het licht van de ramen gloeide nu boven aan de trap. Zonder dat het op de traptreden viel, waar alleen een dier – of iemand als Leowulf – het had kunnen zien, hing het ver boven hem. Behalve het licht zag hij verder niets.

Na een half uur klimmen bereikte Leowulf het bovenste kamertje van de toren. Toen wikkelde het licht zich om hem heen. Het was warm, maar niet heet, en veel minder warm dan de hitte van de dag. Nu hij zelf in het licht stond, zag Leowulf pas wat de gloed nog meer verborgen hield.

Drie wolven liepen door het vertrek heen en weer. Hun vachten leken wel verguld en over hun haar dansten knetterende vonken. Hun ogen waren edelstenen die alles verborgen hielden, zelfs hun dierlijkheid. In de gloed leken ook nog voorwerpen te bewegen, alsof ze onder water waren, maar anders dan de wolven, waren die niet goed te zien.

De man die in het midden van de kamer stond, was Leowulf zelf. Hij was geen maand ouder, geen centimeter langer en geen pond lichter of zwaarder.

Zijn gezicht was dat van Leowulf en dat van Leowulf was het zijne.

Het enige waarin hij van Leowulf verschilde, waren zijn zilveren haardos en zijn gouden ogen.

Hoewel hij van hetzelfde gouden licht was opgebouwd, was hij duidelijker zichtbaar dan al het andere.

Hij *was* het licht. De raamogen van de toren gloeiden zo vanwege *hem*.

De wolven trippelden om hem heen.

'Ben je hier bewapend heengekomen?' vroeg Zezet op beleefde toon. Hij sprak geen Rukars of een andere taal die Leowulf kende, maar Leowulf kon het evengoed verstaan.

'Ja, Kraagwapens – ongetwijfeld niet echt en onbruikbaar.'

'Al zouden ze dat wel zijn, dan konden ze tegen mij toch niets uitrichten. Hoe denk je het dus te gaan doen?' zei Zezet.

'Jou doden? Ik weet het niet. Hoe ga jij *mij* doden?'

De god lachte. Het was Leowulfs lach. Hij bekoorde en betoverde en veranderde bloed in ijs, hier in de *Zomer*warmte.

Zezet begon Leowulfs kant op te lopen. Zo te zien zou de god met een pas of twintig bij hem zijn. Maar de god nam die passen en kwam geen centimeter dichterbij.

Leowulf was op zijn beurt begonnen in de richting van de god te lopen. Hij kon zich er niet tegen verzetten. Het leek nog wel uren te gaan duren voor ze elkaar zouden bereiken, misschien zelfs wel dagen en nachten... of een jaar. Maar hij kon niet meer terug, kon niet weglopen. Hij kon nergens anders heen.

Joeri rende al dagen en nachten over de sneeuw. Het was nacht op aarde en hij bevond zich weer eens aan de kust.

Hij ging op het ijs zitten en maakte zijn blonde vlechten los. De kleine dierenschedeltjes die erin meegevlochten waren, waren nog even gaaf als tien, twaalf jaar geleden. Hij keek er verwonderd naar. Er was niets veranderd, terwijl alles veranderde.

Ver weg in de diepte van de nacht en de oceaan voelde Joeri opnieuw een grote, zelfstandige kracht trekken.

Hij steeg op en scheerde over het ijs richting zee, en daarna over de vloeibare golven. Hij tuurde onderzoekend omlaag.

Hij was eenzaam. Het voelde net alsof hij een grote rauwe wond had. Ze waren allemaal dood, zijn hele volk – net als de Jafn en de rest. Een paar vrouwen en kinderen, dat was alles wat over was, en wat moest er van hen worden? Waarschijnlijk zouden de laatste Beisters en Wierders en Vormen en andere waanzinnige kinkels van de noordelijke zeeën die lege landen wel binnenvallen, zoals de Gullahammer tevoren. Verzet was onmogelijk. Zelfs de Rukarse steden in het zuiden en westen konden in hun geplunderde toestand geen verzet bieden. Hoewel hij niet meer naar die woestijn van as en zout was teruggekeerd, wist Joeri dat het waar was. De Rukarse tovermeesters waren ook dood – de hooggeachte magikoi. Joeri voelde wat er allemaal was gebeurd, alsof het voor zijn voeten in de sneeuw geschreven stond.

Zelfs de Ranjalgodin was weggevlogen.

'Daar sta ik dan,' zei Joeri hardop, 'op zoek naar de ingang. Waar zit die verdomde deur dan?'

Hij bedoelde de uitgang uit het bestaan.

Toen dacht Joeri aan de Leowulf en hij spuugde op het pakijs; zoals Leowulf, als Joeri dat had geweten – en misschien wist hij het ook wel – op het altaar van Zet Zezet spuugde.

Maar Joeri werd als geest ook door andere dingen geplaagd. Die hadden hem ongemerkt bekropen. Als hij tegenwoordig een kijkje ging nemen in de tussenwereld, kwam hij daar dorpelingen tegen wier dorpen hij in brand had gestoken – en vrouwen die hij had verkracht stonden in groepjes met dreigende, gekwelde ogen naar hem te kijken.

Het was nooit zijn bedoeling geweest om ze *pijn* te doen. Vonden ze dat dan echt zo erg: verkrachting, foltering, moord? Hij had dat eigenlijk nooit gedacht. Alleen Olchibi hadden diepgaande gevoelens, alleen kinderen waren de moeite waard om in leven te laten – toch?

Joeri's hart schoot vol van verbijsterd, onwillig verdriet over alle pijn die hij persoonlijk aan de grillen van het leven had toegevoegd.

Toen voelde hij het nog een keer – die ruk die hem bij zijn mentale lurven leek te grijpen. Daar, daar beneden, onder het golvende water...

Hij kon naar de diepte duiken en proberen het te ontdekken.

'Ik durf niet,' zei hij tegen de nacht. 'Joeri is bang.'

Kilometers, eeuwigheden in de diepte was er iets dat de nacht liet zingen als een harp.

Joeri's brein maakte een koprol en eenmaal weer geland, staarde hij regelrecht naar het hoogtepunt uit zijn verleden.

Toen wist hij het – waarom hij zo bang was, waarom hij hiermee te maken had – waarom er iets was dat aan hem trok. Het was de *walvis*. Het was de gehoornde walvis wiens rug hij had beklommen en aan wiens hoorn gespiest hij de dood had gevonden. Zijn botten moesten daar vast nog ergens tussen die pieken liggen. Niet alleen de walvis, maar zijn eigen sterfelijke resten riepen Joeri.

Joeri sprong op en zette koers naar de kust.

Te laat.

'Omdat je naar je dood vraagt, zal ik het je vertellen. Ik ga het niet zelf doen. Mijn zoon zal je doden.'

'*Ik* ben jouw zoon.'

'Ja, daarom moet je ook gestraft worden – dat je het hebt gewaagd om mijn zoon te zijn. Maar ik heb er nog een.'

Leowulf die door het gouden licht loopt, blijft strak naar het spiegelgezicht van de god kijken.

'Ik ben niet van plan om mijn handen vuil te maken,' zegt Zet Zezet

Zzt, 'met al dat gedoe om jouw deels menselijke resten te verspreiden en te verstrooien.'

'Waarom heb je me dan geschapen?' vraagt Leowulf.

'Heb jij me dan niet gedwongen om je te maken?'

Leowulf houdt even zijn pas in, maar blijft doorlopen. De god lijkt vriendelijk gestemd. Zijn gezicht is niet blauw; dit is zijn goedaardige kant.

'Hoe kon ik nou iets doen? Ik was nog niet eens in leven...'

'O, reken maar dat je er was. Daar in *haar*, een zaad dat al geplant was en alleen nog lag te wachten tot ik het zou bezielen. Denk jij soms dat een dwaze mensenvrouw die in de koude oceaan in haar gele haar ligt te verdrinken *mij* in verleiding zou kunnen brengen? Jouw achterlijke moeder – het was *jouw* kracht die me tot haar aantrok. Arme Zezet, hulpeloos in haar klauwen – de jouwe.' De god grijnst. Hij vindt deze absurditeit wel vermakelijk. Ongetwijfeld liegt hij ook, als de door de Kraag beschreven dwangmatige leugen van de werkelijkheid, die alleen maar groter wordt als hij wordt opgemerkt.

'Ik stopte mezelf in haar,' zegt de god nog steeds grinnikend. Zijn grijns is gruwelijk maar doet geen afbreuk aan zijn schoonheid. 'Waarachtig, Naamloze, ik stopte *mezelf* in haar. Ik zat daar in haar gevangen, in *jou*. Hoe kon jij anders belichaamd worden? O, ik kan het maar beter voor je uitspellen, want je bent natuurlijk onder barbaren opgegroeid. Heb je wel eens wolven zien paren, of vossen? Soms blijft het mannetje vastzitten in de schede van het vrouwtje. Zoiets bedoel ik niet. Ik werd in mijn *geheel* in het lichaam van jouw moeder naar binnen gezogen, in haar schoot en zo in het wezen dat jij via mij zou worden. Daarom had jij vuur in je schaduw, kleine Naamloze. *Ik* zat in jouw schaduw. De rode edelstenen van mijn bijzondere bloed. Maar mijn andere persoonlijkheden bleven actief. Er werd een vrouw geboetseerd van sneeuw en vernoemd naar de nacht – jouw tegenhanger. Anderen sliepen met haar en werden er beter van. Maar jou ontdeed ze zoals je weet van je gevangene, van mij. Seks is bij elke soort oeroude toverij. En nu je mij niet meer hebt, wat blijft er dan nog voor je over? Hoe sterk ik je ook heb gemaakt, ik zal je laten uitdoven zoals je een kaars uitblaast.'

'Omdat ik jou had opgesloten... in mijn *schaduw*?'

'Precies. Dat is meer dan genoeg, jongen.'

'En je andere zoon zal mij doden.'

'Ooit heb ik in de zee in een andere gedaante een ander sterfelijk schepsel van dezelfde vorm bezeten. Bovennatuurlijke wezens doen nu eenmaal zulke dingen, zoals je uit de Jafnse liederen kunt vernemen. Dit dier baarde, maar zonder mijn wezenlijke kern te stelen en op te slorpen. Toch is haar kind een halfgod. Hij zal de veroorzaker van jouw dood zijn. Hij had je moeder al willen doden voor ik ooit omgang met haar had. Maar omdat hij als halfgod kennis bezit, kon hij min of meer voorspellen wat er zou gaan gebeuren. Hij werd jaloers – dus hij heeft zelf ook nog een appeltje met jou te schillen.'

Ze zijn nog geen centimeter dichter bij elkaar gekomen, Leowulf en Zzt, hoewel ze maar naar elkaar toe blijven lopen...

Iets in Leowulfs binnenste geeft hem een schop onder zijn ziel.

'Waar is Safee?' vraagt hij.

'Wil je dat weten? Wat zal ik je geven? Ze zit ergens te wachten – niet op jou.'

'Op jou?' zegt Leowulf.

'Op mij. Alles is nu voor mij.'

Het haar van de god krijgt de kleur van zout en as. Zijn ogen zijn zwart. Donkerblauwe strepen maskeren zijn gezicht. De wolven naast hem zijn zwart en in hun vacht knetteren witte vonken.

Het wordt dus toch de kwaadaardige kant.

Leowulf herinnert zich een kind, nog niet eens geboren, dat om Joeri gilt. Maar Joeri komt niet meer als hij roept. Dat is allemaal voorbij.

'Laten we er dan een eind aan maken,' zegt hij tegen zijn vader. 'Ik heb nog nooit iemand zoveel horen kletsen. Ik wist niet dat de goden van die babbelaars waren.'

Zzt slaat hem neer.

Het is pijnloos, net als dood zijn. Maar de dood moet nog komen, blijkbaar.

Leowulf valt ergens doorheen – omlaag, voorwaarts, opwaarts. Het gouden licht wervelt en tolt. Hij wou alleen dat hij de god had kunnen doden, maar zelf sterven is duidelijk de op een na beste mogelijkheid.

Leowulf deed zijn ogen open. Hij was niet dood en hij bevond zich ook niet in een ruimte met gouden licht. In plaats daarvan zat hij naast het primitieve altaar, aan de voet van de trap naar de godentoren. Het was nacht en het was stikdonker in de tempel nu er geen straaltje licht te bekennen viel. Hij kon nog net de omtrek van de beelden onderscheiden, maar ze waren helemaal vervallen en misten ledematen en sommige zelfs hun hoofd.

De tempel rook naar koud gesteente – *koud.*

'Aangezicht van God!' De Jafnse vloek ontsnapte hem per ongeluk. Hij duwde zichzelf overeind en liep bij het altaar vandaan. Hij voelde een uitputting die volstrekt nieuw voor hem was.

Door twee van de deurloze toegangen begon een ijskoud licht over de vloer te kruipen. Er kwam blijkbaar een maan op.

Leowulf keek naar de trap. Die was, zag hij nu, ook grotendeels ingestort alsof hij was opgeblazen – misschien had een pruilende god hem wel stukgeslagen.

Zouden alle dingen die hem waren overkomen meer dan één door Zezet gestuurde droom zijn?

Waarom had de god zolang met hem gesproken, zo uitgebreid, als een oude soldaat die vastbesloten is om al zijn voormalige veldslagen de revue te laten passeren.

Als dit allemaal niet echt was gebeurd, dan was het volgens de Kraagse stelregel toch in ieder geval echter dan al het andere.

Leowulf liep door de tempel naar een van de maanverlichte toegangen.

De Zomer was afgelopen.

Buiten de tempel van Zet lag een smetteloos wit sneeuwtapijt. IJsoerwouden glinsterden hard als dolken onder de ene wintermaan.

Er lagen eigenaardige vormen op het terras, gedeeltelijk onder de sneeuw. Het waren mensen en blijkbaar waren ze daar gaan liggen en hadden ze zich in de sneeuw gewikkeld om warm te blijven. Ze hadden rode kleren gedragen, maar de maan, het weer en de tijd hadden die doen verbleken.

Hij boog zich over de een na de ander. De vizieren zaten nog voor hun ogen en de kappen bedekten nog hun gezicht. Toen hij er een paar verwijderde, ontdekte Leowulf dat de pelgrims uit de stoet allemaal dood waren; alleen de heersende vrieskou had hen intact gehouden.

Maan, weer, tijd...

Dan was er dus veel tijd verstreken, dagen en nachten, misschien zelfs een jaar, tijdens die lange vruchteloze wandeling naar de god.

En het geloof van de Kraag in een wedergeboorte van de *Zomer* was dus blijkbaar wat overhaast geweest.

Het dal was niet langer komvormig; het had inmiddels een andere geografie en vanaf het terras kon Leowulf helemaal tot in het oosten kijken. Daar zag hij de oceaan met zijn richels en platen pakijs.

Hij was al van de tempel over de in de helling uitgehakte trap onderweg naar de zee. De god wilde dat Leowulf daarheen ging om zijn voorbeschikte moordenaar te ontmoeten.

Het had geen zin om nog langer te proberen die te ontlopen. Die berusting gaf hem een eigenaardig gevoel van vrijheid.

Toen later de maan onderging, keek Leowulf nog eens om. De torenruïne leunde opzij als een kromme schoorsteen en de ramen waren donker.

Hij begreep wat het was, de wraak van Zezet. Wat kon het anders zijn dan die eerste dood die Safee – en Joeri – in zijn klauwen had genomen, om ze vervolgens tegen zijn wil weer los te laten, en die hen nu weer terug wilde hebben. Het was de gehoornde walvis.

Leowulf rende door de sneeuw in het dal naar de zee met de walvis. Hij was zich nog nooit zo van zijn eigen bestaan bewust geweest. Hij was bijna gelukkig en verlangde naar dit nieuwe gevecht. Hij zou de walvis ontmoeten die op een of andere manier ook een kind van de god was – en in de Jafnse liederen en de legenden van de Rukar was er inderdaad een overvloed aan zulke goddelijke uitspattingen te vinden. Als hij hem eenmaal had ontmoet, zou hij deze dierlijke halfbroer kwaad doen. Alle toorn waarmee hij Zezet niet had kunnen verpletteren zou hij op hem loslaten. De walvis zou Leowulf toch doden.

Voor daarna had Leowulf geen vastomlijnde plannen. Dat was waarschijnlijk ook de reden voor zijn onbekommerdheid.

Hellingafwaarts vernauwde het landschap zich tot een smal dal. Heuvels en klippen van ijs en sneeuw omringden hem. Het daglicht keerde terug; de hemel was blauw.

Toen hij op zijn trektocht ergens een paar minuten sliep, droomde hij dat de god door de hemel reed in een wagen getrokken door woeste wolven. Spottend sneed Zezet een blauwe zon uit de blauwe hemel die hij naar Leowulf omlaag smeet ter vervanging van zijn oorlogsbanier. Maar toen de blauwe zon de grond raakte, spatte hij uit elkaar en het gat dat in de lucht was achtergebleven, werd pimpelpaars en bloed droop van de randen. De rest van de lucht eromheen zag er ziekelijk uit.

Enkele dagen na deze droom hield Leowulf op met rennen. Hij bleef een tijdje bewegingloos staan daar op de sneeuwvlakte. Er hing één enkele wolk in de lucht, die zich ook niet leek te verplaatsen. Kort daarna hervatte hij zijn gedraaf.

Die avond bereikte hij de kust. De lage brekers fosforesceerden vaag, net als de opgekruide ijsrichel op het strand.

Een ijsberg, doorschijnend als een spook, dreef kilometers ver langzaam voorbij. Ja, het was warm geweest in dit gebied, maar niet erg lang.

Leowulf sloeg zijn kamp op op de kust en viste op de slimme Olchibi manier door op de schotsranden te tikken. Hij at de vis die hij ving rauw op. Hij had al zijn aandacht voor andere dingen nodig, herinneringen, en hij zag aldoor Safee voor zich. Hij dacht terug aan zijn jeugd met haar, hoe hij haar altijd kon laten lachen en hoe ze samen Brok-Nabnisj hadden gepest, en toen sprongen Leowulfs gedachten over naar Joeri, en zelfs naar de kleine speelgoedmammoet... en vandaar naar de levende mammoet die Peb Juve hem had gegeven, en de leeuwenspannen en de legers, en op dat punt liet Leowulf zijn herinneringen voor wat ze waren om strak over de zee te gaan zitten staren, waar de gewelddadige dood vandaan zou komen die hem uit zijn lijden zou verlossen.

Die avond hoorde hij een stukje landinwaarts van de kust vrolijke mannenstemmen roepen en juichen. Omdat hij niet gestoord wilde worden, hield Leowulf zich schuil in de heuvels vanwaar hij een groep mannen in leeuwenarren langs zag komen.

Het waren Jafnse krijgers en wat ze hier kwamen doen was onbegrijpelijk, want het land van de Jafn lag bijna een heel continent verderop in het noorden en het oosten, en trouwens Jafn bestond niet meer.

Een man met wit haar voerde de anderen aan. Er reed een ijshavik op zijn schouder mee terwijl hij de leeuwen mende. Toen hij dichterbij gekomen was, draaide hij zijn hoofd om en keek hij naar Leowulf, die hij ogenblikkelijk had opgemerkt.

Leowulf kende deze man, maar hij had hem nog nooit gezien. Dat wil zeggen, Leowulf had hem na zijn geboorte nooit gezien. Die andere herinneringen, uit die tijd van voor zijn geboorte, waren gewoonlijk onzeker en rommelig.

Hoe heette de man? Wie was hij?

De Jafn was inmiddels bezig zijn ar te keren. Hij had schitterende leeuwen, die hem gehoorzaamden alsof hij ze aan een touwtje had, en hun manen fonkelden van de ingevlochten versieringen.

'Gegroet in vrede, goeienavond. Spreek je de taal van Jafn?'

'Jawel,' zei Leowulf.

'Ik ben Atluan,' zei de man, 'Gaiord van de Klauw.'

'Jij bent dood,' antwoordde Leowulf. Zodra hij dat had gezegd, bloosde hij als een adolescent die net een vreselijke faux pas heeft begaan.

Maar Atluan zei: 'Dat heb ik begrepen. Maar toch ben ik hier en ik heb ook wat krijgers bij me. Maar niet mijn broer – Rosger heb ik niet meegenomen.'

'Rosger heb ik voor je gedood,' zei Leowulf. Hij schoot ineens in de lach om zijn eigen onvolwassen gedrag. Hij was tot nu toe altijd een man maar tegelijk ook een kind.

'Hartelijk bedankt,' zei Atluan. 'Ik had het zelf moeten doen. Het was mijn eigen schuld. Hij deed zijn uiterste best om me ertoe te dwingen, maar ik faalde jammerlijk.'

Achter Atluan, Gaiord van de Klauw, en zijn strijdar, zijn leeuwen en zijn havik, brandde nu een aanlokkelijk kampvuur op de sneeuw.

'Kom, eet met ons mee,' zei Atluan. Leowulf keek hem aan. 'Heb je nog geen honger? Wat stellen die paar rauwe vissen nu helemaal voor? Kom toch mee, jongeman, dat is mijn wens.'

'Dat is jouw wens?'

'Waarom niet? Je hebt me maar te gehoorzamen. Ik ben je vader.'

De Leowulf, kind en man, sperde verbaasd zijn ogen open en staarde hem strak aan. Hij zei zacht: 'Grote God, ik wou dat dat waar was.'

'Ssst. Je moeder was mijn vrouw. Als ik was blijven leven, had geen mens een haar op haar hoofd durven krenken, noch op dat van jou.'

Uit de gloed van het vuur riep een krijger vrolijk: 'Kom eten Gaiord, en jij ook Leowulf.'

'Kennen ze mij?'

'Wij zijn de doden en wij weten erg veel.'

'Binnenkort zal ik me bij jullie voegen.'

'Nee, vergeef me, Leowulf, maar onze paden lopen uiteen.'

'Ja, ik dacht al dat dat het geval zou kunnen zijn. Wat staat mij dan te wachten?'

'Wat het ook is, het zal je weten te vinden. Je kunt een man zijn ziel niet ontnemen, zelfs de zoon van een god niet. Misschien is jouw menselijke geest wel groter dan het vuur dat de god je gaf.'

'Wat hij me gaf – en toen weer terugpakte.'

'Heeft hij je dat verteld? Rosger was ook zo'n leugenaar. De god van de Ruk nam *zichzelf* terug. Wat van jou was, kon hij je niet afnemen. Bedenk dat wel, Leowulf. En nu gaan we eten.'

Er was gebraden hert en gebakken vis en bier. Leowulf dacht aan Darhana, die uit het niets een gekookt maal had opgediend. De doden konden ook altijd lekker eten als ze daar zin in hadden – had Joeri hem ooit verzekerd.

Na de maaltijd gingen ze natuurlijk niet slapen. Ze schoten op doelwitten die ze in de sneeuw hadden gestoken en Atluan leende Leowulf zijn boog. Ze vertelden verhalen terwijl de sterren naar de ochtend wentelden. Het waren allemaal verhalen die Leowulf al kende van zijn verblijf onder de Jafn en uit de Gullahammer. Maar niemand had het over de recente oorlog of wat er de laatste endhlefon was gebeurd.

Hij dacht: *Als hij mijn vader was geweest, wat had ik dan zelf kunnen worden?*

Maar die kans was verkeken. Hij wist niet eens of Atluan een van de ondoden was, zoals Joeri, of een echte geest – of gewoon een illusie, een droom, een verzinsel van zijn verbeelding.

Hij was inmiddels van mening dat de optocht in de Zomervallei ook zoiets was geweest, een spookritueel dat in de lucht gegrift was en door een gril van een god zichtbaar was gemaakt. De gemummificeerde lijken in het ijs lagen daar al heel lang – zo lang zelfs dat ze in een Zomerepisode niet ontdooid waren.

En toen hij daar zo tussen de Jafnse krijgers zat, bedacht hij ook dat het denkbaar was dat Zezet hem, Leowulf, helemaal niets had verteld. De god had louter meedogenloos aan de touwtjes van Leowulfs eigen geest getrokken om hem zelf die uitleg te laten verzinnen. En toen Zet hem sloeg, was dat niet zozeer een bestraffing als wel een minachtend uitroepteken.

Leowulf werd helemaal slaperig van al dat bespiegelen. Hij hield dat voor zijn spookachtige gastheren verborgen omdat hij graag een goede indruk maakte in gezelschap. Leowulf vertelde ook verhalen, gaf raadsels op. Hij versplinterde de doelwitten met de pijlen en de boog die ze hem leenden, en die hij op de manier van de Olchibi hanteerde, waar niemand hier iets van zei. Na dat korte gesprek in het begin wisselden ze verder vrijwel geen persoonlijke opmerkingen meer. Niemand verlangde naar een ander oord – of een ander leven.

Toen de zon opkwam, sprongen alle mannen – met hun gast – joelend in het ijskoude water van de zee. Ze dronken het laatste bier op.

Atluan omhelsde Leowulf en Leowulf voelde elke spier, elke zenuw en elk bot van Atluans lijf tegen het zijne drukken. Zijn witte haar geurde naar vorstige rook, zoals Leowulf dat na een jagerskamp ook wel bij anderen had geroken.

'Ik ga die kant op,' zei Atluan. Hij wees landinwaarts, zo'n beetje naar het noorden. 'Geef je moeder een zoen van me als je haar weer ziet.'

'Misschien zie ik haar wel nooit meer –'

'O jawel, hoor, m'n jongen, o ja. Tot dan.'

Ze gingen uiteen. De arren reden weg met galopperende leeuwen en lachende krijgers. Je zou gedacht hebben dat ze gewoon huiswaarts reden.

Toen ze uit het gezicht waren verdwenen, kwam Atluans havik ineens terugvliegen. Hij kwam in een duikvlucht omlaag en ging even op Leowulfs schouder zitten. Die streelde de gestreepte veren en voor de vogel weer opsteeg, pikte hij hem even met zijn felle snavel zodat er een druppeltje bloed opwelde. Terwijl hij de vogel stond na te kijken tot hij in de ochtendlucht was verdwenen, wist hij met zekerheid dat die was teruggekeerd om hem goeiedag te zeggen.

De volgende avond speurde Nirri uit de bovenkamer van het Holahuis de hemel af.

Ze had een meteoor gezien en wist dat het een pijl was die van achter de vaste sterren was afgeschoten – van de Andere Plek. Zoiets was een teken van een naderende dood of een naderende geboorte. Ze hoopte maar dat het dat tweede was, want ze was hoogzwanger van Aroks kind; een zoon, had de huistovenaar haar verteld.

De Hola's hadden Arok tot Gaiord van de Holawerf benoemd, want hij was de naaste verwant van de gesneuvelde Gaiord. Er waren nog maar zo weinig volwassen mannen over dat Arok, toen hij hoorde dat Nirri een jongetje droeg, meteen met haar was getrouwd, hoewel ze maar een gewone vissersvrouw uit een walvisjagersdorpje was en er zelfs nog een heel klein kansje bestond dat haar wettige echtgenoot nog leefde.

Door haar zwangerschap en haar status als koningin ging Nirri er steeds jonger en beter uitzien. In weerwil van het feit dat de werf nu een zielige, hol galmende citadel was, vond ze het toch moeilijk om te blijven treuren, want waar anderen zoveel hadden verloren, had zij alleen maar gewonnen. Bovendien had ze met haar vorige man niet zwanger kunnen worden. Maar toen ze aan de walvis en de vloedgolf waren ontkomen, wist ze dat ze een veilige toekomst tegemoet ging.

Beneden in de grote zaal hoorde ze het vage geroezemoes van slempende oude mannen en jonge jongens. Ze deden hun uiterste best om de hanenbalken te laten rinkelen. Maar Nirri was naar boven gestuurd om te slapen omdat ze in haar achtste maand was. Ze kroop maar gauw in bed, wat hier een eenvoudige stromatras was, maar prettiger dan alles wat ze ooit eerder had gekend. Ze sliep snel in; ze was niet onrustig en er was niets waar ze bang voor hoefde te zijn. Deze mensen waren van haar en ze was opgeklommen in de wereld.

Nog weer lager, ver onder de zaal en de Huiskelders stond Arok bij het gezichtloze, vormloze beeld van de Jafnse God.

Hij bad niet en hij sprak niet, maar hij stond met zijn handen op het beeld na te denken. Vanavond was de huistovenaar naar hem toegekomen om hem even apart te nemen, wat in zo'n nauwelijks bewoond Huis niet zo moeilijk was.

'Arok, ik heb je zoon gezien in de buik van zijn moeder. God heeft ons lief en stuurt ons een held. En dat is geen ijdel compliment. Er is een groot en geweldig verschijnsel opgetreden.'

'Wat dan?' wilde Arok weten.

En nu stond hij hier dat *wat* te verwerken. Want zijn tovenaar had hem verteld dat de zoon van Arok en Nirri zwart was – roetzwart – zo zwart als Killa, hoewel de tovenaar over haar met geen woord had gerept, want hij kende de voorlaatste vrouw niet met wie Arok had geketst.

Al het ijs was omlaag gekomen.

De piramides die Yyrot had gebouwd of opgeëist, lagen in stukken. Safee dwaalde er ontroostbaar tussen rond, met op haar hielen de van elders teruggekeerde kat, die ondertussen rondloerde om te zien of er misschien nog muizen of ratten uit de puinhopen zouden opduiken.

Safee was zich ervan bewust dat de kou haar totaal niet deerde en dat ze, hoewel ze al een hele tijd niets had gegeten of gedronken, gezond bleef en een helder hoofd hield.

Het was de minachting die haar het meest dwars zat, de onverschilligheid die ze altijd maar moest verduren.

In het oosten was de hemel zo geel als saffraan, de kleur van haar haar. De opkomende zon bescheen het land achter de lage ijsheuvels waar de piramides voor anker hadden gelegen. Maar hoe kon ze het onbetrouwbare, kruiende pakijs oversteken?

Er moest iets anders gebeuren, maar ze wist niet wat. Zelfs in dit vriendelijke ochtendlicht zag de zee er dreigend uit.

'Zo slet,' zei ze tegen de kat, 'ben je daar weer?'

De kat negeerde haar. Een laatste hallucinatie van een rat trippelde over het dooi-ijs. De kat vloog erachteraan.

Dat was het moment dat de zee achter Safees rug openspleet. Ze keek om en gilde en ze hoorde haar eigen stem als de kreet van een vogel in de lucht, alsof zij er niets mee van doen had.

Een gehoornde toren rees op uit water en ijs – gekroond met fel ochtendzonlicht op ivoor en tegelijk zo zwart als een schaduw – met twee kleine, felle ogen als twee gesmolten zonnetjes.

Vijfde Deel

FONKELSCHADUW

Zelfs de sterren zijn honden – niets dan honden – in handen van de nacht.

De Dood van Ster Zwart. Heldendicht uit Jafn

EEN

Deze held was als geen andere.

Hij was een wereld.

Het was zo'n vijftien jaar geleden dat zijn moeder in de duistere zee haar eigen gang ging. Die dag was het pakijs boven haar hoofd tamelijk dun; maar ook als dat niet het geval was geweest, had ze niet bang hoeven zijn dat ze onder het ijs gevangen zou raken. Omdat ze elke paar uur boven water moesten komen om lucht in te nemen, had haar volk, de walvissen, al heel lang geleden één enkele stoothoren ontwikkeld en korte voorpoten met grijpflippers.

De vrouwtjeswalvis was van een enorme omvang; met haar lengte van bijna vijftien meter een beroemdheid onder haar volk.

Ze schuurde een tijdje langs de zeebodem om haar huid schoon te maken. Ze was op zoek naar voedsel, niet naar een toekomstige partner, maar toen die door het water kwam aanzwemmen, een leviathan van nog kolossalere afmetingen dan zij, bracht die in zijn bek een feestmaal mee.

Hij legde drie pasgedode haaien en een kleinere walvis voor haar neer, alles gegarneerd met een stroom kleinere vissen.

Hij en zij aten er samen van. Toen hij tegen haar aanzwom, verzette ze zich niet.

Ze omklemden elkaar met hun lenige voorpoten en hij bezat haar en zij liet zich bezitten.

Hij bleef daarna niet bij haar, hoewel dat toch de gewoonte was bij een stel dat gepaard had. Maar zij was zwanger en al gauw was ze hem vergeten.

Ze droeg het kalfie een jaar en drie maanden voor ze het baarde. Daarna zoogde ze haar boreling, een mannetje, een heel jaar lang en leerde ze hem met veel geduld om boven water lucht in te nemen, wat in het begin wat vaker nodig was.

Als zij er op een of andere manier enig benul van had dat dit kalfie het kind was van een god die in een grillige bui de gedaante van haar soort had aangenomen, dan gaf ze daar in haar liederen onder de oceaan nimmer uiting aan.

Haar zoon werd even groot als zij, vervolgens even groot als zijn vader, toen groter nog en nog groter, tot hij voor haar te groot werd om hem zich te herinneren. Inmiddels had ze trouwens elders gepaard en andere kalfies gekregen die hem vervingen.

Maar hij – hij *wist* wat hij was. Hij verliet haar zonder er ook maar een gedachte aan vuil te maken – ja *gedachte*, want hij dacht op zijn manier op een bijna menselijke wijze. Hij dook weg naar de diepten en kwam omhoog wanneer hij maar wou, om tot vlak voor de kust het ijs kapot te stoten. Hij groeide nog steeds en was nu al een reus onder zijn soortgenoten. Hij was nergens bang voor, niet voor roofdieren en niet voor het lot. Hij had zijn vader nooit ontmoet en ook nooit zijn afkeuring opgewekt.

De walvissen bezaten een zekere mate van telepathie. Ze communiceerden niet alleen met fysiek geluid. Het kalfie van de god was niet ongevoelig voor die vaardigheid en toen hij zijn volwassenheid naderde, begon hij informatie te horen en te ontvangen.

Er bereikte hem een spoor van zijn vaders gedachten; een verlangen of – erger – een dwang.

Zonder in absolute begrippen te weten waar het om ging, want voor een walvis waren deze begrippen betekenisloos, begreep Zezets eerste zoon toch dat zijn eigen uniekheid gevaar liep. Zoals bij vele eerstgeboren kinderen stond ook hem de gedachte aan een tweede nakomeling helemaal niet aan. Hij werd jaloers, had Zezet ooit gezegd. En zo was het ook.

Toch was dat concurrerende tweede kind op dat moment nog niet eens verwekt. Het moest allemaal nog gebeuren.

Zezets eerstgeborene trok naar de kust, helemaal naar de bevroren inhammen die tot diep in de noordelijke Randstreek staken.

Met zijn telepathische vermogen, dat in zijn geval soortoverschrijdend was en zelfs het land omvatte en de lucht die mens en walvis nodig hadden om te ademen, bespeurde het grote zoogdier wat er op hem afkwam en hij begreep hoe hij zich daartegen teweer moest stellen.

Die twaalf of dertien jaar geleden had de vandalenbende van de Olchibi, door Safee over de sneeuwlanen te achtervolgen, haar dus regelrecht in de muil van haar moordenaar gedreven: de walvis. Die stootte het ijs onder haar slee kapot, en maakte een luchtsprong, waarbij hij terloops de dieren en mensen doodde die voor hem niet van belang waren. Zelfs Joeri was daar één van. De walvis was er uitsluitend op uit om de vrouw te vernietigen, vóór ze de draagster van een ongewenste halfbroer kon worden.

Hij kreeg haar bijna terloops te pakken. Het was de jonge walvisgod allemaal veel te eenvoudig.

Hij dook met haar naar de diepten van de zee. Hij zou haar daar verdrinken voor ze lastig kon worden. Maar de zee was nog altijd het domein van Zezet. En zoals in vele mythen was juist de handeling die iets moest voorkomen, er de oorzaak van dat het gebeurde.

De jonge walvis wist dat nu ook: hij had Safee doodgemaakt – maar toch was ze nog in leven. En de broederrivaal leefde ook; ze waren concurrenten.

Hij had een naam, deze walvis. Die had hij opgevangen uit stromingen van zee en gedachten, zoals de meeste noties die hij opdeed. De naam verwees naar het beeld van een schaduw die licht en vuur bevatte. In de taal van de walvissen bestond deze naam niet uit letters of geluid, maar was het een *vorm*. Die vorm werd in mensentaal als *Fonkelschaduw* weergegeven.

Lange tijd – of korte tijd, want zijn tijdbeleving was heel anders dan die van een mens – leefde Fonkelschaduw zijn walvissenleven in de oceaan. Hij joeg op prooi en at, sliep, vocht en paarde. Dat hij nimmer nageslacht had voortgebracht, was hem niet bekend, want net als zijn vader bleef hij de vrouwtjes met wie hij zich verenigde nooit begeleiden. Soms kwam hij heel dicht onder de kust en speelde hij als een levende berg in de half bevroren witte branding. Of hij danste plotsklaps omhoog uit de ondiepe zeeën om de pakijsschepen en de jalies van mensen tot zinken te brengen.

In de buik van de walvis die Fonkelschaduw heette, lagen hele ladingen vracht uit schepen die kapotgebeukt waren of – een enkele keer – juist eigenaardig intact gebleven, met de skeletten van dieren en mensen incluis. Hij had geen last van die dingen. Hij voelde zich prima met dat alles in zijn buik, voelde er helemaal niets van. Maar hij had niet alleen van binnen allerlei overblijfselen verzameld, ook van buiten.

Wie hem ooit van dichtbij had gezien – en de laatste jaren was van die lieden niemand in leven gebleven om het door te vertellen – aanschouwde op de rug van deze astronomische walvis een hele leefomgeving.

Wie een aanval in eerste instantie overleefde, werd met een golf of een worp in die leefomgeving gesmeten – waar hij in een klam miasma van organische gruwelijkheid belandde, met kille stinkende afgronden en ravijnen, smerige spleten volgestapeld met wrakstukken en drijfhout.

Dat landschap op zijn rug bezorgde de walvis geen enkele last. Fonkelschaduw voelde er helemaal niets van, althans niets dat ingrijpen vergde. Als hij daar ooit jeuk had, rolde en schaafde hij langs iets hards om het eraf te krabben.

Als hij aan het oppervlak zwom, liepen er regelmatig mensen rond op het continent van de walvisrug, soms wel een maand lang, want hij kon, zoals met alles, abnormaal lang boven water blijven ademen. Uiteindelijk dook hij dan toch weer naar de diepte, en dan nam hij hen mee.

Maar zelfs zijn uitwendige dode slachtoffers verlieten hem niet altijd. Het gruwelland op zijn rug bevatte, net als zijn ingewanden, een hele verzameling gebeente.

Hij koerste al enige tijd in het buitenwater langs deze kust. Onderweg had hij verschillende extra's opgepikt, maar meestal onbedoeld. Er waren maar twee recente verworvenheden waarmee hij nogal ingenomen was. Als verzamelaar aasde hij al heel lang op deze twee stukken. Hij had een derde stuk dat hij al jaren geduldig had bewaard en nu had hij het stel compleet. Hij was nog één ander ding tegengekomen. Omdat hij een gemengde biologie had en zijn denken dat van mensen benaderde, had hij zich daarover korte tijd nogal verwonderd. Maar hij verloor er al gauw alle belangstelling voor. Fonkelschaduw had inmiddels alleen aandacht voor zijn eigen speurtocht.

Net als ooit zijn broer Leowulf, was de kolossale walvis uit op wraak. In dit geval zou Fonkelschaduws grootste vijand sneuvelen. Daar zou hij wel voor zorgen.

Op de avond dat hij de plek bereikte, wist hij met onfeilbare zekerheid dat hij hier moest zijn. Hij koerste naar de kust zonder zich erom te bekommeren of hij op het land zou vastlopen. Met zijn tomeloze kracht kon hij elke strook land de baas.

Hij spleet met zijn rug de nachtelijke zee, die er aan twee kanten vanaf stroomde.

Fonkelschaduw, die minutenlang naar de zon kon springen om dan terug te plonzen en met zijn duik een vloedgolf te veroorzaken, dobberde zoetjes als een minnaar op de kust af.

Over een uur zou de zon opgaan. De lucht was al aan het grauwen en drukte met wrede vingers de sterren uit.

Er was iets veranderd. Wat was het?

De zee rimpelde, deinde en stroomde. Het pakijs lag tegen de kust aan. Er strekte zich iets uit tussen de buitenzee en het bevroren kustwater, dat was alles.

Het was een vreedzaam tafereel.

Toen zijn andere vader over de kust was weggereden, ging Leowulf naar de zee zitten kijken. De ochtend vloog voorbij en de middag en de avond volgden. Achter zijn rug ging de zon onder; twee maansikkeltjes dobberden als bootjes op de golvende waterlijn in de verte.

Leowulf wachtte op de komst van zijn tegenstander, de handlanger van zijn vader die hem zou komen afmaken. De walvis.

Safee had haar zoon verteld hoe ze eraan ontkomen was, hoewel hij niet meer precies wist wanneer ze dat had gedaan. Daarom verwachtte hij nu wel iets heel groots en ontzagwekkends, maar hij wist natuurlijk totaal niet wat er uiteindelijk van het schepsel was geworden.

In de nacht sliep Leowulf. Dat was zijn sterfelijke Rukarbloed, geloofde hij. Een god hoefde nooit te slapen.

De dageraad maakte hem wakker. Hij keek om zich heen. De zee was verdwenen. De kust was verlengd.

Het ijs week terug en toen begon het land te veranderen. Het had geen ijs, geen sneeuw en geen open water meer, maar het leek deel uit te maken van een landmassa die in één nacht ontdooid was. Een nieuwe variant van *Zomer*?

Leowulf stond op. Hij speurde de verte af en zag nergens een spoor van de zee. In plaats daarvan lag er een donker, ziltig terrein, met velden vol hoog zwart riet, en anderhalve kilometer verderop stak er een heuvel omhoog, niet besneeuwd, maar ook donker van kleur. Het leek wel of er een soortement palissade rond de bovenkant van de heuvel liep. Hij glinsterde donker in het vroege licht van de ochtendzon.

Er gingen van die verhalen over verdronken eilanden die ineens weer uit zee opdoken. Was dit er soms een van?

Wat het ook was, het lag tussen hem en het treffen met zijn vijand in. Leowulf moest eerst deze hindernis nemen om weer bij het water te komen.

Hij liep het ijs op naar de rand van het lelijke, eigenaardige land.

Sinds de Witte Dood bij Ru Karismi was Leowulf geen moment meer helemaal zichzelf geweest. Zelfs nog voor Killa zijn halve ziel had gestolen – zo noemde hij het nog steeds als hij eraan terugdacht – was hij al verzwakt. Nooit had hij geweten wat hij was, nooit had hij greep kunnen krijgen op zijn eigen persoonlijkheid, en nu was hij louter nog een onvolledige verzameling brokstukken die met een hol geluid tegen elkaar sloegen.

Met Atluan had Leowulf nog even voorgewend dat hij was wie hij geweest was – althans hij meende dat hij dat verplicht was. Maar nu was er niemand bij.

Dat was een van de redenen waarom hij zo uitkeek naar dit treffen met die walvis. Een gevecht op leven en dood met het monster, en daarbij omkomen zelfs, gaf Leowulf eindelijk weer een rol in het leven.

Hij stapte vastberaden van het ijs, het bizarre eiland op.

De grond was er uiterst merkwaardig. Hij voelde vettig en gezwollen aan, en hij zoog nogal aan zijn Kraagse laarzen. De grond gaf ook een griezelige vislucht af waarvan hij een beetje misselijk werd. Maar hij liep stug door en raakte na een tijdje gewend aan de stank. De stank verontrustte hem trouwens niet. Dit gebied was duidelijk door de zee bedolven geweest.

Een eindje verderop begonnen de rietvelden. Het riet was lang, en stak op veel plaatsen boven zijn hoofd uit, zodat het hem helemaal omsloot.

Hij dacht dat het misschien een soort gemuteerd zeewier was dat nu rechtop groeide en stengels had, zo stijf als voor de strijd gehard leer.

Toen er een licht koel briesje opstak uit de richting van het onzichtbare water, maakten de stengels een ratelend geluid. In de stengels waren ook allerlei dingen vastgeraakt, zag hij: zeewier en zaaddozen die hij herkende van de zeeversieringen van de Vormen. Er waren zelfs vissen gevangen geraakt. Sommige daarvan waren nog louter graten maar andere waren vergaan tot dorre bruine velletjes als de dode bladeren die je van fruitbomen knipte. Toen kreeg Leowulf ander materiaal in het oog. Hij zag een verroeste dolk in het slijm waar het riet groeide en later nog een paar speren en een verzwaard net. Dat verbaasde hem allemaal nog steeds niet. Schepen zonken en dat was blijkbaar ooit ook met dit eiland gebeurd. Hoewel het maar een troosteloos oord was, wist het toch bijna zijn belangstelling te wekken.

Inmiddels was hij al bijna een uur op pad en hij had gemerkt dat het land voortdurend licht omhoog bleef hellen.

Toen hij even later de rietvelden achter zich liet, stond hij ineens voor de heuvel die hij vanaf de kust had kunnen zien.

Die was ongeveer net zo hoog als de terp van een werf. En hij had ook een geheel eigen, wat ranziger stank, oeroud en een beetje alcoholachtig. Zoals hij al had gedacht, was de heuvel grotendeels zwart, maar van dichtbij zag hij vlekken en krassen van andere onwaarschijnlijke kleuren – rode oker, paarsbruin en geel. Op de top, precies waar je de bovenste muur van een werf zou verwachten, liep de palissade.

Leowulf beklom de stinkende heuvel. Dat was niet eens makkelijk, zelfs niet met de bovennatuurlijke horizontale klimmethode die hij nog steeds beheerste. Er was houvast voor handen en voeten te over, maar er zaten ook verraderlijk zachte stukken tussen die zijn laarzen, zijn benen en zijn hele lijf probeerden op te slokken.

Toen hij de top naderde, werd de ondergrond wat steviger. Hij kwam erachter dat de palissade bestond uit de kaalgevreten en uitgebleekte ribben van een groot zeeschepsel dat daar gestrand was. Ze staken omhoog naar de grijze hemel.

Hij liep ertussendoor, onder de indruk van hun omvang, en hij moest denken aan de verhalen van de Vormen en de Beisters over zeemonsters en reuzenwalvissen. Misschien was dit geraamte wel van zo'n monster afkomstig. Het kwam niet bij hem op, hoezeer hij zich daar ook in vergist zou hebben, dat *zijn* walvis ooit zo'n lot getroffen zou hebben.

Aan de andere kant van de ribben trof hij nog meer van diezelfde heuvels aan. Ze liepen helemaal door tot waar ze een gesloten horizon vormden. Dit was minder interessant terrein, want de heuvels leken heel erg op elkaar.

Leowulf begon te hollen, steeds harder, tot hij een ongelooflijke snelheid had. Dat deed hij alleen maar om de zuigende slijmbodem kwijt te raken, en de saaie heuvels achter zich te laten en te zien wat er aan de andere kant lag. Onder het rennen verwonderde hij zich een beetje over zichzelf, dat hij nog zo'n snelheid kon ontwikkelen of dat hij dat zelfs maar wilde.

Maar de heuvels bleven zich eindeloos aaneen rijgen. Hij dacht dat hij ze nooit kwijt zou raken. Laat in de middag rende hij eindelijk de laatste helling af om in een moeras te belanden.

Hij had wel wat van Jech gezien, maar de ijsmoerassen daar leken helemaal niet op dit terrein. Hier heerste een lauwe dooi. Grijsgroen water sijpelde in greppels en plassen tussen nog meer rietkragen. Er stonden hier ook boomachtige grauwe zwammen met vertakte kruinen.

Toen Leowulf zich een weg door dit waterland begon te banen, werd hij even opgehouden door vluchten eigenaardige, rafelige zwarte vogels die uit de stammen van de zwambomen tevoorschijn vlogen. Ze hadden van het rottende binnenhart zitten eten en hij had ze verstoord, maar dat duurde niet lang. Hij raakte eraan gewend tientallen van deze vogels vlak voor zijn neus te zien opvliegen om dan, zodra hij voorbij was, weer als een verknipte nacht neer te strijken. Hij wist niet wat het voor vogels waren. Waarschijnlijk waren ze voor de gelegenheid uit het binnenland hierheen gevlogen, maar hij kon tegelijk het vermoeden niet van zich afzetten dat ze in feite spontaan op het eiland waren ontstaan – zoals wormen in een te warm geworden lijk, zoals de Jafn beweerden.

Toen de zon achter het eiland in de wolken zakte, merkte Leowulf dat hij dorst had.

Dat was een overwinning van zijn sterfelijke kant op zijn verminderde bovennatuurlijke krachten. Op het vasteland zou dorst geen probleem geweest zijn. Daar lag overal ijs of sneeuw die je kon opwarmen of in het ergste geval in je mond kon laten smelten. Hier waren er alleen die viezige moerasplasjes. Daaruit wilde de kieskeurige Leowulf niet drinken. Hij zette het idee van dorst van zich af. Binnenkort zou het er toch niet meer toe doen, wist hij.

De avond begon te vallen. In de schemering zag het land er weer heel anders uit.

De waterwegen gingen over in een soort bos. De bomen waren nu stengelachtig, een soort palen eigenlijk, maar wel kleverig. Ze hadden in hun kleeflaag allerlei artikelen gevangen, die met veel kabaal heen en weer zwaaiden toen Leowulf erlangs liep. Hij zag metaalgaas, ijzeren kettingen, groen van de algen en vol met zeepokken, en hele verzamelingen bungelende botten die toen het donkerder werd begonnen te glanzen.

En uit dit bos vol botten en ketenen, barstte geen troep vogels tevoorschijn, maar een totaal onverwachte mensengestalte.

Voor Leowulf hem had kunnen bespringen of voor hij had kunnen wegrennen, weigerden zijn benen al dienst. Eerder dan zijn trage brein had zijn lijf zich de gestalte van deze man herinnerd. Het was Joeri.

Joeri was ook helemaal overdonderd.

Daar stonden ze dan in de glanzende schemering naar elkaar te staren, stomverbaasd elkaar hier te zien.

Joeri deed als eerste zijn mond open: 'Bij de Grote Goden, wat doe jij hier?'

'Wat doe *jij* hier, Joeri?'

'Ik had geen keus.'

'Ik dacht dat *ik* het was die geen keus had – dat heb je me tenminste een keer verteld.'

'Ja... dat was anders. Grote Goden,' zei Joeri nog eens. Hij liet het beleefde *Amen* weg en Leowulf vulde het niet aan.

De botten en de ketenen zwaaiden zacht krakend als galgentouwen heen en weer.

Een spookachtig witte maan kwam omhoog sluipen uit het oosten, waar de zee ergens moest liggen.

De mannen gingen zitten op een drogere, schonere plek verderop in het bos, waar Joeri zo te zien zijn kamp al had opgeslagen voor de nacht.

Hij was aan het foerageren geweest, vertelde hij en had daarbij een bijnagave aardewerken pot gevonden. In die pot maakte hij nu een vuurtje, maar niet op de oorspronkelijke manier die hij als ondode had geleerd. Hij wreef stukjes fossiel spul tegen elkaar tot het ging vonken. Nee, het leek er in alle opzichten op dat Joeri zijn gewone vorige leven probeerde op te pikken.

Daar zaten ze dan bij het Olchibi vuurtje in de pot. Boven hun hoofd scheen de maan door de stengels met de bengelende dingen eraan. In het verdunde duister van de hemel vlak rond de maan leek ook wel iets vreemds aan de gang te zijn.

Nadat hij was uitverteld over zijn verkennings- en foerageertochtjes in de omgeving, bleef Joeri zwijgend zitten.

Op het laatst zei Leowulf: 'Waar ga je heen? Het is niks voor jou om ergens te blijven hangen als je eenmaal op weg bent gegaan.'

'Ach, is dat zo? Ik dacht altijd dat jij zo van opschieten hield.'

'Ik denk dat je niet langer mijn vriend bent, Joeri – niet langer mijn oom.'

'Nee.'

'Vanwege Ru Karismi.'

'Het was jouw schuld niet,' zei Joeri somber. 'Die verdomde joekers van een Rukarse magikoi deden het. Verwaande kwasten. Nou, ze hebben zwaar moeten boeten. Maar ze deden het wel vanwege jou.'

'Dat weet ik.'

'Ik heb je niets te vergeven, Leo. En dat zal ik je nooit vergeven.'

'Nee.'

De maan klom naar hoger aan de hemel. Waar hij geweest was, doken sterren op die er veel te helder uitzagen.

'Ik dank je dat je me vanavond in vrede je vuur laat delen, Joeri. Morgen trek ik verder, dan laat ik je weer met rust.'

'Met rust?' Uit zijn zwijgen en zijn afkeer losgeschud, staarde Joeri hem aan. 'Ik zit hier klem. En jij ook, tenzij je nog genoeg goddelijke kracht over hebt om jezelf te redden. Waarschijnlijk heb je dat wel, maar ik – tja. Mijn verleden heeft me ingehaald. Ik moet morgenochtend ook verder. Díe kant op.' Hij wees naar het oosten.

Leowulf zei: 'Wat bedoel je?'

'Weet je dan niet waar we zijn? Wat dit voor oord is?'

'Een eiland dat uit de zee is opgedoken of zo –'

'*Land!* O ja, land, nou mooi land –' Joeri liet een rauwe lach horen en sloeg met zijn handen tegen zijn vlechten. 'Het lééft, dit land. Het duikt heel diep en komt boven als het daar zin in heeft. We hebben elkaar al eerder ontmoet, dit land en ik. Toen was het een stuk kleiner, maar evengoed al een monster.'

Leowulf liet langzaam zijn adem ontsnappen. 'De grote walvis.'
'Aha.'
Ineens schoot Leowulf ook in de lach. 'Ik dacht dat ik naar de waterkant onderweg was om hem op te zoeken.'
'Hij heeft je een wandeling bespaard.'
'Mogelijk. Maar hij heeft jou gedood, Joeri. Waarom ben je dan toch hier?'
'Ik vertelde je al dat hij voor me terugkwam. Hij kwam pal onder mij naar boven en ik werd meegesleurd, dwars door de zee, boven het oppervlak en eronder. Je zou toch denken dat ik zo weg had kunnen springen – hier verdwijnen om ergens anders weer te verschijnen. Lukte niet. Een tijdje kon ik me helemaal niet verroeren, en toen ineens lukte het weer wel. Maar alleen op de manier van een levend mens – alleen híer. Het is mijn lot, mijn ondergang: mijn tijd op deze aarde is ten einde. Het spijt me niet, tenminste, niet erg. Ik neem aan dat ik nu zal moeten gaan boeten in de hel.' Hij haalde bedroefd zijn schouders op.
Leowulf zei: 'Hij is van hém, deze walvis.'
'Van die strontgod? Ja, dat dacht ik al. Uiteindelijk vermoedde ik dat wel. Hoe flikte hij hem dat – trok-ie een walvispak aan en ging ie donderjagen met z'n moeder?'
'Wat je zegt.'
'Nou, dat klinkt echt als iets voor hem.'
'*Hij* stuurde mij naar de walvis, of hem naar mij, om mij door de walvis te laten vermoorden. Hij had geen zin om zijn goddelijkheid eigenhandig te bezoedelen.'
'Het was zíjn helft die jou in de steek liet, Leo. Je moeder mag dan een Rukarse zijn, maar ze was geen slechte vrouw. Nee – ze zou heel geschikt zijn geweest voor Peb Juve, maar hij heeft haar nu niet meer nodig.'
Het vuur brandde inmiddels heel laag. Het was niet koud, maar wel vochtig in het woud van botten en ketenen.
Van kilometers ver klonk een gedempt geritsel, de wind die ergens anders over een stuk land streek.
'Zie je,' zei Joeri, 'ik moet naar de kop van dit ding blijven lopen. Daar ben ik doodgegaan. Mijn botten moet daar nog ergens liggen. Hij spiesde me aan zijn hoorn, maar mijn vlees is nu natuurlijk allang weggerot en weggespoeld, en m'n geraamte zal wel omlaag gerold zijn en tussen de hoornpunten zijn beland. Daar gaat het gebeuren, als ik mezelf tegenkom.'
'Ik had ook naar de kop willen trekken, Joeri. Ik wil hem zo veel mogelijk schade toebrengen.'
'Denk je dat je dat kan? Je bent niet langer jezelf, toch?'
'Nooit geweest ook, maar nu nog minder. Toch kan ik nog wel toverkunsten uithalen, met sommige dingen tenminste. En ik wil het in ieder geval proberen. Iets anders zit er niet in.'

'Laten we dan maar samen gaan,' zei Joeri.
'Niet als je dat niet wilt.' Nors, maar gelaten, volwassen.
'Wat maakt het uit, Leo, wat ík wil. Of wat jíj wilt, nu.'
Leowulf keek op. Hij zei bijna fluisterend: 'Kijk nou eens, drie-in-een haalt weer een geintje uit – Yyrot-Zet-Ddir. Hij heeft weer wat gemaakt.'
Ze gingen allebei staan.
In dat bos op de rug van een walvis stonden ze naar een tweede walvis te staren, maar deze was met sterren getekend en vulde tweederde van de nachthemel.

De volgende morgen trokken ze samen verder.
Ze hadden in het verleden lang genoeg samen gereisd om dit nu half als vertrouwd, half als ongemakkelijk te ervaren.
Toen ze eenmaal het bos uit waren, leek het wel of het 'land' van de walvisrug steil begon op te lopen. Het vuil was hier een dikke, harde laag, doorsneden met kloven en diepe spleten. Ze zagen zelfs grotten. Daar leken wel prille schepsels rond te scharrelen, die elkaar soms met eigenaardig, amper hoorbaar gekrol iets toeriepen. Maar het kon allemaal net zo goed een speling van lucht en wind zijn.
'Is er op dit ding nog ander leven te vinden?' vroeg Leowulf. Hij merkte dat het eigenaardig makkelijk was om tegenover Joeri in een kinderrol te vervallen en hem van alles te vragen.
Joeri knikte. 'Heb je die vogelschepsels gezien? Nou, die heb je dus. En vóór ons zal er nog wel iets zijn, iets groters. Ik heb het af en toe gehoord; 's nachts en ook overdag heb ik het over het beest horen ronddraven. En ik heb ook eens een keer iets voor de maan langs zien vliegen.'
'Vogels?'
'Zelfs de vogels zijn geen vogels. Grote Goden mogen weten wat het wel zijn – iets dat normaal ónder de zeespiegel leeft, in diep water. Maar deze walvis zwemt heel vaak aan het oppervlak en dan krijgen ze vleugels. Heb je gezien dat ze geen ogen hebben?'
Leowulf zweeg.
In de vuilgrotten hoorden ze zacht galmende stemmen kiften en kletsen. Een kreet scheurde opwaarts als de roep van een jachthavik. Verder kwam er helemaal niets naar buiten.
'Het zijn parasieten,' zei Leowulf, 'aaseters. Door zich hier op de walvis te voeden hebben ze wat van zijn bovennatuurlijke eigenschappen overgenomen, en zijn ze aangepast geraakt om zich beter te kunnen redden.'
'Heb jij een mes of een zwaard?' vroeg Joeri verstandig.
'Beide. Kraagwapens voor voedsel of om mee te dansen. Maar ze voldoen heus wel, mits ze *echt* zijn.'
'We zullen rond zonsondergang het hoogste punt van de kop bereiken. Dat voel ik, m'n botten vertellen het me.'

'Waarlijk een enorme walvis; twee hele dagen om over zijn rug te lopen. Goeie kandidaat voor de Beisterse verhalenvertellers.'

'Hij komt omhoog, Leo. Zo langzaam dat wij het niet kunnen voelen, tilt hij zijn kop op, zodat wij die kunnen vinden.'

'Misschien gaat hij wel gewoon onderduiken.'

'Dat is wel erg middelmatig, vind je niet, je verdrinken, of bevriezen, als dat trouwens mogelijk is... En ik – ik ben al dood. Het gebeurt vast op een andere manier.'

'Hoe dan?'

'Hoe kan ik dat nou weten? Misschien weet die walvis het zelf geeneens.'

'Misschien weten we het allemaal wel, maar zijn we het vergeten.'

'Ik denk dat dát wel eens waar kon zijn.'

Rond het middaguur namen ze een tijdje rust. Hoewel de lucht loodgrijs was, schroeide een witte zon ijskoude hitte omlaag. Leowulf hoestte van dorst en Joeri dacht terug aan die keer dat deze halfgod als baby bijna doodgegaan was. Je kon Leowulf wel degelijk doodmaken, reken maar. Joeri dacht diep na over dat vooruitzicht, maar hij moest ook met zichzelf rekening houden. Hij meende te weten hoe voor hem het einde zou komen.

De botten – zíjn botten – waar ze nog lagen, daar zou –

Vlak nadat ze weer verder getrokken waren, stuitten ze op een tweede bos of oerwoud. Droge zeewierranken omwikkelden stammen als zuilen, die huizenhoog oprezen naar de zon. In dit gebied werden ze aangevallen door een troep grotere walvisrug-aaseters.

Ze holden als een troep wolven op vier poten tussen de boomzuilen door. Verder leken ze in niets op wolven maar waren ze een gelatineuze massa van diepzwarte schaduw zonder ogen of tanden.

Het leek wel of deze beesten niet konden vliegen en zelfs niet konden bijten.

Toen kwamen ze schril krijsend aangezwermd. Binnen een paar seconden was Leowulf helemaal overbedekt. Hun gewicht alleen al gooide hem tegen de grond. Hij lag onder de stinkende hete deken van hun glibberige lijven en bleef met zwaard en mes toesteken. Zwartig bloed spatte over hem heen, en andere walgelijke vloeistoffen. Uit hele smalle mondjes staken lintvormige tongen naar buiten. Waar die zich aan zijn huid vastzogen, drongen ze er gretig maar zonder pijn te veroorzaken in door. Het waren een soort bloedzuigers.

Terwijl Leowulf zich van de bloedzuigers probeerde te ontdoen, zag hij Joeri ook vechten. Maar Joeri was een ondode – die kon je geen kwaad doen, zoals hijzelf ook niemand kwaad kon doen. Toch zag Leowulf in de chaos van het walgelijke gevecht dat dit niet langer het geval was. Joeri hakte en zaagde, stak en prikte met zijn Olchibi dolken in zijn handen en schopte met zijn voeten. De bloedzuigerdingen stierven in enorme aantallen, maar waar ze zich aan hem gehecht hadden, zaten nu bloedende wonden.

De strijd was pas afgelopen toen de laatste bloedzuiger eraan ging.

Leowulf schudde de lijken van zich af en stond op. Het bloed stroomde van hem af.

Hij was nu sterfelijk. Als hij nog bewijs nodig had, dan werd hij er nu met zijn neus op gedrukt.

Hij liet zich op de walvisrug op zijn knieën zakken, vloekend en jankend van woede, verblind door het zelfmedelijden waar elk levend schepsel recht op heeft. Hij vervloekte de god – de god die zijn vader was.

Toen hij opstond om verder te gaan, was Joeri hem al een halve kilometer voor.

Voor de sterrenbeeldwalvis bij het vallen van de avond weer terugkeerde, hadden ze het ravijn bereikt dat voor de kop van Fonkelschaduw lag.

Ze konden alleen aan de overkant komen door er doorheen te klimmen. Er was ooit een tijd geweest dat ze allebei met een soepele sprong zo'n kloof hadden kunnen overbruggen. Misschien hadden ze dat nog wel gekund, maar ze geloofden er niet langer in. De Kraag zouden hun verteld hebben dat het gebrek aan vertrouwen in vaardigheden het einde van die vaardigheden voorspelde en bespoedigde.

Een eindje voorbij de overkant van het ravijn rees een bijzondere, slanke, bleke berg uit het zwarte landschap omhoog. De hoorn van de walvis.

Toen ze afdaalden in het ravijn, bleek dat een schatkamer te zijn.

Op de bodem stroomde vies schuimend water dat waarschijnlijk van kilometersver opzij uit de zee binnenstroomde en er kilometersver naar de andere kant weer uitstroomde. Op de richels en banken die naar het water omlaag leidden, lag hier en daar een in stukken gebroken schip. Het waren vooral kleine schepen; versierde zeeroversscheepjes, of de overnaadse schuitjes van walvisjagers en visserlui. Het schip dat het noordelijkst lag, was van een volslagen onbekend type. Het had maar drie masten, maar het was enorm en het had verschillende verdiepingen – ze vroegen elkaar hoe dat gevaarte op zee toch rechtop had kunnen blijven.

De lading van deze scheepjes was omlaag gespoeld en was in het bezinksel blijven steken. Al eerder had Leowulf hier en daar de glans van goud of van een edelsteen gezien, maar op deze plek lagen de schatten waarlijk dik opgestapeld. Ze keken verbaasd in het rond.

'Robijnen. Barnsteen. Kijk toch eens, Joeri, agaten, smaragden...'

'Parelmoer,' vulde Joeri grimmig aan. 'We zijn rijk. We kunnen in Veins gaan wonen, net als de koningen vroeger.'

Gouden en zilveren kelken en met goud en zilver ingelegde wapenrusting en wapens wedijverden in de modder met edelstenen, halskettingen en haarversierselen van buitenissig ontwerp. Een hoop losse parels lag als suiker in het rond gestrooid.

Er lag ook een enorme hoeveelheid kale botten.

'Schoongeknaagd, wil ik wedden,' zei Joeri.
'Dit is een aaseter die blinkende voorwerpen verzamelt en scherpe tanden heeft.'
Hoger in het ravijn bewoog iets op de andere wand.
Leowulf draaide zich om. Joeri draaide zich om en schreeuwde.
Ze waren weer sterke, sterfelijke mannen, ontsteld, geschrokken en een kort ogenblik zelfs bijna opgetogen.
'Een draak! Het is een draak,' zei Joeri beslist.
Maar het was geen draak van het reptielachtige type zoals dat in verhalen en liederen werd beschreven. Deze kroop als een worm uit de dikke modder van de oever omhoog, maar dan wel een worm met enorme krabachtige voorklauwen. Zijn kop vormde één geheel met zijn lijf, en net als alle andere levensvormen op de walvisrug had hij geen ogen. Toen sperde hij zijn kaken open zodat je zijn tanden kon zien. Waar had je ogen voor nodig, met zulke tanden? Hij had de omvang van een paar van de kleinere schepen bij elkaar en zijn tanden waren lang, puntig en eigenaardig schoon.
Nu was het hele gevaarte uit de modder gekropen. Hij nam een dreigende houding aan. 'Hij ruikt ons door zijn open bek,' zei Leowulf.
'Nou,' zei Joeri, 'hij is hier en wij zijn hier ook.'
Bij het achtereind van de worm bewoog nog iets anders dat zich ook uit de modder omhoog werkte.
'Nog een, maar veel kleiner – een jong misschien?'
'Nee, Joeri, kijk, het is een vrouw.'
Ze zagen verbijsterd hoe de vrouw eindelijk overeind krabbelde. Ze zat onder de modder, maar ze stak haar vuisten in de lucht en liet een soort zegevierende kreet horen. Haar bewaker negeerde haar.
'Zijn hol is daar beneden. Hij moet haar daarheen meegenomen hebben om haar later op te eten. Waarom is ze niet gestikt? Dapper wijf om hem naar boven te volgen...'
'Joeri, er komt er nog een uitgekropen.'
De tweede gestalte had er meer moeite mee dan de eerste. Maar zo te zien was het ook een vrouw, hoewel misschien een stuk ouder en minder gezond. De eerste ontsnapte stak geen hand uit om de tweede te helpen.
De wormdraak deed zijn muil dicht. De klap echode door het hele ravijn. Zonder op de uit zijn hol weggevluchte prooi te letten sprong de draak pardoes van de oever. Leowulf en Joeri zagen toen pas dat hij ook vleugels had. Hij sloeg ze wijd uit en het laatste zonlicht gaf ze met granaatrode aderen extra cachet. De draak vloog regelrecht naar de overkant van het ravijn en koerste zonder mankeren op de twee mannen af.
Leowulf sprong hem tegemoet. Hij zwaaide het Kraagse zwaard op de Jafnse manier met twee handen en toen het schepsel daalde, hakte hij de rechter voorklauw eraf.
Bloed spoot uit de wond. In een donkerrode regen knokte Leowulf verder

terwijl Joeri het beest inmiddels van de andere kant bestookte.

Een drakenvleugel werd afgehakt. De wormdraak verloor hoogte en landde struikelend. Maar op de grond vertoonde hij geen enkel teken van ongemak en hij maaide woest met afgehakte en intacte klauwen om zich heen.

Leowulf voelde het schrijnen toen een van de klauwen over zijn schouders en zijn borst schraapte. Hij dook in elkaar en kroop weer naar voren om onder de maaiende klauwen door te lopen.

Een echte mythische draak hoorde een schubbenpantsering te hebben, maar het vel van deze was alleen maar taai en ongevoelig. Het zwaard sneed er telkens en telkens weer doorheen.

Joeri wist via de staart op het pootloze torso te komen en danste over de ruggengraat van het monster – als het die tenminste had. Hij bewerkte die flink met zijn dolk.

Leowulf gaf de worm een paar houwen onder zijn onderkaak. Nog meer bloed stroomde naar buiten.

Hij rolde gauw opzij voor de tanden hem konden grijpen. Hij dacht er helemaal niet meer aan dat hij hier waarschijnlijk zou sterven.

Na verloop van tijd begon de worm op en neer te bokken, waardoor Joeri eraf werd geschud. Hij raakte daarbij een mes kwijt, wat hem woedend maakte – precies zoals hem dat meer dan tien jaar geleden ook woedend gemaakt zou hebben.

Dit ding was zo verstandloos dat het niet scheen te weten dat het ernstig gewond en misschien zelfs wel stervende was.

Telkens en telkens weer hakten ze eropin. Ze vochten door in een chaos van bloed en rommel, en de juwelen en gouden kommen vlogen hen af en toe om de oren.

Eindelijk viel de worm op zijn zij. Hij was nu zijn beide grote voorklauwen kwijt. Z'n vleugels waren onbruikbaar. Ongelooflijk en ondenkbaar genoeg bleef hij maar onophoudelijk met zijn veeltandige kaken klapperen, in een onstilbare honger naar mensenvlees.

De zon ging eindelijk onder; het leek wel of het bloed zich met het stervende licht had vermengd.

Toen Leowulf weer achteruit stapte en op de oever die schone, gemene tanden nog steeds blindelings zag toehappen, zowat het enige wat er nog bewoog aan de worm, raakte hij vervuld van een afschuwelijk medelijden.

'Hij wil niet sterven, Joeri, hij wil niet sterven.'

'Hij moet,' zei Joeri.

'Je moet,' zei Leowulf tegen de worm. 'Achteruit maar, Joeri. Ik kan dit wel. Ik kan niet genezen – dat heb ik een keer geprobeerd maar het hield geen stand – maar ik kan wel doden.'

Joeri stapte met een nors gezicht achteruit.

Leowulf liep nog een keer naar voren. De kaken kwamen tastend op hem af en Leowulf zoog een diepe teug lucht naar binnen. Toen boog hij voorover en hij tikte de worm lichtjes op zijn kop, precies midden tussen de plekken waar zijn ogen gezeten zouden hebben als hij die had gehad.

Zoals hij dat in het verleden tientallen keren bij herten of beren had gezien, zag Joeri nu ook de worm slaperig worden. Alle wilde bewegingen bedaarden. Hij liet zijn kop kalm op de modder zakken. Leowulf hield zijn hand liefkozend op de bolle schedel. Toen hij zekerheid had, trok hij zijn hand weg en doorstak hij de kop een paar maal met zijn zwaard. Hij streelde het schepsel en het stierf in zijn slaap. Het had een lievelingshond of een leeuw geweest kunnen zijn.

Er viel een doodse stilte in het ravijn. Toen begon een van de vrouwen op de oever aan de overkant te gillen.

Leowulf richtte zich op en keek haar kwaad aan. Pas toen besefte hij dat ze zijn... dat ze *allebei*... zijn moeder Safee waren.

Diep in zijn goudogige brein hoorde Fonkelschaduw de wezens lopen en praten in het land op zijn rug. De walvis bemoeide zich zelden met wat daar gebeurde, maar deze mensen waren een ander geval; hij was zich sterk van hun aanwezigheid bewust. Zelfs de derde – of vierde – toevoeging, de ondode man, had indruk op Fonkelschaduw gemaakt. De ondode man leek toch betekenis te hebben, hoewel niet zo'n duidelijke als de twee belichamingen van de vrouw die de god had gebaard. En de voetstappen van Leowulf had Fonkelschaduw stuk voor stuk op zijn huid voelen branden.

De walvis verstond geen van de talen die ze spraken. Hij begreep ook hun bedoelingen niet echt. Toch kon hij hen lezen als een open boek.

Hij lag nu doodstil in het water, met zijn kop net hoog genoeg boven het oppervlak om hen in staat te stellen omhoog te klimmen naar zijn laatste, beste bottenverzameling. De hoorn, die een berg was, of een reuzentoren, omringd door een voorgebergte of door een buitenissig piekenpaleis, ving op z'n hoogste punt het laatste gloeien van het daglicht.

In de hemel boven hun hoofd begon het walvissterrenbeeld al te pinkelen.

Zij waren nog niet aan de klim begonnen. Nadat de mannen daarheen waren geklauterd, zaten ze nu bij elkaar aan de kopkant van het ravijn. De dood van de aasetende worm maakte geen enkele indruk op Fonkelschaduw. Zulke beesten kwamen en gingen. Onder water werkten ze beter, daar hielden ze de walvishuid schoon – als bedienden en overbodige bewakers.

Fonkelschaduw dobberde in bewegingloze concentratie. Achter de sterrenwalvis werd de hemel donker.

Gekleed in geronnen bloed en vuiligheid zaten ze met zijn vieren naar het sterrenbeeld te kijken.

Niet ver van hen af lag een bosje eveneens door de wormdraak verzamelde dode zeelieden met fantastische, oplichtende kleuren weg te rotten. De stank was niet van belang tussen alle andere rottingslucht.

'Niets dan hardvochtige woorden, dan, moeder?' zei Leowulf.

'Je verdient niet anders.'

Zo ging het al vanaf het moment dat hij haar bereikt had. Daar stonden ze elkaar dan kwaad aan te staren; zij omdat ze zei dat hij haar gemeen had behandeld en haar in de steek had gelaten en dat het dus allemaal zijn schuld was, en hij omdat zij dat zei.

Joeri lette niet al te veel op hen. Hij voelde zich nog altijd niet erg op zijn gemak met Safee. Nu was ze nota bene nog met z'n tweeën ook. De oudste die duidelijk dement was, zag er krom en voddig uit en haar lange gebroken nagels krasten over elkaar. Ze zat in zichzelf te mompelen en riep soms namen in het Rukars, of in het Jafn, meestal namen die Joeri niet graag hoorde.

'Kun je haar haar mond niet laten houden?' vroeg hij aan de andere Safee.

'Ik wou dat het waar was. Ik werd knettergek van haar daar beneden in dat hol.'

Besefte Safee wel echt dat deze andere vrouw *haarzelf* was?

De eerste Safee, de Safee die Joeri had gekend, zag er onder de modder nog net zo uit als hij zich haar herinnerde. Er waren zelfs een paar slierten van haar eigenaardige haar zichtbaar.

Ze scheen te weten dat Joeri ten minste één keer naar het sneeuwdorp was teruggekeerd en dat hij haar had proberen te vinden. Hém behandelde ze kil maar beleefd. Maar haar zoon kreeg een spervuur van vrouwelijke woede over zich heen.

Morgen zouden ze waarschijnlijk allemaal dood zijn. Dan konden ze toch beter als vrienden met elkaar omgaan? Maar vrouwen beten zich altijd in oude grieven vast. In alle echt ernstige vetes waren het altijd de vrouwen die de zaak niet wilden laten rusten.

Nu en dan zag Joeri bij het licht van de rottende lijken dat ze haar zoon stiekem even van opzij bekeek. Dan kreeg ze een liefdevolle, droeve blik in haar ogen. En één keer zei ze, alsof ze het niet kon inhouden: 'Je bent opgegroeid tot een pracht van een kerel, lang en sterk. Maar dat heb ik niet zien gebeuren. Dat gebeurde ver bij mij vandaan. Je hebt mij er niets van laten zien. Nee, ik was lucht voor je.'

En Leowulf zat met een kwaad gezicht te mokken. Joeri vroeg de Grote Goden of hij, de dode Joeri, soms de enige was die het verstand waarmee hij was geboren ook inderdaad gebruikte.

Ze hadden niets te eten of te drinken. Alleen Leowulf scheen die luxe te missen. Geestelijke aftakeling, waar ze nu allemaal last van hadden, maakte het gemis misschien nog erger. Leowulf zoog af en toe op het heft van het Kraagse mes, hoe onvoorstelbaar smerig dat ook was, om tenminste een beetje vocht in zijn mond te krijgen. Een andere man zou natuurlijk allang ingestort zijn of krankzinnig zijn geworden van uitdroging na al die fysieke inspanningen.

Uiteindelijk vroeg Joeri aan Safee hoe zij op de walvis terechtgekomen was. Hij dacht dat ze misschien net als hij de drang had gevoeld om hierheen te komen en hoewel ze een nogal ontwijkend antwoord gaf – ijsbergen, een minnaar die ze had afgewezen, haar kat, die haar blijkbaar ook ontrouw was – bracht hem dat niet op andere gedachten. Het monster was tot vlak onder de kust gezwommen en had haar opgeveegd, zoals een bezem een kiezeltje.

'Van daarna herinner ik me niets. Ik denk dat we soms onder water waren – maar ik heb het overleefd. Toen ik wakker werd, bevond ik me in deze hel. Eerst wist ik helemaal niet dat ik op de rug van het monster zat. Ik verwachtte nog steeds dat ik elk moment dood kon gaan.' Haar gezicht was een masker van zelfbedrog. Toen keek ze toch enigszins bezorgd. 'Dood ga ik natuurlijk toch. De dood die ik eerder heb beleefd, die komt weer terug.' Ze keek naar Joeri. Die zei niets. Safee zei: 'Toen ik hier ronddwaalde, kwam ik *haar* tegen.'

Toen er naar haar werd gewezen, begon de oude vrouw te blaten. *'Zet,'* zei ze met bevende stem. Safee leunde opzij en gaf haar een klap. Ja, dacht Joeri verdraagzaam, het was nog steeds een kreng. Maar die ouwe dwaas hield nu tenminste wel haar kop.

'*Zij* heet Saffie,' verkondigde Safee eigenzinnig, blijkbaar zonder betekenis te hechten aan het feit dat die naam erg op haar eigen naam leek. 'Dat heeft ze me in een helder moment verteld – alsof ik die zou moeten of willen weten.' Ze aarzelde en zei toen: 'Er leeft hier verder niemand, behalve een stel walgelijke beesten die almaar eten en rondvliegen of rondrennen.'

'Vielen ze jou niet aan?' vroeg Joeri nieuwsgierig.

'Alleen die laatste – die viel me aan. Ik was tussen al die edelstenen en wrakstukken terechtgekomen en toen braakte de grond ineens die krabworm uit.' Safee schudde haar verfoeilijke haar naar achteren. 'Hij doodde me niet. Hij hield me als een soort troeteldier – en haar ook, zij.'

'Misschien had het beest alleen een hekel aan mannen,' zei Leowulf. 'Misschien was het zelf een vrouwtje.'

Zelfs in dit rare licht en onder het vuil zag Joeri haar wangen gloeien.

'Ja, we hebben daar wel onze redenen voor, nietwaar. O, als je eens had geweten–' Ineens viel ze stil. Er verstreek een minuut. Ze zat naar hem te kijken. 'Mijn zoon,' zei ze toen, 'mijn zoon.' Toen begon ze te huilen en de tranen spoelden haar gezicht schoon. Naast haar begon de oude ook te huilen.

Joeri stond op. 'Nou, ik ga maar eens.'

Geen van hen maakte aanstalten. De vrouwen zaten te janken en Leowulf zat er beteuterd bij, in de steek gelaten door zijn charisma en zijn lieve maniertjes.

Joeri klom moeizaam tegen de helling van de bolle walviskop op, steeds hoger, tot de drie gestalten beneden achter dikke vuilrichels verdwenen.

Hogerop werd het terrein trouwens wat vlakker. Hier had de walvis wat minder bouwkunstige verfraaiingen.

Voor hem uit stak de puntige hoorn zwart af tegen de sterrenhemel. Vanaf dit punt zou het morgenochtend nog ongeveer een wandeling van een uur zijn, vermoedde Joeri, meer niet. De vrouwen zouden er misschien langer over doen. Dat zou het einde nog weer iets uitstellen.

Zou hij gewoon in zijn eentje verdergaan, om er eindelijk vanaf te zijn? Joeri vermoedde dat die poging geen zin zou hebben. Op de een of andere manier zou hij daarvan weerhouden worden, net als wanneer hij probeerde te vertrekken, zoals hij tot nu toe ook niet was verdronken, en zij evenmin. Hij en zij moesten ongeveer op hetzelfde tijdstip vernietigd worden, net als destijds, anders kon het niet. Hij was trouwens toch al dood, waarom zou hij de moeite nemen om het nog een keer over te doen?

Voorbij de kop van de walvis meende hij nu in de diepte de zee te kunnen zien, kil rimpelend.

Joeri stampte op de kop van de walvis. Hij dacht niet dat die dat zou kunnen voelen.

'Wat heb je voor hem in petto, zwarte walvis? Mij ga je weer aan je hoorn spietsen, dat weet ik al. En haar staat ook dezelfde dood te wachten; zij verdrinkt in het koude water onder het ijs. Maar wat staat Leowulf te wachten?' Joeri bespeurde hierboven een hele zwakke trilling. Hij dacht dat de walvis misschien koers had gezet naar de open zee. 'Hij is een *god*, zwarte walvis – ook al is hij nu verzwakt. Ooit was hij onkwetsbaar en zelfs nu helen zijn wonden binnen enkele minuten. Hoewel hij vergaat van de dorst, leeft hij nog steeds en is hij helder en spraakzaam en zo goed als goud. *Wat gaat het worden?*'

Fonkelschaduw sprak tegen Joeri.

Joeri had geen antwoord verwacht en viel om van schrik. Hij lag languit op de kop van de walvis en luisterde naar het lied dat Fonkelschaduw voor hem zong, uit beleefdheid en ongeëvenaarde kwaadaardigheid.

En hoewel het beleefde en gemene lied geen woorden had, werd Joeri's mentale piste geheel gevuld met de *vorm* ervan.

Toen het afgelopen was, bleef Joeri lange tijd doodstil liggen.

'Ik ga het hem niet vertellen,' zei hij. Hij beet op zijn lip aan de binnenkant van zijn mond. Joeri begon te huilen. Kort voor de dageraad hief hij zijn hoofd op en schreeuwde hij tegen de lucht, niet met woorden maar met *vormen*; paniek, doodsangst, de woede van dertien jaar en meer.

Toen ging hij weer naar beneden waar hij Leowulf slapend aantrof, met zijn hoofd op de knieën van zijn jonge slapende moeder, en met een van zijn armen stevig om de ook slapende oude moeder heen.

'Jou vergeef ik Leo,' zei Joeri. 'Maar de Grote Goden nooit.'

De Leowulf droomde. Zoals vrijwel altijd wist hij dat hij droomde. Er stond een pientere tovenaar voor hem, een van de magikoi, meende hij, maar hij wist het niet zeker, want de details van zijn kleren en zijn spraak waren niet duidelijk, alleen het ritueel dat de man uitvoerde.

Het leek wel een omkeerbezwering waarmee je dingen ongedaan kon maken. Leowulf keek als aan zijn plaats genageld toe.

Zelfs hier kon hij niet met zekerheid zeggen wat hij zag. De tovenaar haalde achter elkaar vormloze dingen uit een vat en het licht dat in het vat scheen, doofde langzaamaan uit.

'Zo gaat dat,' zei de onbekende tovenaar, 'wanneer dat wat het heeft veroorzaakt, ongedaan wordt gemaakt met nauwgezette toverformules. Symbooltoverij – erg doeltreffend, zul je merken.'

Leowulf deed zijn ogen open. De oude Saffie jammerde zacht tegen hem. Ze zat rechtop en kamde haar haar met haar klauwen. Safee streek haar eigen haar glad. Hij dacht aan Darhana en aan wel honderd vrouwen die dit ook hadden gedaan. Maar een mans moeder was natuurlijk meestal de eerste.

Hij was blij dat ze zich hadden verzoend. Het speet hem dat hij haar deze tweede dood niet kon besparen – en ook Joeri niet. Zelf voelde hij uitsluitend de vertrouwde verbijstering, en de nieuwe wanhoop.

Was de droom bedoeld geweest om een soort reddingsplan in hem wakker te roepen? Dat was dan mislukt.

Joeri stond te wachten tot iedereen wakker werd, en tot de vrouwen zich zo goed en zo kwaad als mogelijk was hadden opgeknapt. Joeri merkte wel dat niemand nu nog een lichamelijke behoefte te doen had.

Safee was vandaag nors maar beheerst. Ze hielp haar besjesversie omhoog klimmen naar de kop. Een keer noemde ze de oude vrouw 'Juf', waarop ze het met een tongklak als een vergissing van de hand wees.

Joeri en Leowulf liepen voorop. Ze spraken geen woord.

Eenmaal boven aangekomen staarde Leowulf om zich heen. De zon kwam op en het was duidelijk dat ze inmiddels midden op zee waren en dat de grote walvis gladjes voortkoerste. Het was nevelig, maar het zonlicht sprankelde op de golven in de diepte waar ze uiteenweken voor het verbazend snel opstomende dier.

'Joeri...'

'Nee,' zei Joeri. 'Wij hebben in deze wereld te veel gedaan om er nog over te praten. Het spreekt luid genoeg voor zichzelf.'

'Akkoord.'

'Ik zie je in de hel, Leo,' zei Joeri. 'Alleen is mijn hel misschien niet dezelfde als die van jou.'

'De Grote Goden geven dat jouw hel een stuk beter is dan de mijne.'

Weer zei geen van beide mannen *Amen*. Voor Joeri hadden zijn goden afgedaan. Leowulf moest er eerst nog een paar vinden.

De vrouwen ploeterden voort over de steile vuilhelling en kwamen samen over de kop van de walvis aanlopen.

'Een mooie ochtend,' zei Safee.

Haar schoongehuilde gezicht stond strak van angst. Zij was het bangst van allemaal. Ze had op onsterfelijkheid gehoopt, maar de dood bedrukte haar hevig. Ze wist dat ze niet nog een keer zou ontkomen. Maar ze had ooit een koninklijke opvoeding genoten. Tegen Joeri zei ze hooghartig: 'Waar moeten we nu heen?'

'Naar de pieken en de hoorn.'

'Uitstekend.'

Leowulf ging tussen de vrouwen in lopen, met aan elke arm één, zoals aan het hof van het verwoeste Ru Karismi.

Joeri marcheerde achter hen aan als hun lijfwacht.

Wat een rotdag om te sterven. Maar zou hij het prettiger gevonden hebben als het vandaag noodweer was geweest?

Het piekenpaleis werd groter en wonderlijker en de piek die er bovenuit torende, werd zo enorm dat je zijn omvang niet meer kon schatten of berekenen.

Safee dacht: *Misschien gebeurt er wel niets. Misschien is dit wel alles wat hij wil, dat we ons gedragen alsof we gaan sterven–*

Ze stonden onder het kolossale bouwsel van de pieken. Hier hingen de echte skeletten als franje aan de ivoren punten. Het waren er te veel om zelfs op een knekelhuis te lijken, maar toch zag Safee onmiddellijk een stel gehoornde wimperhertschedels die als een guirlande over een sliert mensenbotten gedrapeerd lagen die eindigde met een mensenschedel. Die waren van haar, wist ze meteen en stellig. Haar andere zelf, de oude Saffie, wist het ook en sloeg haar handen voor haar ogen – om ze ineens heel ongerijmd weer te laten zakken en zich breed lachend los te rukken, waarna ze vrolijk op het geraamte afliep alsof ze een geliefd familielid had teruggevonden.

Joeri ontdekte zijn eigen geraamte ook meteen. Het was een nobel geval, vond hij, hier en daar zelfs nog wit en het hoofd zat er nog goed-om op.

De vaarwind maakte hun lippen zilt. Hij dacht aan de asvlakte rond de stad. Waarschijnlijk deed Leowulf dat ook.

Safee dacht: *Dan is dit dus blijkbaar alles–*

Maar voor ze haar mond open kon doen, was het gedaan met het kalme varen.

De walvis maakte ineens een soort stuitersprong boven water.

Leowulf stak zijn hand uit om Safee te grijpen, maar ze was al weg. Hij zag haar geschrokken gezicht bij hem vandaan glijden, en Joeri vloog schreeuwend omhoog als opgetild door onzichtbare handen, en zette grommend een krijgslied in...

Leowulf werd tegen de pieken gesmeten en kwam daar vast te zitten, verankerd en vastgesnoerd. De oude vrouw riep hem geluidloos iets toe. 'Vaarwel,' zei ze vriendelijk.

De wereld van de walvis viel uit elkaar en de zee brak in een miljoen spiegelscherven.

Water spoelde over Leowulf heen en drukte hem plat, maar hij zat nog steeds met zijn kleren aan een scherpe punt vastgeprikt.

Hij hoorde Safee schreeuwen. Joeri's borjiy bulderzang was afgelopen; hij was hoog in de lucht gesmeten en had daar een duikeling gemaakt. Hij leek nu wel zo hoog als de zon, Joeri, zoals hij daar op de vlijmscherpe punt van de onmogelijke walvishoorn gespiest hing. Hij was opnieuw dood. Zijn rode bloed druppelde traag en zonder protest langs de zijkant van de hoorn.

Nu klemde alleen Leowulf zich nog eigenhandig vast aan de rug van Fonkelschaduw, moordenaar van de god.

En Leowulf werd omspoeld door een ander getij – een van tijd en duur.

Tenietdoen. Via zijn volgeling de walvis had de god hen tenietgedaan: de moeder die Leowulf had geconcipieerd en gebaard, en Joeri die hem voor Zezets toorn had behoed. Dit tenietdoen was tot stand gebracht in een onberispelijke kopie van beider eerste dood. Een aan de spies, een in het water onder het diepste zee-ijs. Ze waren uitgewist. De geschiedenis was ontmanteld, Zet had gezegevierd.

Leowulf voelde het getij dat geen water was, over hem heen spoelen.

Hij probeerde zich schrap te zetten tegen de punt om zich te bevrijden, van alles.

Hij was zwak. Zijn handen... waren te klein.

Als iemand het had gezien, als Fonkelschaduw het had gezien, en misschien was hij wel de enige die dat had kunnen zien, in die paar seconden smolt Leowulf de man helemaal weg. Een roodharige jongen worstelde tegen de piek en toen ging zelfs de jongen–

Een roodharig kind van vier of vijf klampte zich vast aan de rug van de walvis. Hij worstelde niet maar krijste om zijn dode moeder en zijn dode oom–

Een *kind.*

Maar toen begon zelfs het *kind*–

Het smolt helemaal weg. Het was een zuigeling die daar zo krijste–

En toen was het nog maar een klein wurmpje, een embryo buiten een moederschoot. Een zaadje.

Symbooltoverij. De geschiedenis gewist, alsof hij nooit had bestaan. Niet geconcipieerd, niet geboren. Tenietdoen, tenietgedaan.

Het is niets.

Niets.

Hij is niets.

Verdwenen–

Maar o, zijn *ziel,* de ziel van de Leowulf, díe valt en valt in de allerdiepste zee, helemaal tot voor de gevechtspoort van de hel.

TWEE

Negen Vormse mannen waren getuige van haar geboorte op hun kust. Zij zouden haar priesters worden.

Heel ver in het zuiden had een apocalyptisch sterven plaatsgevonden. De volken uit de landen van de noordelijke zee waren sterk uitgedund. Grote aantallen van hun zonen waren omgekomen, maar ze hadden niet zo gruwelijk geleden als de volken van het continent zelf, en Vormen, Wierders en Beisters maakten zich op voor een rooftocht op het hulpeloze vasteland. Ze waren al eeuwenlang zeerovers en plunderaars. En in weerwil van de tragische omstandigheden viel er in dit tijdvak grote rijkdom te vergaren.

Jord en zijn broer Majord lagen met hun schip aan de voet van de klip. De buikdenning en de roeiersbanken moesten schoon geschrobd en dat waren zij aan het regelen.

De zeven andere mannen waren nog dronken van een begrafeniswake van de vorige avond – de broers ook, maar die weigerden het toe te geven. Midden in het gekift en gestoei keek Jord op en hij zag iets.

'Wat is dat, daar, op ons water?'

Negen mannen lieten hun werk in de steek, hun alledaagse bestaan. Ze dromden samen op de rotsige kust en staarden.

Een lange golf, groen als appels, kwam op de kust afrollen. In de gekrulde kuif die geen een keer omsloeg, stond een sneeuwwitte vrouw in een tweede golf van topaaskleurig haar.

Door de zee gebaard koerste ze de haven van het Vormse eiland binnen, zonder ook maar een spoor van enige andere wereld, of van haar sterfelijke koninklijke afkomst, of van haar dubbele verdrinking in een ijskoude zee. Nee, de zee was haar minnaar en haar dienstmaagd. Hij zette haar luisterrijk aan land.

Toen de golf schuimend over het strand schoof en de vrouw eruit stapte als uit een groene schelp, wierpen de Vormse mannen, die meteen inzagen dat zij goddelijk was, zich aan haar naakte voeten.

Ze was van top tot teen naakt. Ze was van top tot teen schitterend. Ze was dan ook een godin.

Hij had ervoor gezorgd – zoals de ander voor de patronen in de sterren zorgde. Of hij nu echt een individu was, of louter de derde belichaming van het drietal dat samen de god vormde die in zijn deelaspecten bekend stond als Yyrot, Ddir en Zet, Yyrot had Safee kracht gegeven en haar veranderd. Hoewel ze het nooit had bemerkt, had hij haar op de een of andere manier de goddelijkheid gegeven die hij als belofte of als dreigement in het vooruitzicht had gesteld. Zezet wenste haar dood; Yyrot zorgde dat ze bleef leven, maar in een volstrekt onaantastbare vorm, ontdaan van alle sterfelijke poespas. Haar tweede dood in de zee had dat bewerkstelligd.

Ze waren dus niet louter schizofreen, de individuele verschijningen van dit goddelijke drietal, ze waren ook nog eens een samenstel van een drievoudige persoonlijkheid.

Daar op die kust kon Safee zich geen van hen herinneren.

Ze stapte aan land, fris als een komkommer, verrukkelijk als een bloem.

Ze lachte toen de mensenmannen zich aan haar onderwierpen en Majord, hun bard, prees haar.

Pas later, toen ze in de houten gemeenschapszaal, die eruit zag als een omgekeerde boot, in een schrijn zat en zich liet vereren, betrok het gezicht van de goddelijke Safee. En om wat ze toen zei, zou het Vormenland haar eeuwig blijven aanbidden. Ze zei precies wat talloze Vormse vrouwen in dat jaar van verdriet en oorlogen óók zeiden. En ze zei het in het Vorms. Ze was tenslotte een godin en ze beheerste vele talen. 'Mijn zoon,' schreide ze. 'Mijn zoon.'

... Onvoltooid ...

VERKLARENDE WOORDENLIJST

Ar, **Arrenslee**
Snelle, door dieren getrokken sleden, geschikt voor ijs en sneeuw; Ruk Kar Is

Borjiy
Berserker of amokmaker, roekeloze strijder; Jafn

Brok
Menselijke slaaf; Ranjalla en het zuiden van het noordoosten

Concubine
Ongetrouwde bijvrouw van een vorst; Ruk Kar Is

Corrit
Boosaardige sprit; Jafn

Crarrow (mv. **Crarrowin**)
Lid van een heksenkring; Olchibi en delen van Jech

Crax
Hoofdheks van een **crarrowin**kring

Dilf
Een van de soorten sluimergraan; algemeen, maar voornamelijk in vruchtbare streken

Endhlefon
Tijdvak van elf dagen en nachten; Jafn

Gaiord
Stamhoofd/koning; Jafn

Gargolem
Door toverkracht bezielde niet-menselijke metalen dienaar; de grootste van deze schepsels bewaakt de vorsten van Ru Karismi; Ruk Kar Is

Gleer
Boosaardige sprit; Jafn

Glijkar
Grote vrachtslee; Ruk Kar Is

Hippijn (mv. **Hippijnen**)
Een paardenras, blijkbaar ooit gekruist met vissen; geschubd en aangepast aan land en zee; Beisters, Wierders en Vormen

Hirdiy
Nomadenstam; noorden van noordelijk Jech

Hnowa
Rijdier; Jafn

Insularium
Onderaards complex onder het water van de Bleekste; eigendom van en uitsluitend toegankelijk voor de **magikoi**; Ru Karismi

Jinan/jinnan
Met toverkracht opgeroepen huisgeest; Ruk Kar Is – meestal **magikoi**

Joeker
Onduidelijke belediging, mogelijk verband houdende met genitaal of urineergedrag (?); Jafn, maar ook wel elders in het noorden en oosten, met inbegrip van Ruk Kar Is

Jonkie
Zuigeling of kind tot twaalf jaar; Olchibi

Kalfie
Walviskalf; algemeen

Ketsen
Wippen, neuken

Kets-
Beledigend voorvoegsel met wisselende betekenis; afgeleid van het werkwoord **ketsen**

Krit
Een van de Lammergiersoorten; hoogland van Ruk Kar Is

Kwintel
Met vijf torens; Ruk Kar Is

Lamaskeep
Schaap met lange, dikke wol; algemeen in het noorden

Lichtkruid
Bosplantje met blauwe bloempjes; noorden en oosten

Magikoi
Orde van tovergeleerden, eeuwen geleden gesticht; in bezit van buitengewone en streng bewaakte vermogens; Ruk Kar Is

Mera
Zeemeermin; algemeen in het noorden

Oculus Magikoi
Kristallen bol of toverspiegel met ongelooflijk bereik; Ruk Kar Is

Sief
Demon, soort vampier; Jafn

Slokker
Demon, soort vampier; lijkt op **sief**; Jafn

Sluhtins
Grote stadsachtige groepen **sluhts**; Olchibi

Sluhts
Gemeenschappelijke tent/grot/hut woningen; Olchibi

Souter
Diepste ondergrondse vertrekken in het huis van een tovermeester; **magikoi**

Spitzerij
Groep torens met elkaar verbonden door loopbruggen en/of overdekte gangen; **magikoi**, Ruk Kar Is

Spotwolf
Een soort wolfachtige jakhals, berucht om zijn spottende gehuil; algemeen op de sneeuwvlakten.

Sprit
Spook of geest; Jafn

Thaumarij
Thaumaturgisch vertrek voor toverpraktijken, gelegen naast de grote zaal, vrijwel uitsluitend gebruikt door aan een werf of een Huis verbonden tovenaars – zelfs het opperhoofd gaat er niet zonder uitnodiging naar binnen; Jafn

Touwflard
Slang met vel als gerafeld touw; de Waard en het hoge noorden

Vlieglork
Besdragend struikachtig naaldboompje; algemeen op het hele continent

Vriks
Kwade sprit; Jafn

Vrouwenboog
Boog waarmee maar één pijl tegelijk kan worden afgeschoten (mannenbogen kunnen tot vier pijlen tegelijk afschieten, afhankelijk van de vaardigheid van de schutter); Olchibi

Vuurfex
Feniks; Ruk Kar Is

Wimperhert
Met zorg gefokte, goed afgerichte sledetrekdieren voor snelle verplaatsing over sneeuw en ijs; Ruk Kar Is

Wit-kadi
Meeuwensoort; oostelijke kuststreek

IJspels
Hermelijnachtig knaagdier met een dikke vacht; algemeen op het continent

Zwifter
Windgeest; Jafn